Vos ressources numériques en ligne !

Un ensemble d'outils numériques spécialement conçus pour vous aider dans l'acquisition des connaissances liées à

LE MANAGEMENT, DIMENSION PRATIQUE

3e édition

- Banque d'hyperliens
- Méthodes d'analyse de cas
- Cas additionnels

D1406810

Accédez à ces outils en un clic !

www.cheneliere.ca/turgeon-lamaute

CHENELIÈRE
ÉDUCATION

Le management

dimension pratique

3e édition

Bernard Turgeon
Dominique Lamaute

Consultation
Joe Najjar
Cégep régional de Lanaudière (Joliette)

Conception et rédaction
des outils pédagogiques en ligne
Bernard Turgeon
Dominique Lamaute

Achetez
en ligne
En tout temps,
simple et rapide !
www.cheneliere.ca

CHENELIÈRE
ÉDUCATION

Le management
Dimension pratique, 3e édition

Bernard Turgeon et Dominique Lamaute

© 2011 **Chenelière Éducation inc.**
© 2006 Les Éditions de la Chenelière inc.

Conception éditoriale: Mélanie Bergeron et Sophie Jaillot
Édition: Éric Monarque
Coordination: Julie Garneau
Révision linguistique: Mireille L.-Rousseau
Correction d'épreuves: Isabelle Roy
Conception graphique: Alain Lapointe
Conception de la couverture: Alain Lapointe
Impression: Imprimeries Transcontinental

Coordination éditoriale du matériel complémentaire Web: Éric Chatelain

**Catalogage avant publication
de Bibliothèque et Archives nationales du Québec
et Bibliothèque et Archives Canada**

Turgeon, Bernard, 1944-

Le management: dimension pratique

3e éd.

Publ. antérieurement sous le titre: Le management dans son nouveau
contexte. Montréal: Chenelière/McGraw-Hill, 2002.
Comprend des réf. bibliogr. et un index.
Pour les étudiants du niveau collégial.

ISBN 978-2-7650-2578-8

1. Gestion. 2. Changement organisationnel. 3. Gestion – Problèmes
et exercices. I. Lamaute, Dominique. II. Turgeon, Bernard, 1944- .
Management dans son nouveau contexte. III. Titre.

HD33.T88 2011   658   C2011-940794-9

5800, rue Saint-Denis, bureau 900
Montréal (Québec) H2S 3L5 Canada
Téléphone: 514 273-1066
Télécopieur: 450-461-3834 ou 1 800 814-0324
info@cheneliere.ca

ISBN 978-2-7650-2578-8

Dépôt légal: 2e trimestre 2011
Bibliothèque et Archives nationales du Québec
Bibliothèque et Archives Canada

Imprimé au Canada

2   3   4   5   6   IMG   16   15   14   13   12

Nous reconnaissons l'aide financière du gouvernement du Canada par
l'entremise du Fonds du livre du Canada (FLC) pour nos activités d'édition.

Gouvernement du Québec – Programme de crédit d'impôt pour l'édition de
livres – Gestion SODEC.

Sources iconographiques

Couverture: © Karl Dolenc/iStockphoto; **p. 3:**
Wikipedia Common; **p. 5:** The Granger Collection;
p. 19: dem10/iStockphoto; **p. 30:** Johann
Helgason/iStockphoto; **p. 35:** Jošt Gantar/iStock-
photo; **p. 58:** Chris Schmidt/iStockphoto; **p. 70:**
Andrey Burmakin/iStockphoto; **p. 84:** pablo del rio
sotelo/iStockphoto; **p. 99:** LajosRepasi/iStockphoto;
p. 122: Arpad Nagy-Bagoly/iStockphoto; **p. 129:**
Dmitry Vasilyev/iStockphoto; **p. 151:** vm/iStock-
photo; **p. 155:** Clerkenwell_Images/iStockphoto;
p. 169: Agence spatiale canadienne; **p. 183:**
Tomas Bercic/iStockphoto; **p. 197:** Srdjan Srdjanov/
iStockphoto; **p. 199:** Nicole S. Young/iStockphoto;
p. 229: Jacob Wackerhausen/iStockphoto; **p. 236:**
Hector Mandel/iStockphoto; **p. 253:** Eduardo
Leite/iStockphoto; **p. 267:** Sawayasu Tsuji/iStock-
photo; **p. 275:** Bowie15/Dreamstime.com; **p. 277:**
Sergey Khakimullin/Dreamstime.com; **p. 280:**
Helder Almeida/Dreamstime.com; **p. 304:** Eliza
Snow/iStockphoto; **p. 306:** El Greco/Shutterstock.

Dans cet ouvrage, le masculin est utilisé comme
représentant des deux sexes, sans discrimination
à l'égard des hommes et des femmes, et dans le
seul but d'alléger le texte.

Des marques de commerce sont mentionnées
ou illustrées dans cet ouvrage. L'Éditeur tient à
préciser qu'il n'a reçu aucun revenu ni avantage
conséquemment à la présence de ces marques.
Celles-ci sont reproduites à la demande de l'auteur
en vue d'appuyer le propos pédagogique ou scientifique de l'ouvrage.

Le matériel complémentaire mis en ligne dans notre
site Web est réservé aux résidants du Canada, et
ce, à des fins d'enseignement uniquement.

L'achat en ligne est réservé aux résidants du Canada.

Avant-propos

Lors de la précédente édition de cet ouvrage, nous écrivions que le management, en tant qu'objet d'étude, ne regorgeait pas d'éléments nouveaux. Nous vous présentions alors un management dont l'orientation était purement organisationnelle. Cette réalité subsiste. En effet, le management est toujours une science :

- qui ouvre la porte à l'analyse de la gestion et des grandes fonctions qui la définissent ;

- qui s'intéresse à ceux qui, dans les organisations, exercent cette gestion ;

- qui oriente les gestionnaires dans l'exécution des tâches liées à la planification, à l'organisation, à la direction et au contrôle.

Cette troisième édition présente toutefois un style de management différent, un management où l'orientation est à la fois organisationnelle et académique. Il s'agit d'un management que l'on pourrait qualifier d'APDF (pour accessible, pratique, différent et fonctionnel), c'est–à-dire orienté de façon encore plus ciblée vers les enseignants et les étudiants en sciences de la gestion.

L'accessibilité est rendue possible par l'utilisation d'un langage clair, un contenu facile à comprendre, le recours à des situations réalistes (rubrique «Clin d'œil») et la référence à des sujets d'actualité (rubrique «Signet du stratège»).

L'aspect pratique est quant à lui assuré par l'ajout de plusieurs types de questions, par les jeux de rôles et par des études de cas de niveaux de difficulté variables permettant de vérifier, et parfois avec un brin d'humour, le niveau d'apprentissage des étudiants.

Ce type de management est résolument différent : en effet, l'introduction de multiples facettes permettant de mesurer le niveau de compréhension de la matière, la touche d'humour que l'on retrouve dans certaines sections ou études de cas, cette curiosité suscitée par l'information réaliste qui est présentée, le langage résolument adapté à la nouvelle génération d'étudiants et l'approche visuelle dynamique (nombreuses photos, tableaux et figures synthèses, etc.) sont autant de particularités que l'on ne retrouve pas dans la plupart des manuels de management au collégial.

Enfin, l'aspect fonctionnel est pour sa part renforcé par le cheminement d'idées présenté au début de chaque chapitre et qui permet d'en illustrer rapidement le contenu, de même que par les nombreux exemples souvent inspirés de faits vécus et qui reflètent tant la réalité du travail du gestionnaire que celle du quotidien des étudiants.

Voici donc un tout nouveau style de management, tel que nous l'avons écrit pour vous.

Bonne lecture !

Remerciements

Chers lecteurs, c'est avec fierté que nous vous présentons la troisième édition de notre ouvrage intitulé *Le management: dimension pratique*. Au-delà de cette fierté qui est nôtre et que nous désirons partager avec vous, nous tenons à exprimer notre gratitude à tous ceux qui ont contribué à faire de cet ouvrage un outil pédagogique à la hauteur de vos attentes.

Soulignons d'abord l'apport précieux de nos consultants à l'élaboration cette nouvelle mouture, leur contribution fut très appréciée. Il s'agit de Joe Najjar, du Cégep régional de Lanaudière (Joliette) ainsi que les participants aux consultations sur les changements à apporter à la 2e édition: Guy Bouchard, du Cégep Saint-Jean-sur-Richelieu; Nancy Busic, du Cégep de Sorel-Tracy; Hugues Chassé, du Collège Édouard-Montpetit; Claude Grenier, du Collège Shawinigan; Josée-Anne Guay, du Cégep de l'Abitibi-Témiscamingue; Jean Miron, du Collège Ahunstic; et Lucie Pomerleau, du Cégep de Sainte-Foy.

Nous remercions également notre éditeur, Éric Monarque, dont nous tenons à souligner l'intense dévouement. Travaillant de concert avec lui, les éditrices conceptrices Mélanie Bergeron et Sophie Jaillot nous ont prêté, avec une délicatesse remarquable, une écoute grandement appréciée. Notre chargée de projet Julie Garneau, notre réviseure Mireille Léger-Rousseau et notre correctrice d'épreuves Isabelle Roy ont, grâce à leur professionnalisme exemplaire, elles aussi contribué activement à la qualité de notre ouvrage. Au sein de cette merveilleuse équipe, d'autres membres assurent la visibilité constante de ce manuel auprès de vous. Il s'agit de nos représentants, Sonia Choinière, Rachel Dubois, Alice Guibaud, Michel Martin et Nadia Turgeon.

Nous leur disons sincèrement à tous, merci.

Sur un plan plus personnel, nous tenons à remercier Sylvain Ménard, éditeur-concepteur, chez Chenelière Éducation. Il demeure un atout important dans le processus motivationnel qui nous incite encore à écrire pour vous. Également, Dominique Lamaute tient à remercier son père Henri et sa mère Micheline pour le support constant qu'ils lui ont apporté lors de ses recherches en vue de trouver des signets du stratège tout à la fois instructifs, amusants et pertinents pour vous, chers lecteurs. Bernard Turgeon tient pour sa part à souligner le soutien de son épouse Lise pendant toutes ces heures consacrées à la rédaction de manuels au cours des 30 dernières années.

Bernard Turgeon
Dominique Lamaute

Tour de piste

Caractéristiques de l'ouvrage

Vous trouverez dans chacun des chapitres de cet ouvrage :

En ouverture des chapitres

Un **titre** annonçant avec fidélité le thème central du chapitre.

Un **cheminement d'idées** qui vous permettra de faire des liens entre les principaux concepts abordés.

À l'intérieur des chapitres

Des **objectifs d'apprentissage** réalistes et des **compétences à développer**.

Des **encadrés** informatifs et des exemples concrets qui complètent le contenu livré dans le texte.

Un **Clin d'œil sur la gestion**, qui consiste en une histoire teintée d'humour, suivi de questions en lien avec la thématique du chapitre.

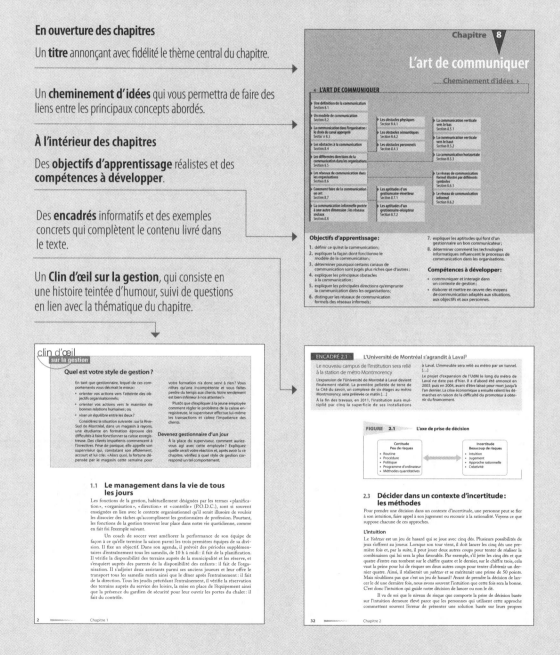

Un **Signet du stratège**, mise en situation suivie de questions qui invite l'étudiant à se pencher sur un problème par l'entremise d'une anecdote ou d'un fait tiré de l'actualité.

Un **contenu** accessible divisé en sections et sous-sections.

Des **capsules** qui suscitent une réflexion ou apportent des informations supplémentaires sous forme d'anecdotes teintées d'humour.

Des **figures** explicatives complètes et des **tableaux** qui regorgent d'informations de même que des **définitions** de termes clés placées en marge du texte courant.

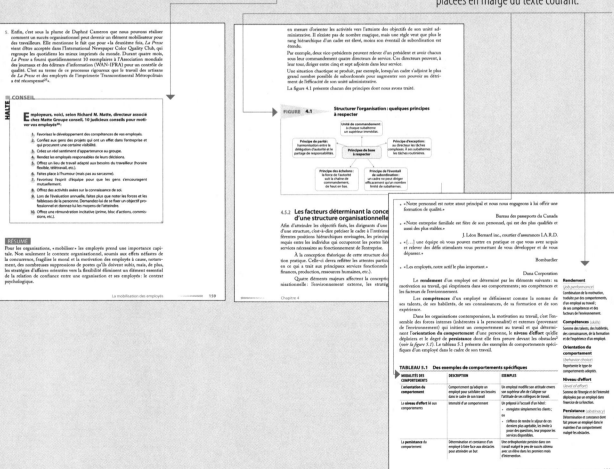

Un **résumé** intégrateur permettant à l'étudiant de faire un retour sur l'essentiel des notions abordées dans le chapitre.

Une section complète d'évaluation des connaissances comprenant des questions de révision, des **analyses de cas**, des activités individuelles « **À vous de jouer** ».

En fin d'ouvrage

Des **notes et références**, un **lexique** français-anglais et anglais-français ainsi qu'un **index** général qui comprend un renvoi aux définitions en marge.

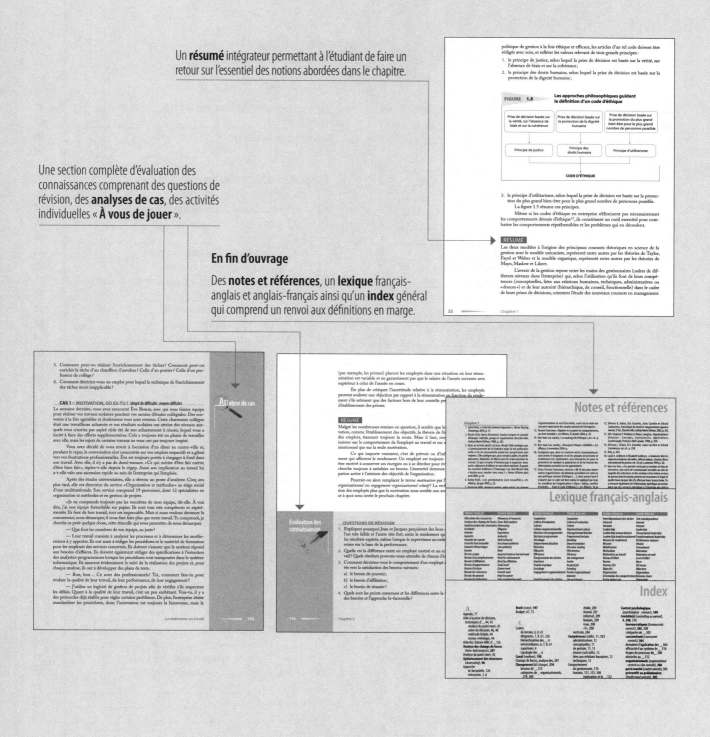

Table des matières

La gestion à votre portée

Cheminement d'idées ▸

◂ **LA GESTION À VOTRE PORTÉE**

Le management dans la vie de tous les jours
Section 1.1

Les premiers courants de pensée en management
Section 1.2

Gérer dans l'organisation
Section 1.3

Le gestionnaire et les fonctions de la gestion
Section 1.4

Gérer l'organisation : les compétences requises
Section 1.5

Le gestionnaire et les notions de pouvoir et d'autorité
Section 1.6

Le gestionnaire et la notion de « style de leadership »
Section 1.7

Les qualités du gestionnaire
Section 1.8

Gérer l'organisation au XXIᵉ siècle : le défi lié à l'éthique
Section 1.9

Le modèle mécaniste
Section 1.2.1

Le modèle organique
Section 1.2.2

Une typologie des cadres dans l'organisation
Section 1.3.1

Les cadres en entreprise : une nouvelle typologie
Section 1.3.2

Une définition du pouvoir
Section 1.6.1

Les types d'autorité
Section 1.6.2

L'éthique et le monde du travail
Section 1.9.1

L'éthique dans l'exercice de la gestion...
Section 1.9.2

L'énoncé d'un code d'éthique : les principes à respecter
Section 1.9.3

La gestion en tant que processus
Section 1.4.1

La gestion en tant que système
Section 1.4.2

Les compétences conceptuelles
Section 1.5.1

Les compétences liées aux relations humaines
Section 1.5.2

Les compétences techniques
Section 1.5.3

Les compétences administratives
Section 1.5.4

Les compétences « douces » (*soft skills*)
Section 1.5.5

Objectifs d'apprentissage :

1. expliquer pourquoi la gestion, comme élément de la tâche des gestionnaires dans l'entreprise, doit aussi être analysée en tant que système ;
2. différencier les catégories de cadres de l'entreprise ;
3. expliquer les compétences requises pour assurer une gestion efficace de l'entreprise ;
4. distinguer les notions d'autorité, de pouvoir et de style de leadership ;
5. expliquer l'importance de l'éthique dans l'exercice de la gestion.

Compétences à développer :

- contribuer à la planification, à l'organisation et au contrôle de toutes les activités qui assurent la performance de l'entreprise ;
- utiliser et adapter des méthodes et des outils de gestion dans un milieu de travail.

1.1 Le management dans la vie de tous les jours

Les fonctions de la gestion, habituellement désignées par les termes «planification», «organisation», «direction» et «contrôle» (P.O.D.C.), sont si souvent enseignées en lien avec le contexte organisationnel qu'il serait illusoire de vouloir les dissocier des tâches qu'accomplissent les gestionnaires de profession. Pourtant, les fonctions de la gestion trouvent leur place dans notre vie quotidienne, comme en fait foi l'exemple suivant.

Un coach de soccer veut améliorer la performance de son équipe de façon à ce qu'elle termine la saison parmi les trois premières équipes de sa division. Il fixe un objectif. Dans son agenda, il prévoit des périodes supplémentaires d'entraînement tous les samedis, de 10 h à midi: il fait de la planification. Il vérifie la disponibilité des terrains auprès de la municipalité et les réserve, et s'enquiert auprès des parents de la disponibilité des enfants: il fait de l'organisation. Il s'adjoint deux assistants parmi ses anciens joueurs et leur offre le transport tous les samedis matin ainsi que le dîner après l'entraînement: il fait de la direction. Tous les jeudis précédant l'entraînement, il vérifie la réservation des terrains auprès du service des loisirs, la mise en place de l'équipement ainsi que la présence du gardien de sécurité pour leur ouvrir les portes du chalet: il fait du contrôle.

1.2 Les premiers courants de pensée en management

Le management ne date pas d'hier, et c'est au fil des ans que se sont développés ce qu'il convient d'appeler des « courants de pensée » en management. Nous devons à ces courants de pensée l'émergence de deux grands modèles : le modèle mécaniste et le modèle organique.

1.2.1 Le modèle mécaniste

Articulé autour des concepts de rentabilité économique de l'organisation et d'efficacité organisationnelle, le modèle mécaniste présente des principes de gestion plutôt stricts qui reflètent l'orientation des organisations vers l'atteinte de leurs objectifs de rendement. Parmi ces principes, retenons :

- la division des tâches et des rôles ;
- la reconnaissance légitime de l'exercice de l'autorité par le supérieur hiérarchique ;
- l'observation rigide des règles et procédures établies ;
- l'application stricte des différentes mesures disciplinaires ou administratives.

Avez-vous déjà entendu parler du taylorisme ?

Correspondant parfaitement au modèle mécaniste, le taylorisme valorise une forme d'organisation du travail selon laquelle toute gestion efficace doit reposer sur trois éléments, soit :

- l'analyse des tâches, qui mène à la décomposition du travail en un ensemble de tâches simples susceptibles d'être accomplies de façon mécanique ;
- l'utilisation des méthodes scientifiques faisant appel, notamment, à l'étude du temps et des mouvements afin d'établir des standards de production ;
- le renforcement économique, puisque selon cette approche, la motivation des travailleurs repose uniquement sur le gain.

Pour Taylor, père de l'organisation scientifique du travail, la division des tâches est nécessaire car elle permet d'établir une distinction très claire entre les superviseurs et les supervisés. Ainsi, le taylorisme prône l'existence d'une nette distinction entre l'exécution des tâches, laissée aux exécutants (les travailleurs), et la conception intellectuelle de ces tâches, laissée aux membres de la direction. Selon les principes du taylorisme, c'est au moyen d'un contrôle serré des travailleurs que la direction peut maximiser leur rendement au travail.

L'organisation scientifique du travail (OST) est au centre des préoccupations de Taylor. Lui-même ancien ouvrier, il va révolutionner les méthodes d'organisation du travail.

Connaissez-vous l'«ancêtre» du P.O.D.C.?

Si nous associons au nom de Taylor les principes de l'organisation scientifique du travail, c'est au nom de Fayol qu'il nous faut associer la définition des premières grandes fonctions de la gestion (P.O.C.C.). Selon Fayol, ces fonctions sont les suivantes:

- prévoir (planification du travail et définition des objectifs);
- organiser (organisation du travail);
- coordonner (conciliation des actions et des énergies);
- contrôler (vérification de l'atteinte des objectifs).

De nos jours, on parle de «planification», d'«organisation», de «direction» et de «contrôle», soit le P.O.D.C., si souvent évoqué. Parmi les 14 principes de l'administration scientifique qui, toujours selon Fayol, visent à maximiser la productivité dans l'entreprise, on peut se rappeler les 4 principes les plus couramment enseignés dans les cours de management et d'introduction à la structure de l'organisation:

- la division du travail;
- la délégation de l'autorité;
- l'unité de direction;
- l'unité de commandement.

D'où vient le phénomène de hiérarchisation des cadres dans l'organisation?

Si, selon les tenants du taylorisme, il fallait séparer les éléments qui pensent (les membres de la direction) des éléments qui exécutent (les travailleurs), il fallait aux gestionnaires intégrer dans leur gestion les fonctions de planification, d'organisation, de coordination et de contrôle en fonction des objectifs à atteindre. Ce sont les principes de la bureaucratie de Weber qui permettent de comprendre que chaque niveau de gestion possède ses propres objectifs. Les principes de Weber s'organisent selon les trois axes suivants:

- division du travail;
- acheminement des ordres par la communication verticale;
- établissement de la structure organisationnelle.

Ce dernier axe, celui de l'établissement de la structure organisationnelle, permet d'appréhender le phénomène de hiérarchisation des cadres dans l'organisation.

1.2.2 Le modèle organique

Si le modèle mécaniste fait ressortir les courants de pensée centrés sur la rentabilité économique de l'entreprise et sur l'efficacité organisationnelle, le modèle organique, pour sa part, propose des approches plus humaines. Dans ce contexte, les travailleurs ne sont pas considérés comme des «facteurs de production», mais comme des individus qui ont des besoins et auxquels il faut redonner une certaine dignité au travail. Mayo, Maslow et Likert figurent parmi les principaux auteurs de cette école de pensée.

L'approche de Mayo

L'apport de Mayo au développement de la science de la gestion est majeur. Ce chercheur s'est notamment intéressé à la relation qui existe entre trois groupes d'éléments dans l'organisation :

- les conditions de travail ;
- le degré de motivation des ouvriers ;
- la productivité.

Ses travaux, en ce domaine, ont permis de démontrer l'importance d'éléments tels que le sentiment d'appartenance au groupe et le caractère informel de la structure organisationnelle dans le milieu de travail. Selon Mayo, ces facteurs exercent une plus grande influence sur la productivité que les principes formels de gestion du modèle mécaniste, lesquels sont souvent inflexibles. En outre, Mayo a démontré que la possibilité, pour les travailleurs, d'établir des relations interpersonnelles et d'échanger entre eux dans leur milieu de travail exerce une influence positive plus importante que la rémunération sur la productivité.

L'approche de Maslow

Toujours dans l'objectif de redonner aux travailleurs une certaine dignité, Maslow fut le premier chercheur à mettre en lumière le fait que les besoins humains ressentis hors du milieu de travail sont les mêmes que ceux ressentis par les personnes en milieu travail. Pour appuyer sa théorie, Maslow a présenté les besoins humains sous la forme d'une hiérarchie à cinq niveaux :

Abraham H. Maslow est un célèbre psychologue, bien connu pour ses recherches sur la motivation et les besoins.

1. besoins physiologiques ;
2. besoins de sécurité ;
3. besoins d'appartenance ;
4. besoins d'estime ;
5. besoins d'actualisation.

La théorie de Maslow repose sur le principe suivant : lorsqu'un individu a comblé les besoins d'un niveau, il s'efforce de satisfaire ceux du niveau qui lui est immédiatement supérieur. Selon cette théorie, il revient alors aux gestionnaires de faire en sorte de limiter les obstacles au bonheur des travailleurs et de favoriser un environnement qui leur permette de satisfaire leurs besoins.

L'approche de Likert

Les travaux de Likert suscitent aussi beaucoup d'intérêt dans le domaine du management car ils ont permis de développer un modèle administratif basé sur la participation des travailleurs. Selon Likert, cette participation est requise non seulement dans les décisions, mais aussi dans la formulation des règles et des politiques. Favoriser cette participation permet d'améliorer la satisfaction au travail et la productivité.

La figure 1.1, à la page suivante, résume les principales approches de gestion, regroupées selon le modèle qui les caractérise.

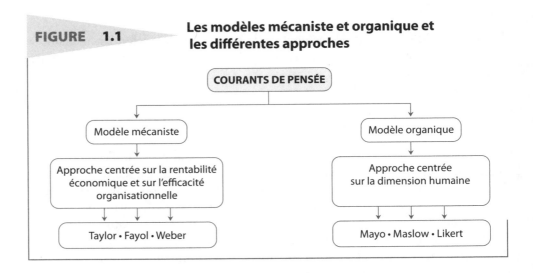

FIGURE **1.1** Les modèles mécaniste et organique et les différentes approches

1.3 Gérer dans l'organisation

Qu'ont en commun des entreprises telles que le Groupe Jean Coutu, Bombardier, Hydro-Québec et les caisses populaires Desjardins? Chacune d'entre elles constitue une entité économique qui, dans la société, s'est dotée d'une mission et s'est fixé des objectifs. Ces objectifs peuvent être à caractère social ou financier, selon la mission que s'est donnée l'organisation. Dans cet ordre d'idées, si nous parlons d'une entreprise à but lucratif, par exemple, nous comprenons qu'elle doit fonder ses objectifs sur la rentabilité.

Quelles que soient leur nature (avec ou sans but lucratif) et leur structure, toutes ces entreprises sont dirigées par des personnes qui, dans l'organisation, intègrent à des degrés divers, dans leur gestion, les fonctions de planification, d'organisation, de direction et de contrôle et, de ce fait, fixent des objectifs et prennent des décisions orientées vers l'atteinte de ces derniers. Ces personnes sont appelées des **gestionnaires**.

Gestionnaire (*manager*)

Personne qui, dans l'organisation, fixe des objectifs et prend des décisions orientées vers l'atteinte de ces objectifs, et qui, dans sa gestion, intègre à des degrés divers les fonctions de planification, d'organisation, de direction et de contrôle.

1.3.1 Une typologie des cadres dans l'organisation

Grâce à l'apport de Weber au domaine du management, on peut distinguer les gestionnaires par le niveau hiérarchique qu'ils occupent dans l'organisation. Une typologie désormais courante propose les trois types de cadres suivants:

- cadres supérieurs;
- cadres intermédiaires;
- cadres de terrain.

Les cadres supérieurs (président, vice-présidents) fixent les objectifs à long terme de l'organisation. Ils en définissent la mission, les grandes orientations et la vision. Les cadres intermédiaires sont les directeurs des services (marketing, finances, ressources humaines, production, etc.). Ils dirigent leur service respectif et déterminent leurs objectifs en fonction de ceux fixés par les cadres supérieurs. Les cadres de terrain (contremaîtres, superviseurs) constituent le lien entre la direction et les travailleurs. Ils supervisent le travail de ces derniers, leur distribuent les tâches à effectuer, contrôlent les résultats obtenus et, au besoin, appliquent les mesures correctrices adéquates.

Cette classification assez simple présente un double avantage : elle est facile à comprendre et à illustrer, et elle permet de situer rapidement les individus selon leur titre.

En revanche, elle présente l'inconvénient de manquer de souplesse, notamment en s'appliquant à toutes les organisations sans considération pour leur taille. Ainsi, elle ignore le phénomène de rétrécissement des structures organisationnelles par lequel, dans notre contexte économique concurrentiel, certaines organisations ont misé sur un niveau de flexibilité tel que leur taille a été réduite au point de faire disparaître une catégorie de cadres dits « intermédiaires ».

1.3.2 Les cadres en entreprise : une nouvelle typologie

Ce sont ces mêmes organisations qui, affrontant de façon répétée l'incertitude de leur marché, ont exigé de leurs cadres intermédiaires qu'ils fassent preuve de créativité, d'anticipation et de leadership. Conséquemment, l'étendue des tâches, des fonctions et des responsabilités de ces cadres est devenue si vaste qu'il devenait injustifié de les considérer encore comme des cadres intermédiaires. Ainsi, dans le premier cas, le rétrécissement des structures organisationnelles les a tout bonnement fait disparaître, et dans le second, l'intégration dans leur emploi de fonctions jadis dévolues aux cadres supérieurs fait d'eux plus que des cadres intermédiaires.

Afin de rendre compte de cette réalité, nous proposons une classification qui repositionne les différents cadres dans l'entreprise. Selon nous, au sein de certaines organisations, il est désormais possible de considérer quatre catégories de cadres :

1. Les cadres dirigeants de *niveau supérieur* (président, vice-présidents)

   Ils énoncent la mission de l'entreprise, élaborent sa vision, définissent ses grandes orientations, énoncent les stratégies corporatives et les stratégies d'affaires requises pour positionner l'organisation dans son marché et fixent les objectifs à long terme.

2. Les cadres dirigeants de *niveau fonctionnel* (directeurs des différents services)

   Ils possèdent les compétences techniques nécessaires à la compréhension de l'ensemble des tâches qui sont exécutées dans leur service, mais ils possèdent surtout des compétences administratives qui leur permettent de gérer leur service comme s'il s'agissait d'une entreprise. S'inspirant de la stratégie globale de l'entreprise, ils en définissent une adaptée à leur service. Ils décident des grandes orientations de leur service et fixent des objectifs précis à atteindre à court, à moyen et, parfois, à long terme. Ils répondent de leurs actions directement aux cadres dirigeants de niveau supérieur et peuvent, selon les circonstances, être appelés à les remplacer momentanément, et ce, de façon spontanée.

3. Les cadres intermédiaires strictement de *niveau fonctionnel* (adjoints aux directeurs des services)

Ils concrétisent les objectifs fixés et déterminent les méthodes qui favorise-ront leur réalisation. Par leurs fonctions, ces cadres appuient leur directeur dans l'exercice de ses tâches. Généralement, ils ne sont responsables que des dossiers relevant de leur niveau de compétence fonctionnelle (par exemple, un adjoint à la santé et à la sécurité ne se chargera que des dossiers relatifs à la santé et à la sécurité au travail; un adjoint à l'approvisionnement et aux achats ne sera responsable que des dossiers concernant les approvisionnements et les achats).

4. Les cadres de terrain strictement de *niveau exécutant* (contremaîtres, superviseurs)

Ils constituent le niveau de cadre le plus bas de la structure hiérarchique et, de ce fait, ils sont les plus près des employés de production. Ils rendent quotidien-nement opérationnels les objectifs de l'entreprise en matière de production de biens ou de services. Ils ne tracent pas d'orientations ni ne fixent d'objectifs. Ils exécutent et rendent des comptes à leur supérieur immédiat, qui est géné-ralement un cadre intermédiaire de niveau fonctionnel. La figure 1.2 présente cette nouvelle classification.

FIGURE 1.2	Les cadres au sein de l'organisation : une nouvelle classification
Cadres dirigeants	**A** De niveau supérieur (président, vice-présidents) Ils définissent la vision de l'entreprise de même que ses orienta-tions futures, et fixent les objectifs à long terme à atteindre. **B** De niveau fonctionnel (directeurs des différents services) Ils gèrent leur service comme une mini-entreprise. Ils lui donnent une vision et une orientation, et déterminent des objectifs précis à atteindre et conformes aux objectifs fixés par les cadres dirigeants de niveau supérieur.
Cadres intermédiaires	Strictement de niveau fonctionnel (adjoints aux directeurs des différents services) Ils font office d'exécutants, car ils rendent tangibles et opérationnels les objectifs fixés pour leur service.
Cadres de terrain	Strictement de niveau exécutant (contremaîtres, superviseurs) Ils distribuent directement les tâches aux employés de production, en supervisent l'exécution, exercent un contrôle sur le niveau de production atteint et font rapport à leur supérieur immédiat.

1.4 Le gestionnaire et les fonctions de la gestion

Comme nous l'avons mentionné à la section 1.1, faire de la gestion n'est pas une activité réservée qu'aux gestionnaires. De fait, ceux qui, dans le cadre de leurs loisirs (entraînement d'une équipe sportive, par exemple) ou à d'autres occasions sont appelés à faire de la gestion, devraient intégrer à leur activité les quatre éléments du processus : planification, organisation, direction et contrôle (P.O.D.C.). Comme il s'agit d'un processus, ces éléments se présentent dans un ordre précis.

1. **La planification**

   Planifier, c'est décider, dans le présent, de l'orientation à donner à l'entreprise dans l'avenir. C'est aussi fixer des objectifs et déterminer les moyens qui seront mis en œuvre pour les atteindre.

2. **L'organisation**

   Organiser suppose l'établissement d'une structure qui permet de déterminer les rôles et le niveau de responsabilité de chacun des gestionnaires dans l'organisation. Les tâches sont analysées et attribuées à chacun selon ses compétences. À ce stade-ci, c'est la coordination constante des individus et des tâches qui doit être effectuée en vue d'atteindre les objectifs.

3. **La direction**

   Diriger, c'est établir des liens efficaces de communication et maintenir des relations interpersonnelles visant l'harmonie au sein de l'organisation. C'est l'élément de la gestion qui fait appel aux notions de motivation, de mobilisation, d'autorité, de leadership, de communication et de pouvoir.

4. **Le contrôle**

   Contrôler implique l'accomplissement d'au moins quatre phases :
   - analyse du déroulement des plans établis lors de la planification ;
   - observation des résultats et rapprochement avec les objectifs établis ;
   - détermination des écarts entre les résultats obtenus et les résultats attendus ;
   - analyse de ces écarts.

   Au besoin, une cinquième phase de réévaluation des plans et de rectification des activités menant à leur réalisation sera effectuée.

Planification (*planning*)

Activité par laquelle on décide, dans le présent, de l'orientation à donner à l'entreprise dans l'avenir et des objectifs à atteindre.

Organisation (*organizing*)

Phase d'établissement d'une structure qui permet de déterminer les rôles, les tâches et le niveau de responsabilité de chacun des gestionnaires dans l'organisation.

Direction (*leading*)

Fonction de la gestion qui permet de déterminer comment s'établissent les liens de communication et comment sont maintenues les relations interpersonnelles dans l'organisation.

Contrôle (*controlling*)

Fonction qui permet d'évaluer l'évolution des opérations vers l'atteinte des objectifs et d'appliquer des mesures correctives si nécessaire.

1.4.1 La gestion en tant que processus

Dans la mesure où les gestionnaires doivent intégrer ces fonctions dans leurs tâches quotidiennes, il convient de parler d'un *processus de gestion*, soit une séquence de tâches exécutées dans un ordre précis. Prenons pour exemple les tâches d'un contremaître d'une usine de production de jus. En tant que cadre de terrain, il n'a d'autre choix que de rendre opérationnels les objectifs de production fixés à des niveaux de gestion supérieurs dans l'organisation. Ainsi, il établit sa planification en fonction des quantités quotidiennes ou hebdomadaires à produire et fixe des objectifs de rendement (*phase de planification*). Il compose les équipes de travail qui seront affectées aux différentes commandes selon les séquences établies (*phase d'organisation*). Il dirige ses employés par des directives, des conseils, de la formation et de l'information. Il les encourage, mais peut aussi sévir contre eux (*phase de direction*). Périodiquement, il vérifie le niveau de production atteint en relation avec l'objectif fixé (*phase de contrôle*) et, au besoin, il applique les mesures de redressement nécessaires (temps supplémentaire, ajustement des objectifs, etc.).

1.4.2 La gestion en tant que système

Cependant, si nous considérons les tâches des cadres qui, dans l'entreprise, se situent à des niveaux de gestion supérieurs (directeurs de service, vice-présidents, président), nous constatons que, souvent, elles n'ont plus à intégrer toutes les fonctions de la gestion. Considérons ici un directeur qui dirige le service d'ingénierie. Ses employés – des ingénieurs spécialisés dans la conception de moteurs hydrauliques – ont été embauchés pour leurs compétences et leur haut niveau de connaissances techniques. Ils sont autonomes, comprennent l'ampleur du travail à effectuer, sont responsables des résultats atteints et l'exécution de leurs tâches ne nécessite aucun contrôle serré de la part de leur supérieur immédiat. Ce dernier peut ainsi intégrer dans sa gestion les fonctions de planification (pour fixer les objectifs à atteindre) et de contrôle (pour vérifier si les objectifs ont été atteints dans les délais prescrits).

Analysée ainsi, la gestion est vue non pas comme un processus, mais comme un système, comportant une combinaison d'éléments réunis de manière à former un tout cohérent. Prenons, par exemple, le cas d'un cadre dirigeant qui ne veut pas s'embarrasser de relations interpersonnelles et qui demeure axé que sur l'atteinte des objectifs. S'il parvient à s'entourer d'une équipe d'employés talentueux et autonomes

le signet
du stratège

Le bal des oiseaux migrateurs[1]

Saviez-vous que le « retour du printemps ramène avec lui un spectacle grandiose : celui de milliers d'oiseaux migrateurs qui envahissent les rives du Saint-Laurent et emplissent l'air d'un vacarme assourdissant ? Dès la fin de mars, les grandes oies des neiges, appelées couramment oies blanches, reviennent de la côte Est américaine, où elles ont passé l'hiver, et elles se dirigent vers le Grand Nord où elles profiteront de l'été et donneront naissance à leurs petits. Les premiers voiliers se pointent dans la région de lac Saint-Pierre, puis s'arrêtent dans la région de Montmagny et de Cap-Tourmente pour ensuite rejoindre leurs quartiers d'hiver au début de juin. [...] Située à mi-chemin sur le couloir migratoire de l'Atlantique, Baie-du-Febvre, sur la rive sud du lac Saint-Pierre, constitue une halte exceptionnelle pour les oies des neiges. Au début du printemps, elles viennent se poser sur les terres agricoles inondées par la fonte des neiges, et elles se gavent des résidus de cultures. Le visiteur peut tout apprendre sur la grande migration des oies au Centre d'interprétation du lieu, puis observer les oiseaux dans quatre haltes routières [...] »

Petit exercice récapitulatif

Les fonctions de la gestion sont aussi à votre portée. Démontrez-le en organisant une excursion de deux jours afin d'aller admirer les oiseaux migrateurs à Baie-du-Febvre.

– Précisez quel objectif vous poursuivez.

– Comment intégreriez-vous les fonctions de la gestion dans cette aventure ?

de qui il exige et obtient un rendement de haut niveau, il accordera peu d'importance à l'élément «direction» et ne l'intègrera pas dans son système de gestion. De même, un cadre dirigeant dont les équipes de travail sont si efficaces qu'elles se distribuent le travail entre elles dès qu'elles reçoivent un mandat et des objectifs bien déterminés à atteindre n'inclut pas, dans son système de gestion, l'élément «organisation».

La figure 1.3 illustre un système de gestion.

La gestion vue comme un système

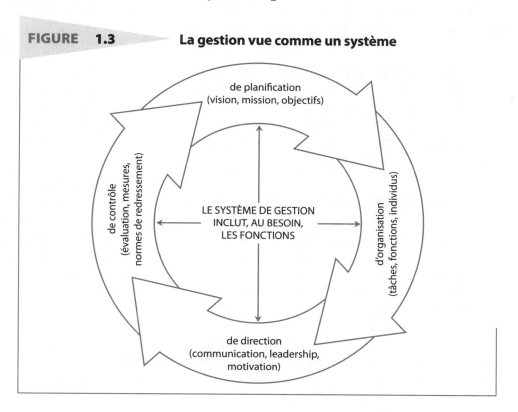

1.5   Gérer l'organisation : les compétences requises

Un gestionnaire ne saurait gérer une organisation en se basant sur sa seule intuition. En effet, gérer une organisation exige certaines compétences. Dans les sous-sections qui suivent, nous en présenterons et en expliquerons quelques-unes, soit les compétences conceptuelles, les compétences liées aux relations humaines, les compétences techniques, les compétences administratives et les compétences «douces».

1.5.1   Les compétences conceptuelles

Ces compétences se traduisent, en matière d'habiletés, par la capacité de visualiser l'organisation dans son ensemble afin de pouvoir la doter d'une orientation précise, lui fixer des objectifs réalisables et préciser sa position concurrentielle selon un échéancier déterminé. Ce sont les compétences qui permettent aux cadres d'élaborer des stratégies, d'énoncer des politiques, de s'entourer de personnes efficaces et compétentes afin d'atteindre les objectifs fixés et de réagir rapidement aux occasions d'affaires ou aux menaces provenant de l'environnement de l'entreprise.

Comme il s'agit des compétences du dirigeant, les gestionnaires à qui ces compétences sont généralement reconnues sont les cadres dirigeants de niveau supérieur et les cadres dirigeants de niveau fonctionnel.

1.5.2 Les compétences liées aux relations humaines

Ces compétences se définissent comme l'aptitude à établir et à maintenir des relations interpersonnelles efficaces avec ses collègues de travail, ses pairs ou ses subalternes. La possession de ces compétences est très importante ; elle constitue un indice du type de relations que les cadres souhaitent entretenir avec les autres personnes au sein de l'organisation.

1.5.3 Les compétences techniques

Les connaissances techniques que possède un gestionnaire lui permettent d'effectuer son travail de façon efficace et de fournir un rendement élevé, au bénéfice de son service et de l'organisation en général. Ce type de compétence est reconnu aux cadres intermédiaires de niveau fonctionnel, car ils doivent effectuer un travail spécifique dans un domaine spécifique (par exemple, l'adjoint du directeur des finances doit savoir analyser les états financiers de l'entreprise et les interpréter, au besoin).

Ce type de compétence est aussi reconnu aux cadres de terrain de niveau exécutant, car ils doivent comprendre et expliquer le travail qu'ils distribuent aux employés. De plus, ils ont à répondre aux questions relatives à l'exécution du travail et à former ponctuellement des employés.

1.5.4 Les compétences administratives

Ces compétences permettent aux gestionnaires d'organiser leur travail efficacement et de l'exécuter de façon à être en mesure d'atteindre les objectifs fixés avec les ressources dont ils disposent. En somme, ces gestionnaires détiennent les compétences requises non seulement pour faire les bonnes choses (efficacité), mais aussi pour les faire de façon économique (efficience).

1.5.5 Les compétences « douces » (*soft skills*)

Il s'agit des compétences qui permettent aux gestionnaires de gérer en misant sur leurs habiletés interpersonnelles et sociales. Ces compétences font intervenir des qualités telles que la créativité, la capacité d'adaptation, le leadership, le sens de l'initiative, l'autonomie, l'esprit d'équipe, l'énergie et l'engagement, ainsi que la facilité à communiquer oralement et par écrit. Interviennent aussi des qualités telles que la capacité de composer avec l'ambiguïté, la volonté d'apprendre, la capacité d'influencer, l'aptitude à diriger ou à gérer et la souplesse dans la prise de décision.

Le tableau 1.1 résume les compétences requises pour le gestionnaire.

TABLEAU 1.1   Les compétences de gestion

TYPES DE COMPÉTENCES	EXPLICATIONS
Conceptuelles	Capacité du gestionnaire de visualiser l'organisation dans son ensemble afin de la doter d'une orientation précise, de lui fixer des objectifs réalisables et de préciser sa position concurrentielle selon un échéancier déterminé.
Liées aux relations humaines	Aptitude du gestionnaire à établir et à maintenir des relations interpersonnelles efficaces avec ses collègues de travail, ses pairs ou ses subalternes.
Techniques	Connaissances du gestionnaire qui lui permettent d'effectuer son travail de façon efficace et de fournir un rendement élevé, au bénéfice de son service et de l'organisation en général.
Administratives	Compétences qui permettent au gestionnaire d'organiser son travail efficacement et de l'exécuter de façon à pouvoir atteindre, de la façon la plus économique et avec les ressources dont il dispose, les objectifs fixés.
« Douces »	Compétences qui permettent au gestionnaire de gérer en misant sur ses habiletés interpersonnelles et sociales.

1.6   Le gestionnaire et les notions de pouvoir et d'autorité

Pour s'acquitter de leurs tâches ou pour s'assurer que les tâches qu'ils confient à leurs subalternes sont accomplies conformément aux exigences fixées, les gestionnaires doivent être dotés – selon leur position hiérarchique – de l'autorité nécessaire.

L'**autorité** constitue le pouvoir légitime qui est accordé à un individu selon son statut dans l'organisation et en vertu duquel il prend des décisions, assume des responsabilités et exerce une influence sur d'autres individus.

Comme on ne saurait dissocier le concept d'autorité de celui de pouvoir, il convient de définir ce qu'est le pouvoir et d'expliquer comment il se manifeste dans l'organisation.

1.6.1   Une définition du pouvoir

Le pouvoir doit être vu comme une influence. Pour préciser la relation entre les concepts de « pouvoir » et d'« influence », on peut dire que l'**influence** est « un processus par lequel une personne affecte le comportement d'une ou [de] plusieurs personnes[2] » et que le **pouvoir** est la capacité d'influencer des individus afin de les amener à réaliser des objectifs précis.

Autorité (*authority*)

Pouvoir légitime qui est accordé à un individu selon son statut dans l'organisation et en vertu duquel il prend des décisions, assume des responsabilités et exerce une influence sur d'autres individus.

Influence (*influence*)

Processus par lequel une personne affecte le comportement d'une ou de plusieurs personnes.

Pouvoir (*power*)

Capacité d'influencer des individus et de les amener à réaliser des objectifs précis.

Lorsqu'il est de source organisationnelle, le pouvoir prend trois formes : le **pouvoir de coercition**, le **pouvoir de récompense** et le **pouvoir formel**.

Le pouvoir de coercition   Dans l'organisation, le pouvoir de coercition réfère au pouvoir d'infliger des peines ou de donner des punitions au moyen de sanctions disciplinaires. Bien que ce type de pouvoir inspire la crainte, il revêt aussi un caractère arbitraire quand, par exemple, un individu l'utilise simplement pour affirmer son autorité auprès de ses employés.

Généralement, tous les cadres occupant une position leur permettant d'utiliser leur autorité hiérarchique possèdent le pouvoir de coercition.

Le pouvoir de récompense   C'est le pouvoir qui permet d'accorder des privilèges ou des avantages, d'octroyer différentes ressources, d'accorder des promotions, voire de distribuer des bonis, selon le statut dans l'entreprise. Ce pouvoir est généralement délégué par la haute direction à certains cadres seulement.

Le pouvoir formel   C'est le pouvoir du chef. Il confère à son détenteur l'autorité formelle, c'est-à-dire l'autorité en vertu de laquelle il donne des ordres et possède le pouvoir de les faire respecter. Ce pouvoir est directement associé à la position hiérarchique occupée par un individu et lui est accordé en fonction de son statut et de l'importance du rôle qu'il joue dans l'organisation.

1.6.2   Les types d'autorité

Nous avons établi que l'autorité constitue le pouvoir légitime qui est accordé à une personne selon son statut dans l'organisation et en vertu duquel il prend des décisions, assume des responsabilités et exerce une influence sur d'autres personnes. Mais comme toute autorité déléguée ne constitue pas un tel pouvoir, il convient de distinguer les types d'autorité. Nous en présentons trois : l'**autorité hiérarchique**, l'**autorité de conseil** et l'autorité fonctionnelle.

L'autorité hiérarchique   Il s'agit de l'autorité qui permet à son détenteur de donner des ordres et de prendre les mesures requises afin de les faire respecter. Cette autorité découle directement de la position hiérarchique occupée dans l'organisation et s'exerce de haut en bas. Ce type d'autorité est directement associé au pouvoir légitime, dit « formel ».

Par exemple, un directeur de la production donnera l'ordre suivant à son adjoint affecté au contrôle de la qualité : « Augmentez à 4 le nombre de prélèvements sur chacun des échantillons et rapportez-moi, dans les 48 heures, le pourcentage de pièces rejetées pour cause de défectuosités internes. »

L'autorité de conseil   C'est l'autorité qui permet au gestionnaire qui la détient de fournir de l'information ou des conseils à son supérieur hiérarchique ou à ses pairs. Ces informations ou ces conseils doivent relever uniquement de son niveau de compétence technique.

Ce type d'autorité est lié au pouvoir d'expertise du gestionnaire, c'est-à-dire le pouvoir qu'on lui reconnaît en vertu de ses connaissances, de son niveau de formation et de son expérience, et de la façon dont il peut efficacement les utiliser pour atteindre les résultats fixés.

Par exemple, au directeur d'une entreprise qui, profitant d'une restructuration de l'usine de production, veut modifier les conditions de travail des employés, le directeur du personnel peut fournir de l'information sur le fait que les employés viennent de déposer une requête en accréditation et qu'ainsi, aucune modification de leurs conditions de travail n'est possible sans le consentement de l'association requérante.

L'autorité fonctionnelle   Il s'agit de l'autorité en vertu de laquelle un gestionnaire ou les membres d'une unité administrative peuvent donner des directives dans une ou plusieurs unités administratives sur lesquelles ils n'exercent pas nécessairement une autorité hiérarchique. Ces directives doivent cependant relever exclusivement de leur niveau d'expertise.

L'**autorité fonctionnelle** doit être accordée officiellement par la haute direction et endossée par elle, car son exercice peut aller jusqu'à contrecarrer un ordre hiérarchique. Cette autorité tire sa légitimité d'une double source : d'abord du pouvoir formel, parce qu'elle implique de donner des directives souvent formelles, et ensuite du pouvoir d'expertise, parce que l'efficacité de son exercice repose sur la possession, par son détenteur, de connaissances précises dans un champ de compétences précis. L'exemple 1.1 illustre ce type d'autorité.

Autorité fonctionnelle

(functional authority)

Autorité déléguée à une personne ou à une unité administrative lui permettant de contrôler des procédés, des pratiques, des politiques particulières ou d'autres éléments relatifs à des activités dont la responsabilité appartient à d'autres unités administratives.

EXEMPLE 1.1   L'autorité fonctionnelle

Arrêtez la production !

Un adjoint responsable de la santé et de la sécurité travaille sous les ordres du directeur du personnel d'une entreprise. À la suite de la réception d'un rapport défavorable sur la salubrité d'une des usines de production de l'entreprise et sur les conséquences néfastes possibles de cette situation sur la santé des travailleurs, ce responsable de la santé et de la sécurité émet une directive précise exigeant que la production soit immédiatement arrêtée par mesure préventive, afin que l'usine soit nettoyée et respecte les normes de salubrité prescrites.

Bien que l'importance de l'autorité fonctionnelle ne puisse être niée, elle demeure subordonnée à l'autorité hiérarchique. Notons que c'est la haute direction qui l'accorde à son détenteur. De ce fait, la haute direction peut retirer cette autorité ou en amoindrir les effets. Le tableau 1.2 résume la relation à établir entre les types d'autorité et le pouvoir.

TABLEAU 1.2   Les types d'autorité et le pouvoir associé

TYPES D'AUTORITÉ	EFFETS ORGANISATIONNELS	POUVOIRS ASSOCIÉS
Hiérarchique	• Permet de donner des ordres. • Confère le pouvoir de faire respecter les ordres donnés.	Pouvoir formel
De conseil	Permet de fournir de l'information ou des conseils.	Pouvoir d'expertise
Fonctionnelle	Permet de donner des directives précises liées à une spécialisation précise.	• Pouvoir formel • Pouvoir d'expertise

1.7 Le gestionnaire et la notion de « style de leadership »

Comme nous le verrons au chapitre 7, être un cadre ne signifie pas être un leader. Ainsi, la manière dont un cadre se sert de son autorité pour diriger témoigne du **style de leadership** (ou «style de gestion») qui le caractérise. Nous entendons par style de leadership la combinaison de traits de personnalité, de caractéristiques, de compétences et de comportements que les cadres utilisent dans les relations qu'ils entretiennent avec leurs subalternes.

Étant donné que le style manifesté par un cadre est lié à sa personnalité, il peut adopter un comportement au travail par lequel il monopolise l'information, centralise la prise de décision, dirige par les ordres, porte son attention sur l'atteinte des objectifs et ne fait aucun cas des relations humaines. On dit alors de ce cadre qu'il possède un style de leadership *autocratique*. Cependant, si, par son comportement, un cadre partage l'information, implique ses subalternes dans la prise de décision, tient compte de l'atteinte des objectifs sans négliger les relations humaines, montre une ouverture pour la communication et sait fait preuve d'empathie, nous dirons de ce cadre qu'il a un style de leadership *démocratique*. En dernier lieu, si un cadre montre peu d'intérêt pour les objectifs à atteindre et peu de considération pour les relations humaines et laisse à ses subalternes l'initiative en matière de prise de décision en ce qui concerne leurs tâches, nous dirons de ce cadre qu'il manifeste le style de leadership *laisser-faire*.

1.8 Les qualités du gestionnaire

Nous avons présenté les types d'autorité généralement reconnus aux gestionnaires dans l'organisation. Cependant, il faut savoir que, de nos jours, les gestionnaires ne peuvent plus miser uniquement sur l'autorité qu'ils détiennent pour gérer efficacement. Soumises à une concurrence mondiale très vive, les organisations qui souhaitent demeurer concurrentielles exigent de leurs gestionnaires des qualités autres que celle de pouvoir diriger par leur seul style d'autorité. Elles leur demandent de développer des qualités dont, souvent, ils se savent dépourvus. Elles exigent qu'ils se dévouent entièrement à elles, sans calculer leur temps de travail[3]. Elles exigent, de plus, qu'ils soient informés de tous les événements politiques, sociaux et culturels qui les affectent.

Toujours à l'affût des nouveaux développements en management, ces gestionnaires cumulent les séminaires en formation sur des sujets variés allant du leadership, de l'accompagnement individuel en entreprise (*coaching*) et de la motivation à la gestion des personnalités, des imprévus et du stress. Devant exercer un contrôle sur l'ensemble de leurs activités, ils «multiplient les réunions et prolongent leurs heures de travail. Ils doivent incarner l'autorité et la souplesse, être à la fois patron et **coach**, tout en comparant la performance de leur entreprise à celle des meilleures[4]».

C'est pourquoi ces organisations, soucieuses d'être rentables et de survivre aux changements technologiques et aux soubresauts de l'économie, veulent se doter de gestionnaires de talent qui cumulent tout un ensemble de qualités. Nous présentons quelques-unes de ces qualités dans le tableau 1.3.

Style de leadership
(leadership style)

Combinaison de traits de personnalité, de caractéristiques, de compétences et de comportements que les cadres utilisent dans les relations qu'ils entretiennent avec leurs subalternes.

Coach *(coach)*

Une personne qui, dans l'organisation – généralement le supérieur immédiat –, assume auprès d'un employé un rôle d'accompagnement individualisé ou professionnel afin de l'aider à progresser dans l'exécution présente ou future des tâches qui lui sont confiées au sein de l'organisation.

TABLEAU 1.3 **Les principales qualités du gestionnaire de la nouvelle économie du savoir**

QUALITÉS	EXPLICATIONS
1. Créatif	Aptitude à effectuer un travail de façon originale, tout en étant efficient.
2. Audacieux	Capacité de foncer, d'aller au-devant des défis et de les affronter avec courage et détermination.
3. Disponible	Aptitude à répondre aux besoins urgents de l'entreprise en tout temps et à lui consacrer du temps même en dehors des heures normales de travail.
4. Visionnaire	Aptitude à déterminer avant les autres les occasions d'affaires qui seront bénéfiques à l'organisation et à l'en faire bénéficier efficacement, pour augmenter son niveau de rentabilité.
5. Motivé	Volonté manifeste de faire avancer les choses et d'entraîner les autres vers l'atteinte des objectifs.
6. Leader	Aptitude à servir de modèle, à inspirer confiance et à inciter les autres à être toujours plus performants.
7. Énergique	Capacité de toujours maintenir une bonne santé physique et mentale.
8. Autonome	Aptitude à intégrer dans ses fonctions le processus planification-exécution-contrôle en fournissant une performance sans cesse au-dessus de la moyenne, sans avoir besoin de supervision régulière.
9. Bon communicateur	Aptitude à inculquer la vision et les objectifs de l'entreprise aux autres employés et à obtenir d'eux une adhésion spontanée à cette vision et à ces objectifs.
10. Cultivé	Aptitude à transiger avec des partenaires d'affaires issus de différents milieux culturels, dans la langue appropriée, en démontrant une flexibilité exemplaire à l'égard de la technologie qu'ils utilisent, tout en atteignant un niveau de performance élevé.

En outre, les cadres qui désirent demeurer dans cette spirale de performance élevée imposée par les organisations doivent éviter de manifester certains comportements qui risqueraient de leur être néfastes. Ces comportements sont présentés dans le tableau 1.4.

TABLEAU 1.4 **Les comportements néfastes à la carrière des gestionnaires**

COMPORTEMENTS	EXPLICATIONS
1. Se reposer sur ses succès antérieurs	Un cadre ne doit pas justifier son inertie ou ses insuccès présents en recourant à ses succès antérieurs. Les dirigeants de l'entreprise s'attendent à ce que les succès de leurs gestionnaires soient continuellement renouvelés.
2. Ne pas respecter la culture de l'entreprise	Passer outre les règles d'éthique et bafouer les éléments qui symbolisent la culture de l'entreprise afin d'atteindre rapidement et efficacement les objectifs fixés constituent de graves erreurs pour un cadre.
3. Démontrer un manque d'ouverture d'esprit	Un cadre qui n'est pas visionnaire, qui ne manifeste aucune créativité, qui ne démontre aucun sens de l'initiative et qui est fermé aux idées des autres est perçu comme un obstacle à l'évolution de l'entreprise.
4. N'utiliser que ses compétences techniques	Un cadre ne peut plus diriger en se basant sur ses seules compétences techniques. Il doit manifester des compétences « douces » afin d'être à la fois un individu compétent et un individu efficace.
5. Démontrer des signes répétés de faiblesse	Un cadre qui montre des signes répétés de faiblesse intellectuelle (incompétence), énergétique (santé souvent précaire, épuisement professionnel) ou organisationnelle (échecs répétés dans différents dossiers) sera rejeté par l'organisation.

Une culture de réussite : le cas de Katy St-Laurent

Dans le tableau 1.3, nous avons présenté les principales qualités du gestionnaire de la nouvelle économie du savoir. À cette liste, nous pourrions ajouter d'autres qualités telles que la confiance en soi et la détermination ; qualités reconnues notamment aux gestionnaires entrepreneurs ayant développé une culture de réussite. Tel est le cas de Katy St-Laurent, une ancienne championne canadienne de vélo sur route qui, aujourd'hui, est à la tête d'Actionwear KSL, un manufacturier de vêtements de sport.

On l'a qualifiée de « battante », notamment, à la suite de l'anecdote suivante : bien que certains détaillants avec qui elle faisait des affaires aient décidé en 2008 d'annuler les commandes passées auprès de son entreprise à cause du ralentissement économique, elle a décidé, en 2009, de ne plus dépendre de leur volonté : elle a ouvert son propre atelier-boutique. N'étant plus à la merci des détaillants, elle a pu ainsi contrôler ses ventes en boutique. De plus, la technologie de l'information et des communications lui a permis d'effectuer des ventes en ligne par le site Internet de son entreprise.

Dans un article élogieux, Stéphane Champagne reconnaît, au sujet de Katy St-Laurent, qu'aspirer « à de tels desseins nécessite, il va sans dire, une certaine dose de confiance en soi, un certain culot. Des qualités que Katy St-Laurent cultive depuis longtemps. » (*La Presse Affaires*, le lundi 1er mars 2010)

Une culture de réussite est l'élément qui doit guider tous les gestionnaires dans l'exécution de leurs tâches.

Petit exercice

Dressez la liste de quatre qualités de gestionnaire que vous possédez et, par une courte explication, démontrez comment elles inspirent, chez vous, une culture de réussite.

1.9 Gérer l'organisation au XXIe siècle : le défi lié à l'éthique

Au XXIe siècle, les organisations font face à différents défis[5] concernant, entre autres enjeux sociaux, des transformations importantes sur les plans de la démographie, de la formation de la main-d'œuvre et de la structure même du travail. Parmi ces défis, celui du respect de l'éthique s'impose à elles. Nous présentons brièvement ce concept, en veillant à démontrer en quoi l'éthique doit, aujourd'hui, être considérée par les organisations comme une **valeur** incontournable.

Valeur (*valence*)

Croyances relativement stables au fil du temps auxquelles une personne attache de l'importance et qui influent sur son attitude, ses perceptions et son comportement[6].

1.9.1 L'éthique et le monde du travail

Jadis, quand on abordait l'étude des organisations, l'accent était mis sur leur apport positif dans la société : création d'emplois, commercialisation de produits sécuritaires, contribution au bien-être de la société en général… On parlait alors de « responsabilité sociale », cette notion selon laquelle les dirigeants et les autres gestionnaires d'une entreprise tenaient compte, avant d'entreprendre une action, des conséquences sociales de leurs agissements et de leurs décisions. Qu'en est-il au XXIe siècle ? Cette notion de responsabilité sociale est-elle toujours pertinente aux yeux des dirigeants d'entreprise et de leurs gestionnaires ?

Certains effets économiques – concurrence internationale, pertes importantes de parts de marché, fermeture d'usines, rentabilité plus précaire à court terme, etc. – ont-ils pour conséquence de diluer l'importance de cette responsabilité aux yeux des dirigeants d'entreprise ? Et cela, au point que certains d'entre eux adoptent des comportements douteux sur le plan éthique, que ce soit pour assurer la survie de l'entreprise ou simplement pour assurer leur carrière ?

À l'heure où ces questions suscitent la réflexion, les cas d'entreprises ou de cadres bafouant le concept de responsabilité sociale se multiplient. Considérons, par exemple, le cas du président de l'entreprise Enviromondial qui, selon les écrits rapportés dans *La Presse*, a orchestré une «magouille dans laquelle 4000 petits investisseurs ont perdu 10 millions de dollars[7]». Selon cet article, jusqu'en 2008, non seulement le président de cette entreprise a vendu de façon illégale des actions de sa compagnie, mais il a, de surcroît, transféré des actions à une société-écran américaine. Il attirait les investisseurs par le procédé dolosif consistant à les amener à investir dans un projet environnemental de gazéification des déchets destiné à produire de l'énergie, tout en sachant qu'en réalité, un tel projet ne verrait jamais le jour.

Les situations de corruption, de fraude, de discrimination et d'adoption de comportements dénués d'éthique afin de saisir des occasions d'affaires se multiplient.

Considérons aussi le cas de ces nombreuses sociétés de fonds communs – AIC, Fonds communs CI, AGF et Groupe Investors – qui se sont enrichies aux dépens de leurs clients, en permettant des opérations de synchronisation de marché (*market timing*)[8]. Elles ont cessé leurs opérations malhonnêtes seulement après avoir été blâmées et accusées de pratiques frauduleuses.

Les situations de corruption d'administrateurs, de fraude, de discrimination, de fermeture abusive d'usines et d'adoption de comportements dénués d'éthique afin de saisir des occasions d'affaires se multiplient. Comme le signale Jean-Luc Landry, «à écouter les nouvelles, force est de constater une érosion significative de l'éthique professionnelle dans notre société[9]».

Non seulement les scandales financiers ne se comptent plus[10] mais, chose surprenante, on questionne aujourd'hui le comportement des gouvernements[11] ainsi que celui des organismes de réglementation, des syndicats, des entreprises et de leurs dirigeants[12].

S'il est admis de nos jours que les gestionnaires subissent d'énormes pressions au travail, qu'ils surmontent quotidiennement de nombreux défis et qu'ils craignent de plus en plus de voir leur carrière prendre fin abruptement, il est aussi admis que très «impulsifs, [ces gestionnaires] manifestent leur mécontentement de manière agressive, sapent le moral de l'équipe et dilapident leurs propres énergies. Sans même s'en rendre compte, ils ne cherchent qu'à marquer des points, et ce, au détriment de la collectivité[13]». Certains comportements jadis inacceptables, quand la conscience professionnelle des gestionnaires l'emportait sur leur ambition personnelle, deviennent monnaie courante.

Parmi ces comportements dénués d'éthique, il en est deux qui retiennent notre attention, soit :

- s'approprier à son avantage et pour ses intérêts personnels les réflexions et les suggestions de ses pairs ou de ses subalternes (c'est le cas, par exemple, d'un étudiant qui fait sienne une information tirée d'un site Internet et qui l'inclut dans son travail de session sans en citer la source) ;
- retenir de l'information pour protéger ses arrières, au détriment des intérêts de l'organisation.

Dans un article qui suscite la réflexion, Jean-Luc Landry s'interroge : chez les gestionnaires, la conscience professionnelle a-t-elle cédé le pas au manque d'éthique[14] ?

Il soutient que, bien que ces gestionnaires adoptent un comportement rationnel, ces derniers transgressent les règles si le gain à réaliser est suffisamment élevé pour compenser la perte potentielle. Pour ces gestionnaires, l'évaluation de cette perte potentielle consiste à déterminer dans quelle mesure la sévérité de la sanction à encourir est compensée par la probabilité de se faire «prendre»[15].

1.9.2 L'éthique dans l'exercice de la gestion : le retour aux valeurs consensuelles

Éthique (*ethics*)

Ensemble de principes et de normes de conduite utilisés afin d'orienter la prise de décision et le comportement d'un individu ou d'un groupe d'individus.

Dans l'exercice de la gestion, l'**éthique** ne peut être négligée. Il faut comprendre ce concept comme l'ensemble des principes et des normes de conduite qui orientent la prise de décision et le comportement d'une personne ou d'un groupe. Le gestionnaire doit continuellement se référer à l'ensemble de ses valeurs et évaluer si telle décision à prendre ou tel comportement à adopter respecte le schème de valeurs de la société ainsi que celui de l'organisation pour laquelle il travaille.

En résumé, un comportement éthique doit découler de l'ensemble des valeurs acceptées dans la société et transposées dans le milieu de travail. Même si son environnement devient propice à la corruption et à toutes sortes de tentations, le gestionnaire doit garder en tête un ensemble de valeurs consensuelles et adopter les comportements éthiques en conséquence, comme :

- oublier ses intérêts personnels et travailler pour le bien de l'organisation ;
- partager l'information utile à la prise de décision ;
- respecter les idées des autres et donner le crédit d'une idée gagnante à son auteur ;
- éviter la commercialisation d'un produit qui présente un danger potentiel pour les consommateurs.

L'adoption d'un comportement éthique étant fortement influencée par l'environnement, c'est dans ce dernier qu'une personne doit puiser les valeurs qui donnent un sens éthique à son travail. Ces environnements comprennent trois dimensions :

1. Dimension intrinsèque (*environnement interne*)

   C'est l'environnement au sein duquel l'individu est soumis à différentes influences : familiales, religieuses, personnelles.

2. Dimension organisationnelle (*milieu de travail*)

Il s'agit du milieu de travail, où l'adoption d'un comportement dit «éthique» est influencée non seulement par l'existence d'une politique claire en matière d'éthique et d'un code de bonne conduite, mais aussi par des mesures de sanction strictes en cas de comportement déviant. De plus, c'est le milieu où des éléments tels que le leadership des dirigeants, les comportements des superviseurs et des pairs de même que la culture organisationnelle en matière d'éthique contribuent à un accroissement de cette influence.

3. Dimension extrinsèque (*environnement externe*)

Enfin, dans l'environnement externe, il faut considérer l'effet de certains éléments liés de près à l'éthique, comme les lois gouvernementales sanctionnant les comportements dénués d'éthique, le climat éthique dans le milieu des affaires en général et au sein des gouvernements, ainsi que le système de normes et de valeurs dans la société.

FIGURE 1.4 Les facteurs influençant un comportement organisationnel dit «éthique» pour un individu

La figure 1.4 présente les facteurs environnementaux susceptibles d'influencer un comportement éthique chez un individu.

1.9.3 L'énoncé d'un code d'éthique : les principes à respecter

Que ce soit en matière de protection de l'environnement, de santé et de sécurité, de qualité des produits, de coûts transférés aux consommateurs ou de relations établies avec les fournisseurs et avec le gouvernement, les entreprises ont de plus en plus de comptes à rendre sur leur manière d'agir et de faire des affaires[16].

L'énoncé d'un code d'éthique devient donc un impératif pour favoriser la cohésion dans l'organisation sur le plan des agissements qui affectent toute prise de décision. Bien que cette démarche ne constitue qu'un premier pas dans le sens d'une politique de gestion à la fois éthique et efficace, les articles d'un tel code doivent être rédigés avec soin, et refléter les valeurs relevant de trois grands principes :

1. le principe de justice, selon lequel la prise de décision est basée sur la vérité, sur l'absence de biais et sur la cohérence ;

2. le principe des droits humains, selon lequel la prise de décision est basée sur la protection de la dignité humaine ;

3. le principe d'utilitarisme, selon lequel la prise de décision est basée sur la promotion du plus grand bien-être pour le plus grand nombre de personnes possible.

La figure 1.5 résume ces principes.

Même si les codes d'éthique en entreprise n'éliminent pas nécessairement les comportements dénués d'éthique[17], ils constituent un outil essentiel pour combattre les comportements répréhensibles et les problèmes qui en découlent.

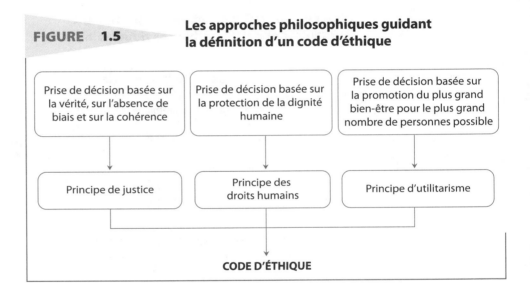

FIGURE 1.5 **Les approches philosophiques guidant la définition d'un code d'éthique**

RÉSUMÉ

Les deux modèles à l'origine des principaux courants théoriques en science de la gestion sont le modèle mécaniste, représenté entre autres par les théories de Taylor, Fayol et Weber et le modèle organique, représenté entre autres par les théories de Mayo, Maslow et Likert.

L'avenir de la gestion repose entre les mains des gestionnaires (cadres de différents niveaux dans l'entreprise) qui, selon l'utilisation qu'ils font de leurs compétences (conceptuelles, liées aux relations humaines, techniques, administratives ou « douces ») et de leur autorité (hiérarchique, de conseil, fonctionnelle) dans le cadre de leurs prises de décisions, orientent l'étude des nouveaux courants en management.

Tout gestionnaire possède un style de leadership qui découle de sa personnalité. Ce style peut être autocratique, démocratique ou «laisser-faire».

Dans un contexte d'incertitude, les organisations recherchent de plus en plus, chez les gestionnaires, non seulement la présence de plusieurs qualités (être créatif, audacieux, disponible, leader, etc.) mais aussi la manifestation des forces nécessaires pour relever plusieurs défis, dont celui d'adopter des comportements éthiques dans l'exercice de la gestion.

Évaluation des connaissances

QUESTIONS DE RÉVISION

1. En management, qu'est-ce qui distingue le modèle mécaniste du modèle organique ?

2. Selon Taylor, sur quels éléments repose une gestion efficace ? (Expliquez chacun de ces éléments.)

3. Dans le langage propre au management, qu'est-ce qu'un «gestionnaire» ?

4. La typologie des cadres à trois niveaux (supérieur, intermédiaire et de terrain) présente un double avantage, mais aussi un inconvénient. Quels sont ces avantages et cet inconvénient ?

5. Par un exemple précis, comment pouvez-vous démontrer que les fonctions de la gestion font partie d'un processus ?

6. Quelles compétences les gestionnaires doivent-ils posséder ?

7. Qu'est-ce qui distingue l'autorité hiérarchique de l'autorité de conseil et de l'autorité fonctionnelle ?

8. a) Comment définit-on l'éthique dans l'exercice de la gestion ?

   b) Quelle est l'importance de l'éthique pour les organisations, au XXIe siècle ?

Analyse de cas

CAS 1 – LE SOURIRE DU PRÉSIDENT (degré de difficulté : moyen)

Aujourd'hui, 16 septembre 2010, le nouveau président de la société Flytech inc., un dénommé Vic Eagleworth, n'entend pas à rire. Les chiffres que vient de lui remettre le comptable en chef de la compagnie reflètent des résultats alarmants pour le troisième trimestre de l'année 2010. Nerveux, le comptable se perdait en excuses, redoutant la réaction de Vic Eagleworth à ces mauvaises nouvelles.

Titulaire d'un MBA en finance de l'université Harvard, Vic Eagleworth avait, dès l'âge de 25 ans, obtenu son premier emploi à titre de vice-président Finances au siège social de la compagnie Flytech inc., à Dallas. En 20 ans de carrière au sein de cette entreprise, il avait réussi à faire ses marques. Déjà, au cours de ses cinq premières années de service, il était parvenu à faire tripler le chiffre d'affaires de l'entreprise, spécialisée dans la fabrication de simulateurs de vol. Au cours des années suivantes, il avait toujours su détecter les occasions d'affaires aidant à maintenir la compagnie au premier rang mondial dans la conception, la fabrication et la vente de simulateurs de vol.

Gestionnaire ambitieux et dynamique, il avait participé à la mise sur pied des deux filiales de la compagnie, situées l'une en Italie et l'autre au Canada. C'est justement au Québec qu'en 2002, la société-mère avait décidé d'établir la compagnie Flytech Canada inc. de Bromont, sa division spécialisée dans la fabrication de simulateurs pour gros porteurs aériens. Seulement, cette division si florissante à ses débuts n'affichait que des pertes au cours des années 2006, 2007 et 2008. Les dirigeants américains pensaient d'abord la fermer, mais le président et chef de direction avait plutôt décidé comme ultime recours de remercier l'actuel président de la compagnie Flytech Canada inc. et de le replacer par Vic Eagleworth, sur qui il fondait ses derniers espoirs.

Dès son entrée en fonction en janvier 2009, Vic Eagleworth avait procédé à une restructuration complète de cette entreprise non syndiquée. D'ailleurs, certains cadres dirigeants se rappellent encore l'avoir entendu s'écrier sans ambages, à l'occasion de son discours d'entrée en fonction : « La rentabilité passe par la restructuration. Et croyez-moi, je vise et j'obtiendrai la rentabilité exigée par mes patrons américains, quitte à mettre toute la structure à l'envers et à remplacer tout le personnel cadre et non cadre ».

Dans les semaines qui avaient suivi son discours, après avoir consulté et analysé la fiche d'évaluation du rendement de chacun de ses cadres hiérarchiques et fonctionnels, Vic Eagleworth avait convoqué ses quatre vice-présidents et leur avait montré deux piles de dossiers placées sur son bureau ; celle de droite était composée des dossiers des employés qui demeureraient au service de la compagnie et celle de gauche, des dossiers de ceux qui devaient être remerciés sur-le-champ. Sur un ton très autoritaire, il leur avait donné pour premier mandat de faire un grand ménage, c'est-à-dire de congédier, pour cause d'incompétence, le comptable en chef et ses deux assistants, le directeur du marketing, la directrice des ressources humaines, le directeur de la production et tous les dix-huit contremaîtres. « Nous disposons de trois semaines pour remplacer toutes ces personnes. Au travail ! », avait-il ordonné.

Toutes les embauches de cadres hiérarchiques et fonctionnels devaient être approuvées par lui. Au service des ressources humaines, il avait ordonné de réanalyser tous les postes afin de simplifier au maximum le travail des employés affectés à la production, car selon sa philosophie de gestion, ces employés ne sont payés que pour produire et exécuter les ordres reçus. De plus, il avait décrété une augmentation de salaire pour les ingénieurs, alléguant qu'ils sont des éléments qui pensent et qu'ils doivent donc être rémunérés à la hauteur de leur talent.

Selon le président Eagleworth, à un salaire élevé devaient correspondre des responsabilités plus élevées. Il avait donné l'ordre aux dix ingénieurs responsables de la conception du produit de concevoir, dans un délai de trois mois, un nouveau prototype de simulateur plus puissant, plus compact et respectant les critères technologiques imposés par la société-mère. En attendant, la production des anciens simulateurs devait être complètement suspendue et l'équipe du marketing recevait elle aussi un mandat : regagner la confiance des principaux clients internationaux et leur faire signer des contrats à long terme pour l'achat des nouveaux simulateurs à haute performance. Trois mois après avoir obtenu le mandat du président, les ingénieurs n'avaient pas réussi à livrer la marchandise. Il en résulta des pertes de contrats et les ingénieurs furent tous congédiés et remplacés.

En août 2009, un nouveau prototype était présenté à la haute direction de la compagnie, en présence de plusieurs acheteurs internationaux. Ce fut un succès. Un mois après la démonstration, le carnet de commandes était à nouveau rempli et la production commençait à connaître des temps plus glorieux. Au dernier trimestre de l'année 2009, le comptable en chef de la compagnie remettait au président un état des résultats affichant un bénéfice net. Les deux premiers trimestres de l'année 2010 étaient aussi porteurs de bonnes nouvelles pour les dirigeants américains, qui ne croyaient plus possible pour la division du Québec d'afficher un bénéfice net de l'ordre de 75 000 000 $.

Le président et chef de la direction de la société-mère de Dallas avait donc décidé de visiter la compagnie Flytech Canada inc. au cours du mois de septembre 2010. C'est pourquoi le président Eagleworth avait demandé à voir les résultats financiers. Le jeudi, 16 septembre, à 16 h, il avait obtenu les chiffres. Ils annonçaient une perte. Déçu, le président Eagleworth avait immédiatement convoqué une réunion avec ses quatre vice-présidents (Finances, Marketing, Ressources humaines et Production).

— Demain, dit-il, je remets ma démission au président et chef de direction de notre société-mère. Comment puis-je justifier une telle perte ?

Le vice-président Finances ne comprenait absolument rien à ses propos. Il demanda à voir le dossier et en prit connaissance.

— Mais quels sont ces chiffres erronés pour le troisième trimestre de cette année ? demande-t-il. Nous avons pourtant enregistré un autre bénéfice record au cours de ce trimestre… [Il ouvre grands les yeux]… Le comptable vous a remis les chiffres de l'année 2008. Il fait présentement un grand ménage dans ses dossiers ; il aura sans doute confondu les documents. C'est moi qui lui ai commandé une analyse comparative de la variation du bénéfice net au cours des 12 derniers trimestres et…

Le président Eagleworth fixe sévèrement le vice-président Finances, qui juge bon de se taire.

— Dois-je congédier le comptable en chef? lui demande alors le vice-président Finances.

Au moment où le président s'apprête à répondre, la porte s'ouvre avec fracas. Le comptable en chef entre en brandissant un dossier.

— Monsieur le président, s'empresse-t-il de dire, je ne vous ai pas donné le bon dossier. Mille excuses !… Nous avons réalisé un bénéfice net de l'ordre de…

— Taisez-vous! lui crie le vice-président Finances. J'ai déjà tout expliqué au président et nous attendons sa décision en ce qui concerne votre avenir dans la compagnie.

«Ça y est, il va me congédier», se dit en lui-même le comptable en chef.

Le président Eagleworth soupire longuement et, tendant la main, accepte le nouveau dossier. Il s'adresse ensuite calmement au comptable en chef, lui qui, pourtant, ne parlait qu'à ses vice-présidents :

— Vous avez fait du bon travail au cours de cette dernière année et je vous en remercie. Vous êtes un travailleur dévoué et je sais que j'ai beaucoup exigé de vous ces derniers temps. Vous méritez le bonus dont je vous avais parlé. Maintenant, allez, rentrez chez vous et reposez-vous bien. Demain, je veux vous voir en forme car c'est à vous que reviendra la tâche de présenter à nos patrons américains le schéma de l'évolution de nos bénéfices nets.

Le comptable en chef demeura bouche bée. Quant au vice-président Finances, son visage rayonnait de soulagement.

— Monsieur le président, vous êtes un grand président, se contenta-t-il de dire.

Vic Eagleworth esquissa simplement un léger sourire. C'était la première fois que ses vice-présidents le voyaient sourire. Et la vice-présidente Ressources humaines commenta, en souriant elle aussi :

— Qui sait messieurs, peut-être sommes-nous en train de vivre l'instauration d'une nouvelle philosophie de gestion !

QUESTIONS

1. En lisant ce cas, nous constatons que la philosophie de gestion du président Eagleworth est fortement influencée par les approches issues du modèle mécaniste.

   a) À partir de quels faits tirés du texte pouvons-nous tirer une telle conclusion ? Énoncez trois faits dans votre réponse.

   b) Quels sont les trois faits les plus pertinents qui permettent d'affirmer que le mode de gestion du président est inspiré des principes du taylorisme ?

2. La vice-présidente Ressources humaines voyait, en la réaction du président Eagleworth envers le comptable en chef, l'indice d'une nouvelle philosophie de gestion. En supposant qu'il s'agisse d'une orientation vers le modèle organique, comment l'application de la théorie de Maslow viendrait confirmer cette hypothèse ? Expliquez votre réponse par tout élément du texte que vous jugez pertinent.

Analyse de cas

CAS 2 – *AVE CAESAR, MORITURI TE SALUTANT !* (degré de difficulté : facile)

Le directeur des ressources humaines d'une école secondaire privée située à Saint-Bruno fait son entrée dans le gymnase de l'école accompagné d'un jeune homme costaud faisant bien dans les 1 m 85. Le crâne complètement dégarni, le visage sévère, le jeune homme promène son regard sur les 20 joueurs de basketball de l'équipe classée « Benjamin AAA ». Le directeur des ressources humaines prend la parole :

« Je vous présente votre nouveau coach. Il se nomme Corianus N'Gambe. De parents africains, Corianus a grandi en France, où il a fait partie de l'équipe professionnelle de basketball pendant huit ans avant de devenir entraîneur de l'équipe nationale pendant quatre ans. J'ai fait appel à ses services pour qu'il redresse l'équipe « Benjamin AAA » et que nous reprenions le titre de champion provincial que nous avions gardé pendant sept ans, et qui nous a échappé l'an dernier. Allez, je vous laisse avec votre entraîneur. »

Le directeur des ressources humaines quitte le gymnase. Corianus demande un ballon à un des joueurs. Il marche d'un pas ferme vers l'aire de lancer des « 3 points ». Il exécute un tir parfait et inscrit un panier. Il prend la parole :

« Aujourd'hui, quatre d'entre vous seront éliminés et quatre autres le seront dans deux jours. Mon équipe sera composée de douze joueurs. Alors, prenez chacun un ballon et de l'aire de tir des « 3 points », vous devez effectuer 30 tirs. La note de passage est d'abord de 70 %, qui correspond à la réussite de 21 paniers sur 30. Ceux qui échouent devront faire 50 redressements assis et recommenceront jusqu'à ce qu'ils obtiennent la note de passage. Ensuite, j'augmenterai la moyenne à 80 % jusqu'à ce que quatre d'entre vous tombent dans mon arène… [Il marque une pause et crie]… AU TRAVAIL ! »

Les ballons s'envolent vers les quatre paniers répartis aux quatre extrémités du gymnase. Corianus prend des notes, inscrivant dans son calepin le numéro des joueurs performants sur une page et sur l'autre, le numéro de ceux qui démontrent moins d'aisance avec leur lancer.

« On pousse avec les jambes !… On tire en hauteur !… Vous, cinquante redressements assis !… On augmente la moyenne à 80 % !… Au travail ! »

Les ordres fusent pendant deux heures. Au terme de la pratique, Corianus fixe avec autorité les jeunes hommes épuisés et annonce sèchement le nom des quatre joueurs tombés au combat.

Deux jours après, le même régime militaire est servi aux joueurs. Cette fois-ci, Corianus leur demande de réussir 80 % de leurs lancers dès le départ, et relève par la suite le seuil de réussite à 85 %, puis à 90 %. Il augmente de 50 le nombre de redressements assis pour ceux qui échouent, ce qui suscite la protestation chez l'un des joueurs :

— Vous nous traitez comme si nous étions des gladiateurs !

— EXPULSÉ DE L'ÉQUIPE !

Au terme des deux heures d'entraînement, Corianus rassemble ses joueurs.

« J'ai mon équipe ! » annonce-t-il.

Et il nomme 12 joueurs, éliminant ainsi trois derniers joueurs. Fixant les membres de son équipe, Corianus leur crie cet ordre :

— Vendredi, 18 heures ! Je veux tous vous voir au gymnase !

— Mais avec notre ancien coach, nous discutions de nos disponibilités avant de décider de l'horaire des entraînements, lui précise un certain Corriveau.

— Et vous avez perdu le championnat ! Dorénavant, je vais vous apprendre à ne pas discuter mes ordres !

Le vendredi arrivé, tous les joueurs de l'équipe se présentent au gymnase autour de 17 h 50. À 18 h exactement, Corianus fait son entrée. Les joueurs qui étaient assis se lèvent d'un bond, ferment le poing droit et le portent à leur cœur en s'écriant :

— *Ave Caesar, morituri te salutant*[18] !

Surpris d'un tel accueil, Corianus sursaute, sourit et dit d'une voix à peine audible :

— Corianus, appelez-moi simplement Corianus !

www.cheneliere.ca
turgeon-lamaute

QUESTIONS

1. Comment qualifiez-vous le style de leadership de Corianus?

2. En général, quel comportement adopte un cadre qui manifeste un tel style?

3. Quelles sont les trois situations du texte qui illustrent le style que vous avez reconnu à Corianus?

Chapitre 2

La prise de décision au quotidien

◂ **LA PRISE DE DÉCISION AU QUOTIDIEN**

Décider : c'est aussi la réalité du gestionnaire
Section 2.1

Décider dans un axe allant de la certitude à l'incertitude
Section 2.2

Décider dans un contexte d'incertitude : les méthodes
Section 2.3

Le processus de prise de décision
Section 2.4

Le groupe engagé dans la prise de décision
Section 2.5

Deux outils spécifiques aidant à la prise de décision
Section 2.6

Les technologies de l'information et la prise de décision
Section 2.7

Les obstacles à la méthode rationnelle
Section 2.4.1

La dynamique du processus décisionnel…
Section 2.4.2

Le modèle de la rationalité limitée
Section 2.4.3

Les obstacles à la prise de décision en groupe
Section 2.5.1

Deux techniques aidant à la prise de décision en groupe
Section 2.5.2

L'analyse du point mort
Section 2.6.1

L'arbre de décision
Section 2.6.2

Objectifs d'apprentissage :

1. expliquer ce qu'est la prise de décision ;

2. expliquer ce qu'est l'approche rationnelle de la prise de décision ;

3. exploiter l'approche rationnelle dans des situations concrètes de prise de décision ;

4. appliquer les critères à considérer en vue de valider une décision finale ;

5. expliquer la méthode à suivre afin de rendre efficace la prise de décision en groupe ;

6. utiliser des outils spécifiques d'aide à la prise de décision.

Mais qui a réveillé le dieu Vulcain au fond de l'Eyjafjallajökull ?

L'éruption du volcan Eyjafjallajökull en avril 2010 a grandement perturbé le trafic aérien du nord de l'Europe.

Le mercredi 14 avril 2010, on eut juré que le dieu Vulcain s'était réveillé au fond du volcan Eyjafjallajökull dans le sud de l'Islande, crachant par sa bouche un épais nuage de cendres volcaniques. Résultat: le trafic aérien du nord de l'Europe fut paralysé. Les autorités responsables du trafic aérien dans cette partie de l'Europe devaient rapidement prendre une décision dans un contexte d'incertitude. Ce n'est pas la rationalité qui les a guidés, mais leur jugement. C'est pourquoi, afin d'éviter la catastrophe, elles ont dû prendre des mesures extraordinaires telles que «fermer les aéroports situés sur la trajectoire de la nuée[1]». Du coup, «l'espace aérien de la Grande-Bretagne, de l'Irlande, des pays scandinaves, de la Belgique, des Pays-Bas, du nord de la France et de la Pologne est devenu une zone interdite [...]».

Conséquemment, les voyageurs devenaient «à la merci du bon vouloir de leur transporteur aérien». Une semaine après l'éruption volcanique, les vols en partance d'Europe ou en direction de l'Europe étaient interdits. Beaucoup de voyageurs voyaient leur séjour s'éterniser et certains d'entre eux ont également dû prendre des décisions dans un contexte d'incertitude. Quoi faire? Demeurer à l'aéroport en attendant une accalmie du volcan et la reprise des vols? Changer de vol et se diriger vers un lieu sécuritaire près de leur destination? Prolonger leur séjour dans le pays d'accueil en se disant que de toute façon, on n'y peut rien dans un cas de force majeure?

Petites questions d'ambiance

1. Si vous deviez prendre une décision dans le contexte d'incertitude qui vient d'être présenté, quelle méthode choisiriez-vous? Après la lecture de ce chapitre, précisez si votre décision serait plutôt basée sur l'intuition, le jugement ou la rationalité.

2. En vous basant sur les événements qui composent votre quotidien, relevez trois décisions que vous avez déjà prises dans un contexte d'incertitude. Prendriez-vous les mêmes décisions aujourd'hui?

2.1 Décider: c'est aussi la réalité du gestionnaire

Dans sa section «Affaires» du mardi 13 avril 2010, le journal *La Presse* rapporte deux événements relatifs à la prise de décision. Le premier a trait à cette «offensive chinoise dans les sables bitumineux albertains»; offensive consistant en l'achat, par le géant pétrolier chinois Sinopec, d'une participation dans la société canadienne Syncrude pour 4,65 milliards de dollars américains. Quant au second événement, il concerne l'investissement de 250 millions de dollars que la société de télécommunications Telus compte effectuer au Québec en 2010. Aux dires du président de cette entreprise, un tel investissement technologique devrait permettre à Telus de se positionner dans des secteurs prioritaires tels que la santé et l'environnement[2].

Quelle que soit la tournure de ces événements, leur réalisation sera la conséquence de décisions qui auront été prises par les gestionnaires de ces sociétés.

Dans les entreprises, plusieurs décisions d'importance variable sont ainsi prises quotidiennement par des gestionnaires. On pourrait même aller jusqu'à affirmer que «décider» constitue leur principale tâche. Comme la **prise de décision** ne repose pas sur le hasard, plus les gestionnaires détiennent de renseignements sur la situation qui les concerne, mieux ils sont en mesure de prendre une décision éclairée.

Il convient toutefois de souligner que, dans certaines entreprises, grâce aux technologies de l'information et des communications, l'accès à différents types d'information n'est plus réservé qu'aux seuls gestionnaires; une décentralisation de la prise de décision vers les employés peut donc s'opérer. Mais prendre quotidiennement des décisions de la façon la plus judicieuse possible demeure la réalité de tous les gestionnaires.

Prise de décision

(decision making)

Activité par laquelle on établit un choix parmi différentes options.

2.2 Décider dans un axe allant de la certitude à l'incertitude

Les décisions ne sont pas toutes prises par le gestionnaire avec la même assurance, car le contexte dans lequel il se trouve au moment de les prendre varie continuellement, l'amenant de la certitude à l'incertitude.

Quand, devant une situation problématique, le gestionnaire dispose de toute l'information requise et que la décision à prendre s'impose d'elle-même, il se trouve dans un contexte de certitude. On dit de la **décision** prise en un tel contexte qu'elle est **programmée**. Ce qualificatif s'applique à toutes les situations où, en fonction des normes, des politiques, des procédures et des règlements en vigueur dans l'organisation, la décision à prendre est bien encadrée. D'ailleurs, une décision de ce genre est souvent dite routinière et ne présente qu'un faible niveau de risque, voire aucun risque.

Décision programmée

(programmed decision)

Décision à caractère routinier, prise en fonction de normes, de politiques, de procédures ou de règlements bien établis dans l'organisation.

Par exemple, si, en matière de mesures disciplinaires, une politique établit clairement que toute forme d'insubordination est sanctionnée par une suspension de trois jours, c'est cette décision qui sera prise automatiquement dès qu'un individu fera preuve d'insubordination en refusant d'obéir à un ordre de son supérieur immédiat.

Le gestionnaire peut aussi avoir à prendre des décisions dans un contexte d'incertitude, alors qu'il ne possède aucune information et que les pistes de solution sont inexistantes. Ces **décisions** sont dites **non programmées** et présentent un niveau de risque élevé. En telles circonstances, le gestionnaire doit faire preuve de créativité et développer la procédure à suivre afin de prendre la décision appropriée.

Décision non programmée

(unprogrammed decision)

Décision prise dans un cadre peu ou pas du tout structuré n'offrant aucune information ni aucun indice quant aux solutions possibles.

En guise d'exemple, l'encadré 2.1, à la page suivante, présente une situation où une organisation a dû prendre une décision dans un contexte d'incertitude. Notez dans quel contexte l'expansion devait être réalisée par le promoteur.

La figure 2.1, à la page suivante, illustre l'axe de la prise de décision.

L'Université de Montréal s'agrandit à Laval[3]

Le nouveau campus de l'institution sera relié à la station de métro Montmorency

L'expansion de l'Université de Montréal à Laval devient finalement réalité. La première pelletée de terre de la Cité du savoir, un complexe de six étages au métro Montmorency, sera prélevée ce matin […]

À la fin des travaux, en 2011, l'institution aura multiplié par cinq la superficie de ses installations à Laval.

L'immeuble sera relié au métro par un tunnel. […]

Le projet d'expansion de l'UdM le long du métro de Laval ne date pas d'hier. Il a d'abord été annoncé en 2003, puis en 2004, avant d'être laissé pour mort jusqu'à l'an dernier. La crise économique a ensuite ralenti les démarches en raison de la difficulté du promoteur à obtenir du financement.

FIGURE 2.1 L'axe de prise de décision

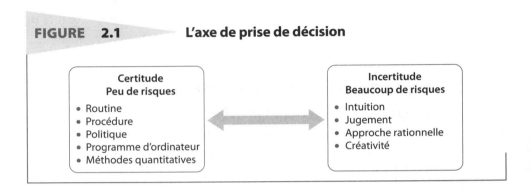

2.3 Décider dans un contexte d'incertitude : les méthodes

Pour prendre une décision dans un contexte d'incertitude, une personne peut se fier à son intuition, faire appel à son jugement ou recourir à la rationalité. Voyons ce que suppose chacune de ces approches.

L'intuition

Le *Yahtzee* est un jeu de hasard qui se joue avec cinq dés. Plusieurs possibilités de jeux s'offrent au joueur. Lorsque son tour vient, il doit lancer les cinq dés une première fois et, par la suite, il peut jouer deux autres coups pour tenter de réaliser la combinaison qui lui sera la plus favorable. Par exemple, s'il jette les cinq dés et que quatre d'entre eux tombent sur le chiffre quatre et le dernier, sur le chiffre trois, cela vaut la peine pour lui de risquer ses deux autres coups pour tenter d'obtenir un dernier quatre. Ainsi, il réaliserait un *yahtzee* et se mériterait une prime de 50 points. Mais n'oublions pas que c'est un jeu de hasard! Avant de prendre la décision de lancer le dé une dernière fois, nous avons souvent l'intuition que cette fois sera la bonne. C'est donc l'intuition qui guide notre décision de lancer ou non le dé.

Il va de soi que le niveau de risque que comporte la prise de décision basée sur l'intuition demeure élevé parce que les personnes qui utilisent cette approche commettent souvent l'erreur de présenter une solution basée sur leurs propres émotions et ignorent fréquemment des faits pertinents relatifs à la situation. Pensez aux acheteurs de billets de loto qui disent souvent avec conviction : « Cette fois, j'ai l'intuition que ce sera le bon ! » Ils le disent avec tant d'émotion que parfois, on est même porté à croire, comme eux, qu'il s'agira réellement du bon billet.

Dans le monde des affaires, l'intuition est mauvaise conseillère en ce qui a trait à la prise de décision. Par exemple, il serait irrationnel pour un gestionnaire d'engager des millions de dollars dans la commercialisation d'un produit en basant sa décision sur l'intuition que le marché accueillera bien ce produit. Cette approche ne vaut que dans les cas ne présentant aucune conséquence sur le plan organisationnel. Par exemple, un comptable qui n'a pas eu le temps de terminer les états financiers de son plus important client un vendredi en fin d'après-midi peut avoir l'intuition que ce dernier tentera de le joindre dès l'ouverture du bureau, le lundi matin suivant, pour avoir un compte rendu. S'il se base sur son intuition, ce comptable prendra la décision de travailler durant la fin de semaine pour terminer les états financiers. Si, le lundi matin, le client en question l'appelle effectivement dès l'ouverture du bureau, le comptable dira que son intuition était bonne et il se félicitera de l'avoir écoutée. Mais si le client ne le joint que le mercredi matin suivant, il se dira simplement qu'il a été prudent.

Le jugement

Vous est-il déjà arrivé de faire face à une situation où il vous fallait prendre une décision et, ayant demandé l'aide d'une personne, celle-ci vous a répondu : « Voyons, tu peux prendre seul ta décision. Fais preuve de jugement. » Ou, encore, à une situation au travail où vous affrontez un problème que vous ne semblez pas être en mesure de résoudre, et qu'une personne vous dise : « Ne t'inquiète pas, le patron va régler ton problème. Tu peux te fier à son jugement. » ?

« Fais preuve de jugement ! », « Fais appel à ton jugement ! », « Fie-toi à son jugement ! » sont des phrases que nous entendons régulièrement quand vient le temps de prendre une décision pour régler un problème dont la solution, en apparence facile, ne nous vient pas à l'esprit. Faire appel à son jugement, c'est se référer à des expériences passées qui deviennent des guides pouvant aider à prendre une décision.

L'approche basée sur le jugement comporte tout de même un niveau de risque élevé parce qu'un problème qui, *a priori*, ressemble à une situation déjà vécue peut être la résultante de faits nouveaux qui doivent être analysés dans le contexte qui leur a donné naissance. Nos expériences passées et notre vécu serviront alors à orienter notre comportement, non pas notre décision. C'est pourquoi, en milieu organisationnel, plus une décision implique des investissements ou des débours importants, moins la prise de décision basée sur le jugement est conseillée.

La rationalité

L'approche basée sur la rationalité repose sur le respect d'un processus logique. Le décideur ne se laisse guider ni par des liens émotifs, ni par ses sentiments, ni par son intuition. Cette approche le force à s'inspirer de faits réels et pertinents, à les analyser, à évaluer plusieurs options et à choisir la plus adéquate compte tenu des circonstances.

L'encadré 2.2 présente une situation où, dans la ville de New York, des gestionnaires ont fait appel à la rationalité pour prendre une décision.

L'eau potable de New York[4]

Les gestionnaires de New York face à deux options

Au début du siècle dernier, avec l'expansion démographique que connaissait la ville de New York, les autorités municipales ont pris la décision d'approvisionner la ville en eau potable.

Les options qui s'offraient à la ville de New York étaient les suivantes:

1. Construire une usine de filtration; ou

2. S'approvisionner directement en eau potable à même un grand bassin des monts Catskill Delaware, décrit comme étant un véritable écosystème de filtration naturelle de l'eau.

Quelques faits ont alors été analysés par les autorités municipales:

- Le coût généré par l'investissement dans une usine de filtration serait de 10 milliards de dollars;
- Le coût généré par l'investissement dans le capital naturel serait de 2 milliards de dollars, incluant:
  - les coûts d'expropriation de certaines personnes résidant sur des terres situées à 200 km au nord-ouest de la ville, aux alentours des bassins versants des monts Catskill Delaware;
  - les coûts de la construction de gigantesques lacs artificiels;
  - les coûts de la construction d'un système d'aqueduc et de tunnels acheminant l'eau à la ville par simple gravité.

C'est au terme de l'analyse des faits que les autorités municipales de la ville de New York ont pris leur décision, soit celle de puiser leur eau potable à même le grand bassin naturel des monts Catskill Delaware.

La figure 2.2 illustre les principales approches que nous avons présentées.

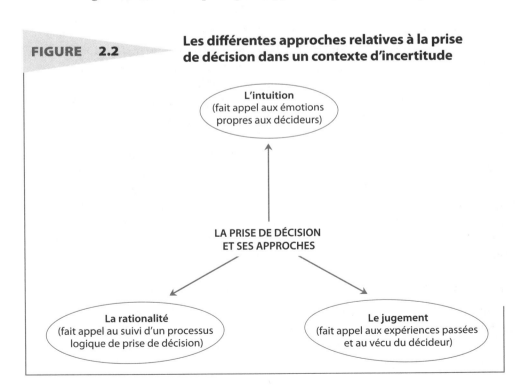

FIGURE 2.2

Les différentes approches relatives à la prise de décision dans un contexte d'incertitude

L'intuition
(fait appel aux émotions propres aux décideurs)

LA PRISE DE DÉCISION ET SES APPROCHES

La rationalité
(fait appel au suivi d'un processus logique de prise de décision)

Le jugement
(fait appel aux expériences passées et au vécu du décideur)

Des décisions qui ont marqué l'histoire

- Saviez-vous que c'est l'explorateur hollandais Jacob Roggeveen qui, ayant aperçu une île isolée au beau milieu du Pacifique le matin de Pâques 1722, a pris la décision de nommer cette dernière l'«île de Pâques»? De nos jours, l'île mystérieuse avec ses statues géantes porte encore ce nom. Ainsi, la décision de l'explorateur hollandais a marqué une partie de l'histoire du monde de l'exploration[5].

- Saviez-vous qu'il y a 40 ans de cela, un 11 avril 1970, la mission Apollo 13 s'est envolée vers la Lune et, lors d'une opération de routine qui consistait au brassage des réservoirs d'oxygène, une étincelle «a jailli d'un fil mal isolé et a provoqué l'explosion d'un des deux réservoirs d'oxygène»? C'est au cours de cette mission que l'astronaute Jim Lovell a lancé sa phrase devenue célèbre: «Houston, nous avons un problème». Sachez que les trois astronautes étaient certains de ne plus pouvoir retourner sur Terre. C'est alors qu'à «Houston, l'équipe a décidé de laisser le vaisseau continuer son chemin jusqu'à la Lune pour être renvoyé vers la Terre à la manière d'un lance-pierre[6]». Cette décision a sauvé les astronautes et a marqué une partie de l'histoire de la conquête de l'espace.

- Saviez-vous que c'est le 22 avril 1970 qu'un sénateur américain du nom de Gaylord Nelson a pris la décision d'inviter «les étudiants à mettre sur pied des projets de sensibilisation à l'environnement dans leur communauté» et que cette action a non seulement «mené à une prise de conscience collective et à sensibiliser les élus américains pour que la problématique environnementale figure à l'agenda national», mais a aussi «en quelque sorte donné naissance au Jour de la Terre[7]»? Eh bien, croyez-le ou non, cette décision a marqué l'histoire en matière de protection de l'environnement car en 2010, les médias annonçaient que le Jour de la Terre a 40 ans!

Petit exercice de détente

Présentez une situation (fête, réunion de famille, déroulement d'un cours en classe, etc.) où vous-même ou quelqu'un de votre entourage avez pris une décision qui, selon les autres, a eu une incidence marquante dont on parle encore.

Ce petit exercice vous permettra de comprendre que, bien que la prise de décision fasse partie de notre quotidien, seules certaines décisions ont une influence décisive sur notre vie. Il en est de même dans la vie des organisations.

2.4 Le processus de prise de décision

Le processus de prise de décision implique une démarche rationnelle. Cette approche, rappelons-le, suppose le respect d'une logique qui permet d'arrêter un choix sur la solution qui, compte tenu des circonstances, apparaît la plus judicieuse. Cependant, l'efficacité de la méthode rationnelle peut être amoindrie par différents éléments, dont l'influence néfaste des enjeux politiques dans l'entreprise, l'importance que prennent la culture organisationnelle et la rapidité d'acquisition et de traitement des données. Expliquons brièvement chacun de ces éléments.

2.4.1 Les obstacles à la méthode rationnelle

L'influence néfaste des enjeux politiques

Idéalement, la méthode rationnelle doit conduire à la prise d'une décision judicieuse et justifiable. La rationalité de la démarche ne devrait donc pas être sacrifiée à des intérêts d'ordre politique.

Considérons le cas suivant : malgré le rejet, au cours des sept semaines précédentes, de sept lots complets de pièces défectueuses, le responsable de l'approvisionnement prend la décision de maintenir sa relation d'affaires avec le fournisseur de ces pièces, car celui-ci est le gendre du président-directeur général de l'entreprise. Dans l'unité administrative où il travaille, la rumeur court chez les travailleurs que ce responsable ferme les yeux sur la médiocrité du fournisseur parce qu'il espère bientôt obtenir une promotion au sein de l'organisation.

L'importance de la culture organisationnelle

Il peut arriver qu'une décision issue d'une méthode rationnelle ne puisse pas respecter l'ensemble des valeurs, des expériences, du vécu et de la *façon de faire* de l'organisation. La solution qui s'impose alors est de rejeter cette décision, notamment si le respect de la culture organisationnelle constitue une des valeurs des hauts dirigeants.

Par exemple, même s'il semble profitable à une entreprise de déverser des produits toxiques dans une rivière pendant cinq ans et de courir le risque de payer une amende n'excédant pas 10 000 $ par année, ses hauts dirigeants peuvent opter pour un programme de décontamination et d'épuration des eaux de la rivière, au coût de huit millions de dollars, si l'honnêteté, l'honneur et le respect des individus et des ressources naturelles font partie de leur culture organisationnelle.

La rapidité d'acquisition et de traitement des données

Plus vite différentes données parviennent aux gestionnaires, plus vite ces derniers peuvent les analyser, les traiter, en extraire l'information et prendre les décisions requises. Il va de soi que, même si ces données sont acquises et traitées dans le délai adéquat, certaines conditions doivent être réunies avant qu'il soit possible de déterminer si les gestionnaires agissent ou décident de façon rationnelle. Ces gestionnaires doivent :

- essayer d'atteindre un but qui demeurerait irréalisable sans l'intervention des gestionnaires ;
- posséder une connaissance claire et précise de toutes les options qui pourraient conduire à la réalisation de l'objectif à atteindre, en fonction des circonstances et dans le cadre des limites connues ;
- disposer de l'information nécessaire et, en plus, posséder l'aptitude à analyser et à juger les options possibles en vue d'effectuer le choix le plus judicieux ;
- avoir la volonté de retenir l'option qui, selon les circonstances connues, est la plus susceptible de favoriser la réalisation de l'objectif visé[8].

2.4.2 La dynamique du processus décisionnel selon la méthode rationnelle

La méthode rationnelle de prise de décision se présente comme un processus en 10 étapes. Les voici :

1. **Percevoir une occasion d'affaires ou un problème**

   Le gestionnaire en situation de travail doit être sensible à tous les « messages » qui proviennent de ses environnements interne et externe, car ceux-ci constituent souvent les indices qu'une situation favorable se dessine pour l'entreprise ou qu'un problème prend naissance. Qu'il s'agisse d'une baisse de rendement observée chez les employés, du niveau des ventes qui chute considérablement au cours d'un trimestre ou d'un nouveau marché qui se développe pour un produit, tout doit être noté et analysé afin que soient perçues rapidement toutes les situations favorables ou défavorables.

2. **Recueillir et analyser les faits pertinents**

   Le mot clé de cette étape est « pertinents ». Car, de fait, ce que nous devons relever, ce sont des éléments qui, du fait de leur présence, nous permettent de déceler une occasion favorable ou d'affirmer qu'il existe un problème. Le cas suivant illustre cette idée. Un contremaître insulte un employé devant ses collègues parce que, pour une troisième fois consécutive, cet employé s'est montré effronté et a fait preuve d'insubordination. Un employé, témoin de la scène, à qui on demande d'expliquer la situation, peut spontanément répondre que le patron s'en est pris à un collègue, l'insultant devant tous les autres travailleurs. Cependant, si l'explication vient du contremaître, ce dernier dira que l'employé a eu une attitude déplorable, qu'il a encore fait preuve d'insubordination et qu'il manque de respect pour l'autorité. Les deux individus interrogés ont rapporté non pas deux problèmes différents, mais deux faits pertinents relatifs au problème qu'il faudra détecter.

   Cette étape de la prise de décision est cruciale car si, par exemple, on confond « fait pertinent » et « problème », il peut arriver qu'on règle une situation en pensant que le problème a été résolu, mais que ce soit simplement un fait pertinent qui a été traité. L'analyse des faits doit donc justifier la reconnaissance du véritable problème.

3. **Reconnaître l'occasion d'affaires ou le problème**

   Les faits ayant été relevés, il faut reconnaître l'occasion d'affaires ou le problème qui requiert une intervention. Par exemple, à la suite d'une recherche commerciale, des spécialistes en marketing rapportent les deux faits suivants à leur directeur : le produit destiné aux groupes cibles, qui comprennent les personnes âgées de 45 à 54 ans, attire aussi une clientèle âgée de 30 à 44 ans, et ce, dans une proportion de 72 %. Ce produit, destiné à une clientèle nationale, est de plus en plus demandé par la clientèle internationale. Dans ce cas, l'occasion d'affaires qui se présente peut être décrite ainsi :

   - possibilité de s'emparer d'un nouveau marché (clientèle âgée de 30 à 44 ans) avec le même produit ;
   - possibilité d'amorcer une percée sur le marché international avec le même produit.

Il va de soi qu'une fois l'occasion d'affaires ou le problème connu, il faut se poser des questions, se fixer des objectifs et vérifier s'ils sont réalistes.

4. **Définir l'objectif**

L'objectif que nous devons nous fixer doit nécessairement être conforme à la décision que nous allons prendre. Si nous nous rapportons à l'exemple précédent, l'objectif que pourra se fixer l'entreprise peut être d'augmenter de 40 % ses ventes nationales avant d'effectuer une percée mondiale.

5. **Établir des contraintes**

Une fois l'objectif défini, il faut connaître les contraintes, c'est-à-dire tous les facteurs limitatifs pouvant nuire à l'atteinte de l'objectif. Si nous revenons à l'exemple énoncé à l'étape 3, les contraintes pourraient être le temps de réaction de la concurrence, la faible capacité de production de l'usine, les coûts générés par une augmentation de la production pour répondre à la nouvelle demande ou le recours aux sous-traitants sans connaître leurs critères de qualité.

6. **Déterminer des options**

Il va de soi qu'au regard d'une occasion d'affaires ou d'un problème, un gestionnaire ne doit pas envisager qu'une seule option en pensant qu'elle est forcément la bonne. Cependant, il peut exister des situations où seule une option peut être envisagée.

Par exemple, dès qu'à l'automne 2009, l'Amérique du Nord entrait dans la seconde vague de la pandémie de grippe A (H1N1), le gouvernement canadien a pris l'unique décision qu'il jugeait appropriée : offrir à toute la population canadienne le vaccin contre ce type d'influenza.

Cette situation fait partie des exceptions ; la règle voulant que toute décision judicieuse soit prise en fonction de l'évaluation de plus d'une option.

7. **Évaluer les options**

Une bonne façon d'évaluer chacune des options est d'en pondérer le pour et le contre, les avantages et les inconvénients. Et si, en plus, il est possible de déterminer le coût lié au maintien ou au rejet de chacune de ces options, cela facilitera la prise de décision en fournissant non seulement un élément de comparaison important mais, aussi, un appui chiffré (et souvent convaincant) au maintien ou au rejet d'une ou de plusieurs des options.

8. **Choisir une option**

Cette étape importante implique qu'il faille s'engager, se décider. Il n'est plus question de reculer, il faut faire un choix. Est-il le meilleur ? Souvent, il n'est pas possible de l'affirmer. Selon les circonstances, il peut, en revanche, se révéler le plus judicieux, voire le plus logique.

Ainsi, même si une bonne occasion d'affaires se présente à une entreprise, la solution la plus logique pour un gestionnaire peut être de ne pas en profiter parce que l'entreprise ne dispose pas des ressources (financières, matérielles, humaines et technologiques) nécessaires pour en bénéficier avant ses concurrents. Mais si telle est sa décision, c'est qu'elle « s'inscrit à ce moment dans une suite logique, elle apparaît évidente et constitue une conclusion irréfutable[9] ».

Certains critères peuvent justement aider le gestionnaire à évaluer le caractère judicieux et logique de sa décision. Ces critères sont la faisabilité, la pertinence, le temps disponible, l'acceptabilité, le coût et la réversibilité. Le tableau 2.1 présente et explique ces critères.

TABLEAU 2.1   Les critères à considérer au moment de la décision finale[10]

CRITÈRES	EXPLICATIONS
1. La faisabilité	Évaluer si, compte tenu des contraintes, le choix retenu peut être appliqué.
2. La pertinence	Déterminer dans quelle mesure le choix retenu permet d'atteindre efficacement l'objectif fixé, compte tenu de l'occasion d'affaires décelée ou du problème détecté.
3. Le temps disponible	Évaluer le temps dont nous disposons non seulement pour appliquer la solution retenue, mais aussi pour profiter d'une occasion d'affaires ou pour résoudre un problème. Si, par exemple, le temps requis pour appliquer la solution est si considérable qu'il ne nous permet plus de profiter d'une occasion favorable, alors cette solution n'est pas la plus judicieuse.
4. L'acceptabilité	Vérifier si une solution reçoit l'aval des personnes à qui elle s'applique ; une solution, même logique, qui n'obtient pas cet aval et qui génère de la résistance est une solution qu'il vaut mieux abandonner.
5. Le coût	Ce critère est souvent le plus déterminant. Si la mise en œuvre d'une décision – si logique soit-elle – engendre des coûts d'application trop élevés pour l'entreprise, on demandera aux gestionnaires de faire certains compromis et de recourir à une option moins coûteuse.
6. La réversibilité	Évaluer dans quelle mesure la mise en œuvre d'une décision peut être renversée ou annulée si l'on constate, en pleine phase d'application, qu'on fait fausse route.

9. Communiquer la décision

L'urgence de communiquer une décision dépend évidemment de l'importance qu'elle revêt pour un service ou pour l'organisation elle-même. Ainsi, si l'équipe de direction d'une entreprise décide de changer tous les fournisseurs de matières premières et de fournitures, il est urgent qu'elle en avise immédiatement le service des approvisionnements. Cependant, si la décision concerne le changement de la couleur des vignettes de stationnement, il n'est pas impératif de convoquer immédiatement tous les employés pour leur en faire part. Un simple communiqué suffira, et sa diffusion n'est pas urgente.

De plus, lorsque l'application d'une décision entraîne des coûts non prévus pour l'entreprise ou un changement majeur dans les services, les gestionnaires responsables de cette décision doivent savoir non seulement comment la communiquer, mais aussi comment la « vendre ». Pour ces gestionnaires, la facilité à communiquer oralement et par écrit prend ici toute son importance.

10. Faire le suivi de la décision

Le suivi constitue une étape de contrôle. Souvent, dans l'application de la décision, des éléments auxquels un gestionnaire n'avait pas pensé ou qu'il ne pouvait considérer au moment de prendre la décision émergent et en favorisent l'application ou l'entravent. Le gestionnaire doit alors adapter la décision au nouveau contexte de réalisation.

Il faut souligner que, pour un gestionnaire, le suivi effectué à la suite de l'application d'une décision est important, car il constitue une source d'expérience inestimable pour les décisions qu'il aura à prendre à l'avenir.

Le tableau 2.2 reprend et résume chacune des étapes de la prise de décision selon la méthode rationnelle.

TABLEAU 2.2   La prise de décision selon la méthode rationnelle

ÉTAPES DE LA PRISE DE DÉCISION	EXPLICATIONS
1. La perception d'une occasion d'affaires ou d'un problème	Phase de sensibilisation à une occasion d'affaires ou à un problème
2. La cueillette et l'analyse des faits pertinents relatifs à la situation	Phase de diagnostic et d'analyse des faits pertinents
3. La reconnaissance de l'occasion d'affaires ou du problème	Phase de détermination réelle de l'occasion d'affaires ou du problème diagnostiqué
4. La définition de l'objectif	Phase de définition d'un objectif conforme à la décision à prendre
5. La détermination des contraintes	Phase de détermination des facteurs limitatifs quant à l'atteinte de l'objectif
6. L'énoncé des options	Phase de formulation des options susceptibles de devenir la décision finale
7. L'évaluation des options	Phase d'analyse de chacune des options en vue d'une décision
8. Le choix d'une option	Phase de la prise de décision
9. La communication de la décision	Phase de transmission de la décision aux parties concernées
10. Le suivi de la décision	Phase de contrôle après l'application de la décision

La figure 2.3 établit un rapprochement entre les éléments affectant l'efficacité de la prise de décision et la méthode rationnelle.

2.4.3 Le modèle de la rationalité limitée

La méthode rationnelle que nous venons de présenter suppose que le gestionnaire dispose de tout le temps requis et de toute l'information pertinente, que l'objectif visé est clairement énoncé et accepté par toutes les parties concernées et que la décision à prendre est basée sur l'analyse de plusieurs options possibles. Mais, dans la réalité organisationnelle, le gestionnaire doit souvent faire face à des situations où le délai pour prendre une décision est court; où les informations ne sont pas disponibles, ou très coûteuses; et où le nombre de solutions envisageables est limité. C'est à cause d'une telle réalité qu'un auteur propose ce qu'il nomme le «modèle de la rationalité limitée[11]».

Selon ce modèle, la rationalité est limitée par:

- l'incapacité de l'être humain à affirmer que la décision qu'il a prise découle de l'analyse de tous les faits possibles et de toutes les options envisageables; et

- le fait que cette décision est influencée par l'ensemble des valeurs, des connaissances et des comportements du décideur.

En somme, parce qu'elle «s'inscrit dans un environnement psychologique et social, la rationalité humaine se trouve limitée par des facteurs et des contraintes sur lesquels se fonde la décision[12]». Ainsi, les personnes ont tendance à simplifier les problèmes, c'est-à-dire à les réduire à des modèles simples, et à n'en retirer que les

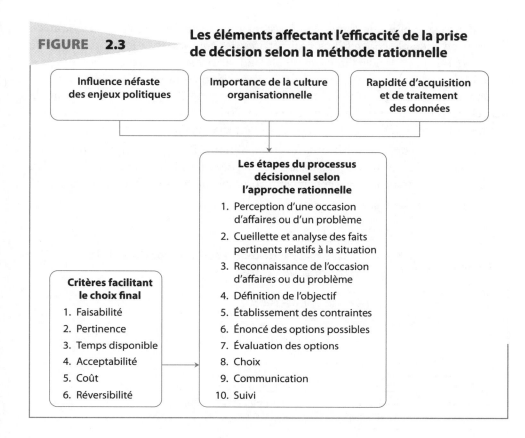

FIGURE 2.3 Les éléments affectant l'efficacité de la prise de décision selon la méthode rationnelle

| Influence néfaste des enjeux politiques | Importance de la culture organisationnelle | Rapidité d'acquisition et de traitement des données |

Les étapes du processus décisionnel selon l'approche rationnelle

1. Perception d'une occasion d'affaires ou d'un problème
2. Cueillette et analyse des faits pertinents relatifs à la situation
3. Reconnaissance de l'occasion d'affaires ou du problème
4. Définition de l'objectif
5. Établissement des contraintes
6. Énoncé des options possibles
7. Évaluation des options
8. Choix
9. Communication
10. Suivi

Critères facilitant le choix final

1. Faisabilité
2. Pertinence
3. Temps disponible
4. Acceptabilité
5. Coût
6. Réversibilité

éléments essentiels qu'elles maîtrisent et comprennent. De ce fait, elles prennent leur décision selon la méthode rationnelle, dans les limites de ces modèles simplifiés, sans tenir compte de toute la complexité de ces problèmes[13].

D'après le modèle de la **rationalité limitée**, la prise de décision repose d'abord sur deux facteurs :

- les *faits*, dont l'utilité tient au fait qu'ils sont observables et vérifiables. Ils peuvent être démontrés, corroborés ou réfutés ;
- les *valeurs*, dont la force est invérifiable puisqu'elles sont propres à l'éthique du décideur. Elles représentent des convictions fondamentales liées à l'éthique dont fait preuve celui-ci. Une proposition basée sur l'éthique peut influencer une décision sans que la valeur éthique de son contenu soit toutefois mesurable.

Toujours selon ce modèle, la prise de décision repose aussi sur deux autres facteurs :

- la *rationalité*, c'est-à-dire ce «processus logique qui amène le décideur à analyser toutes les composantes du problème, et ainsi à adopter la meilleure solution possible[14]»;
- le *comportement rationnel*, c'est-à-dire le comportement que l'on veut voir adopté en fonction de la décision prise pour qu'en découlent des conséquences favorables.

Ainsi, la prise de décision prend une dimension stratégique «quand une série de décisions déterminent des comportements pour une période définie[15]». Il ne faut

Rationalité limitée

(bounded rationality)

Principe selon lequel les individus ont tendance à réduire les problèmes à des modèles simplifiés, à en extraire les éléments essentiels qu'ils maîtrisent et comprennent, sans tenir compte de toute leur complexité, et, ensuite, à agir rationnellement, dans les limites de ces modèles simplifiés.

cependant pas croire que toutes les décisions entraînent les conséquences désirées. Prenons un exemple concret. Les propriétaires des équipes de la Ligue nationale de hockey (LNH) ont décidé d'imposer un plafond salarial aux joueurs (décision des propriétaires). Ces derniers – par la voie de leur association – ont manifesté leur mécontentement en refusant le plafond salarial (comportement des joueurs) et, à la suite de négociations infructueuses, la saison de hockey 2004-2005 a été annulée et beaucoup d'emplois directs et indirects ont été perdus (conséquences qui en découlent).

Dans cet ordre d'idées, une décision rationnelle est celle qui entraîne des conséquences désirées. Une telle décision permet de déterminer la stratégie qui – selon les comportements souhaités – générera un ensemble de conséquences désirées.

La figure 2.4 résume nos propos.

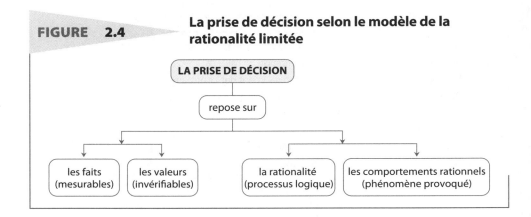

FIGURE 2.4 **La prise de décision selon le modèle de la rationalité limitée**

2.5 Le groupe engagé dans la prise de décision

Pour un gestionnaire, prendre une décision seul peut constituer un processus éprouvant, surtout s'il fait face à une situation nouvelle dont il ignore les conséquences financières ou autres pour son service ou pour d'autres services de l'entreprise. Mais s'il désire rendre ce processus moins ardu, il peut, selon la nature des circonstances et la portée de la décision à prendre, faire participer le groupe concerné à la prise de décision.

La prise de décision en groupe a certes quelques avantages (émergence d'une plus grande variété d'idées, probabilité plus élevée de bien cerner le problème ou l'occasion d'affaires, évaluation de plusieurs options en groupe, meilleure acceptation de la décision, etc.), mais ces avantages ne subsistent que si la décision prise affecte de façon identique tous les membres du groupe (tous gagnants ou tous perdants).

Par ailleurs, même si la prise de décision en groupe présente des inconvénients (coût élevé lié à la mobilisation de ressources provenant d'un même service ou de services différents, présence d'individus qui, selon leur personnalité, veulent faire pencher la décision en leur faveur, manque d'intérêt de certains individus quand la situation en jeu affecte peu leur service, recours avec réticence au compromis, etc.), ces inconvénients seront minimes si la solution avancée ne fait que des gagnants.

2.5.1 Les obstacles à la prise de décision en groupe

Le gestionnaire qui se prête à un tel exercice doit considérer le fait qu'il peut exister certains obstacles à la prise de décision en groupe: par exemple, la présence d'un supérieur hiérarchique autocratique, ou prompt à utiliser son pouvoir coercitif pour faire «avancer les choses»; la présence d'un individu détenant une forte personnalité et qui impose sa vision de la décision ou encore, la mauvaise volonté de certains individus qui préfèrent camper sur leurs positions et refuser toute forme de compromis. Nous expliquerons brièvement l'incidence de chacun de ces obstacles.

La présence d'un supérieur hiérarchique autocratique   Cette situation peut provoquer un blocage chez certaines personnes qui craignent d'émettre une idée en présence de leur supérieur hiérarchique, sachant qu'elles peuvent être l'objet d'une critique. À cause de cet obstacle, des idées intéressantes sont souvent tuées dans l'œuf par leur auteur.

La présence d'un supérieur hiérarchique prompt à utiliser son pouvoir coercitif pour faire «avancer les choses»   Cette situation crée un climat inconfortable où le supérieur, brandissant la menace de sévir contre ceux qui n'adoptent pas la position majoritaire, prend une décision peut-être de façon hâtive, sans se soucier de s'aliéner l'opinion de certains membres de son équipe. Pensez à la situation où, en politique, certains députés refusant de suivre la ligne du parti sur une décision à prendre sont menacés d'être exclus du caucus.

La présence d'une forte personnalité qui impose sa vision   Cette situation favorise une tendance au laisser-faire chez certaines personnes qui, souhaitant éviter la critique, préfèrent s'abstenir d'émettre leurs idées.

DANS ■ **LES FAITS**

En tant qu'étudiants, vous avez sûrement déjà eu à effectuer un travail en équipe. Dans cette situation, des décisions doivent être prises en groupe.

Avez-vous déjà rencontré les obstacles décrits précédemment lors de vos expériences de travail en équipe?

Si oui, comment décririez-vous, brièvement, l'ambiance engendrée par cet obstacle?

Que votre réponse ait été positive ou négative, comment, selon vous, de tels obstacles pourraient être éliminés pour rendre efficace la prise de décision lors de l'exécution d'un travail d'équipe? Énoncez une ou deux solutions et discutez-en… en équipe.

La mauvaise volonté de certaines personnes qui préfèrent camper sur leurs positions et refuser toute forme de compromis   Cette situation se présente lorsque des individus au sein du groupe ont l'impression que la décision ne favorisera que certains membres du groupe. Ainsi, ils préfèrent bloquer tout le processus de prise de décision plutôt que de favoriser ceux qui ne partagent pas leurs idées.

Dans chacune de ces situations, les personnes concernées peuvent exercer une influence néfaste sur le processus et tenter de l'orienter en leur faveur. Cependant, la connaissance des obstacles possibles à la prise de décision en groupe ne signifie pas qu'il faille rejeter une telle méthode, qui comporte aussi ses avantages.

2.5.2 Deux techniques aidant à la prise de décision en groupe

Nous présenterons ici deux techniques éprouvées facilitant la prise de décision en groupe, soit le remue-méninges et la méthode Delphi.

Le remue-méninges (*brainstorming*)

Cette méthode consiste à former un groupe et à permettre à chacun de ses membres de lancer le plus d'idées possible. Comme il s'agit d'un exercice de dépistage de solutions et non pas d'un exercice d'évaluation des idées, la critique à ce niveau n'a pas sa place.

Les idées émises appartiennent au groupe ; chacun doit donc se sentir libre de les modifier dans le respect de ceux qui les ont émises et dans l'intérêt du groupe. Quand certaines d'entre elles sont finalement retenues, quelques solutions sont évaluées selon la méthode rationnelle de prise de décision, jusqu'à ce que l'une d'entre elles fasse l'unanimité.

La méthode Delphi

Si le remue-méninges est un exercice au cours duquel la présence des membres du groupe est requise, la méthode Delphi, quant à elle, n'impose pas une telle présence. Elle comprend deux étapes, et c'est à la seconde étape que peut se produire un *effet en boucle*.

La première étape consiste à envoyer un questionnaire à différentes personnes intéressées par le problème, et à leur demander d'émettre des suggestions sur les moyens de le résoudre.

À la seconde étape, on recueille les questionnaires, puis on les retourne aux participants pour qu'ils classent les suggestions par ordre de priorité. On peut aussi leur demander d'interpréter les divergences entre leurs suggestions et les résultats compilés.

Comme elle vise l'amélioration de la qualité de la décision, cette seconde étape sera répétée jusqu'à ce qu'un classement final fasse consensus. Il convient de préciser qu'à chacun des tours, les suggestions les plus faibles sont éliminées et le processus recommence. De là émerge ce que l'on appelle l'*effet en boucle*.

Étant donné que, souvent, les répondants sont géographiquement éloignés, la méthode Delphi élimine le jeu des influences mutuelles auquel sont soumis les participants lors d'un remue-méninges. Cependant, lorsqu'une décision rapide s'impose, cette méthode est inefficace à cause du temps que requiert la gestion des questionnaires.

2.6 Deux outils spécifiques aidant à la prise de décision

Dans une organisation, il peut arriver que certaines situations débordent le champ des compétences des gestionnaires, et que ceux-ci doivent absolument recourir à des outils spécifiques aidant à la prise de décision. Nous présentons ici, en guise d'exemples, deux de ces outils : l'analyse du point mort et l'arbre de décision.

2.6.1 L'analyse du point mort

L'analyse du point mort, ou du seuil de rentabilité, fournit des données importantes à tout gestionnaire qui s'interroge sur des points précis tels que les quantités à vendre pour atteindre le plus tôt possible le seuil de rentabilité, le prix le plus faible à fixer pour décourager la concurrence ou, encore, le réalisme du projet, compte tenu du prix fixé et des coûts à assurer à court terme. Formulés sous forme de questions, ces points peuvent se comprendre ainsi :

- À quel prix doit-on vendre le nouveau produit pour couvrir le plus vite possible les coûts de production ?

- Combien d'unités doit-on vendre au prix fixé avant de couvrir les coûts de production, si l'objectif est de décourager les concurrents par une stratégie de bas prix ?

- Compte tenu des quantités qu'il faut vendre à un prix x avant d'atteindre le seuil de rentabilité, est-ce que la commercialisation du produit constitue réellement une occasion d'affaires ?

Afin d'illustrer l'apport de l'analyse du point mort comme outil d'aide à la prise de décision, considérons l'exemple suivant : vous produisez des friandises de luxe en chocolat que vous partagez avec vos amis. Ils trouvent vos friandises si délicieuses qu'ils vous incitent à faire quelques tests de goût dans les épiceries de votre quartier afin de prendre le pouls de la population advenant la commercialisation de vos petites douceurs.

Les tests étant concluants, vous vous demandez si l'idée de produire des friandises qui seraient en vente pour la fête de Pâques est logique. Quelques recherches vous permettent d'apprendre que les frais fixes (loyer, assurances, etc.) pour la location d'un petit local dans le centre commercial situé dans votre quartier s'élèvent à 1450 $ par mois, et que les frais variables unitaires de production sont de 3,50 $. Vous comptez fixer votre prix de vente à 16 $ l'unité, mais il y a tout de même trois questions auxquelles vous aimeriez répondre :

1. Quelle quantité de friandises dois-je vendre pour couvrir mes frais ?

2. Si ma capacité de production est de 50 unités par semaine et qu'au prix de vente de 16 $ l'unité le marché est prêt à absorber jusqu'à 58 unités par semaine, l'exploitation du commerce pendant 2 mois sera-t-elle rentable si ma production totale au cours de ces 2 mois ne s'élève qu'à 200 unités ?

3. Si, compte tenu de l'effort que je vais déployer, je souhaite que le commerce génère des profits de l'ordre de 500 $ et plus pour ces deux mois d'exploitation, le prix de vente est-il adéquat ?

Pour répondre à la question 1, il faut utiliser les équations suivantes :

Revenu total (RT) = Revenu unitaire (r) × Quantité vendue (q)

Coûts totaux (CT) = Coûts variables unitaires (CVu) × Quantité vendue (q) + Coûts fixes (CF)

Le point mort ou le seuil de rentabilité est atteint dès que le revenu total (RT) est égal aux coûts totaux (CT). Ainsi :

$$RT = CT$$

Quand :

$$Rq = CVq + CF$$
$$16q = 3,50q + 1450$$
$$16q - 3,50q = 1450$$
$$12,50q = 1450$$
$$q = 1450/12,50$$
$$q = 116 \text{ unités}$$

Ainsi, dès que votre petit commerce aura vendu 116 unités, son seuil de rentabilité sera atteint. La figure 2.5 illustre le point mort, ou seuil de rentabilité, pour l'exemple présenté.

Pour répondre à la question 2, il faut évaluer tant le revenu total que les coûts totaux pour 200 unités.

$$RT = 16\,\$ \times 200 \text{ unités}$$
$$RT = 3200\,\$$$
$$CT = 3,50\,\$ (200) + 1450\,\$$$
$$CT = 2150\,\$$$

Le revenu total étant supérieur aux coûts totaux, le commerce se révèle rentable.

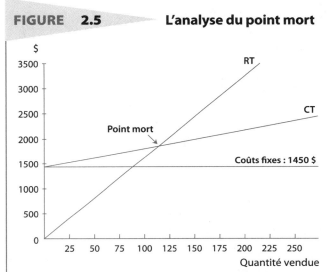

FIGURE 2.5 L'analyse du point mort

Enfin, pour répondre à la question 3, il faut évaluer le profit à l'aide de l'équation suivante :

$$RT - CT = \text{profit pour } RT > CT \text{ ou perte pour } RT < CT \quad 3200\,\$ - 2150\,\$ = 1050\,\$ \text{ (profit)}$$

2.6.2 L'arbre de décision

L'arbre de décision est un outil qui éclaire les gestionnaires sur les choix à faire et les risques liés à chaque option, selon les probabilités de réalisation de tel ou tel événement. En somme, cet outil illustre une série de chaînes de décisions-événements en fonction desquelles l'utilisation des probabilités peut se révéler utile.

Considérons l'exemple suivant : en guise d'épreuve synthèse, les enseignants de votre technique au cégep vous demandent d'intégrer des notions de management, d'entrepreneuriat, de mathématiques et de gestion de projets dans le cadre de la réalisation d'un projet. Votre équipe décide d'organiser une cérémonie de collation des grades et un bal pour les diplômés. Vous devez choisir entre deux options :

- organiser la cérémonie dans la ville où se trouve votre cégep ;
- organiser la cérémonie à l'extérieur de la ville, par exemple à Saint-Sauveur.

Vous savez que, si vous l'organisez en ville, les 115 diplômés de la technique, accompagnés de leur conjoint, se présenteront à la cérémonie. Si vous l'organisez à Saint-Sauveur, seuls 70 % d'entre eux s'y présenteront, toujours accompagnés. Que vous l'organisiez en ville ou à Saint-Sauveur, les étudiants ont manifesté leur préférence pour deux options :

- le déroulement de la cérémonie en plein air, ce qui suppose la location d'une tente et le recours à un service de traiteur pour le repas ;
- le déroulement de la cérémonie dans une salle d'hôtel et l'accès au buffet de la salle à manger.

Comme vous prévoyez des dépenses de l'ordre de 9000 $ et que vous comptez réaliser un profit par la vente de billets permettant de participer à un tirage au sort où seront offerts des prix (cadeaux ou argent), vous présentez aux étudiants une structure de prix de vente de billets allant de 100 $ à 220 $, selon le lieu et l'événement retenus. Pour chaque combinaison des quatre options énumérées plus haut, vous obtenez les réactions suivantes de la part des étudiants :

1. L'organisation de la cérémonie en ville avec location d'une tente et son côté pittoresque :
   - Coût du billet : entre 100 $ et 120 $ par couple ;
   - 90 % des étudiants se disent prêts à payer 100 $;
   - 10 % d'entre eux se disent prêts à payer 120 $.

2. L'organisation de la cérémonie en ville avec location d'une salle dans un hôtel et son côté prestigieux :
   - Coût du billet : entre 140 $ et 160 $ par couple ;
   - 85 % des étudiants se disent prêts à payer 140 $;
   - 15 % d'entre eux seraient prêts à payer 160 $.

3. L'organisation de la cérémonie à Saint-Sauveur avec location d'une tente et son côté pittoresque :
   - Coût du billet : entre 130 $ et 150 $ par couple ;
   - 80 % des étudiants se disent prêts à payer 130 $;
   - 20 % d'entre eux seraient prêts à payer 150 $.

4. L'organisation de la cérémonie à Saint-Sauveur avec location d'une salle dans un hôtel et son côté prestigieux :
   - Coût du billet : entre 190 $ et 220 $ par couple ;
   - 75 % des étudiants se disent prêts à payer 190 $;
   - 25 % d'entre eux seraient prêts à payer 220 $.

Il vous faut à présent déterminer la chaîne de décisions-événements la plus rentable. La figure 2.6, à la page suivante, présente l'arbre de décision qui fournit la solution.

FIGURE **2.6**

L'arbre de décision

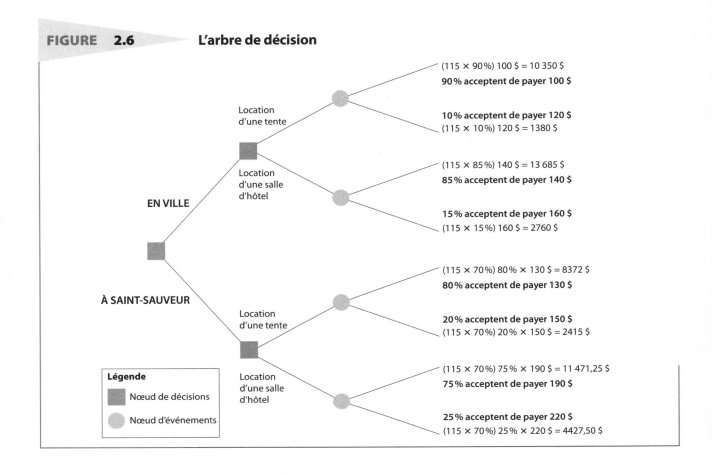

Nous constatons que la chaîne de décisions-événements la plus rentable est celle qui comprend la location d'une salle d'hôtel dans la ville où est situé le cégep.

Nous vous avons présenté deux outils utiles pour prendre une décision. Il va de soi que le gestionnaire les utilise dès que les informations qu'ils lui permettent d'obtenir réduisent considérablement le risque lié à la décision qu'il doit prendre.

2.7 Les technologies de l'information et la prise de décision

Grâce à l'existence de technologies de plus en plus performantes, les gestionnaires peuvent se doter d'outils informatiques leur donnant accès à une infrastructure de l'information qui comprend différents éléments, dont «l'information elle-même, qu'elle soit de nature scientifique, commerciale ou culturelle; les applications et les logiciels qui permettent de manipuler, d'organiser, d'analyser, de transmettre la multitude des données et, surtout, d'assurer les transactions électroniques menant au commerce électronique; et enfin, les normes et protocoles qui assurent l'interopérabilité et l'interconnexion des réseaux[16]».

En matière de facilité d'accès à l'information, les portails verticaux offrent d'immenses possibilités aux entreprises tournées vers le commerce électronique[17]. En ce qui a trait aux cadres dirigeants de niveau supérieur, des systèmes d'information pour dirigeants (SID) leur permettent d'accéder à différentes banques de données internes et externes, et leur offrent la possibilité d'analyser, de modifier et de présenter l'information de différentes façons[18].

Les gestionnaires avisés peuvent, grâce à un usage judicieux d'Internet, accéder à des moteurs de recherche sur le Web tels que Google, Yahoo, Alta Vista ainsi qu'à des sites comme Wikipedia qui regorgent d'informations. Sur le plan de la diffusion de cette information, des technologies telles que la messagerie vocale, la téléconférence, le courrier électronique et les logiciels de soutien aux présentations brisent les barrières qu'imposait jadis la distance physique à la transmission de données.

En somme, les nouvelles technologies de l'information exercent une influence positive sur le processus de prise de décision en ouvrant aux décideurs une voie qui offre les avantages suivants :

- l'accès à des sites Internet regorgeant d'informations ;
- la rapidité de l'analyse, de la modification, de la présentation électronique et de la diffusion de l'information ;
- la facilité de diffusion des décisions non seulement au sein de l'organisation, mais aussi au-delà de ses barrières physiques.

RÉSUMÉ

Décider constitue la tâche principale des gestionnaires, mais ne leur est pas exclusive. Que nous soyons gestionnaires ou non, le contexte d'une prise de décision se situe sur un axe allant de la certitude à l'incertitude. Dans un contexte de certitude, la décision est dite « programmée », tandis que dans un contexte d'incertitude, elle est dite « non programmée ». Afin de réduire autant que possible les risques liés à la prise de décision en contexte d'incertitude, il est préférable de baser la décision sur les principes de la rationalité plutôt que sur l'intuition ou sur le seul jugement.

Prendre une décision de façon rationnelle implique qu'il faille cerner le problème à résoudre ; déterminer les faits pertinents et les analyser ; énoncer plusieurs solutions possibles ; les analyser et opter pour la décision la plus judicieuse. Malgré l'importance de la rationalité, il faut admettre que cette dernière peut être limitée, entre autres, par l'ensemble des valeurs d'une personne.

Dans un contexte organisationnel, selon qu'il pratique un style de gestion ouvert ou fermé, le gestionnaire peut engager le groupe dans le processus de prise de décision. S'il choisit de le faire, différentes techniques aidant à la prise de décision en groupe s'offrent à lui, dont le remue-méninges et la méthode Delphi.

On ne saurait trop insister sur l'importance de l'information dans la prise de décision. Parfois, cette information provient de données recueillies à l'aide d'outils spécifiques aidant à la prise de décision. Pensons, entre autres, à l'analyse du point mort et à l'arbre de décision. Une utilisation adéquate de ces outils permet au gestionnaire de mieux orienter sa décision vers l'atteinte des objectifs qu'il s'est fixés.

Évaluation des connaissances

QUESTIONS DE RÉVISION

1. Pourquoi affirmons-nous que «décider» constitue la principale tâche du gestionnaire?

2. Quelle est la distinction entre une décision programmée et une décision non programmée?

3. Quelles sont les trois méthodes relatives à la prise de décision que nous avons présentées dans ce chapitre? Pouvez-vous nommer une force et une faiblesse pour chacune d'elles?

4. L'efficacité de la prise de décision peut dépendre de l'influence de trois éléments. Quels sont ces éléments?

5. Il est dit, à l'étape de la collecte et de l'analyse des faits pertinents, une des étapes du processus décisionnel selon la méthode rationnelle, qu'il ne faut pas confondre «faits pertinents» et «problème». Pourquoi une telle mise en garde est-elle nécessaire?

6. Le critère d'«acceptabilité» compte parmi les critères à considérer au moment de la décision finale. Que signifie ce critère?

7. À quel genre de questions l'analyse du point mort permet-elle de répondre?

8. Pouvez-vous nommer deux techniques qui s'offrent au gestionnaire pour faciliter une prise de décision en groupe? Quelles en sont les caractéristiques?

Analyse de cas

CAS 1 – HISTOIRE DE GUERRE AU PAYS DES ONS (degré de difficulté : moyen)

Le pays imaginaire des Ons est un pays issu de l'explosion de la planète Vénus, très évolué sur le plan technologique. On y trouve cinq peuplades, dont les techniques de travail et de guerre sont demeurées au stade rudimentaire. Ces peuplades sont les Kromagnons, les Wawarons, les Simignons, les Grospoltrons et les Bambochons.

Les Kromagnons vivent au nord. Robustes et vigoureux, ils habitent dans les montagnes. Grands producteurs de porcs, ils possèdent les plus grandes porcheries du pays. Ils approvisionnent tout le pays en viande de porc et malgré le fait qu'ils soient rustres, ils sont tolérés par les autres peuplades des contrées limitrophes grâce à leur sens des affaires extrêmement développé. Les grands restaurateurs de cette contrée sont reconnus pour leur fameux jambon fumé. Belliqueux, les Kromagnons font la guerre aux nomades qui s'aventurent vers les contrées du nord et pillent leurs biens. Ils vivent beaucoup de la chasse au gros gibier.

Les Wawarons occupent l'ouest du pays. De nature sauvage, ces êtres vivent dans les marais. D'ailleurs, de grands marécages les séparent des autres peuplades du pays. C'est pourquoi aucun guerrier rival n'ose s'y aventurer, et les armées voisines ne franchissent pas leurs frontières. Ils se nourrissent de petit gibier.

Les Simignons vivent au sud. On les appelle ainsi parce qu'ils sont beaux. De plus, ils sont les plus intelligents du pays. Grands philosophes, ils maîtrisent très bien les mathématiques et sont doués pour tout ce qui a trait aux sciences de la gestion. La seule université du pays se trouve dans cette contrée et elle comprend une gigantesque bibliothèque. Généreusement, les Simignons mettent à la disposition de tous les habitants du pays l'ensemble de leurs ouvrages. Braves guerriers, leur force réside dans le maniement des arcs à flèches. À trois cents mètres, leurs flèches acérées ne ratent pas une cible. Ils chassent le gros et le petit gibier, mais se nourrissent aussi de poisson.

À l'est, on trouve les Grospoltrons. Gens aigris, ces habitants vivent dans la forêt et ils en sortent rarement. Ils craignent les Kromagnons, qui n'hésitent pas à violer leur territoire pour aller chasser, malgré les dix jours de marche qui séparent les deux territoires. Ils se nourrissent surtout de viande de porc, que les Kromagnons leur vendent à gros prix. Ils raffolent aussi du poisson généreusement offert par les Simignons, qui les savent maladroits et peu doués pour la chasse et la pêche.

Les Bambochons sont installés au centre. Ils sont nombreux et dirigent la plus puissante armée du pays. Grands producteurs de vin, ils possèdent non seulement les plus beaux vignobles, mais aussi les plus belles terres agricoles du pays. Les Bambochons sont riches et se nourrissent de viande tendre, de fromage doux, de céréales de blé entier et d'œufs toujours frais. Ils boivent du lait de chèvre et vivent de la grande culture. Ils ont le teint frais et rosé, et sont généralement en bonne santé. Ils mènent une vie festive et gaspillent leur argent en bamboche et en amusements divers. Cependant, selon la loi du pays, il est permis de boire du vin seulement les fins de semaine. Généralement, nul n'a besoin de leur rappeler cette permission.

Au Parlement du pays des Ons, ce sont d'ailleurs les Bambochons qui forment la majorité, avec vingt représentants, dont l'un est le chef du gouvernement au pouvoir. Au sein du Parlement, les autres peuplades ont chacune trois représentants, dont leur représentant en chef. La chambre des débats se réunit une fois par mois, le jour de la pleine lune. Seuls les représentants en chef des différentes contrées ou leur Grand histrion et le chef du parti au pouvoir – le président du pays – ont droit de parole durant les assemblées. Un Grand histrion, dans ce contexte, est un parlementaire qui a le devoir de lancer des blagues pour égayer l'assemblée en cas de dispute. Depuis peu, au pays des Ons, les Kromagnons font courir le bruit qu'un changement serait nécessaire et que les représentants d'une autre peuplade devraient former le gouvernement, quitte à prendre le pouvoir par la force. Dans la tête des Kromagnons, tout semble clair : il faut la guerre. Mais les Bambochons savent qu'ils n'ont rien à craindre parce que leur armée est puissante.

À l'assemblée des parlementaires, au mois d'avril de l'an 4014 de la nouvelle ère, les membres du gouvernement ont une surprise plutôt désagréable : les représentants de chacune des peuplades se présentent, sauf ceux de la contrée des Kromagnons. C'est la deuxième assemblée de suite où ils sont absents, ce qui confirme la rumeur voulant que leurs guerriers se préparent à marcher vers le centre du pays en vue d'attaquer les Bambochons, de renverser le gouvernement et de prendre le pouvoir. Qui plus est, selon certains voyageurs nomades, leur armée serait déjà en route depuis fort longtemps, se dirigeant vers la contrée du centre.

À l'ordre du jour de cette assemblée, un seul sujet est prévu : opter pour une solution claire si la menace imminente d'une attaque se concrétisait et que la guerre devait être déclenchée.

Le chef du parti de la contrée des Grospoltrons prend la parole en premier et expose sa solution :

— J'ai l'intuition que les Kromagnons vont bifurquer vers nos terres et attaquer de l'est vers le centre. Que le chef de la contrée des Bambochons dirige son armée vers nos terres, nous la laisserons passer !

Le chef du parti de la contrée des Wawarons intervient :

— Non !… Je ne suis pas d'accord, dit-il. Si je me fie à mon jugement, je dirais que les Kromagnons ne marcheront pas dix jours vers l'est pour ensuite marcher de nouveau dix jours vers le centre. Ils vont descendre directement du nord et attaquer. Que le chef de la contrée des Bambochons dresse son armée et attaque vers le nord !

Le chef du parti des Simignons intervient à son tour :

— Foutaise ! Les Kromagnons sont des brutes, mais ils pensent tout de même. Ne courons pas le risque qu'ils divisent leur armée et qu'ils attaquent en venant du nord et de l'est. Ils n'oseront jamais passer par les marais, et ils ne se rendront pas jusqu'à nos terres, car ils craignent nos flèches ! Qui plus est, il ne faut pas écarter l'idée que le chef de la contrée des Kromagnons souhaite peut-être parlementer avant d'attaquer.

Le président du pays et chef de la contrée des Bambochons se lève.

— Le représentant des Simignons a bien parlé, dit-il. Nous devons envisager toutes les possibilités. Le problème est sérieux et il nous faut l'aborder de façon rationnelle. Du flot des idées jaillira la lumière. Il nous faut définir le problème, énoncer les faits pertinents…

— Non ! s'écrie le chef du parti des Simignons. Pensez-vous que nous disposons d'une éternité pour régler ce problème ? Si vous parlez ainsi, c'est que vous ne comprenez absolument rien au concept de la rationalité limitée !

Un murmure d'incompréhension s'élève dans la salle.

— Qu'est-ce que ce concept qui nous titille les oreilles ? demande le Grand histrion de la contrée des Wawarons.

Les parlementaires éclatent de rire, sauf le chef du parti des Simignons. Il prend la parole :

— C'est un concept vieux comme le monde ! C'est d'ailleurs un Terrien du nom de Simon qui l'a inventé… Ne lisez-vous donc jamais les livres que nous mettons à votre disposition ? Je vais vous prêter le livre de management de notre ancêtre Turgeon et de son collègue Lamaute. Ils expliquent très bien ce concept. Bien que ce livre date de l'an 2011, nous l'utilisons encore en l'an 4014 de la nouvelle ère…

Quelqu'un entre dans la salle en courant et son mouvement précipité coupe la parole au chef du parti des Simignons. Il va directement glisser un mot à l'oreille du président. Ce dernier ouvre de grands yeux ahuris, laisse tomber les bras et annonce, d'une voix angoissée :

— Les Kromagnons sont à quatre heures de marche de la contrée du centre. Ils arrivent du nord et de l'est… Cependant, selon les médecins qui accompagnent leur armée, les soldats sont affaiblis par une forte grippe qui déjà les décime. Mais vous les connaissez, ils sont orgueilleux et avancent quand même vers les portes de la ville.

— Il faut les attaquer ! crie le représentant des Grospoltrons.

— Oui! Oui! appuient la majorité des parlementaires.

— Non! Laissons-les d'abord entrer dans la ville. Peut-être veulent-ils négocier! dit le représentant des Wawarons.

— Oui! Oui! appuient à nouveau les mêmes parlementaires.

Tous les regards se tournent vers le représentant de la contrée des Simignons. Tous semblent attendre de lui la solution miracle.

QUESTIONS

1. Dans un contexte de prise de décision selon la méthode rationnelle, quel est le problème réel auquel font face les parlementaires? Expliquez-le.

2. Quelles sont les deux options que semblent envisager les parlementaires?

3. Quels sont trois faits qui justifieraient une option plutôt que l'autre? Citez les trois faits et expliquez quelle option ils justifient.

4. Le représentant de la contrée des Simignons utilise dans son argument le concept de la rationalité limitée. Que signifie ce concept?

5. Pourquoi le représentant de la contrée des Simignons ne semble-t-il pas d'accord avec la prise de décision selon la méthode rationnelle face à la menace qui pèse sur la contrée du centre?

CAS 2 – HISTOIRE DE GRIPPE AU PAYS DES ONS (degré de difficulté : facile)

Quatre semaines après avoir mis en déroute la puissante armée des Kromagnons, les chefs des quatre autres contrées se disaient inquiets. Il leur fallait absolument se réunir en assemblée spéciale, ce qui fut fait. On invita l'évêque de la région de Ron, réputé pour l'ardeur de ses prières et pour le résultat qui en découle, de même que le représentant de la contrée vaincue, un certain Jean de Laféon.

Selon les dires de ce représentant, avant même de combattre, les Kromagnons étaient rentrés malades dans la contrée du centre du pays. Certains d'entre eux toussaient beaucoup, éprouvaient des maux de tête, faisaient de la fièvre, ressentaient des douleurs thoraciques, se plaignaient non seulement de douleurs et de courbatures, mais aussi de nausées. Des vomissements accompagnaient tous ces maux qui les accablaient. C'était une armée affaiblie qui avait attaqué la contrée du centre.

Selon les affirmations des médecins des Bambochons qui avaient soigné les premiers soldats Kromagnons blessés, ils avaient diagnostiqué chez ces derniers, outre leurs blessures de guerre, une forme de grippe porcine.

Selon les épidémiologistes de la contrée des Simignons, c'est après le repli des Kromagnons qu'un virus grippal d'une forme alors inconnue s'était étendu d'abord dans la contrée du centre. Les données qu'ils avaient colligées confirmaient que le foyer d'infection provenait de la contrée du nord, là où vivent les Kromagnons. Qui plus est, selon leurs conclusions, le virus s'était vite répandu et avait fait le tour des autres contrées.

Le virologue en chef de la contrée des Simignons avait aussi été invité à participer à l'assemblée spéciale et la parole lui fut donnée. Il s'adressa en ces termes aux autres membres de l'assemblée :

— Je déclare officiellement la pandémie. Mes collègues et moi savons désormais que la grippe qui nous frappe est d'origine porcine. Il s'agit de la grippe A (H1N1).

Le ministre de la Santé se leva et prit la parole :

— Monsieur le président, on m'a rapporté que beaucoup de nos citoyens ont déjà perdu la bataille contre cette grippe.

— Et qu'en est-il des Kromagnons ? demanda le président à Jean de Laféon, représentant de cette contrée.

— « Ils ne mourraient pas tous, mais tous étaient frappés[19] ! » confirma ce dernier.

La panique s'empare alors des députés présents.

— Que devons-nous faire ? s'écria le président du pays.

— Isoler les habitants de la contrée du nord et les exterminer ! suggérèrent certains radicaux de la contrée des Wawarons.

— Solution trop radicale ! dit le président.

— Ériger une muraille autour de la ville du centre ! proposèrent d'autres radicaux de la contrée du Centre.

— Solution trop égoïste ! répliqua le président.

— Ne rien faire et attendre que le mal s'estompe ! crièrent certains modérés de la contrée des Grospoltrons.

— Solution insensée, qui risque de me coûter mon poste ! s'offusqua le président.

— Procéder à une vaccination massive ! proposa finalement le virologue de la contrée des Simignons.

— QUOI ! explosa le ministre des Finances. Mais à quel prix ?

— Nous n'avons pas le choix, insista le virologue.

Le ministre des Finances claqua des doigts, et devant lui apparut une calculatrice virtuelle.

— L'idée me semble logique, mais devons-nous étendre la vaccination à l'ensemble de la population ? s'inquiéta le président.

— Absolument ! répond le virologue.

— Et surtout, si vous agissez rapidement, nous pourrons gagner des électeurs même parmi les Kromagnons, chuchota le Grand histrion des Bambochons aux oreilles du président.

Mais il chuchota si fort que toute l'assemblée l'entendit et se mit à rire.

— Mais combien cette opération coûtera-t-elle au gouvernement ? s'inquiéta le président.

Un silence plana dans la salle et les regards se tournèrent vers le ministre des Finances qui déjà, par différents calculs savants, avait évalué le coût d'une telle opération de vaccination. Il leva la main.

— C'est que Monsieur le président, vacciner toute la population serait insensé. Cette opération risque de nous coûter plus de dix millions de dollars. Nous sommes de la contrée des Bambochons avant tout et vous savez fort bien que nos millions servent d'abord au plaisir, au faste et à la fête.

Le président du pays des Ons hocha la tête.

— La situation est grave, dit-il, je dois réfléchir!... Oui, je dois réfléchir!

Il se tourna vers l'évêque:

— Et vous, Monseigneur de la région de Ron, vous qui mangez bien à nos tables et participez à nos fêtes, que nous conseillez-vous?... Pouvez-vous faire un miracle?

L'évêque de la région de Ron se leva solennellement et dit:

— Je propose un remue-méninges. Que chacun lance des idées et ainsi, nous serons tous mieux éclairés sur l'option à choisir. Comme vous le dites si bien en de tels moments de crise, Monsieur le président: «du flot des idées jaillit la lumière.» Mais d'abord, faisons une prière pour que nos idées soient pleines de bon sens!

— Nous ne pouvons pas prier ici en assemblée, Monseigneur! Il y a des laïcs parmi nous, venant de toutes les contrées, rappelle le président.

— Ah oui, où avais-je la tête? Soyons raisonnables dans nos accommodements et prions en silence!

QUESTIONS

1. À quelle impasse le président du pays des Ons fait-il face?

2. Quels sont les trois faits qui justifient l'adoption de l'option que propose le virologue de la contrée des Simignons?

3. L'évêque de la région de Ron propose un remue-méninges. Quel est but d'une telle pratique?

CAS 3 – LES GALETTES DE BABETTE (degré de difficulté: facile)

Analyse de cas

«Qu'elles sont bonnes, les galettes de Babette!» pouvait-on lire sur tous ces visages immobiles attendant que la cuisinière vienne déposer les galettes encore toutes chaudes sur le présentoir prévu à cet effet. Babette en produit à l'avoine, au chocolat et au raisin. Certes, avant son embauche, les cuisiniers de la cafétéria en préparaient aussi. Mais au goûter de 14 h, les étudiants les boudaient. Bon, sur les 60 galettes qui étaient préparées, 20 d'entre elles, 30 au maximum, étaient vendues. Mais tout changea lorsque Babette fut embauchée. Cela faisait cinq semaines que la cafétéria n'offrait plus de galettes car, selon les dires de son gérant, elles étaient produites à perte. Quand Babette arriva, elle entendit de la bouche de ses collègues quels avaient été les déboires des anciennes galettes. Elle proposa au gérant de la cafétéria d'offrir une fois de plus les galettes qu'elle confectionnerait selon une recette infaillible. Le gérant ne voulait rien entendre jusqu'au jour où le directeur de l'établissement demanda une galette et un café. Mais il n'y en avait pas.

«Dommage, dit-il, il faudrait peut-être reconsidérer cette idée de galettes.»

Le gérant de la cafétéria changea rapidement son fusil d'épaule. Il demanda à Babette de préparer ses galettes, mais à titre d'essai seulement. Le lendemain, une odeur enivrante envahit la cafétéria dès 13 h 30. Les étudiants, curieux et intrigués, faisaient déjà la queue. À 14 h, les premières galettes sortirent, 20 de chaque sorte.

En cinq minutes, le lot avait disparu. Le directeur de l'établissement félicita le gérant de la cafétéria pour son initiative.

« Soixante, dit-il, c'est quand même peu. »

Le gérant de la cafétéria demanda à Babette d'augmenter le nombre à 120. Au cours des sept semaines qui suivirent, les galettes disparaissaient en moins de 12 minutes. Pour décourager la demande, le prix des galettes passa de 1,60 $ à 2,00 $. Les étudiants se bousculaient quand même pour en avoir. Dans leur langage vernaculaire, ils se disaient entre eux : « Vite, c'est l'heure d'une p'tite galette à Babette ! » Le nom de Babette, plus encore que ses galettes, s'était mis à gagner en popularité.

Un jour, Babette proposa au gérant que le nombre de galettes soit augmenté à 200. Ce dernier lui répondit alors que le coût total de production était trop élevé et que par tradition, les galettes étaient toujours produites à perte. Il lui montra des données pour corroborer ses dires ; données qu'il ne comprenait d'ailleurs pas trop bien. Il lui dit, de plus, que le coût total de production des galettes s'élevait à près de 190 $ pour 120 et que pour 200, le coût doublerait sûrement. Il pensait même en parler au directeur de l'établissement pour que cesse la production des galettes.

EXERCICE

Déçue, Babette vient vous voir car elle sait que vous possédez des notions en comptabilité et en finance. Elle veut démontrer à son patron qu'il a tort et que pour 200 unités, il ne connaîtrait pas de perte. Elle obtient donc les données suivantes issues des documents de son patron :

- Coûts fixes de production (des galettes) : 75 $
- Coûts variables unitaires (des galettes) : 0,95 $/unité.

www.cheneliere.ca/
turgeon-lamaute

a) Elle vous demande d'évaluer le coût total de 200 galettes.

b) Elle vous demande de déterminer le revenu total de 200 galettes.

c) Elle vous demande de convaincre son patron en lui indiquant pour quelle quantité vendue il couvrira la totalité de ses coûts.

Chapitre 3

La planification

Cheminement d'idées ▸

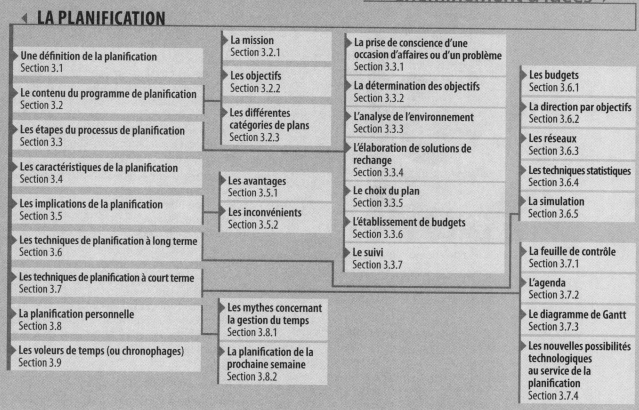

◂ **LA PLANIFICATION**

Une définition de la planification
Section 3.1

Le contenu du programme de planification
Section 3.2

Les étapes du processus de planification
Section 3.3

Les caractéristiques de la planification
Section 3.4

Les implications de la planification
Section 3.5

Les techniques de planification à long terme
Section 3.6

Les techniques de planification à court terme
Section 3.7

La planification personnelle
Section 3.8

Les voleurs de temps (ou chronophages)
Section 3.9

La mission
Section 3.2.1

Les objectifs
Section 3.2.2

Les différentes catégories de plans
Section 3.2.3

Les avantages
Section 3.5.1

Les inconvénients
Section 3.5.2

Les mythes concernant la gestion du temps
Section 3.8.1

La planification de la prochaine semaine
Section 3.8.2

La prise de conscience d'une occasion d'affaires ou d'un problème
Section 3.3.1

La détermination des objectifs
Section 3.3.2

L'analyse de l'environnement
Section 3.3.3

L'élaboration de solutions de rechange
Section 3.3.4

Le choix du plan
Section 3.3.5

L'établissement de budgets
Section 3.3.6

Le suivi
Section 3.3.7

Les budgets
Section 3.6.1

La direction par objectifs
Section 3.6.2

Les réseaux
Section 3.6.3

Les techniques statistiques
Section 3.6.4

La simulation
Section 3.6.5

La feuille de contrôle
Section 3.7.1

L'agenda
Section 3.7.2

Le diagramme de Gantt
Section 3.7.3

Les nouvelles possibilités technologiques au service de la planification
Section 3.7.4

Objectifs d'apprentissage :

1. présenter un schéma conceptuel du processus de planification ;
2. distinguer les différents niveaux d'objectifs et rappeler les caractéristiques des objectifs efficaces ;
3. expliquer les différents plans du processus de planification ;
4. décrire les étapes du processus de planification ;
5. discuter des caractéristiques de la planification et reconnaître ses implications ;
6. présenter les techniques de planification à long terme et à court terme ;
7. reconnaître les obstacles potentiels à une gestion du temps efficace ;
8. décrire le rôle du cadre dans l'activité de planification ;
9. reconnaître et expliquer les caractéristiques et les avantages du processus de planification ;
10. reformuler les étapes du processus de planification.

Compétences à développer :

- développer une vision d'ensemble d'une situation donnée ;
- relever avec précision les éléments à considérer dans la planification ;
- établir des objectifs opérationnels pertinents ;
- appliquer rigoureusement la méthode de planification retenue ;
- établir une planification de ses activités personnelles.

Branle-bas de combat!

Dès la première semaine de septembre, Marc Lanaudière présente en détail le travail de fin de trimestre qu'il propose à ses étudiants. Ce travail consiste à lancer un nouveau

produit sur le marché et à présenter un plan de mise en marché. Il s'agit d'un travail en équipe et d'un document à remettre la dernière semaine de novembre, suivi d'une présentation devant la classe planifiée pour la deuxième semaine de décembre.

L'équipe des «super performants» est en réunion à la cafétéria en ce vendredi après-midi de décembre et ses membres attendent Antoine.

Ils ont remis leur travail écrit il y a une semaine, dix minutes avant l'heure limite. Ils sont très fiers d'eux et de leur efficacité. Imaginez, au début de novembre, il n'y avait eu qu'une seule réunion où le sujet de leur travail avait été vaguement défini.

Ce jour-là, pressés par le temps, ils se sont rencontrés d'urgence pour définir le travail et se partager la tâche. Antoine, le leader du groupe, a distribué à chacun les sections du travail. Myriam doit analyser la distribution, Louise-Anne doit élaborer une politique de prix, Robin a la responsabilité d'élaborer un programme de promotion du produit; Antoine propose l'idée d'une gamme de boissons énergisantes à base de produits naturels, section dont il assumera la rédaction.

Une autre courte réunion a eu lieu à la fin du cours suivant et chacun s'attaque alors à la tâche de développer la partie du travail qui lui a été confiée. Il y a bien eu quelques nuits de travail, mais cela s'explique par la difficulté à réunir toute l'équipe.

Bref, quelques appels insistants d'Antoine ont réussi à convaincre chacun des membres de compléter sa section trois jours avant la date limite. Antoine regroupe alors les textes et les imprime en uniformisant le caractère utilisé et la pagination. En fait, les *Normes de présentation des travaux écrits* sont difficiles à reconnaître dans ce travail.

Antoine vient de rencontrer le professeur pour récupérer le travail commenté et annoté en vue de préparer la présentation. Lorsqu'il rejoint son équipe à la cafétéria, ce jour-là, il affiche un air désastreux.

«Mes amis, dit-il, malgré tous les efforts que nous avons consacrés à ce travail, le professeur nous a coulés... "Aucune vision d'ensemble dans votre travail", a-t-il écrit en page couverture. Et il a ajouté: "Vous devriez utiliser l'outil de vérification de grammaire et d'orthographe de votre traitement de texte, c'est gratuit"...»

Question d'ambiance

Si vous étiez à la place d'un de ces étudiants, comment auriez-vous réagi aux propos du professeur, tels que rapportés par Antoine? Décrivez brièvement comment vous auriez préparé la réalisation de ce travail et après avoir lu le chapitre, évaluez si vous aviez vraiment saisi toute l'importance de la planification.

Ce chapitre définira l'essence même de la planification. Il vous permettra d'étudier les différents outils de planification à long terme et vous familiarisera avec les techniques quotidiennes de la planification.

3.1 Une définition de la planification

La **planification**, fondement de la fonction du cadre dirigeant, est le moyen par lequel le cadre, par un **processus systématique** (approche proactive), détermine et choisit les objectifs de l'entreprise, définit les ressources requises pour les atteindre et décide des étapes à suivre pour assurer leur réalisation en tenant compte des forces de l'environnement. Il s'agit donc d'un processus décisionnel. D'ailleurs, les étapes du processus de planification sont similaires à celles du processus de prise de décision (*voir le chapitre précédent*).

Une saine gestion ne se contente pas de réagir aux crises quotidiennes de l'entreprise. La planification doit, en effet, permettre à toutes les entités de l'entreprise de s'orienter, dans un esprit de concertation, vers un but clair et précis qu'elles ont elles-mêmes défini, tout en tenant compte des modifications de l'environnement qui peuvent remettre en cause les orientations choisies (*voir le tableau 3.1*).

Planification (*planning*)

Moyen par lequel le cadre, par un processus systématique, détermine et choisit les objectifs de l'entreprise, définit les ressources requises pour les atteindre et décide des étapes à suivre pour assurer leur réalisation en tenant compte des forces et des menaces de l'environnement.

Processus systématique (*systematic process*)

C'est une suite continue d'étapes qui s'imbriquent avec méthode, rigueur et précision, selon un ordre, un système prédéterminé et qui aboutit à un résultat.

TABLEAU 3.1   La gestion proactive par opposition à la gestion par crises

GESTION PROACTIVE	GESTION PAR CRISES
La gestion proactive est une démarche de travail qui permet d'agir en amont en prenant en compte les difficultés non encore survenues.	L'approche de gestion par crises se contente de réagir aux situations qui se présentent ; elle est subordonnée aux événements.
Elle anticipe les problèmes et permet de déterminer les mesures pour y faire face de façon positive et provoquer le changement souhaité.	

La planification est évidemment nécessaire au moment de la mise sur pied d'une nouvelle entreprise ou du lancement d'un nouveau produit ou service. De plus, il y a lieu de procéder à une planification plus systématique des décisions et des actions lorsqu'une entreprise désire prendre de l'expansion ou étendre son marché. Il est même recommandé de procéder à une planification lorsqu'on désire améliorer la gestion d'une entreprise, d'un produit ou d'un service.

3.2 Le contenu du programme de planification

Le programme de planification se compose de trois éléments fondamentaux : d'abord, la **mission** de l'entreprise, ou sa raison d'être ; puis les **objectifs** qui découlent de cette mission et, enfin, la description des étapes à suivre pour atteindre les objectifs, c'est-à-dire les **plans**. À titre d'exemple, le renouvellement des wagons du Métro de Montréal[1] constitue un programme, de même qu'une campagne de recrutement de techniciens de niveau collégial par Revenu Québec. Le programme est un élément de la planification d'une entreprise.

Mission (*mission*)

Déclaration générale de la raison d'être de l'entreprise.

Objectifs (*objectives*)

La fin, le but ultime, ce vers quoi tend toute l'activité de l'organisation.

Plans (*plans*)

Aperçu des moyens à utiliser pour atteindre les objectifs visés.

FIGURE 3.1 Les composantes du processus de planification

Mission → Objectifs → Plans

La figure 3.1 présente les trois composantes d'un programme.

Le **programme**, en tant que composante de la planification, se définit donc comme un ensemble composite constitué d'une mission, d'objectifs et de plans. Un programme détaille généralement les actions à entreprendre, les ressources requises, les hypothèses concernant l'environnement et les champs d'action.

Programme (*program*)

Composante de la planification d'une organisation constituée d'une mission, d'objectifs et de plans (politiques, procédures, règles) qui vise l'atteinte d'un but ou la réalisation d'un projet.

3.2.1 La mission

La mission représente la raison d'être de l'organisation; c'est son objectif premier.

Voyons, dans le tableau 3.2, quelques exemples de missions d'entreprises canadiennes:

TABLEAU 3.2 Quelques exemples de missions d'entreprise

ENTREPRISE	MISSION
Sears Canada	• Établir une relation avec les clients. • Gagner plus d'argent. • S'améliorer chaque jour.
Bombardier	• Être le chef de file mondial dans la fabrication d'avions et de trains. • Fournir à la clientèle des produits et des services de qualité supérieure, et aux actionnaires, une rentabilité soutenue en misant sur le personnel et les produits.
Université du Québec	• Favoriser l'accessibilité à la formation universitaire. • Contribuer au développement scientifique du Québec. • Participer au développement des régions du Québec.
Caisse de dépôt et placement du Québec (CDPQ)	• Institution financière autonome, la CDPQ a pour mission principale de gérer des fonds que lui confient ses clients, appelés « déposants ». • La Caisse a également pour mission de contribuer au développement économique du Québec en investissant dans les entreprises provinciales. En cela, elle constitue un levier économique important du gouvernement, ce qui la différencie des autres institutions de placement.

3.2.2 Les objectifs

Ils représentent la fin, le but ultime, ce vers quoi tend toute l'activité de l'organisation. Puisqu'ils sont liés aux activités futures, les objectifs exigent l'élaboration de plans. Par exemple, la recherche d'un rendement de 15 % sur le capital investi dans une entreprise constitue un objectif, qui devrait être accompagné d'un plan concret afin d'en faciliter l'atteinte.

Les différents niveaux d'objectifs

Les organisations établissent généralement trois niveaux d'objectifs, soit les objectifs stratégiques, les objectifs tactiques et les objectifs opérationnels, qui se traduisent par des **plans stratégiques** distincts (*voir la figure 3.2*).

Plans stratégiques
(*strategic plans*)

Plans établis par les cadres supérieurs qui permettent de définir les orientations à long terme pour l'ensemble de l'entreprise.

FIGURE   3.2   **Les différents niveaux d'objectifs et de plans**

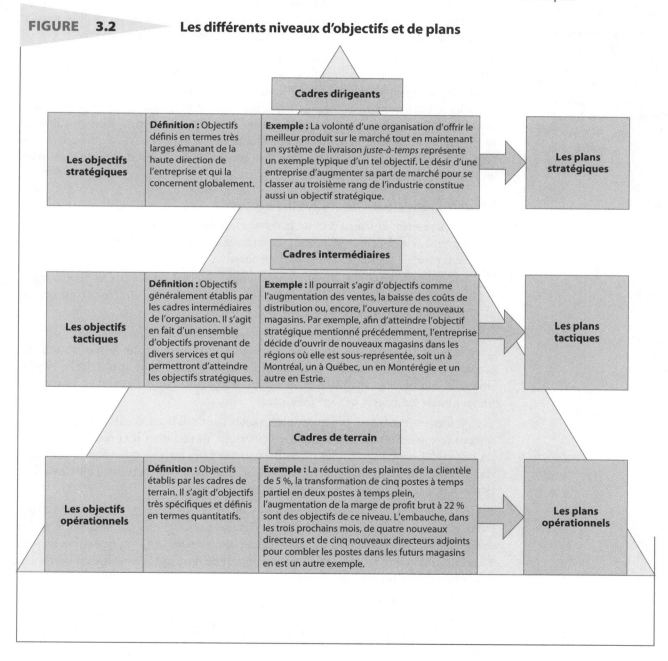

Cadres dirigeants

Les objectifs stratégiques

Définition : Objectifs définis en termes très larges émanant de la haute direction de l'entreprise et qui la concernent globalement.

Exemple : La volonté d'une organisation d'offrir le meilleur produit sur le marché tout en maintenant un système de livraison *juste-à-temps* représente un exemple typique d'un tel objectif. Le désir d'une entreprise d'augmenter sa part de marché pour se classer au troisième rang de l'industrie constitue aussi un objectif stratégique.

Les plans stratégiques

Cadres intermédiaires

Les objectifs tactiques

Définition : Objectifs généralement établis par les cadres intermédiaires de l'organisation. Il s'agit en fait d'un ensemble d'objectifs provenant de divers services et qui permettront d'atteindre les objectifs stratégiques.

Exemple : Il pourrait s'agir d'objectifs comme l'augmentation des ventes, la baisse des coûts de distribution ou, encore, l'ouverture de nouveaux magasins. Par exemple, afin d'atteindre l'objectif stratégique mentionné précédemment, l'entreprise décide d'ouvrir de nouveaux magasins dans les régions où elle est sous-représentée, soit un à Montréal, un à Québec, un en Montérégie et un autre en Estrie.

Les plans tactiques

Cadres de terrain

Les objectifs opérationnels

Définition : Objectifs établis par les cadres de terrain. Il s'agit d'objectifs très spécifiques et définis en termes quantitatifs.

Exemple : La réduction des plaintes de la clientèle de 5 %, la transformation de cinq postes à temps partiel en deux postes à temps plein, l'augmentation de la marge de profit brut à 22 % sont des objectifs de ce niveau. L'embauche, dans les trois prochains mois, de quatre nouveaux directeurs et de cinq nouveaux directeurs adjoints pour combler les postes dans les futurs magasins en est un autre exemple.

Les plans opérationnels

Plans tactiques

(tactical plans)

Plans établis par les cadres intermédiaires qui permettent de définir les orientations d'un sous-ensemble de l'entreprise participant à la réalisation des objectifs stratégiques.

Plans opérationnels

(operational plans)

Plans établis par les cadres de terrain qui permettent de définir les orientations d'une unité opérationnelle de l'entreprise participant à la création d'une valeur ajoutée aux biens et aux services mis en marché.

- Les *objectifs stratégiques* sont des objectifs à long terme établis par les cadres dirigeants pour l'ensemble de l'entreprise en fonction de la croissance attendue, des valeurs de l'entreprise et de sa survie.
- Les *objectifs tactiques* sont des objectifs établis par les cadres intermédiaires qui permettent de définir les objectifs d'un sous-ensemble de l'entreprise participant à la réalisation des objectifs stratégiques.
- Les *objectifs opérationnels* sont des objectifs établis par les cadres de terrain qui permettent de définir les objectifs d'une unité opérationnelle de l'entreprise participant à la création d'une valeur ajoutée aux biens et services mis en marché.

Tous les objectifs sont des guides pour mesurer l'évolution d'une situation dans le temps. Ainsi, les objectifs à court terme sont qualifiés d'« opérationnels » car ils se rapportent aux activités quotidiennes qui doivent être accomplies. Les objectifs à long terme, quant à eux, sont qualifiés de « stratégiques », car ils concernent l'orientation même de l'entreprise. Les objectifs à moyen terme sont qualifiés de « tactiques » car ils se situent au niveau de chacun des services. Mais quel que soit le type de l'objectif, le facteur temps doit être considéré car il sert d'outil de mesure au gestionnaire et à ses subordonnés.

Les caractéristiques des objectifs efficaces

Afin de permettre la réalisation de la mission de l'organisation, les objectifs doivent comporter des défis, être réalisables, mesurables et pertinents, et inclure un échéancier. La figure 3.3 présente ces caractéristiques.

L'objectif est une source de motivation et d'accroissement de la performance. Avoir à atteindre un objectif clairement établi représente une source de motivation plus grande qu'une invitation à « faire de son mieux ».

L'objectif établi doit également représenter un *défi réalisable*. Exiger l'atteinte d'un objectif irréalisable aura certainement un effet négatif sur la motivation des employés. En effet, les employés risquent de se décourager devant une tâche impossible à accomplir. Le maintien d'un niveau de performance élevé et constant sera impossible si les exigences sont irréalistes.

Des objectifs spécifiques et mesurables sont efficaces, car ils établissent clairement ce qui est attendu de l'employé et, surtout, ils facilitent le constat de l'atteinte du but visé. Généralement, les objectifs associés à ces critères quantitatifs sont préférables compte tenu de la facilité de vérification qu'ils permettent. Toutefois, il ne faut pas pour autant négliger certains critères qualitatifs.

La *pertinence* d'un objectif signifie que celui-ci a un rapport direct avec l'objectif global de l'organisation. En effet, chacun des objectifs des individus et des services de l'organisation n'a de réelle valeur, pour cette dernière, que s'il contribue à la réalisation de la mission de l'organisation. Il ne doit pas être réalisé au détriment des autres objectifs de l'entreprise.

Les objectifs doivent se situer à l'intérieur d'un calendrier qui en fixe les *échéances* de réalisation. Un objectif ne comportant pas d'échéance n'a aucune signification; il ne présente aucun défi puisqu'il peut toujours être considéré « en voie de réalisation ».

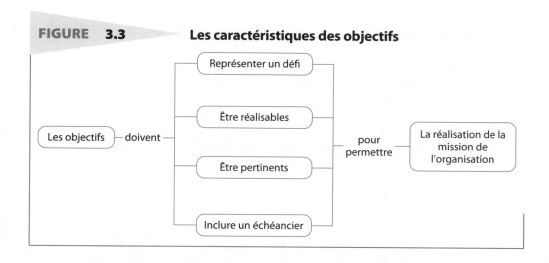

FIGURE 3.3 Les caractéristiques des objectifs

Les objectifs — doivent
- Représenter un défi
- Être réalisables
- Être pertinents
- Inclure un échéancier

pour permettre → La réalisation de la mission de l'organisation

3.2.3 Les différentes catégories de plans

L'élaboration systématique d'un plan permet de clarifier les orientations de l'entreprise et impose une orientation commune à tous ses cadres employés. En fait, plus que le plan lui-même, c'est le processus qui rapporte des bénéfices. Ce processus, bien que reposant entre les mains de certains cadres de haut niveau, implique en réalité tous les gestionnaires de l'organisation et un grand nombre d'employés ne détenant pas un poste de gestionnaire.

Un plan représente une vision stratégique d'ensemble de l'entreprise. Il constitue donc :

1. un outil de communication efficace entre les différents niveaux hiérarchiques ;
2. un instrument de promotion auprès des investisseurs et des actionnaires (plan d'affaires) ;
3. un outil de mesure et de contrôle ;
4. une base de référence pour la prise de décision ; et
5. un excellent moyen de motiver les employés.

Quels que soient les objectifs et la mission de l'organisation, les plans inclus dans notre sélection comprennent les *stratégies*, les *politiques*, les *procédures*, les *règlements* et les *budgets*. La figure 3.4, à la page suivante, définit les plans et les positionne au sein d'un programme.

3.3 Les étapes du processus de planification

Le rôle du cadre en entreprise n'est aucunement différent du vôtre en tant qu'étudiants quand vient le temps de planifier. Avant d'établir les buts de l'entreprise, le cadre doit prendre conscience des facteurs internes (budget, main-d'œuvre, temps requis, politiques, valeurs organisationnelles, etc.) et évaluer les ressources disponibles. En effet, il lui serait inutile d'établir des objectifs que la pauvreté des moyens l'empêcherait d'atteindre.

FIGURE 3.4

Le contenu d'un programme

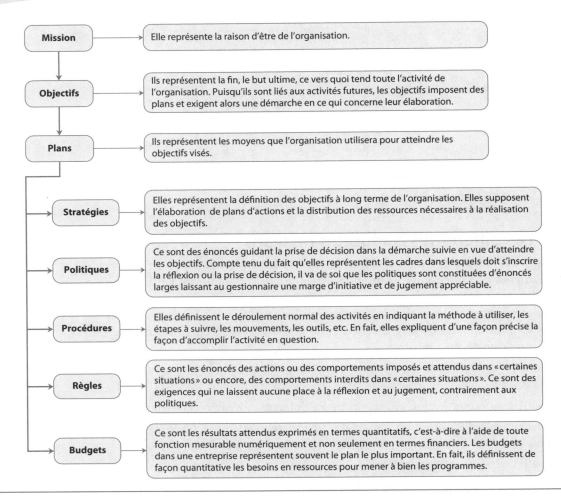

FIGURE 3.4 Le contenu d'un programme

Mission → Elle représente la raison d'être de l'organisation.

Objectifs → Ils représentent la fin, le but ultime, ce vers quoi tend toute l'activité de l'organisation. Puisqu'ils sont liés aux activités futures, les objectifs imposent des plans et exigent alors une démarche en ce qui concerne leur élaboration.

Plans → Ils représentent les moyens que l'organisation utilisera pour atteindre les objectifs visés.

Stratégies → Elles représentent la définition des objectifs à long terme de l'organisation. Elles supposent l'élaboration de plans d'actions et la distribution des ressources nécessaires à la réalisation des objectifs.

Politiques → Ce sont des énoncés guidant la prise de décision dans la démarche suivie en vue d'atteindre les objectifs. Compte tenu du fait qu'elles représentent les cadres dans lesquels doit s'inscrire la réflexion ou la prise de décision, il va de soi que les politiques sont constituées d'énoncés larges laissant au gestionnaire une marge d'initiative et de jugement appréciable.

Procédures → Elles définissent le déroulement normal des activités en indiquant la méthode à utiliser, les étapes à suivre, les mouvements, les outils, etc. En fait, elles expliquent d'une façon précise la façon d'accomplir l'activité en question.

Règles → Ce sont les énoncés des actions ou des comportements imposés et attendus dans «certaines situations» ou encore, des comportements interdits dans «certaines situations». Ce sont des exigences qui ne laissent aucune place à la réflexion et au jugement, contrairement aux politiques.

Budgets → Ce sont les résultats attendus exprimés en termes quantitatifs, c'est-à-dire à l'aide de toute fonction mesurable numériquement et non seulement en termes financiers. Les budgets dans une entreprise représentent souvent le plan le plus important. En fait, ils définissent de façon quantitative les besoins en ressources pour mener à bien les programmes.

Cette évaluation des ressources et des variables du marché doit reposer sur une information de qualité. Les sources d'information utilisées, les modes de classification de ces informations et les processus de validation et d'analyse utilisés doivent être fiables. Tout le processus de planification en dépend.

Le processus de planification comporte donc un certain nombre d'étapes qui sont présentées dans la figure 3.5.

3.3.1 La prise de conscience d'une occasion d'affaires ou d'un problème

La prise de conscience de l'existence d'une occasion d'affaires représente le déclencheur du processus de planification. Il s'agit ici plutôt d'une prémisse au processus de planification. La planification exige cette analyse des occasions qui permettra

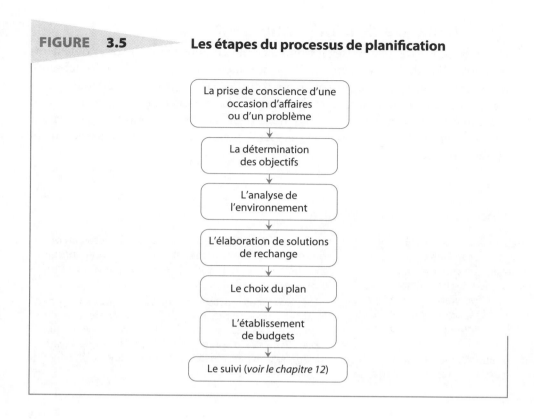

FIGURE 3.5 **Les étapes du processus de planification**

La prise de conscience d'une
occasion d'affaires
ou d'un problème

La détermination
des objectifs

L'analyse de
l'environnement

L'élaboration de solutions
de rechange

Le choix du plan

L'établissement
de budgets

Le suivi (*voir le chapitre 12*)

l'établissement, pour l'organisation, d'objectifs réalistes tenant compte de ses forces et de ses faiblesses. Le tout se conclura par un contrôle du déroulement et des résultats.

3.3.2 La détermination des objectifs

Si vous ne savez pas où vous allez, vous n'y arriverez jamais. C'est pourquoi les objectifs sont si importants pour l'organisation car non seulement ils déterminent le résultat final attendu et la finalité des actions à accomplir, mais ils contribuent également à établir les priorités et les moyens les plus judicieux pour les atteindre (stratégies, politiques, procédures, règlements, budgets et programmes). Les objectifs doivent également être clairs et précis, et fondés sur la participation.

L'établissement des critères nécessaires à l'évaluation de la démarche vers l'atteinte des objectifs constitue un élément inhérent à cette étape. L'objectif, les sous-objectifs et les activités relatives à la réalisation de ces objectifs doivent toujours être exprimés en des paramètres observables et mesurables.

En effet, cela permet de comparer facilement la situation actuelle de l'entreprise avec celle que l'on désire atteindre à un moment déterminé. De plus, les objectifs ne peuvent être clairement compris et acceptés que s'ils sont exprimés en des termes nets et précis.

Enfin, à l'étape du contrôle (*voir le chapitre 12*), nous verrons pourquoi il est important que la situation finale puisse être facilement mesurable.

3.3.3 L'analyse de l'environnement

Planifier, c'est parler de l'avenir; il faut donc tenir compte de toutes sortes d'éléments impondérables de l'environnement. Pensons seulement, par exemple, à l'insuffisance des données ou aux changements dans l'offre et la demande des différentes ressources nécessaires pour atteindre des objectifs. La présence de ces facteurs ne doit pas empêcher le gestionnaire de faire de la planification; au contraire, la prévision des effets de ces facteurs lui permettra, s'ils se présentent, de réagir rationnellement et d'éviter les réactions à courte vue.

EXEMPLE 3.1   Une pomme pas assez mûre…

Apple Computer, une entreprise innovatrice qui invente l'avenir, s'est parfois méprise sur la capacité et la volonté des consommateurs d'accueillir certains des nouveaux produits qu'elle a introduits sur le marché. Quatorze ans avant l'iPhone, Apple inventait le Newton Message Pad[2] qui fut présenté par son PDG de l'époque, John Sculley, comme l'outil qui allait révolutionner le monde de l'informatique.

Créé en 1993, cet assistant numérique personnel qui coûta plus de 500 millions de dollars à Apple fut retiré du marché en 1998. Pourtant 10 ans plus tard, les Palm ont connu un succès phénoménal atténué maintenant par la venue des téléphones intelligents dont, ironie du sort, le iPhone.

D'ailleurs, ces ajustements en fonction des impondérables constituent un exercice de planification en cours de réalisation des objectifs. Il faut comprendre que la planification est un processus continu qui nécessite une adaptation perpétuelle, d'où l'importance d'effectuer un suivi.

3.3.4 L'élaboration de solutions de rechange

Comme vous avez pu le constater, il y a plusieurs cheminements possibles pour terminer un travail de fin de trimestre. Cela est dû au grand nombre de variables et à l'étendue de leurs différentes combinaisons. Ainsi, le planificateur doit se montrer créatif et rationnel afin de prévoir le plus grand nombre d'options possibles. C'est là un des aspects les plus importants de la planification.

Une fois les solutions de rechange élaborées, il faut procéder à leur analyse. À cette étape, on doit soupeser toutes les variables et les possibilités afin de déterminer la combinaison la plus propice à la réalisation de l'objectif. Cela nécessite évidemment l'utilisation d'outils tels que les ordinateurs, les techniques mathématiques et toutes les autres méthodes structurées de prise de décision.

3.3.5 Le choix du plan

L'adoption réelle d'un plan s'effectue à cette étape; nous avons abordé le sujet dans le précédent chapitre. Il importe donc de procéder à la sélection du plan qui, relativement à l'atteinte des objectifs visés, offre les meilleures perspectives. Notons que, si les ressources le permettent, le gestionnaire pourra retenir plus d'un plan.

La planification stratégique à long terme est du ressort des cadres supérieurs. Tout d'abord exprimée en termes généraux, la planification devient de plus en plus précise et détaillée au fur et à mesure qu'elle se rapproche de l'exécution.

Jusqu'ici, vous avez sans doute tenu pour acquis que toutes les activités au sein de l'organisation sont effectuées de la façon la plus rationnelle et la mieux organisée possible. La rationalité signifie ici que chaque activité est évaluée afin de déterminer son effet sur les buts de l'organisation; en un mot, toutes les activités sont planifiées. En fait, c'est un des objectifs de la planification de permettre une meilleure organisation des ressources.

3.3.6 L'établissement de budgets

Les budgets servent à quantifier les objectifs et les plans. Dans une situation idéale, les budgets sont un moyen de synthétiser les divers plans et ils sont également d'excellents outils de contrôle.

Le tableau 3.3 nous présente un budget de mini-congrès.

TABLEAU 3.3   Budget de dépenses d'un mini-congrès

MATÉRIEL, ACTIVITÉS ET RESSOURCES	DÉPENSES PRÉVUES	DÉPENSES RÉELLES	ÉCARTS
Affiches, publicité, matériel	550 $	560 $	(10) $
Location de tables et chaises	1 200 $	1 250 $	(50) $
Suppléant (président – Comité : 2 journées prévues)	350 $	350 $	– $
Déplacement des juges (Québec-Montréal 2 × 175 $)	350 $	350 $	– $
Matériel de bureau : étiquettes en plastique, rubans, certificats, papier, etc.	75 $	90 $	(15) $
Photos	225 $	200 $	25 $
Prix	200 $	200 $	– $
Activités prévues lors des ateliers	500 $	525 $	(25) $
Remerciements des juges	100 $	100 $	– $
Préparation des certificats, recevoir et enregistrer	150 $	160 $	(10) $
Banquet et repas	800 $	900 $	(100) $
Déplacements pour activités	250 $	300 $	(50) $
Un conférencier (cadeau)	150 $	150 $	– $
Programme (impression)	300 $	325 $	(25) $
Total	5 200 $	5 460 $	(260) $

3.3.7 Le suivi

Le suivi implique obligatoirement la flexibilité. Vous verrez rarement un plan se dérouler entièrement tel qu'il est prévu, surtout s'il est le moindrement complexe. Un plan est un guide d'action et non pas un tracé immuable sculpté dans le marbre. Ainsi, même les objectifs fondamentaux de toute une organisation peuvent être modifiés en cours de route si les circonstances le justifient. Vue sous cet angle, la planification doit être considérée comme un processus continu faisant partie intégrante du travail du gestionnaire.

Chaque plan doit inclure une procédure de suivi et de révision périodique. Des critères précis et mesurables doivent être indiqués, afin que chacun puisse mesurer périodiquement ce qu'il a accompli en fonction des objectifs définis.

3.4 Les caractéristiques de la planification

La planification consiste donc à déterminer à l'avance ce qui doit être fait et la façon dont cela doit être fait pour atteindre le résultat désiré. Il s'agit, en quelque sorte, d'une série de décisions qui mènent à un objectif. La planification possède aussi ses propres caractéristiques, dont les principales sont les suivantes.

1. **Un processus continu**

   La planification est une activité importante de tous les gestionnaires, quel que soit leur niveau. C'est l'essence même de leur fonction et cela doit les imprégner totalement. En effet, la planification repose sur des variables en constante évolution, et le cadre est responsable de réévaluer régulièrement ses objectifs et ses modes d'action en fonction de l'évolution de ces variables.

2. **Un travail intellectuel**

   La planification, qui précède l'action, est de nature intellectuelle, puisqu'elle repose sur la raison, la réflexion, l'imagination et la prévision. Lorsqu'on planifie, on manipule des éléments intangibles en les confrontant avec son expérience et ses connaissances.

3. **Un exercice concret**

   Quand on planifie, il ne s'agit pas seulement d'exprimer des désirs vagues et souhaitables. C'est un exercice qui consiste à trouver des solutions réelles et concrètes. Planifier exige que des réponses concrètes aux questions suivantes soient clairement formulées.

   - Pourquoi doit-on atteindre tels sous-objectifs ?
   - Quelles actions sont nécessaires pour y arriver ?
   - Quand devra-t-on entreprendre ces actions ?
   - Où devront-elles être exécutées ?
   - Qui devra les accomplir ?
   - Quelles sont les méthodes qui devront être suivies ?

   Les réponses à ces questions sont la matière fondamentale de la planification.

4. **Une activité soumise à l'environnement**

   Un grand nombre des éléments de la planification reposent sur une certitude quasi absolue. Ainsi, le nombre d'employés nécessaires pour accomplir un travail, l'équipement requis ou, encore, le temps à allouer pour une action sont facilement prévisibles. Mais certaines autres composantes de la planification sont incertaines et rendent celle-ci difficile. Notamment, les variables de l'environnement sont de plus en plus complexes et soumises à une interdépendance croissante, ce qui rend les prévisions de plus en plus difficiles.

5. Un processus axé sur l'information

Il ne faut pas oublier que la valeur de la planification repose grandement sur la disponibilité et la qualité de l'information. Tous les renseignements concernant les variables internes et externes viennent justement diminuer les risques liés à l'incertitude. La veille stratégique[3], anciennement appelée «veille industrielle», inclut la veille technologique, la veille concurrentielle et la veille commerciale. Elle consiste à regrouper des informations qui permettront à l'entreprise d'anticiper les évolutions du marché dans lequel celle-ci est engagée, puis à les analyser pour les utiliser à bon escient. Internet est un des meilleurs moyens pour réaliser cette veille stratégique.

Le gestionnaire doit donc avoir accès à tout un ensemble de données que l'introduction de l'informatique dans l'entreprise rend facilement, rapidement et économiquement accessibles. L'utilisation du «gros bon sens», que certains gestionnaires de petites et moyennes entreprises, en particulier, s'enorgueillissent de posséder, correspond probablement davantage à une aptitude très développée à analyser et à intégrer les perceptions de l'environnement qu'à un mystérieux don de divination.

Retenons enfin que tous les plans sont des tentatives et qu'ils doivent être révisés continuellement en fonction des nouvelles informations obtenues concernant les ressources de l'entreprise et les facteurs de l'environnement.

La figure 3.6 présente les caractéristiques de la planification.

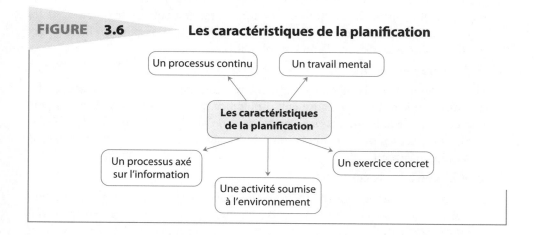

FIGURE 3.6   **Les caractéristiques de la planification**

- Un processus continu
- Un travail mental
- **Les caractéristiques de la planification**
- Un processus axé sur l'information
- Une activité soumise à l'environnement
- Un exercice concret

3.5 Les implications de la planification

En management, la valeur d'une décision repose sur l'impact des conséquences qui en découlent. Ainsi, aucune décision n'a de réelle valeur en soi; il faut plutôt s'attarder à analyser les incidences probables d'une décision, compte tenu des circonstances, pour en évaluer la pertinence.

Si vous décidez de consacrer une partie de vos ressources à la planification, vous devrez connaître les aspects positifs et négatifs de votre choix.

La planification repose sur le constat précis d'une situation donnée, sur la détermination des objectifs à atteindre et sur l'élaboration des moyens à prendre afin de les atteindre.

Essentiellement, la planification repose sur le constat précis d'une situation donnée, sur la détermination des objectifs à atteindre à la suite de ce constat et sur l'élaboration des moyens à prendre afin de les atteindre.

Lorsqu'il planifie, un cadre doit évaluer l'avenir et prévoir ce qui pourrait advenir, cela afin de poser les gestes pertinents dans l'immédiat et de mobiliser les ressources de l'entreprise pour saisir les occasions d'affaires ou affronter les menaces futures.

3.5.1 Les avantages

Le fait de planifier comporte plusieurs avantages. En effet, cette activité permet de :

1. **Justifier et ordonner les activités**

   À la suite d'une bonne planification, les activités sont évaluées selon leur utilité par rapport à l'objectif visé, selon la logique de leur ordre d'exécution et selon leur ordonnancement. En ce sens, la planification est une justification de l'action et impose un ordonnancement des activités. Sans l'orientation imposée par les plans, les cadres des niveaux inférieurs pourraient définir leur rôle et leur tâche en fonction de leurs propres besoins. Les objectifs poursuivis seraient alors incohérents, contre-productifs et conflictuels.

2. **Améliorer le rendement des ressources**

   Grâce à la planification, les ressources disponibles dans l'entreprise sont utilisées de façon optimale, ce qui en améliore le rendement. Leur quantité et les moments de leur utilisation sont prévus en fonction d'un maximum de résultats possibles fondés sur les meilleures combinaisons.

3. **Aider à prévoir l'avenir**

   Un des éléments de la planification consiste à analyser les variables externes. La planification sensibilise le cadre aux problèmes qui peuvent survenir et lui permet de neutraliser les menaces potentielles et de profiter des modifications éventuelles de l'environnement plutôt que de les subir ; en ce sens, elle améliore la prévision de l'avenir.

4. **Établir une base de contrôle**

   La planification et le contrôle forment un couple parfait : le contrôle n'a de sens que si la planification a été faite, et la planification sans contrôle perd énormément de sa valeur. La planification permet de déterminer les échéances, soit les dates où les actions doivent être entreprises et où les objectifs doivent être atteints. De plus, elle permet d'établir les critères et les standards à respecter ainsi que les budgets de revenus et de dépenses. Plus précisément, la planification identifie les individus responsables de la mise en œuvre du plan et de l'atteinte des objectifs. Ces informations sont à la base des activités liées à la fonction de contrôle.

5. **Encourager l'accomplissement**

   La rédaction claire et nette de certains objectifs motive l'individu et oriente ses actions quotidiennes. La planification réduit donc les dépenses d'énergie inutiles,

les chevauchements improductifs et les actions non pertinentes. Elle encourage l'accomplissement.

6. **Encourager la participation**

La planification est un moyen efficace d'amener les cadres à participer au processus de décision relatif aux stratégies et aux objectifs de l'entreprise. Dans une activité de planification, les cadres de niveau supérieur réclament des données, des renseignements et des suggestions aux cadres des autres niveaux. L'apport de ces cadres permet d'influencer la définition des stratégies et des objectifs.

7. **Obliger l'entretien d'une vue d'ensemble**

Au moment de la planification, le cadre doit avoir une vue d'ensemble de son service afin de mieux saisir les relations existant entre les différents éléments qui le composent et de mieux comprendre l'apport de chaque élément à l'ensemble. Cette vue d'ensemble lui permet aussi de mieux percevoir les forces et les faiblesses de son service.

Soulignons ici un léger bémol. Bien que sources d'orientation unificatrice pour l'entreprise, les objectifs sont pluridimensionnels et, parfois, en contradiction les uns avec les autres. L'adhésion des employés et des cadres aux objectifs de l'entreprise dépend donc également de la convergence de ceux-ci avec leurs objectifs et leurs intérêts personnels.

Enfin, la stratégie retenue aura pour effet de favoriser l'atteinte de certains objectifs au détriment de certains autres. Par exemple, la mission de Toyota[4] consiste à «Poursuivre une croissance profitable en offrant la meilleure expérience possible à la clientèle et le meilleur soutien aux concessionnaires[5]». Offrir le meilleur service tout en maximisant les profits peut parfois se révéler difficile, mais ce sont deux des objectifs fréquemment rencontrés dans la définition de la mission des entreprises. Pour Toyota, l'année 2010 fut une cruelle leçon de l'existence de conflits entre certains objectifs.

3.5.2 Les inconvénients

Certains gestionnaires préfèrent passer immédiatement à l'action, quitte à escamoter quelques étapes du processus de planification. Voici quelques-uns des inconvénients qu'ils évoquent à propos de la planification.

1. **Retarde l'action**

Lorsque des urgences surviennent, il est inutile de consacrer temps et énergie à la réflexion alors que le problème exige une solution immédiate. Ce point paraît difficilement réfutable mais, dans tous les cas, une planification bien dosée pourra éviter des erreurs coûteuses.

Il faut ajouter que, pour beaucoup de gens, l'action est rassurante, même si elle ne se révèle pas toujours productive. Enfin, il est téméraire de se lancer dans l'action sans consacrer un minimum d'énergie à définir l'objectif visé, la meilleure façon de l'atteindre et les conséquences de son action sur les autres éléments du service ou de l'entreprise.

2. **Réduit la marge d'initiative**

   Plusieurs gestionnaires croient que la planification établit un cadre d'opération rigide et limite toute initiative nouvelle. Pourtant, nous avons vu précédemment que tout programme de planification doit comporter une certaine flexibilité afin de permettre les ajustements de dernière minute éventuellement requis par une modification de la situation.

3. **Se fonde sur des données incertaines**

   Les planificateurs fondent leurs prévisions sur des données relatives à la situation courante et future, données qui ne sont pas toujours exactes et sûres. Personne ne pouvant prédire l'avenir, la formulation de plans ne peut résister à l'épreuve de la variation des éléments de l'environnement. Cela est vrai, et c'est pourquoi le programme de planification doit être continuellement réévalué ; toute modification des facteurs de l'environnement ou des ressources de l'entreprise doit amener des changements dans les objectifs ou dans la façon de les atteindre. L'avantage du plan d'action dans une telle situation découle de la connaissance des effets d'une modification de l'environnement interne ou externe sur les différents éléments de l'entreprise.

4. **Comporte un coût élevé en énergie**

   Il est vrai que la planification consomme énormément de temps et de ressources de l'entreprise, mais elle permet d'éviter des erreurs coûteuses dans l'action. Enfin, à l'instar de toutes les activités de l'entreprise, la planification doit tenir compte des circonstances, et son coût doit être proportionnel aux résultats finaux. Ce principe s'applique d'ailleurs à toutes les services fonctionnels de l'entreprise, qu'il s'agisse de la formation, du contrôle ou de la publicité, par exemple.

   Comme on peut le constater dans la figure 3.7, la planification comporte plus d'avantages que d'inconvénients lorsqu'elle est effectuée par des personnes compétentes et dans le but de faciliter l'action.

FIGURE 3.7 **Les avantages et les inconvénients de la planification**

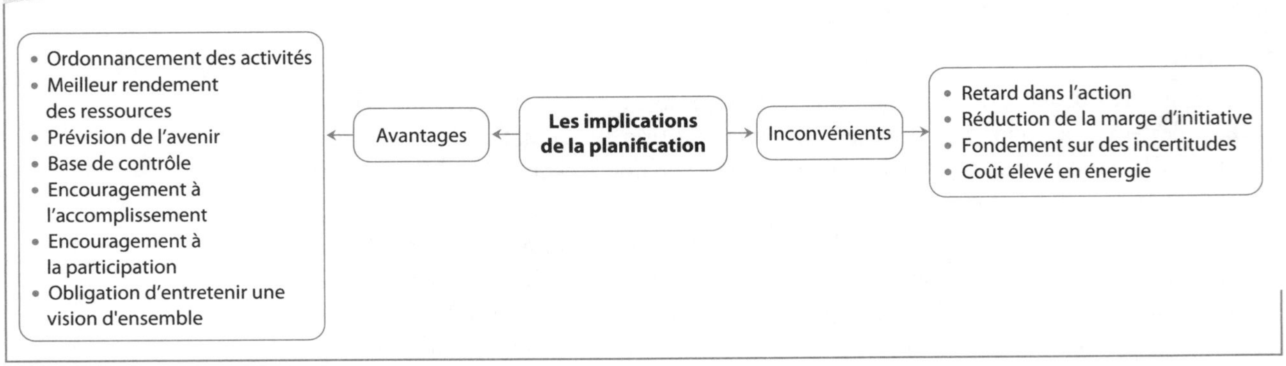

Avantages
- Ordonnancement des activités
- Meilleur rendement des ressources
- Prévision de l'avenir
- Base de contrôle
- Encouragement à l'accomplissement
- Encouragement à la participation
- Obligation d'entretenir une vision d'ensemble

Les implications de la planification

Inconvénients
- Retard dans l'action
- Réduction de la marge d'initiative
- Fondement sur des incertitudes
- Coût élevé en énergie

3.6 Les techniques de planification à long terme

Le terme *planification à long terme* désigne, en contexte organisationnel, une période d'au moins trois ans. Cette planification relève de la hiérarchie supérieure de l'entreprise et vise principalement à intégrer les activités de tous les services fonctionnels de façon à atteindre un objectif global.

Les principaux outils utilisés pour y parvenir sont les *budgets*, la *direction par objectifs* (DPO), les *réseaux*, les *techniques statistiques* et la *simulation*.

3.6.1 Les budgets

Nous avons déjà fourni une définition du budget dans ce chapitre ; il s'agit de plans d'affectation des ressources à des activités ou programmes. Notons aussi que le budget représente l'un des outils de planification les plus répandus. Souvenez-vous également qu'un budget consiste en une représentation systématique des ressources financières, matérielles, humaines ou autres requises pour une période déterminée, par une entreprise ou un élément de celle-ci, afin d'atteindre les objectifs fixés.

On prépare des budgets pour quatre raisons. Ces derniers permettent aux gestionnaires d'une entreprise :

1. d'évaluer l'efficacité et la contribution de chaque unité de l'organisation, la contribution d'une unité devant justifier l'utilisation des ressources ;

2. d'obtenir une synthèse des besoins en capitaux, en main-d'œuvre ou en n'importe quelle autre ressource de toute l'organisation pour une période déterminée. Ainsi, la précision de la planification budgétaire devient un facteur important en ce qui a trait à la santé et à la survie de l'organisation ;

3. de quantifier les objectifs ;

4. de s'y référer à l'étape du contrôle.

3.6.2 La direction par objectifs

La DPO est une technique très populaire qui consiste à établir des objectifs pour l'ensemble de l'entreprise et pour chaque unité, et à évaluer par la suite la performance de chacune en se fondant sur les résultats. Les objectifs globaux de l'organisation sont définis par la haute direction, et chacune des unités de l'entreprise doit établir les siens, en s'assurant qu'ils soient conçus de façon à contribuer à la réalisation des objectifs globaux. La figure 3.2, à la page 61, présentait les relations existant entre les objectifs.

Voyons maintenant succinctement les caractéristiques de la DPO.

- **La participation**

  La définition des objectifs selon cette approche suppose une participation de tous les membres de l'organisation, et ce, à tous les niveaux. Les objectifs globaux orientent les sous-objectifs de chaque unité.

- **L'orientation ascendante**

  Il faut insister sur la primauté des objectifs globaux de l'entreprise. Ainsi, chacun dans l'organisation contribue à l'ensemble et doit pouvoir décrire son apport au succès final.

- **La primauté des résultats**

  Par définition, la DPO privilégie les résultats. Ainsi, les objectifs établis sont énoncés en fonction des résultats désirés et non en fonction d'activités à accomplir. Les gestionnaires doivent atteindre les objectifs définis par la haute direction, mais ils sont libres quant aux moyens à utiliser pour ce faire.

- **La précision des objectifs**

  Les objectifs sont tous énoncés de façon claire et précise, selon des éléments observables et mesurables ; idéalement, ils sont même exprimés quantitativement.

- **La définition des rôles**

  Une définition aussi précise des objectifs permet à chacun de percevoir sa propre responsabilité dans la réalisation des objectifs globaux. De cette manière, les coûteux chevauchements de responsabilités sont évités et aucune activité n'est négligée.

- **L'amélioration des communications**

  Le suivi des activités et l'amélioration de la qualité de la communication dans l'organisation sont deux exigences de la DPO. En effet, le processus de détermination des objectifs inhérent à cette méthode oblige les gestionnaires à réviser périodiquement l'évolution du programme et à discuter avec les cadres des différents niveaux de la pertinence de poursuivre certains objectifs et de la valeur du travail déjà accompli.

  Bref, chaque gestionnaire constate qu'il est un chaînon et que l'ensemble de l'organisation de même que sa structure administrative sont liés l'un à l'autre par des sous-objectifs qui ne visent que la réalisation des objectifs globaux.

3.6.3   Les réseaux

La planification à l'aide de réseaux consiste à tracer un diagramme des objectifs à atteindre ainsi que des activités à accomplir pour y arriver. Il existe plusieurs méthodes de présentation, dont les principales sont les suivantes :

- PERT : *Program Evaluation and Review Technique* (méthode de programmation optimale ; *voir la figure 3.8*) ;
- CPM : *Critical Path Method* (méthode du cheminement critique).

  Ces méthodes fondamentalement similaires sont fondées sur un résultat probabiliste. Voici les étapes de ces méthodes.

1. La première étape consiste à dresser la liste de tous les sous-objectifs nécessaires à la réalisation de l'objectif final.

2. Afin de réaliser les sous-objectifs, il faut accomplir un certain nombre d'activités qui indiquent la nature du travail devant être accompli et le temps nécessaire pour le faire.

3. Une fois établis les sous-objectifs et déterminé le temps nécessaire pour accomplir les activités qui y sont liées, concevoir un réseau illustrant les relations unissant les activités et ces sous-objectifs.

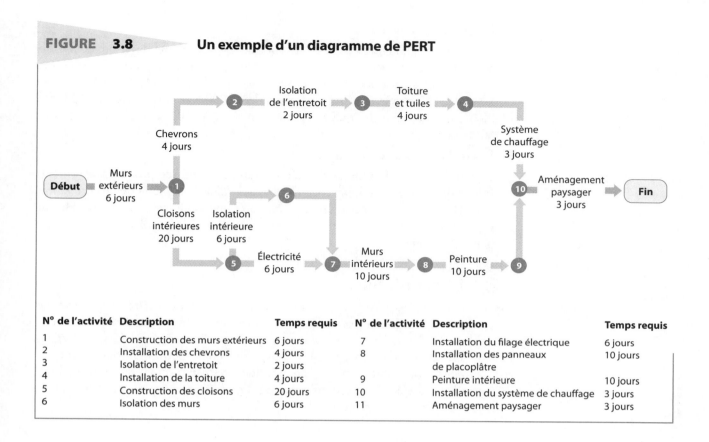

FIGURE 3.8 Un exemple d'un diagramme de PERT

N° de l'activité	Description	Temps requis	N° de l'activité	Description	Temps requis
1	Construction des murs extérieurs	6 jours	7	Installation du filage électrique	6 jours
2	Installation des chevrons	4 jours	8	Installation des panneaux de placoplâtre	10 jours
3	Isolation de l'entretoit	2 jours			
4	Installation de la toiture	4 jours	9	Peinture intérieure	10 jours
5	Construction des cloisons	20 jours	10	Installation du système de chauffage	3 jours
6	Isolation des murs	6 jours	11	Aménagement paysager	3 jours

4. Une fois le réseau établi et le cheminement critique défini, la tâche réelle du gestionnaire commence. Il lui faut donc analyser la situation afin de tenter continuellement de réduire le temps nécessaire pour accomplir les activités qui s'y trouvent. Même si cette méthode est surtout utilisée pour les projets d'envergure, le gestionnaire constatera qu'un réseau simplifié de ses activités peut lui être fort utile.

3.6.4 Les techniques statistiques

Vous verrez dans les lignes qui suivent l'usage qui peut être fait de certaines techniques simples de statistique; nous négligerons volontairement les techniques plus avancées[6] qu'il serait trop long d'analyser ici.

1. **Les techniques de projection**

Ces techniques visent à prévoir les comportements futurs de certaines variables en analysant leurs comportements passés. Ainsi, les ventes annuelles ont augmenté en moyenne de 7% au cours des cinq dernières années, alors elles connaîtront une hausse de 7% l'an prochain. Cela est très simple et peu coûteux; ce faisant, on tient pour acquis que le comportement d'une variable sera constant, ce qui comporte une part de risque.

2. **L'analyse des tendances**

L'analyse des tendances consiste à éviter les inconvénients de la projection directe en utilisant les tendances du comportement. Par exemple, si les ventes des trois dernières années ont connu une croissance de 70 000 $, de 60 000 $ et de 50 000 $, on prévoira une augmentation de 40 000 $ au lieu de celle de 60 000 $ qu'indiquerait la technique de projection (soit 180 000 $ en trois ans, donc 60 000 $ par année).

3. **Les techniques de corrélation**

Une troisième technique statistique couramment utilisée prend en considération le degré de relation entre les variables : il s'agit de la méthode de corrélation. Ainsi, lorsque la tendance d'une variable subit une modification, il est possible de prévoir la tendance que prendra une autre variable si la corrélation a été préalablement établie.

3.6.5 La simulation

L'ordinateur facilite grandement l'utilisation des techniques avec lesquelles vous venez de vous familiariser. Mais cet outil offre une autre possibilité très intéressante, celle de la *simulation*, qui consiste à créer une situation, à faire varier certains facteurs de l'environnement, puis à mesurer leur effet. Cette méthode permet de réunir toutes les variables ayant quelque influence sur une situation donnée, d'établir ensuite la corrélation existant entre elles et de construire un modèle mathématique prédictif de cet effet.

3.7 Les techniques de planification à court terme

Les techniques de planification à long terme sont surtout l'apanage des cadres supérieurs de l'entreprise, alors que les techniques à court terme peuvent être utilisées par tous les gestionnaires.

Nous nous limiterons ici aux techniques de planification des activités quotidiennes du gestionnaire et de son équipe de travail.

3.7.1 La feuille de contrôle

Vous avez sans doute connu de ces journées où vous n'avez pas cessé d'aller et de venir pour constater, au bout du compte, que peu de travail significatif avait été accompli. En fait, vous avez entrepris beaucoup de tâches sans jamais pouvoir les compléter. La méthode la plus simple pour résoudre ce problème consiste à vous faire, en début de journée, une *liste des activités* à accomplir et de les classer par *ordre de priorités*. Ainsi, au cours de la journée, vous rayez chacune des tâches complétées. Si la liste des tâches prioritaires demeure longue, il faudra réévaluer les priorités ou déléguer plus de travail. Le tableau 3.4 présente un exemple de liste d'activités.

TABLEAU 3.4 Liste des activités de la journée

ACTIVITÉS	IMPORTANT ET URGENT	IMPORTANT ET NON URGENT	URGENT ET NON IMPORTANT	IMPORTANCE ET URGENCE FAIBLES
Passer l'aspirateur				
Aller à l'épicerie				
Participer à la réunion pour le travail de trimestre en comptabilité				
Étudier le chapitre 2 en GRH pour l'examen de lundi				
Lire le chapitre 4 en management pour le prochain cours				
Laver la vaisselle				
Compléter l'exercice 4 en finance pour le cours de demain matin				
Rencontrer Pierre à 18 h pour une partie de tennis				
Acheter une cartouche d'encre pour mon imprimante				
Rapporter les livres à la bibliothèque				

3.7.2 L'agenda

Certaines tâches doivent être accomplies et certaines rencontres doivent avoir lieu à des moments précis. La liste des priorités présentée ci-dessus sera donc accompagnée de références quant aux *dates* et aux *heures*. Ainsi, il sera possible de prévoir certaines réunions à votre agenda et d'accomplir, dans les jours qui les précèdent, le travail préparatoire à ces réunions.

3.7.3 Le diagramme de Gantt

Nous vous présentons dans la figure 3.9, à la page 79, un outil très utile de planification opérationnelle au service du gestionnaire: le diagramme de Gantt. C'est un diagramme dont la constitution permet au gestionnaire d'utiliser au maximum les ressources mises à sa disposition. Cette technique est utilisée, entre autres, dans la gestion des ressources humaines, car elle permet d'éviter, dans les cas où les tâches sont liées les unes aux autres, que le retard d'une activité, par un effet d'enchaînement, entraîne des retards dans les autres tâches. Enfin, en plus de permettre l'organisation efficace des tâches des travailleurs, cette technique peut être utilisée pour répartir les commandes entre différentes machines ou différents groupes d'employés.

3.7.4 Les nouvelles possibilités technologiques au service de la planification

Nous pouvons conclure cette section en affirmant qu'il existe une variété considérable de techniques permettant d'améliorer la qualité de la planification. Nous avons donné un aperçu du fonctionnement des plus importantes d'entre elles et,

Gérez mieux votre temps

1. **Visez un objectif.**

   Gagner du temps n'est pas un objectif; c'est un moyen, une ressource. Vous gagnez du temps pour pouvoir faire autre chose, c'est votre objectif.

2. **Apprenez à dire non.**

   Votre temps est précieux, ne laissez pas tout le monde s'en servir.

3. **Analysez votre emploi du temps.**

   Ayez un regard critique sur votre emploi du temps.

4. **Déléguez.**

   Ne faites pas ce qu'une autre personne peut faire à votre place.

5. **Évaluez et hiérarchisez vos tâches.**

   Classez vos tâches en fonction de deux critères: l'importance et l'urgence.

	IMPORTANCE FAIBLE	IMPORTANCE ÉLEVÉE
Urgence faible	À ne pas faire soi-même.	À faire plus tard.
Urgence élevée	Demander à une autre personne de le faire maintenant.	À faire soi-même et maintenant.

6. **Décalez votre horaire par rapport à celui des autres.**

   La plupart des gens organisent leur travail en fonction des heures arrondies: 8 h, 9 h, etc. Commencez à 8 h 15… mangez à 11 h 45.

7. **Éliminez le superflu.**

   Faites les choses simplement, rapidement et efficacement.

8. **Ne vous laissez pas déranger.**

   Soyez entièrement à ce que vous faites.

Petit exercice récapitulatif

Les fonctions de la gestion sont aussi à votre portée. Démontrez-le en organisant votre agenda en fonction des éléments mentionnés dans ce chapitre.

1. Précisez quels sont les objectifs primordiaux que vous poursuivez.

2. Analysez vos actions pendant une semaine.

bien qu'elles puissent paraître complexes, il est toujours possible de n'en utiliser que les principes fondamentaux lorsque la situation n'en exige pas davantage, ou de les modifier pour mieux répondre à ses besoins.

Depuis plusieurs années, à l'aide des ordinateurs, un outil a été mis au point: les systèmes en temps réel. Ces systèmes enregistrent immédiatement toutes les formes de transactions et offrent sur demande des résumés des transactions précédentes. Pensons aux systèmes de réservation de billets d'avion ou aux caisses enregistreuses qui contrôlent les stocks et permettent même que les commandes des articles ayant atteint le niveau critique minimum soient automatiquement envoyées aux fournisseurs. Cet outil simplifie le travail de planification du gestionnaire et lui permet de se consacrer davantage à la planification à long terme.

FIGURE 3.9   **Exemple de diagramme de Gantt**

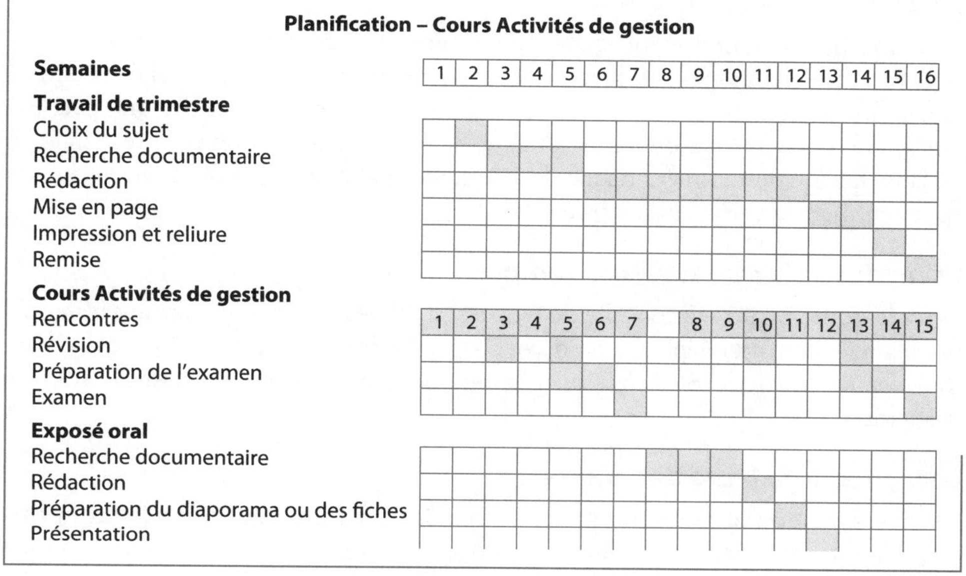

Planification – Cours Activités de gestion

Semaines	1	2	3	4	5	6	7	8	9	10	11	12	13	14	15	16

Travail de trimestre
- Choix du sujet
- Recherche documentaire
- Rédaction
- Mise en page
- Impression et reliure
- Remise

Semaines	1	2	3	4	5	6	7		8	9	10	11	12	13	14	15

Cours Activités de gestion
- Rencontres
- Révision
- Préparation de l'examen
- Examen

Exposé oral
- Recherche documentaire
- Rédaction
- Préparation du diaporama ou des fiches
- Présentation

3.8 La planification personnelle

La gestion du temps[7] constitue un aspect de la planification. Notez d'ailleurs que, même si l'on parle toujours de gestion du temps dans de nombreux ouvrages et articles, il *s'agit d'abord et avant tout non pas de gérer le temps, mais bien les activités que vous accomplissez pendant une certaine période.*

Le Petit Robert définit le temps comme le «milieu indéfini où paraissent se dérouler irréversiblement les existences dans leur changement, les événements et les phénomènes dans leur succession». L'espace mesure la distance entre les objets; le temps mesure la distance entre les changements. Selon l'âge que nous avons, par exemple, la perception du temps est différente. À 40 ans, le gestionnaire qui n'a pas atteint ses objectifs de carrière s'inquiète de la façon dont se dérouleront les cinq prochaines années. Le finissant du cégep entrevoit les cinq prochaines années comme la période qui lui est allouée pour se tailler une place au soleil. N'oubliez pas qu'à 20 ans, cinq années représentent le quart de votre vie.

La gestion du temps consiste à concentrer ses efforts et ses ressources au moment approprié sur les problèmes importants que nous seuls pouvons résoudre. Il existe certaines solutions applicables universellement, mais la gestion du temps doit, avant toute chose, être personnalisée, car chacun possède un rythme propre et des ressources particulières.

3.8.1 Les mythes concernant la gestion du temps

Voyons pourquoi certains gestionnaires, malgré leur bonne volonté, n'ont pas encore atteint le niveau d'efficacité qui les distinguerait des autres. Certains gestionnaires ont acquis une série de croyances qu'ils invoquent à titre d'excuses lorsque l'occasion s'y prête. Examinons ces mythes.

Le mythe de l'économie

Le temps peut être utilisé pour faire d'autres activités, mais il ne peut être emmagasiné. Et lorsque vous réduisez le temps consacré à une activité pour en allouer davantage à une autre activité, vous devez agir avec discernement. Prendre une décision rapide afin d'économiser du temps à l'étape de l'analyse des solutions de rechange ou de la recherche des données risque de se traduire par une mauvaise décision dont le coût dépassera la valeur du temps économisé.

Le mythe de la semaine bien remplie

Chez le gestionnaire qui travaille de 8 heures à 19 heures, dont le bureau est inondé de dossiers, dont le téléphone ne dérougit pas et dont la présence est requise partout, on ne peut que constater un manque de planification, d'organisation et de délégation.

Le mythe de la faute des autres

Plusieurs gestionnaires accusent les autres de leur faire perdre du temps, principalement par leurs intrusions inopportunes, leurs longues conversations inutiles, leurs rapports interminables, leurs réunions mal organisées et indûment prolongées. Ne croyez-vous pas que vous avez un contrôle sur vos activités, que vous acceptez les intrusions et les conversations, et que peut-être même vous les suscitez ?

Le mythe de l'action

La réflexion est aussi nécessaire au gestionnaire que l'action. Pourtant, certains gestionnaires vouent une sorte de culte à l'action ou, plutôt, au mouvement. La meilleure façon de récompenser l'inefficacité est de donner une nouvelle tâche à un employé dont le pupitre est en ordre et à retirer un projet à celui qui semble débordé.

Le mythe du service par soi-même

Déléguer nécessite une dépense de temps et d'énergie. Le gestionnaire doit choisir la bonne personne, lui expliquer le travail à accomplir, vérifier si elle a bien compris et contrôler le travail final, tout cela sans avoir l'assurance que le travail sera fait à sa satisfaction. Cette façon de voir l'amènera à accomplir toutes les tâches pour lesquelles il se croira le plus apte ; jamais il ne pourra déléguer, car jamais il n'aura formé de subalternes.

Le mythe de la délégation

Afin d'éviter les tracasseries et les inconvénients inhérents à la prise de décision, d'autres gestionnaires ont tendance à recourir exagérément à la délégation. Cela leur laisse aussi l'impression d'accomplir davantage de travail. Il ne faut jamais oublier que si l'on peut déléguer sa responsabilité, on ne peut, pour autant, s'en dégager.

Le mythe de la rapidité

La quantité est une façon de mesurer l'efficacité, mais il ne faudrait pas oublier la qualité. Prendre plusieurs décisions rapidement ou lancer des ordres sans réfléchir peut entraîner une dépense disproportionnée de ressources. L'efficacité consiste à accomplir les bonnes actions correctement et non à faire plusieurs actions dans le but que l'une d'entre elles soit rentable.

Le mythe des aptitudes décisionnelles du supérieur

Se fondant en partie sur les principes de Taylor, certains gestionnaires sont très réfractaires à la délégation et désirent se réserver toutes les décisions. Il y a pourtant un principe en administration qui veut que les personnes les plus aptes à prendre une décision sont celles qui sont les plus familières avec le problème, c'est-à-dire celles qui participent directement à l'exécution de la tâche.

Le mythe de l'ennemi

Le temps est une ressource, un outil. À cet égard, il n'est ni bon ni mauvais ; il est uniquement ce qu'on en fait. Le temps est neutre, tandis que la gestion qu'on en fait est efficace ou désastreuse. D'ailleurs, observez les personnes qui maugréent contre le temps ; ce sont souvent celles qui en font une mauvaise utilisation.

3.8.2   La planification de la prochaine semaine

Nous avons vu, au début du chapitre, comment établir des objectifs. Par exemple, la préparation d'un examen s'inscrit dans une perspective relativement rapprochée, ce qui, en soi, est motivant. Alors, pourquoi ne pas diviser les grands objectifs en une multitude d'étapes réalisables dans des périodes plus courtes ?

Gérer, c'est prendre des décisions. Commencez d'abord par choisir vos objectifs et le moment où vous désirez qu'ils soient atteints. Parmi tous ces objectifs, savez-vous lesquels sont importants ? Avez-vous des priorités ?

Afin de bien planifier vos activités, vous avez besoin d'un agenda ; cet outil de planification est indispensable. Un bon agenda permet d'enregistrer une liste d'activités quotidiennes par ordre d'importance, comme les appels téléphoniques à faire ou, encore, les lettres à écrire.

Quels que soient les outils que vous utilisez, vous devez en conserver le contrôle, d'abord en y recourant réellement, puis en demeurant flexible. Réévaluer son agenda n'est pas traumatisant : cela fait partie intégrante de la gestion du temps.

Vous avez analysé, dans une première étape, votre façon d'utiliser le temps alloué, puis vous avez compris l'importance d'une bonne planification. Voyons maintenant les obstacles qui pourront se présenter à vous, et certaines techniques permettant de les contourner ou, du moins, d'en diminuer les effets négatifs.

3.9   Les voleurs de temps (ou chronophages)

Un bon moyen de gérer son temps[8] et ses activités consiste à cibler les situations qui grugent du temps d'une façon excessive. Une fois en face de ces voleurs, ou chronophages (du grec *chronos*, «le temps», et *phagos*, «manger», signifiant littéralement «manger le temps», désigne l'idée d'accaparement du temps, notamment dans les activités liées aux nouvelles technologies de l'information et de la communication), on est déjà en meilleure posture, sinon pour les éliminer, du moins pour en réduire l'incidence néfaste.

Voici quelques conseils pour récupérer de nombreuses minutes dans une journée.

Voleur nᵒ 1 : le téléphone

- Tentez d'écourter vos appels téléphoniques :
  - en mentionnant, dès le début, l'objet de l'appel, ou en vous enquérant de cet objet ;
  - en appelant les gens lorsque vous savez qu'ils seront pressés (tout juste avant le dîner) ;
  - en ne perdant pas trop de temps à socialiser ;
  - en prétendant que quelqu'un vient d'entrer dans votre bureau.
- Concentrez vos appels dans une même période de la journée.
- Ayez à votre portée tous les documents nécessaires pour répondre aux questions de vos interlocuteurs.
- Ayez à votre portée un crayon et une tablette près du téléphone.
- Notez les numéros de poste de vos interlocuteurs pour éviter de passer par la téléphoniste.
- Notez les numéros des menus des répondeurs automatiques pour les appels fréquents («faites le 2, faites le 5…»).
- Retournez vos appels dans les 24 heures.
- Le téléphone cellulaire est un outil. En compagnie d'amis, évitez de vous en servir pour parler avec ceux qui ne sont pas présents.

Voleur nᵒ 2 : les dérangements

- Si vous avez une porte à votre bureau, laissez la grande ouverte pour tout sujet concernant le travail, non pour les visiteurs avec une tasse de café…
- Exigez que vos employés prennent rendez-vous, ce qui peut décourager les interlocuteurs dont le «problème» est mineur.
- Fixez dès le départ le but de l'entretien et, si possible, le temps maximum que vous voulez y consacrer.
- Indiquez immédiatement que vous êtes débordé.
- Restez debout dans votre bureau, cela rend les gens inconfortables.
- Si vous êtes assis, levez-vous pour indiquer la fin de la conversation.
- Gardez votre corps un peu tourné (en angle), indiquant ainsi que vous voulez retourner à votre poste de travail.
- Invitez la personne à vous accompagner jusqu'au photocopieur, à votre assistant ou… à la salle de toilettes, puis remerciez-la d'être venue vous voir…
- La socialisation est un outil efficace pour créer des liens dans l'entreprise et faire circuler de l'information. Les échanges informels ne sont donc pas à proscrire totalement.

Voleur n° 3 : les réunions

- N'oubliez pas qu'une réunion ne doit avoir lieu que lorsqu'elle est nécessaire ; ne doivent y assister que les personnes intéressées – et encore, seulement durant la partie qui les concerne.
- L'ordre du jour de la réunion doit tenir compte des personnes requises et des problèmes qui les touchent.
- Il faut choisir l'heure et le lieu en fonction des participants, s'assurer de commencer à l'heure fixée, déterminer la durée de la réunion et terminer à l'heure prévue.
- Préparez la réunion, surtout si vous y présentez des propositions ; la documentation doit parvenir à l'avance aux participants et ils doivent en prendre connaissance avant la réunion.
- Désignez un président d'assemblée ferme qui suivra l'ordre du jour et la procédure de façon à améliorer l'efficacité de la réunion.
- Assurez-vous d'un suivi qui se traduira par la rédaction, dans un délai très court, d'un procès-verbal qui sera distribué aux participants, et par un contrôle des décisions prises et de leur application.

Voleur n° 4 : la gestion par crises

- Utilisez un agenda.
- Il n'est pas toujours possible de demeurer impassible devant les urgences[9], les exigences de l'emploi obligeant souvent le gestionnaire à intervenir. Mais, avant tout, il doit garder son sang-froid.
- N'oubliez pas que l'une des principales causes de la gestion par crises demeure l'hésitation à prendre des décisions au moment opportun.

Voleur n° 5 : le désordre

- Les objets ou dossiers ne sont jamais perdus : ils sont mal rangés.
- Votre surface de bureau est un lieu de travail, non un lieu de rangement.
- Ayez bon système de classement y compris dans vos dossiers électroniques ; cela représente un investissement extrêmement rentable.
- Ne classez pas tout ; interrogez-vous d'abord sur l'utilisation future du document avant de le ranger.
- Gardez votre pupitre dégagé et ne conservez dans votre classeur de bureau que les documents que vous pensez utiliser à très court terme.
- Essayez de terminer un travail à la fois ; si vous êtes interrompu, revenez immédiatement au dossier inachevé avant d'entreprendre l'étude d'un autre dossier.
- Faites une copie de tous les documents que vous signez.
- Rangez toujours vos clés au même endroit.

Bien identifier les situations «chronophages» permet une gestion judicieuse de son temps et de ses activités.

Voleur n° 6 : les lectures

- La lecture est une nécessité.
- Ne lisez pas un texte simplement parce qu'il a été écrit. Sélectionnez judicieusement vos lectures[10].

- N'oubliez pas de consulter les résumés et les comptes rendus qu'on trouve à la fin des ouvrages ou des revues.
- Surlignez et annotez vos textes; cela vous évitera de les relire.
- Choisissez vos lectures suivant ce qu'elles peuvent apporter à votre travail, à votre développement personnel et à votre détente.

Voleur n° 7 : les déplacements

- Devez-vous absolument vous déplacer?
- Soyez accueillant, spontané et rapide, au moment d'une conversation; si votre interlocuteur vous indique qu'il serait avantageux de vous rencontrer, invitez-le.
- Si les déplacements sont nécessaires, planifiez-les et n'oubliez pas de confirmer les rendez-vous avant de quitter votre bureau.
- L'ordinateur portatif offre la possibilité de continuer à travailler pendant vos déplacements.
- Prenez vos rendez-vous tôt le matin ou en début d'après-midi; les retards sont plus rares à ces heures.

Voleur n° 8 : le surplus de travail

- Plus vous accomplissez de travail, plus le nombre de tâches, de responsabilités et de crises qui se présentent à vous augmente. Il faut donc prendre des décisions énergiques si vous ne voulez pas succomber à la tâche. Une des solutions miracles consiste simplement à déléguer à vos subordonnés tout ce qui relève de leur expérience et de leur compétence.
- Une autre technique trop peu utilisée consiste à se plaindre.
- Si vous êtes surchargé, n'hésitez pas à confier du travail à une autre personne pour atteindre votre objectif. Si vous n'apprenez pas à dire « non » poliment, mais fermement, vous joindrez rapidement le groupe des gestionnaires stressés qui, de toute façon, ne pourront répondre aux demandes qu'ils ont acceptées.

Voleur n° 9 : le courrier électronique

- Soyez bref.
- Indiquez clairement l'objet du courriel.
- Si votre message est long, joignez un document.
- Sauvegardez vos courriels dans une base de données, ne les laissez pas encombrer votre liste de messages reçus.
- Ne consultez pas vos courriels constamment; vérifiez la présence de nouveaux courriels selon une fréquence raisonnable, même si vous êtes averti qu'un nouveau message vous est parvenu.
- Réservez une période fixe pour répondre à vos courriels, sauf pour les cas limités d'urgence.

- Utilisez les réponses automatiques si vous êtes absent du bureau.
- Limitez le nombre de destinataires à ceux qui sont directement concernés.

Voleur n° 10 : les vidéoconférences

- Préparez vos conférences.
- Invitez les gens plusieurs jours à l'avance.
- Assurez-vous d'un support technique immédiat en cas de problème de communication.

Voleur n° 11 : la navigation dans Internet

- Évitez les jeux individuels (poker, concours, etc.) ou en réseau (Wow, Counter-Strike, etc.), les clavardages, les forums, la messagerie instantanée, les blogues du type Skyblog, les réseaux sociaux du type MySpace et Facebook, les échanges de vidéo du type YouTube et Dailymotion, etc., à moins que cela représente un loisir limité dans le temps ou que le sujet corresponde réellement à vos intérêts.
- N'oubliez pas que tout ce qui est dans Internet n'est pas nécessairement vrai.

Combattre cette bande de voleurs constitue un bon départ, mais ce n'est là qu'un moyen de gagner du temps. La véritable gestion du temps commence au moment où nous utilisons le temps ainsi gagné à une meilleure planification, à une meilleure organisation, à une meilleure délégation et à une meilleure sélection des activités à entreprendre.

RÉSUMÉ

La planification est le fondement même de la fonction du gestionnaire. Il s'agit d'un processus par lequel on définit les objectifs de l'entreprise compte tenu de sa mission. De plus, ce processus comprend la description des différentes étapes nécessaires pour réaliser les objectifs visés, c'est-à-dire les plans. C'est l'étape du processus de gestion où l'on décide des objectifs à atteindre et des ressources requises pour ce faire, en tenant compte des forces environnementales susceptibles d'influencer l'activité. Les organisations établissent généralement les trois niveaux d'objectifs suivants : les objectifs stratégiques, les objectifs tactiques et les objectifs opérationnels. Pour être efficaces, ces objectifs doivent être spécifiques, définis en termes quantitatifs et établis par les gestionnaires de premier niveau.

Les principaux types de plans sont les objectifs, les stratégies, les politiques, les procédures, les règlements et les budgets.

Le processus de planification comporte plusieurs étapes, soit la détermination des objectifs, l'analyse de l'environnement, l'élaboration de solutions de rechange, le choix du plan, l'établissement de budgets et le suivi. Elles permettent l'atteinte des objectifs et l'analyse des résultats en comparaison avec les objectifs.

QUESTIONS DE RÉVISION

1. Définissez la planification. Quelles questions trouvent leur réponse dans la planification? Quels sont les avantages et les inconvénients de la planification?

2. Définissez la stratégie d'entreprise et donnez-en un exemple.

3. Définissez les termes *mission, objectif, politique, procédure* et *règle*. Donnez un exemple pour illustrer chacun de ces termes.

4. Décrivez les niveaux de planification et donnez un exemple pour les illustrer.

5. Énumérez la hiérarchie des plans et décrivez-en tous les éléments en donnant un exemple.

6. Décrivez l'effet positif des objectifs sur la motivation des employés.

7. Quelles sont les caractéristiques de la direction par objectifs?

8. Quelles sont les six questions qui doivent être posées au moment de la préparation du plan d'action?

9. Pourquoi doit-on inclure la variable du temps au moment de la détermination des objectifs?

10. Quelle est la relation entre la planification et le contrôle?

11. Qu'y a-t-il d'incorrect dans les objectifs suivants? Voyez-vous des améliorations possibles pour ces objectifs?

    a) Améliorer les ventes.

    b) Accroître le rendement de la publicité.

    c) Embaucher de meilleurs candidats.

    d) Réduire le nombre de plaintes des clients.

12. Quels sont les avantages et les inconvénients de la planification?

13. Décrivez les méthodes de planification à long terme.

Analyse de cas

CAS 1 – LA SOCIÉTÉ TOCKUPÉ LTÉE (degré de difficulté : moyen)

Vous êtes monsieur G. Lethan et votre situation pour le mois d'août sera celle qui est décrite ci-après. Elle correspond à votre rythme de travail habituel mais, depuis que vous avez assisté à un séminaire sur la gestion du temps, vous avez décidé de mettre en pratique les idées fantastiques qui vous ont été communiquées.

La société Tockupé, dirigée par madame Tonia Chrystel Huppé, se spécialise dans la fabrication de fils électriques. Elle compte quatre usines, dont une à Saint-Hyacinthe, où est situé le siège social. L'entreprise est dirigée par cinq personnes, dont le style de management est plutôt collégial, c'est-à-dire que les décisions importantes font l'objet de discussions en groupe.

Vous dirigez une équipe de trois personnes (*voir l'organigramme à la page 89*) : Alain Poh, directeur des services comptables ; Aimée Taudick, directrice des services administratifs, et Pascalin Vestie, directeur du service de la planification budgétaire.

Vous êtes vice-président aux finances depuis dix-huit mois et jamais vous ne vous êtes senti à l'aise dans vos fonctions. Il semble qu'il n'y ait aucune routine dans votre travail et que vous dépensiez toute votre énergie à gérer des crises. Vous vous attendiez à subir des pressions au début, car ce travail est nettement plus exigeant que celui que vous faisiez précédemment, mais vous avez l'impression, depuis un an, qu'un volcan va exploser. Vous avez d'ailleurs souvent pensé à quitter votre emploi.

Une journée par mois est consacrée à la révision du budget d'opération et du programme de production. Cette réunion de planification prend toujours la journée entière, car on en profite pour discuter des problèmes de planification de la main-d'œuvre, de motivation et de rendement des cadres. Chaque année, un plan budgétaire est établi pour toute l'entreprise et il couvre l'année financière, qui débute en novembre.

Le lundi matin de chaque semaine est consacré au petit-déjeuner causerie des cinq dirigeants de l'entreprise. Habituellement, la réunion a lieu de 8 h à 10 h. Vous considérez que ces réunions sont absolument essentielles pour faire le point sur plusieurs dossiers. De plus, c'est l'unique moment de la semaine où les cinq cadres supérieurs peuvent se libérer.

Malheureusement, au cours de ces réunions, les dirigeants acceptent souvent d'assumer une tâche urgente et imprévue qu'ils doivent accomplir la semaine même. En ce qui vous concerne, vous devez systématiquement consacrer une demi-journée à régler ces problèmes imprévus.

Habituellement, vers la fin du mois, vous tenez à votre bureau une réunion d'une journée avec vos trois directeurs afin de coordonner les efforts de tous et de faire le point. De plus, vous consacrez douze jours par année à chaque responsable de la comptabilité dans chacune des usines. Vous révisez avec eux les différents rapports et procédures, et vous en profitez pour les motiver et recueillir des renseignements sur les problèmes auxquels ils font face. En août, vous avez prévu passer deux jours avec le responsable de la comptabilité de l'usine de Québec et trois jours avec celui de Rouyn.

En regardant les notes dans votre agenda, vous remarquez que les priorités du mois d'août sont fort nombreuses. Il vous faudra analyser le rapport du cabinet de comptables soumis une semaine plus tôt et portant sur les conséquences futures des modifications à la loi sur l'impôt (quatre heures). Il vous faudra également concevoir et rédiger la première version du budget de l'an prochain et tenir compte du rapport des comptables. Ce plan exige beaucoup de travail et doit être prêt pour une présentation préliminaire à l'occasion de la réunion mensuelle de planification fixée le 25 août. Cela suppose que vous consacriez deux ou trois jours à la rédaction de ses grandes lignes et que vous en discutiez par la suite avec vos subalternes. Enfin, il vous faudra compter au moins deux autres journées pour la révision et la mise au point des détails.

Vous devez par ailleurs embaucher un nouveau responsable de la comptabilité pour l'usine de Sept-Îles, car celui qui était en poste a démissionné au bout de trois mois seulement. Il y a vingt-trois candidatures actuellement pour ce poste. À la fin du mois, c'est-à-dire les 27, 28 et 29 août, vous devez assister à un cours de l'American Management Association, à Boston.

Votre travail comprend une grande part de tâches routinières. Ainsi, vous êtes obligé de consacrer cinq heures par semaine à discuter au téléphone avec les responsables de la comptabilité dans chacune des usines. Il faut ajouter à cela les visites que vous leur faites régulièrement ainsi que la supervision du service de comptabilité de l'usine de Sept-Îles. Finalement, vous passez une demi-heure par jour à différentes tâches.

Cette dernière année, vous avez fait face à de nombreux problèmes, en particulier celui d'assurer la remise des rapports comptables des différentes usines dans les délais prévus. Chaque fin de trimestre, il y a un goulot d'étranglement, et les résultats des opérations ainsi que la révision du budget n'ont jamais pu être présentés aux réunions du conseil de direction.

De plus, votre corbeille d'entrée contient les documents suivants:

- une note de service de la présidente vous rappelant que vous devez présenter le 31 août les prévisions de dépenses de voyage pour tout votre service, ce qui demande une douzaine d'heures de préparation;
- un message de la présidente vous convoquant à une rencontre le 3 août, à 14 h, avec le président d'une firme américaine qui désire vous vendre certains droits de distribution de ses produits;
- 17 messages téléphoniques provenant de différents services de l'entreprise;
- une lettre d'une très bonne amie qui vous demande de jeter un coup d'œil sur son travail de trimestre pour son cours de comptabilité à l'université et d'y noter vos commentaires;
- une note de votre secrétaire;
- une formule du service médical à remplir pour le 20 août (une heure);
- un questionnaire de la chambre de commerce de Saint-Hyacinthe que vous aviez promis de retourner le 28 juillet au plus tard (deux heures);
- une lettre de votre courtier concernant votre accident d'automobile avec un questionnaire à remplir (une heure);
- une confirmation de la Société Saint-Jean-Baptiste de Saint-Hyacinthe au sujet de votre participation, à titre de conférencier, au dîner-causerie du 13 août que vous aviez complètement oublié;
- une note d'une employée de votre service demandant si elle peut participer à un séminaire du 9 au 11 août portant sur le rôle de la secrétaire au bureau; le coût: 625 $. La note de service est datée du 23 juillet. Enfin, dix-huit courriels.

Afin de régler votre problème de rapports à rédiger, vous avez décidé de faire des visites aux usines à un rythme quatre fois supérieur à celui de votre prédécesseur. Mais cet effort demeure vain, compte tenu du fait que tous les bureaux de comptabilité des usines manquent de personnel, et que les ressources disponibles sont de jeunes comptables sans expérience en ce qui a trait aux opérations du siège social. De plus, les relations que vous entretenez avec Alain Poh sont assez tendues puisqu'il comptait obtenir le poste de vice-président que vous avez eu, malgré une ancienneté moindre. Ces visites dans les différentes usines se traduisent par une accumulation de travail à votre bureau, sans oublier qu'à quelques reprises, la présidente a vainement tenté de vous joindre, ce qui l'a légèrement offusquée.

Le service de planification dirigé par Pascalin Vestie échappe à votre contrôle. Les écarts de budget atteignent souvent près de 7 % et les rapports contiennent de nombreuses erreurs, lesquelles relèvent d'une incompétence flagrante. Étant encore peu familier avec vos nouvelles fonctions, vous avez décidé, pour le moment, de ne pas blâmer directement Pascalin et, afin d'améliorer la qualité des rapports de ce service, vous avez pris l'habitude de les apporter chez vous pour les réviser.

Aimée Taudick, au contraire, est un modèle de précision. Elle a mis au point différentes procédures qui éliminent pratiquement toutes les erreurs, mais qui présentent l'inconvénient d'être très lourdes et de retarder souvent la présentation des rapports.

Le mois dernier, la présidente de la société a critiqué sévèrement les rapports financiers fournis par vos services et y a trouvé de nombreuses erreurs. De plus, à quelques occasions, vous n'avez pu répondre immédiatement à ses questions et vous avez dû admettre que certains rapports avaient été soumis sans que vous ayez pu en examiner vous-même l'exactitude. Vous vous êtes alors défendu en invoquant la confiance que vous avez en votre équipe.

Nous sommes le lundi 25 juillet; il est 7 h du matin et vous êtes assis à votre bureau. Toute la semaine, vous avez participé à une exposition à Toronto et vous êtes revenu hier à l'heure du souper. À 12 h 30, devez prendre un avion pour Miami, où vous allez faire une dernière évaluation d'une petite entreprise que la société Tockupé désire acheter. Vous prévoyez être de retour le dimanche 31 juillet à 15 h. Votre épouse et vos enfants vous ont aussi fait remarquer que vous n'étiez pas très disponible pour eux car, même lorsque vous êtes à la maison, vous vous enfermez dans votre bureau pour travailler.

QUESTIONS

1. Dressez la liste de vos problèmes.
2. De quel domaine relèvent les principaux problèmes?
3. Quelles sont vos priorités?
4. Quelles tâches devez-vous déléguer? À qui?
5. Préparez votre agenda pour le mois d'août.

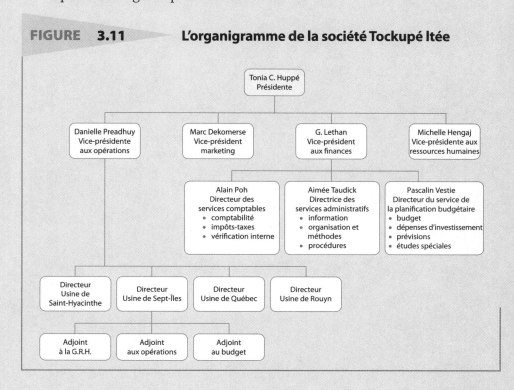

FIGURE 3.11 L'organigramme de la société Tockupé ltée

CAS 2 – UN MARIAGE (degré de difficulté : moyen)

Alexandra et François-Pierre sont deux amis d'enfance. Ils travaillent tous les deux pour Mondex Conseil, multinationale du domaine de l'hydroélectricité. Ils vous annoncent qu'ils se marieront dans quatre mois et ils débordent de bonheur. Cependant leur cabinet les envoie en Chine pour douze semaines et ils n'ont pas eu le temps d'organiser leur mariage.

De plus, parce que vous les connaissez très bien, ils vous confient le soin de planifier toutes les étapes du mariage et de leur présenter un plan complet des démarches qu'ils devront effectuer ou que vous effectuerez en leur nom selon leurs directives et en communiquant avec eux régulièrement à des fins de validation. À leur retour, ils auront alors un peu plus d'un mois pour finaliser le tout.

Afin de vous aider dans votre démarche, ils vous fournissent les renseignements suivants :

Date du mariage : 15 avril (nous sommes le 10 décembre)

Date de retour de Chine : 15 mars

Nombre d'invités : 130 personnes, dont 8 invités de France qui logeront à l'hôtel pendant une semaine

Lieu du mariage : église de la paroisse d'Alexandra

Budget : environ 12 000 $

Repas : repas gastronomique

Préparez la liste de toutes les démarches qui doivent être effectuées pour que ce grand jour soit une réussite.

www.cheneliere.ca/
turgeon-lamaute

Chapitre 4

La fonction « organisation »

Cheminement d'idées ▶

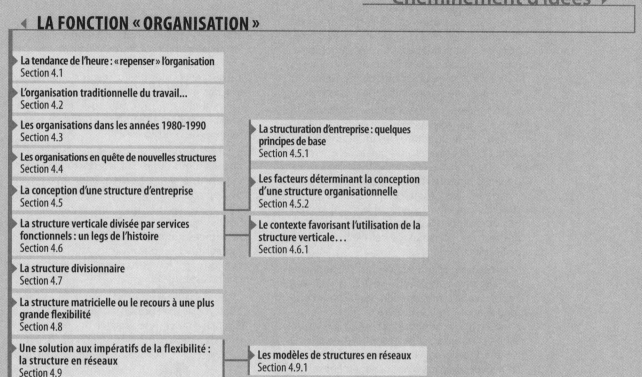

◄ **LA FONCTION « ORGANISATION »**

La tendance de l'heure : « repenser » l'organisation
Section 4.1

L'organisation traditionnelle du travail...
Section 4.2

Les organisations dans les années 1980-1990
Section 4.3

Les organisations en quête de nouvelles structures
Section 4.4

La conception d'une structure d'entreprise
Section 4.5

La structure verticale divisée par services fonctionnels : un legs de l'histoire
Section 4.6

La structure divisionnaire
Section 4.7

La structure matricielle ou le recours à une plus grande flexibilité
Section 4.8

Une solution aux impératifs de la flexibilité : la structure en réseaux
Section 4.9

La structuration d'entreprise : quelques principes de base
Section 4.5.1

Les facteurs déterminant la conception d'une structure organisationnelle
Section 4.5.2

Le contexte favorisant l'utilisation de la structure verticale...
Section 4.6.1

Les modèles de structures en réseaux
Section 4.9.1

Objectifs d'apprentissage :

1. expliquer pourquoi, dans un environnement économique stable, la structure verticale se révèle idéale pour les organisations ;

2. expliquer pourquoi la structure verticale doit être corrigée dans un environnement économique instable et turbulent ;

3. reconnaître les différents types de structure divisionnaire ;

4. expliquer ce qu'est une structure matricielle ;

5. expliquer l'importance de la définition des tâches dans la phase d'organisation ;

6. expliquer comment s'effectue le jeu des interactions dans l'organisation ;

7. expliquer en quoi la structure en réseaux assure une flexibilité aux organisations.

Compétences à développer :

- procéder à des activités d'organisation au quotidien ;

- acquérir une vision d'ensemble de la structure organisationnelle dans le contexte de la concurrence mondiale, d'une part, et sous l'influence de la culture locale, d'autre part.

Quand la fonction « organisation » devient l'ennemie de la fonction « direction »

Au chapitre 1, nous avons présenté les grandes fonctions de la gestion, soit la planification, l'organisation, la direction et le contrôle. Nous avons expliqué que l'organisation consiste en la mise sur pied d'une structure qui permet de déterminer les rôles et le niveau de responsabilité de chacun des gestionnaires dans l'entreprise et requiert des ressources humaines aptes à pouvoir accomplir les différentes tâches en vue d'atteindre les objectifs organisationnels.

La fonction « organisation » implique la présence de trois éléments majeurs : l'établissement de la structure organisationnelle, la définition des tâches ainsi que le recrutement et la rétention des ressources humaines. Deux de ces éléments relèvent exclusivement de l'« organisation », soit l'établissement de la structure organisationnelle et la définition des tâches. Quant au recrutement et à la rétention des ressources humaines, cet élément relève de la « direction ».

Conséquemment, tout bon gestionnaire devrait savoir qu'une restructuration, qui implique une réorganisation des tâches et une modification de la structure (fonction « organisation »), a forcément des conséquences sur les personnes et sur la gestion du personnel (volet « direction »). Si ces effets sont positifs, il en résulte l'exercice d'un management serein, dans le cadre duquel la fonction « organisation » et la fonction « direction » ont suivi une même voie vers l'atteinte des objectifs organisationnels. Mais si les effets en sont négatifs, ils sont le résultat de l'exercice d'un management malsain, dans le cadre duquel la fonction « organisation » a agi en tant qu'ennemie de la fonction « direction », en empruntant une voie qui devient néfaste pour cette dernière.

Nous attirons votre attention sur l'exercice d'un tel management malsain par un exemple qui a été rapporté dans le journal *La Presse* du mercredi, 16 septembre 2009, sous le titre : « Vague de suicides chez un géant français des télécommunications[1] ».

Marc Thibodeau rapporte que France Télécom, qui « a aboli près de 15 000 postes en trois ans, a recensé 23 suicides d'employés et un nombre élevé de tentatives depuis février 2008 ». Toujours selon cet article, il semblerait que « les réorganisations, les restructurations, les externalisations[2], les concentrations permanentes, sans lisibilité autre que l'éculé : il faut savoir s'adapter… » ont fait naître un climat malsain qui a créé « une angoisse profonde qui met gravement en danger la santé des hommes et des femmes de l'entreprise ».

Le cri du syndicat allait dans le sens d'imposer un moratoire sur les restructurations, mais la direction de France Télécom a refusé de considérer un tel moratoire « par crainte d'être déclassée par ses concurrents ». D'ailleurs, par la voix de son directeur des ressources humaines, elle déclarait qu'un tel moratoire « n'est pas envisageable, ou alors la concurrence doit être gelée et la technologie [doit] cesser d'évoluer ».

Cependant, en date du jeudi 15 octobre 2009, *La Presse* présentait un article signé Agence France-Presse selon lequel un des grands dirigeants de France Télécom reconnaissait que l'entreprise était peut être allée « trop loin dans la mise en place de toute une série d'outils de contrôle… ». Ce dirigeant admettait également que ces outils, qui n'étaient pas destinés à contrôler la personne, mais plutôt la qualité des services offerts aux clients, pouvaient « procurer chez certains salariés un sentiment d'étouffement[3] ».

4.1 La tendance de l'heure: «repenser» l'organisation

Dans un contexte de mondialisation où l'économie est axée sur le savoir, le management doit être envisagé non plus dans une perspective restreinte, mais plutôt dans une perspective mondiale.

Certains phénomènes caractéristiques de ce contexte de mondialisation (concurrence mondiale, ouverture des marchés, déréglementation, prolifération des technologies de l'information et des communications, etc.) ont créé, dans certaines entreprises, un climat d'incertitude quant à leur façon de fonctionner, les poussant à questionner le modèle de gestion qu'elles prônaient et à repenser complètement leur structure.

Dans certaines de ces organisations, le modèle de gestion traditionnel issu de l'école classique (le taylorisme) a dû, sinon céder sa place à des modèles de gestion qui permettent plus de flexibilité organisationnelle, du moins coexister avec eux.

4.2 L'organisation traditionnelle du travail: quelle leçon l'histoire nous lègue-t-elle?

Les organisations, affrontant une concurrence mondiale depuis les trois dernières décennies, ont été forcées de délaisser la rigidité issue du formalisme, des procédures strictes et des nombreux contrôles caractérisant l'organisation traditionnelle du travail pour la flexibilité que seules semblent pouvoir leur garantir une restructuration et une réorganisation du travail. Et c'est en nous questionnant sur cette leçon de l'histoire de l'organisation traditionnelle du travail que nous comprendrons d'où vient la rigidité de cette forme d'organisation du travail.

Nous devons au courant de la gestion scientifique l'introduction, au début du XXᵉ siècle, d'une nouvelle forme d'organisation du travail, dite «organisation scientifique du travail» ou «taylorisme» (*voir le chapitre 1*). Selon cette approche, chaque tâche d'un travail doit être décomposée en ses éléments constitutifs. Par la suite, il faut déterminer de façon scientifique la manière d'exécuter le plus efficacement possible chacune de ces sous-tâches. En introduisant la division du travail et la parcellisation des tâches, les tenants de l'organisation scientifique du travail supposaient qu'il fallait établir, sur le plan de la gestion, une nette distinction entre les dirigeants, à qui revenait le rôle de concevoir les méthodes de travail, d'élaborer les étapes d'exécution du travail, d'en assurer la distribution de façon scientifique et d'en superviser l'exécution, et les ouvriers, auxquels il n'était reconnu aucune autre compétence que celle d'exécuter le travail. Ces derniers étant considérés comme des éléments du processus de production, l'organisation scientifique du travail aliénait leur capacité intellectuelle de penser. Les défenseurs de cette méthode soutenaient que la seule motivation des ouvriers devait être le dépassement des quotas de travail fixés afin d'augmenter leur salaire.

Dans le but de tempérer l'effet négatif qu'exerçait la mise en œuvre de cette forme d'organisation du travail sur les capacités intellectuelles des travailleurs, un nouveau courant de gestion axé sur les relations humaines a pris naissance. L'objectif de ce courant de gestion n'était pas d'éliminer les fondements de base du taylorisme, mais bien de revaloriser l'être humain au travail.

De nombreuses recherches en milieu organisationnel, notamment celles de Mayo, ont révélé qu'en plus de travailler, les individus éprouvent, dans leur milieu de travail, le besoin d'être écoutés et d'entretenir des relations interpersonnelles[4]. Les recherches de Maslow ont démontré que les travailleurs ont des besoins, qu'ils expriment tant en dehors qu'au sein même de leur milieu de travail. L'organisation doit donc prendre ces besoins en considération et développer des moyens de les satisfaire[5]. On nota aussi que, même si l'organisation scientifique du travail n'établit aucune distinction entre les travailleurs, ces derniers peuvent être de deux catégories. En effet, selon McGregor, il existe des travailleurs foncièrement paresseux, sur qui une surveillance serrée doit être exercée, et d'autres qui sont dynamiques, recherchent des défis et font preuve de créativité et d'autonomie, qui requièrent un moindre degré de surveillance[6]. Enfin, Herzberg voulut démontrer que, si la présence de certains éléments motivationnels est assurée dans un milieu de travail, les travailleurs soumis à ces éléments peuvent ressentir de la satisfaction au travail[7].

Si le courant des relations humaines a eu pour effet de redonner aux travailleurs leur dignité au travail, il n'a pas eu d'influence sur la rigidité qu'impose le taylorisme aux entreprises car, soulignons-le, c'est par l'introduction de cette méthode d'organisation du travail que se développèrent d'autres phénomènes tels que la rigueur de la structure d'autorité, l'émergence de la bureaucratie[8] et l'organisation des entreprises sur une base fonctionnelle (ressources humaines, production, finances, marketing, etc.)[9].

Ce modèle d'organisation du travail cadrait bien dans un contexte où le système de production de masse correspondait exactement aux caractéristiques des économies industrialisées: demande standardisée et prévisible, environnement réglementaire et technologique stable et expansion des marchés traditionnels de produits dits « standards ».

Sur le plan de la gestion, les entreprises présentaient une structure fortement centralisée et hiérarchisée dont la base reposait sur une division fonctionnelle des tâches et des responsabilités. Cette structure montrait clairement qui détenait l'autorité hiérarchique et qui possédait l'expertise et l'information nécessaires pour assurer adéquatement la coordination des fonctions.

4.3 Les organisations dans les années 1980-1990

Au début des années 1980, et plus encore durant les années 1990, les entreprises qui fonctionnaient selon le modèle « taylorien » ont dû affronter une dure réalité : elles ont constaté que cette forme organisationnelle du travail, qui leur avait permis d'ériger des structures solides, rigides, répondant aux besoins de l'environnement d'une époque bien précise[10], ne pouvait être adaptée aux contraintes imposées par un nouvel environnement. Ces contraintes sont le gain de temps dans le traitement des demandes de la clientèle, le gain de temps dans le développement d'un produit[11] et le changement dans le profil général des travailleurs[12].

L'économie industrielle, qui s'était développée autour du système de production de masse, cédait la place à une économie basée sur l'information et le savoir et articulée autour d'« un mode de production plus flexible capable de répondre à la diversité et à l'instabilité de la demande[13] ». Les entreprises s'apprêtaient à vivre de grands changements causés par le passage d'un type d'économie à un autre.

Sur le plan organisationnel, ce sont la spécialisation, la division du travail, la production de masse et des produits standardisés (caractéristiques de l'économie industrielle) qui ont été remplacées par des compétences générales, une production dite « flexible » et des produits diversifiés qui caractérisent l'économie de l'information et du savoir.

Sur le plan de la gestion, la forme organisationnelle hiérarchique, centralisée et intégrée, adaptée à l'économie industrielle, a dû, dans certains cas, coexister avec une forme organisationnelle promouvant la structure matricielle, les relations horizontales et le travail d'équipe[14].

Les entreprises n'avaient donc plus le choix. Sur le plan organisationnel, il leur fallait s'inspirer de nouveaux modèles de gestion leur permettant de s'adapter à la nouvelle économie, à défaut de quoi elles risquaient tout simplement de stagner devant une concurrence énergique et, surtout, mondiale.

4.4 Les organisations en quête de nouvelles structures

Dans les années 1980, la décroissance des économies à l'échelle mondiale a eu pour effet de déstabiliser plusieurs entreprises : leur rentabilité en était affectée, et leur survie même n'était plus assurée.

Un vent d'insécurité secoua alors ces entreprises. Elles réagirent en se lançant dans des vagues de **restructuration** marquées par des licenciements massifs et dans de vastes réorganisations caractérisées, entre autres, par l'**aplanissement des structures**.

Leur objectif était clair : se doter d'une **flexibilité organisationnelle** qui leur permettrait de soutenir la concurrence mondiale et d'intégrer dans leur système la technologie leur procurant un accès rapide à toute l'information pertinente relative à leur gestion. Certaines d'entre elles eurent recours à la sous-traitance même à l'échelle internationale et à la location d'immobilisations (par exemple, de la machinerie lourde pour le forage de puits de pétrole, cette dernière opération nécessitant l'établissement d'un budget de location). Les dirigeants d'entreprise commençaient à faire face à une réalité de plus en plus apparente : l'ouverture des marchés à l'échelle mondiale. La menace venait directement de cette concurrence qui, souvent, pénétrait leur marché avec des produits de meilleure qualité. Les dirigeants qui ont promptement réagi ont eu comme premier réflexe de revaloriser un élément clé qui leur glissait des mains : leurs clients.

Ils se mirent donc à chercher le modèle de gestion qui leur fournirait « un outil capable de sortir leur organisation de la crise ou, mieux encore, de renforcer un avantage stratégique et d'améliorer leur compétitivité[15] ».

4.5 La conception d'une structure d'entreprise

Il va de soi que la mise sur pied d'une entreprise exige des gestionnaires qu'ils définissent clairement une vision, une mission et, surtout, des objectifs. C'est au terme de ces démarches que la phase « organisation[16] » prend toute son importance. Dans un contexte organisationnel, cette phase consiste « à regrouper les activités nécessaires à la réalisation d'objectifs, à confier chaque groupe d'activités à un cadre possédant une autorité suffisante pour voir à leur exécution, et à coordonner, à la verticale comme à l'horizontale, la structure de l'organisation[17] ».

Parmi les actions à considérer quand vient le temps de s'engager dans cette phase d'organisation, il faut :

- concevoir une structure organisationnelle répondant aux besoins de l'organisation[18] ;
- déterminer des tâches à exécuter afin d'atteindre les objectifs ;
- établir le jeu des interactions prévues entre les individus dans l'organisation.

4.5.1 La structuration d'entreprise : quelques principes de base

Pour s'assurer que l'intégration de ces facteurs ne suscite pas un climat de chaos, on doit respecter certains principes de base de structuration de l'organisation. Parmi ces principes, nous retenons le principe de l'unité de commandement, le principe de parité, le principe d'exception, le principe des échelons et le principe de l'éventail de subordination.

1. Le principe de l'unité de commandement

Selon ce principe, un employé ne doit relever que d'un seul supérieur immédiat. Ce principe prend toute son importance pour un employé, car son application lui permet de savoir qui lui donne des ordres, oriente son travail, détermine les tâches qu'il lui faut effectuer et évalue son rendement.

Une situation chaotique risque donc de survenir toutes les fois qu'un employé relève de deux supérieurs immédiats ou plus. Ces derniers pourraient avoir des exigences incompatibles, déléguer des tâches dont l'urgence est subjective et imposer des délais qui ne tiennent pas compte de la charge de travail de l'employé.

2. Le principe de parité

Selon ce principe, il faut, dans l'organisation, harmoniser «délégation d'autorité» et «partage de responsabilités». Cela signifie que les cadres hiérarchiques doivent déléguer suffisamment d'autorité à leurs subalternes pour leur permettre d'assumer l'ensemble de leurs responsabilités.

Une situation chaotique se produit lorsqu'un gestionnaire doit faire face à différentes responsabilités sans détenir le pouvoir décisionnel nécessaire pour les assumer. Par exemple, vous êtes le nouveau cadre responsable des achats dans une grande quincaillerie de votre région, mais vous ne pouvez choisir vos fournisseurs, vous ne pouvez négocier vous-même les prix et vous ne pouvez accepter les bons de commande provenant des autres services de l'entreprise sans l'autorisation de votre supérieur immédiat.

3. Le principe d'exception

Selon ce principe, les cadres hiérarchiques doivent concentrer leurs efforts sur la résolution de problèmes complexes et laisser à leurs subalternes le soin de gérer les situations routinières. Il va de soi que plus le cadre hiérarchique fait confiance à ses subalternes, plus il leur déléguera certaines de ses tâches et mieux il appliquera ce principe.

Une situation chaotique se produit donc lorsque le cadre hiérarchique centralise la prise de décision et garde le contrôle sur l'ensemble des opérations.

4. Le principe des échelons

Selon ce principe, l'autorité doit suivre, dans l'organisation, la chaîne de commandement, qui commence au niveau hiérarchique supérieur de la structure organisationnelle pour descendre jusqu'aux niveaux hiérarchiques inférieurs. Ce principe permet de connaître la direction que suit la communication dans l'organisation et de valider le respect du principe de l'unité de commandement.

Une situation chaotique se produit, par exemple, lorsqu'un cadre hiérarchique sabote l'autorité de son adjoint et donne directement des directives contradictoires aux subalternes qui relèvent de cet adjoint. Ce dernier perd non seulement la face, mais aussi son pouvoir et éventuellement, le respect des employés.

5. Le principe de l'éventail de subordination

Ce principe, que l'on nomme aussi le «principe de l'étendue de contrôle», désigne le nombre limite de subordonnés qu'un cadre peut efficacement diriger pour être

---

Principe de l'unité de commandement
(*unity of command*)
Principe en vertu duquel chaque employé ne doit relever que d'un seul supérieur immédiat.

Principe de parité
(*parity principle*)
Principe en vertu duquel, dans l'organisation, il faut harmoniser «délégation d'autorité» et «partage de responsabilités».

Principe d'exception
(*exception principle*)
Principe en vertu duquel les cadres hiérarchiques doivent concentrer leurs efforts sur la résolution de problèmes complexes et laisser à leurs subalternes le soin de gérer les situations routinières.

Principe des échelons
(*scalar principle*)
Principe en vertu duquel il faut que, dans l'organisation, l'autorité suive la chaîne de commandement, du niveau hiérarchique le plus élevé vers les niveaux hiérarchiques inférieurs.

Principe de l'éventail de subordination
(*span of management*)
Principe en vertu duquel il existe un nombre limite de subordonnés qu'un cadre peut efficacement diriger pour orienter les activités vers l'atteinte des objectifs de son unité administrative.

en mesure d'orienter les activités vers l'atteinte des objectifs de son unité administrative. Il n'existe pas de nombre magique, mais une règle veut que plus le rang hiérarchique d'un cadre est élevé, moins son éventail de subordination est étendu.

Par exemple, deux vice-présidents peuvent relever d'un président et avoir chacun sous leur commandement quatre directeurs de service. Ces directeurs peuvent, à leur tour, diriger entre cinq et sept adjoints dans leur service.

Une situation chaotique se produit, par exemple, lorsqu'un cadre s'adjoint le plus grand nombre possible de subordonnés pour augmenter son pouvoir au détriment de l'efficacité de son unité administrative.

La figure 4.1 présente chacun des principes dont nous avons traité.

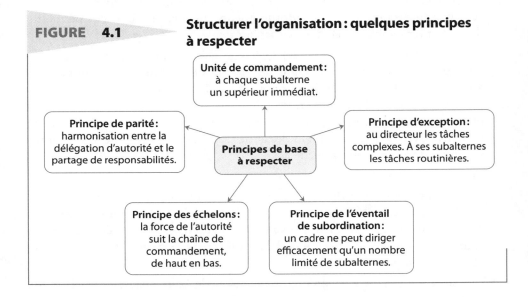

FIGURE 4.1 Structurer l'organisation : quelques principes à respecter

4.5.2 Les facteurs déterminant la conception d'une structure organisationnelle

Afin d'atteindre les objectifs fixés, les dirigeants d'une entreprise doivent la doter d'une structure, c'est-à-dire préciser le cadre à l'intérieur duquel s'inscriront les différentes positions hiérarchiques envisagées, les principaux liens formels d'autorité requis entre les individus qui occuperont les postes liés à de telles positions et les services nécessaires au fonctionnement de l'entreprise.

À la conception théorique de cette structure doit correspondre une conception pratique. Celle-ci devra refléter les attentes particulières des cadres dirigeants en ce qui a trait aux principaux services fonctionnels de l'entreprise (marketing, finances, production, ressources humaines, etc.).

Quatre éléments majeurs affectent la conception de toute structure organisationnelle : l'environnement externe, les stratégies organisationnelles, la

le signet
du stratège

Concilier études et travail pour un étudiant : une question d'organisation !

Selon un article paru dans le magazine *Mode d'emploi*, un sondage mené par Réussite Montérégie en 2007 auprès d'élèves du secondaire et du cégep révèle que 70 % des cégépiens travaillent durant l'année scolaire et consacrent plus de 15 heures par semaine à leur emploi. Selon cet article, « plus les jeunes progressent, plus le nombre d'heures augmente »… car « combiner études et travail, c'est devenu la norme ». Il semblerait que pour les étudiants de cégep, il peut être tentant de combler les vides laissés par les « horaires troués[19] ».

Cependant, les étudiants devraient se méfier du piège consistant à consacrer au travail un nombre d'heures excessif. Un horaire surchargé risque  en effet d'entraîner une accumulation de la fatigue, du stress et d'autres problèmes de santé, puis de réduire leur motivation pour les études ainsi que leur temps disponible pour étudier. Que faire alors ?

Se doter d'une discipline ! Les étudiants doivent tenir compte des trois éléments de base nécessaires à l'organisation : la structure, les tâches à effectuer et les individus affectés à ces tâches. Dans ce contexte, étudiants, vous êtes les individus affectés aux tâches scolaires.

Votre démarche d'organisation doit se présenter ainsi :

1. Laisser passer les deux ou trois premières semaines de la session, puis fixer vos objectifs.

2. Juger de la charge de travail imposée par chacun de vos cours (*tâches à effectuer*).

3. Déterminer le nombre d'heures à consacrer aux études en fonction des délais à respecter (*structure*).

4. Déterminer des périodes réservées exclusivement au loisir (*structure*).

5. Allouer le temps qu'il reste à un travail (*structure*).

Voyez-vous, la gestion du temps fait aussi partie de l'organisation.

Exercice

Vous occupez ou vous allez occuper un emploi au cours de la session. Déterminez si vous pouvez concilier études et travail en précisant :

- le nombre de cours auxquels vous êtes inscrit ;
- la charge de travail par cours ;
- le nombre d'heures que vous comptez consacrer respectivement aux études et aux loisirs ;
- le nombre d'heures que vous pouvez consacrer à votre travail.

Quelle est votre décision finale concernant la conciliation études et travail ?

---

technologie utilisée dans l'organisation et les caractéristiques des ressources humaines. La figure 4.2, à la page suivante, présente ces éléments.

Voici comment ces éléments peuvent affecter la conception de la structure organisationnelle.

L'environnement externe de l'organisation Lorsqu'ils évoluent dans un environnement externe stable, où les ressources sont facilement disponibles, où la demande est constante et où le degré d'incertitude quant au marché est faible, les dirigeants optent généralement pour la structure verticale. Elle illustre clairement les principaux services

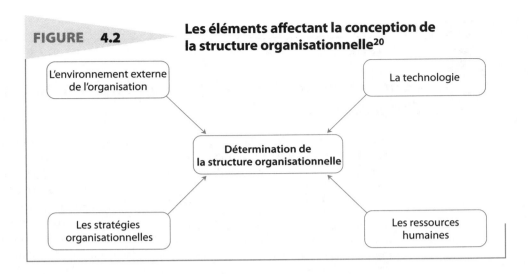

FIGURE 4.2 Les éléments affectant la conception de la structure organisationnelle[20]

L'environnement externe de l'organisation

La technologie

Détermination de la structure organisationnelle

Les stratégies organisationnelles

Les ressources humaines

fonctionnels de l'organisation (marketing, finances, production et personnel). Bien qu'elle soit marquée par la rigidité que lui confèrent son formalisme ainsi que ses procédures et ses normes de contrôle solidement établies, cette structure cadre bien dans un environnement économique qui n'est pas en ébullition.

En revanche, si l'environnement externe de l'entreprise devient l'objet de changements fréquents sur les plans économique, politique, concurrentiel, technologique, culturel et démographique, ou s'il subit l'effet des combinaisons de ces différentes forces, les dirigeants ont tendance à se tourner vers une structure plus flexible. Cette flexibilité permet à l'entreprise, entre autres, de s'approprier rapidement certaines ressources ou de s'en départir promptement, et de modifier rapidement ses stratégies d'affaires pour mieux contrer les menaces provenant de la concurrence.

Les stratégies organisationnelles   Lorsqu'ils fixent des objectifs et établissent les stratégies permettant de les atteindre, les dirigeants doivent s'inspirer de ces stratégies afin de déterminer la structure organisationnelle à adopter. Par exemple, une organisation dont la stratégie est basée sur la réduction des coûts dans tous ses services peut miser sur une structure verticale rigide au sein de laquelle chacun des cadres responsables d'un service devra assurer la mise en œuvre de cette stratégie dans son service. Encore là, ce sont les politiques, les procédures et les normes de contrôle mises en place dans l'organisation qui encadreront les démarches de ces dirigeants.

En revanche, si, dans un contexte de vive concurrence mondiale, la stratégie de l'organisation est de miser sur l'innovation pour mieux servir ses clients, cette organisation optera pour une structure flexible lui permettant d'endosser cette orientation et de présenter rapidement des produits innovateurs à ses clients.

La technologie   Une organisation dont le développement technologique ne se résume qu'à la mécanisation de ses usines de production, qui mise sur le travail routinier et qui laisse aux mains de la direction les fonctions de planification, d'organisation, de direction et de contrôle, s'appuie généralement sur une structure verticale. L'ensemble des politiques, des procédures et des normes de contrôle formelles et bien définies servent à encadrer la prise de décision à tous les niveaux hiérarchiques.

Cependant, une organisation hautement développée sur le plan technologique, qui compte sur un système de gestion intégré et qui favorise, entre autres, l'utilisation du courrier électronique, des médias sociaux, de différents moteurs de recherche sur le Web tels que Google, AltaVista, Yahoo, etc., des technologies de l'information, des communications et de la vidéoconférence, et qui dote chacun de ses services des outils informatiques ouvrant la voie au commerce électronique, se dote généralement d'une structure flexible. Le degré de souplesse de cette organisation doit permettre à ceux qui prennent des décisions concernant leur travail de déterminer les critères précis de contrôle des résultats.

Les ressources humaines   Les caractéristiques des ressources humaines constituent aussi un facteur important dans la détermination de la structure organisationnelle. Ainsi, dans une organisation où les ressources humaines sont peu qualifiées et ne participent pas à la définition des objectifs, la supervision doit forcément être plus serrée. Seule la direction conserve les fonctions de planification, d'organisation, de direction et de contrôle. Les employés ne jouent qu'un rôle d'exécutants. Dans ce contexte, la structure privilégiée revêt un caractère formel caractérisé par la rigidité des politiques, des procédures et des normes de contrôle établies. C'est ce qu'on appelle une structure verticale.

En revanche, dans une organisation où les ressources humaines sont hautement qualifiées, où les employés jouissent d'une certaine autonomie dans la détermination de leurs objectifs de travail, dans le partage des tâches entre eux, dans l'exécution de leur mandat et dans la définition de leurs normes de contrôle, la structure devient plus souple et décentralisée.

Comme on a pu le constater, nous avons souvent opposé, dans cette section, une structure formelle et rigide (structure verticale) à une structure que nous qualifions de plus souple et flexible. Dans les sous-sections qui suivent, nous expliquerons pourquoi nous qualifions de « rigide » la structure verticale et dresserons un portrait de cette structure, legs de plus de 50 ans d'organisation dans les entreprises nord-américaines.

4.6   La structure verticale divisée par services fonctionnels : un legs de l'histoire

La **structure verticale** divisée par services fonctionnels est la structure la plus courante. Non seulement met-elle en relief les principaux services de l'entreprise (marketing, finances, production, personnel), mais elle permet, de plus, de gérer les compétences particulières relatives à chacune d'elles. En somme, la structure verticale divisée par services fonctionnels est celle qui illustre, dans les principaux services de l'organisation, les liens hiérarchiques et formels qui s'établissent.

Cette structure met l'accent sur la performance de chaque service et sur une équipe de direction centrale restreinte qui prend les décisions concernant la production et les subordonnés. Une de ses caractéristiques est qu'en son sein, la planification des activités se réalise parallèlement à leur exécution[21]. Qualifiée aussi de « hiérarchique », cette structure peut évoquer l'image très caricaturale de la hiérarchie

Structure verticale
(*line structure*)

Structure qui illustre, dans les principaux services de l'organisation, les liens hiérarchiques et formels qui s'établissent.

militaire, dans laquelle un ordre formel donné par le général à son colonel est donné par ce dernier au major, lequel transmet cet ordre au capitaine, qui le transmet au lieutenant, qui le transmet au sergent, qui le donne au caporal, qui le crie au simple soldat. Et nul n'a le droit de contester ouvertement cet ordre.

4.6.1 Le contexte favorisant l'utilisation de la structure verticale divisée par services fonctionnels

Le choix d'une structure verticale divisée par services comme structure organisationnelle s'inscrit dans un contexte bien particulier, celui où le système de production qui prévaut est le système de «production de masse» et où la demande du marché est à la fois standardisée et facilement prévisible. En somme, il s'agit d'un contexte où les processus de fabrication sont stables, où la technologie ne varie pas beaucoup et où les employés ne remettent pas ouvertement en question le «pourquoi» ou le «comment» de la tâche à effectuer.

Cette structure représente adéquatement une forme d'organisation très centralisée et hiérarchique favorisant une division fonctionnelle des tâches et des responsabilités. Les individus qui détiennent ces responsabilités sont généralement hautement spécialisés et n'ont pas nécessairement une vision d'ensemble du processus de travail. Ils ne sont que subordonnés à une autorité supérieure qui possède l'expertise et l'information permettant d'assurer la coordination des services[22]. La figure 4.3 illustre un exemple de ce genre de structure organisationnelle. Notez qu'aux fins de cet exemple, l'accent est volontairement mis sur les liens hiérarchiques qui s'établissent au sein du service de la production.

Les avantages et les désavantages de la structure verticale divisée par services fonctionnels

Dans un contexte de stabilité de la demande, des processus et des technologies, la structure verticale présente certains avantages. En ce qui a trait à la définition

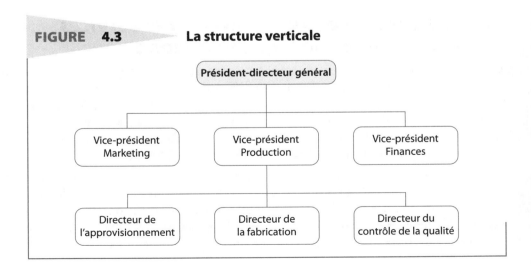

FIGURE 4.3 **La structure verticale**

des tâches, elle force les cadres dirigeants à la rendre plus complète et plus exacte possible. Les connaissances et les compétences requises pour exécuter les tâches de façon convenable et selon les attentes de la direction sont réduites. De plus, cette structure facilite le transfert vertical des connaissances et offre de bonnes possibilités d'amélioration sur le plan des compétences mêmes.

Pour la direction qui, généralement, se charge de la planification et de la coordination des services, le rendement des employés demeure prévisible tant et aussi longtemps que la demande du marché demeure stable.

La figure 4.4 illustre les principaux avantages qui sont reconnus à ce type de structure.

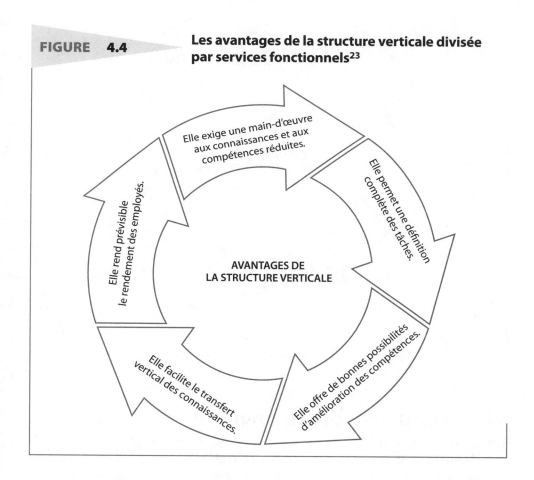

FIGURE 4.4

Les avantages de la structure verticale divisée par services fonctionnels[23]

Cette structure présente aussi certains désavantages. D'abord, elle est rigide, c'est-à-dire qu'elle manque de souplesse et ne favorise pas les relations entre les différentes activités de l'organisation, ce qui, d'ailleurs, rend difficile le transfert latéral des connaissances. De plus, pour s'acquitter convenablement de leurs tâches, les employés n'ont besoin que d'un niveau de compétence réduit, ce qui mène à un manque de flexibilité de l'organisation lorsque surviennent, par exemple, des changements technologiques majeurs affectant la production. Et, finalement, la prévisibilité du rendement n'est avantageux que dans un environnement stable : dès que l'environnement devient instable ou changeant, le rendement lui-même devient imprévisible. La figure 4.5 présente ces désavantages.

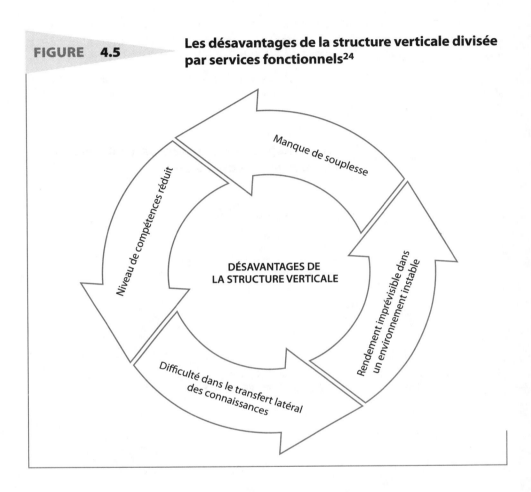

FIGURE 4.5 — **Les désavantages de la structure verticale divisée par services fonctionnels[24]**

4.7 La structure divisionnaire

Les coûts élevés de la bureaucratie étant directement liés à la grande taille et à la complexité des entreprises, la solution qui permet de les réduire est la division de l'entreprise en unités plus petites. On peut alors penser à décentraliser la structure et à recourir à une départementalisation divisionnaire. Le terme **départementalisation** renvoie au processus de regroupement, au sein d'unités administratives bien définies, des divers postes d'une organisation.

Une structure divisionnaire est une structure organisationnelle composée de diverses unités administratives séparées les unes des autres qui, dans leur structure respective, intègrent différents services fonctionnels (marketing, finances,

Départementalisation

(*departmentation*)

Processus de regroupement, au sein d'unités administratives bien définies, des divers postes d'une organisation afin de mieux les gérer.

production, personnel, etc.) et dont la coordination permet de produire un ou des produits particuliers pour une clientèle spécifique[25].

Lorsqu'ils organisent les unités administratives selon le type de biens et de services qu'ils fournissent, les cadres dirigeants de l'entreprise adoptent une structure divisionnaire par produit. Si, en revanche, ils les organisent en fonction de l'étendue du territoire à couvrir, ils optent plutôt pour une structure divisionnaire sur une base géographique. Et si, finalement, ils les organisent en fonction des différents types de clientèle qu'ils desservent, ils choisissent une structure divisionnaire par type de clientèle.

La structure divisionnaire par produit

En adoptant une telle structure, les cadres dirigeants s'assurent que chaque ligne de produits est gérée par une division de l'entreprise. Le cadre dirigeant de niveau fonctionnel qui gère une division a la responsabilité d'appliquer les stratégies qui permettront à sa division d'être concurrentielle sur son marché et au sein de l'industrie.

Cette structure présente deux avantages intéressants sur le plan organisationnel. D'abord, elle permet au cadre dirigeant de niveau fonctionnel de se spécialiser et de ne se concentrer que sur une ligne de produits. Deuxièmement, elle lui permet de développer une expertise précise quant à cette ligne de produits, expertise qui devrait lui permettre d'assurer la compétitivité de sa division sur le marché. La figure 4.6 illustre ce type de structure.

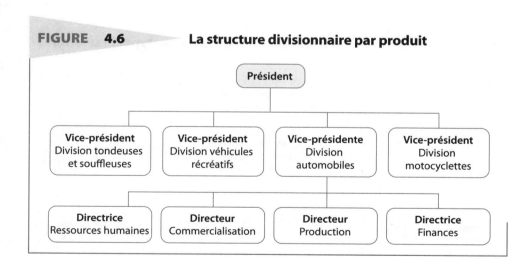

FIGURE 4.6 La structure divisionnaire par produit

La structure divisionnaire sur une base géographique

Quand elle prend rapidement de l'expansion à l'échelle nationale ou internationale et dessert plusieurs clients dans différentes régions, il peut être souhaitable pour une entreprise d'adopter une structure divisionnaire sur une base géographique. Ainsi, elle peut être directement à l'écoute de ses clients et adapter ses produits à leurs besoins. La figure 4.7, à la page suivante, présente une structure divisée sur une base géographique.

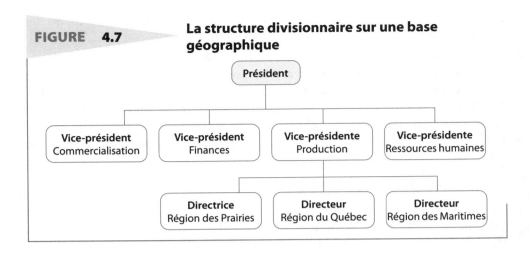

FIGURE 4.7 La structure divisionnaire sur une base géographique

La structure divisionnaire par type de clientèle

Quand elle offre un même produit à différentes clientèles et doit adapter ce produit aux caractéristiques de chacune de ces clientèles, une entreprise peut opter pour une structure divisionnaire par type de clientèle. La figure 4.8 illustre une telle structure pour une entreprise qui fabrique et installe des thermopompes pour quatre types de clients différents.

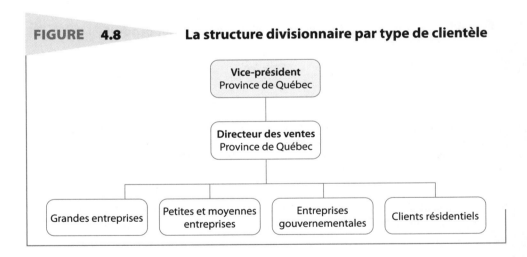

FIGURE 4.8 La structure divisionnaire par type de clientèle

4.8 La structure matricielle ou le recours à une plus grande flexibilité

Bien qu'elle soit encore très populaire, rappelons que la structure verticale divisée par services fonctionnels présente une rigidité qui s'adapte difficilement à un environnement soumis à des changements rapides et fréquents tant sur le plan économique que sur les plans politique, technologique, démographique et culturel. Pour contrer cet inconvénient, les dirigeants d'entreprise ont recours à une structure temporaire présentant une grande flexibilité : la structure matricielle.

La **structure matricielle** est une structure hybride et temporaire au sein de laquelle des individus de différents services fonctionnels (marketing, production, finances, ressources humaines) sont regroupés en une équipe de travail pour réaliser un projet spécifique.

Étant donné que cette structure se compose d'individus provenant de différents services, c'est à la direction de l'entreprise que revient la tâche de leur allouer des ressources, de nommer le directeur de leur équipe et de les affecter au projet prévu. L'avantage que présente une telle structure, c'est de permettre à l'équipe ainsi formée de coordonner différents talents, expériences et expertises afin de réaliser le projet. Parmi des exemples de projets, mentionnons le développement d'une nouvelle ligne de produits, la modification d'un produit existant ou le développement d'un nouveau produit. Dans des secteurs d'activité de haute technologie, où les produits changent rapidement, cette structure offre à l'entreprise la possibilité d'innover continuellement.

Bien qu'elle favorise la flexibilité organisationnelle en incitant des personnes provenant de différents services à coopérer, la structure matricielle présente tout de même un défaut : chaque personne qui s'y trouve relève simultanément de deux supérieurs : son supérieur hiérarchique immédiat et le cadre assigné au projet.

L'illustration d'une structure matricielle est présentée dans la figure 4.9.

Structure matricielle

(matrix structure)

Structure hybride et temporaire au sein de laquelle des personnes de différents services fonctionnels (marketing, production, finances, ressources humaines) sont regroupées en une équipe de travail pour réaliser un projet spécifique.

FIGURE 4.9   **La structure matricielle**

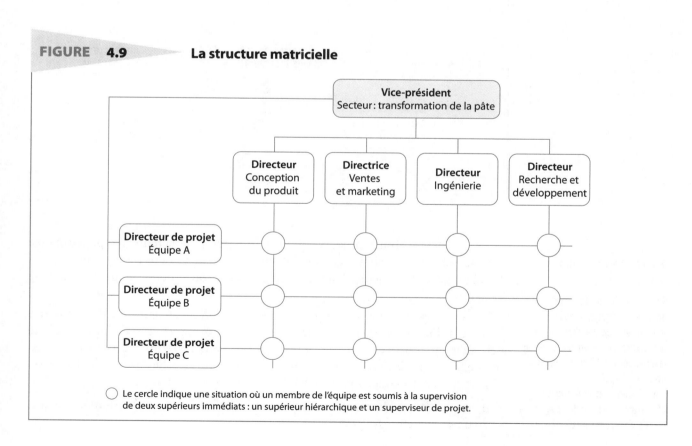

4.9 Une solution aux impératifs de la flexibilité : la structure en réseaux

Pour survivre dans un contexte de concurrence mondiale, l'entreprise, « quelle qu'elle soit, petite ou grande, doit aujourd'hui compter sur une grande capacité d'innovation fondée sur une maîtrise du changement technologique, une souplesse de fonctionnement qui lui permet de réagir sur-le-champ aux fluctuations de ses marchés et la mobilisation de ses ressources humaines, rassemblées autour d'un projet commun[26] ».

Les facteurs de performance qui lui garantiront une certaine longévité dans un tel environnement sont nombreux, et le dynamisme avec lequel ils seront intégrés dans sa culture organisationnelle et insérés dans sa vision se traduira par la position concurrentielle dont elle jouira sur le marché. La figure 4.10 présente ces facteurs de performance.

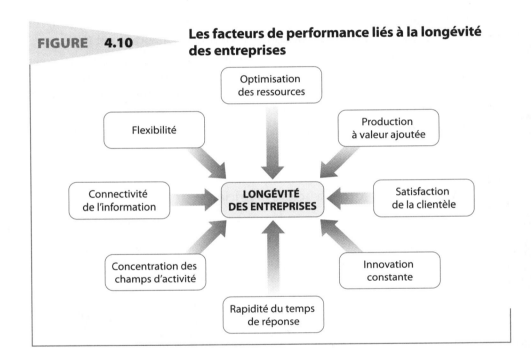

FIGURE 4.10 **Les facteurs de performance liés à la longévité des entreprises**

Toutefois, l'entreprise ne pourra intégrer ces facteurs de performance dans ses « façons de faire » si, au préalable, elle n'est pas déterminée à procéder à des changements majeurs dans sa stratégie, dans son fonctionnement et dans sa structure.

Une option que les dirigeants d'entreprise choisissent afin de permettre justement l'intégration de ces facteurs de performance est l'adoption d'une **structure en réseaux**; structure qui constitue, sans contredit, le modèle le plus novateur en matière de renouvellement des structures. Elle trouve d'ailleurs son origine dans deux conceptions nouvelles en gestion des affaires :

1. La prise de conscience, par les dirigeants, de l'importance de compter sur une main-d'œuvre polyvalente ;

Structure en réseaux

(network structure)

Structure axée sur l'amélioration des processus qui mise sur la transversalité des fonctions, sur la gestion flexible des opérations et sur la formation d'alliances stratégiques avec les fournisseurs, les manufacturiers et les distributeurs afin de promouvoir et de garantir la satisfaction des clients.

2. Le constat, par ces mêmes dirigeants, que l'application des compétences techniques et fonctionnelles à des processus de même que l'utilisation des ressources qui permettent de satisfaire les besoins des clients sont des gages de réussite et de rentabilité plus importants qu'une simple utilisation mécanique de ces mêmes compétences techniques et fonctionnelles.

La structure en réseaux, parce qu'elle est axée sur l'amélioration des processus, mise donc d'abord et avant tout sur la transversalité des fonctions, sur la gestion flexible des opérations et sur la formation d'alliances stratégiques avec les fournisseurs, les manufacturiers et les distributeurs afin de promouvoir et de garantir la satisfaction des clients.

Bien qu'il impose des changements rapides aux entreprises, le contexte économique actuel favorise tout de même, chez elles, l'adoption d'une structure en réseaux. Trois phénomènes expliquent cette situation :

L'intégration rapide des technologies de l'information et des communications dans les entreprises   Ce phénomène contribue à placer les employés au cœur même de la prise de décision. Étant donné qu'ils peuvent avoir rapidement accès à l'information sans se déplacer physiquement, ils deviennent de plus en plus engagés tant dans la planification de leur travail que dans le contrôle des résultats.

Ces technologies ont contribué à l'élimination de certains postes de cadres intermédiaires dont les tâches de planification et de contrôle ne semblaient plus avoir leur raison d'être, et ont favorisé l'aplanissement des structures dans diverses organisations qui, par surcroît, sont devenues moins hiérarchisées et plus souples.

Le passage d'une économie de type industriel à une économie basée sur les services   Ce phénomène a suscité chez les clients un haut degré d'intolérance à l'égard de toute forme de bureaucratie organisationnelle. Depuis le début des années 1980, un certain engouement est apparu pour le marketing des services. Le client étant placé au centre des préoccupations des entreprises, les modèles de gestion ont été orientés vers la qualité totale.

Il devenait donc de plus en plus urgent que les employés apprennent à réagir rapidement et efficacement aux besoins nombreux, complexes et variés de leurs clients.

Comme ils «exigent» que leurs besoins soient satisfaits sans délai et qu'ils ne veulent plus se heurter à une bureaucratie, à des structures rigides et à des procédures lourdes qui étaient tolérables à l'ère des économies industrialisées, les clients d'aujourd'hui manifestent promptement leur mécontentement dès qu'ils y font face et n'hésitent pas «à se rendre ailleurs».

La satisfaction des besoins de leurs clients étant devenue, aux yeux des dirigeants d'entreprise, la nouvelle clé du succès, ces derniers ont commencé à manifester plus d'intérêt pour la flexibilité et pour la structure en réseaux.

Les activités axées sur la qualité totale   La qualité totale concerne tous les secteurs de l'entreprise. Elle impose une première forme de transversalité des fonctions, c'est-à-dire une collaboration entre les fonctions de l'entreprise afin d'offrir un produit (bien ou service) respectant des critères précis en matière de qualité. La gestion qu'elle suppose se veut avant tout «un ensemble de méthodes et de valeurs intégrées en une stratégie d'amélioration continue par la mobilisation de l'ensemble du personnel afin de satisfaire les clients au moindre coût[27]».

Cette orientation vers la qualité totale a favorisé la structuration des organisations en réseaux, pour trois motifs très clairs :

- Mieux que les structures traditionnelles non intégrées, elle encourage d'abord et avant tout l'approche centrée sur le client.
- Elle mise sur la création et le maintien d'équipes interfonctionnelles, de même que sur la formation d'employés polyvalents.
- Elle oriente la gestion vers l'autonomie des employés[28].

4.9.1 Les modèles de structures en réseaux

On connaît deux modèles de structures en réseaux : la gestion de cas et la gestion horizontale des processus. Nous vous les présentons brièvement.

La gestion de cas

Il s'agit d'une structure à l'intérieur de laquelle un employé est entièrement responsable d'un cas précis du début à la fin d'un processus établi par son supérieur immédiat ou conjointement avec son concours. Il doit gérer la totalité du processus lié au cas, jusqu'à la satisfaction du client.

Prenons en exemple le cas d'une technicienne en comptabilité et gestion qui est responsable de la préparation des états financiers d'un client. Dans une situation de gestion de cas, elle doit s'occuper de tout le processus de travail entourant la gestion du dossier, de sa réception jusqu'au moment où elle le remet, signé par le comptable, au client. Le processus de travail dont elle a la responsabilité entière se présente ainsi :

1. réception du dossier du client ;
2. vérification et mise en ordre des pièces justificatives ;
3. passation des écritures dans les journaux appropriés ;
4. report dans les livres adéquats ;
5. établissement des différents états financiers ;
6. facturation des heures consacrées à chacune des étapes du travail ;
7. présentation du dossier au comptable responsable pour approbation des heures facturées et signature ;
8. rencontre avec le client, explication du travail effectué et remise du dossier.

La réussite d'une gestion de cas repose sur le respect de quatre éléments :

- un processus de travail en boucle fermée, c'est-à-dire la gestion et la réalisation en totalité d'un service ou d'un produit livré à un client ;
- un poste de travail intégré, c'est-à-dire un poste relié à toutes les sources d'information pertinentes ;
- l'autonomie des employés, qui leur permet de prendre des décisions et de répondre à tous les besoins des clients ;
- une utilisation judicieuse des technologies de l'information, c'est-à-dire l'accès électronique à toutes les informations disponibles dans l'entreprise pour faire

progresser le dossier et l'utilisation des technologies de l'information pour faciliter la prise de décision.

La figure 4.11 présente les éléments qui sont nécessaires à la réussite de la gestion de cas.

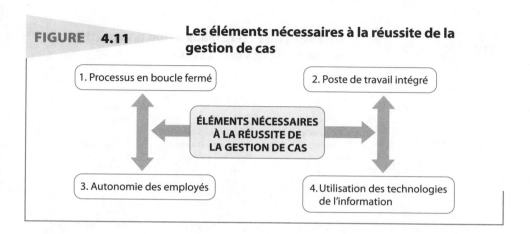

FIGURE 4.11 — **Les éléments nécessaires à la réussite de la gestion de cas**

1. Processus en boucle fermé

2. Poste de travail intégré

ÉLÉMENTS NÉCESSAIRES À LA RÉUSSITE DE LA GESTION DE CAS

3. Autonomie des employés

4. Utilisation des technologies de l'information

La gestion horizontale des processus

Il s'agit d'une structure dont le fonctionnement efficace dépend de deux éléments :

- l'examen par la direction de chacun des processus fondamentaux de l'entreprise ;
- la conception d'une structure adaptée aux exigences imposées par les processus une fois modifiés en fonction de la satisfaction des besoins de la clientèle.

L'organisation en processus horizontaux donne des résultats satisfaisants dans la mesure où, au sein de l'organisation, la volonté d'effectuer des changements à plusieurs niveaux est clairement manifestée par le respect de quatre principes :

1. L'organisation de la structure doit être conçue en fonction des processus et non en fonction des tâches à accomplir.

2. L'aplanissement de la structure hiérarchique doit s'effectuer tant par la réduction de la division du flux de travail que par l'élimination des activités sans valeur ajoutée.

3. La direction doit accepter que les employés soient polyvalents et doit, en outre, favoriser le développement de cette polyvalence.

4. La multiplication des échanges entre les fournisseurs et les clients doit être clairement favorisée.

La gestion horizontale des processus : une illustration

L'illustration d'une structure en réseaux est impossible quand il s'agit d'une gestion de cas. Cependant, quand il s'agit d'une gestion horizontale des processus, il faut, pour la concevoir, imaginer une structure matricielle au sein de laquelle on mise avant tout sur les processus et non sur l'apport de chacune de ces fonctions à la réalisation d'un projet.

La figure 4.12 propose un exemple de ce à quoi pourrait ressembler une telle structure. Remarquez que deux types de liens sont établis dans cette figure :

- des liens entre des réseaux internes sur les plans des opérations et du marketing ;
- des liens entre des réseaux internes et des réseaux externes en fonction des différents partenariats et ententes établis.

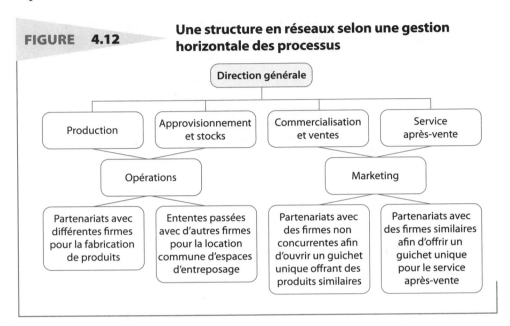

FIGURE 4.12 Une structure en réseaux selon une gestion horizontale des processus

le signet du stratège

La fonction « organisation » au quotidien

Saviez-vous que beaucoup d'événements du quotidien nécessitent de l'organisation ?

Par exemple, en mars 2010 se tenait l'événement « les Kilomètres de LaSalle[29] ». Il s'agit de quatre courses se déroulant dans les rues de l'arrondissement de LaSalle. Cet événement organisé pour les jeunes enfants (11 ans et moins) et pour les adolescents (12 à 19 ans) proposait des défis amusants au cours de son programme comprenant quatre courses. La course de 1 km était réservée aux enfants de 11 ans et moins tandis que l'épreuve de 2 km était offerte aux adolescents. Les organisateurs ont proposé un parcours dont la sécurité fut assurée par la police et par des bénévoles expérimentés. L'atmosphère se voulait festive et une collation était servie aux participants

après la course. De même, tous les coureurs recevaient une médaille après leur épreuve respective.

Même un événement qui semble simple à mettre sur pied requiert la présence des trois éléments majeurs au plan de la fonction « organisation », soit la structure, les tâches à accomplir et les individus embauchés ou désignés pour les exécuter.

Petit exercice récapitulatif

Rapportez un événement le plus simple possible que vous avez organisé et vérifiez si, dans votre cas, la rencontre des trois éléments majeurs de la fonction « organisation » s'est manifestée de façon automatique.

RÉSUMÉ

C'est à l'étape « organisation » du processus de gestion que les tâches sont définies et assignées, que le jeu des interactions entre individus est déterminé et qu'une structure organisationnelle est conçue. La mise en œuvre d'une structure organisationnelle repose sur différents principes dont les suivants : le principe de l'unité de commandement, le principe de parité, le principe d'exception, le principe des échelons et le principe de l'éventail de subordination.

Si elle est toujours populaire, la structure verticale divisée par services fonctionnels est surtout pertinente dans un contexte bien particulier, celui où le système de production qui prévaut est le système de « production de masse » et où la demande du marché est à la fois standardisée et facilement prévisible. Dans un contexte économique de concurrence mondiale, les entreprises doivent rendre flexible leur structure afin de demeurer concurrentielles. La départementalisation n'apporte pas cette flexibilité, mais propose des variantes de la structure verticale plus orientées sur la décentralisation.

Si elle répond mieux aux impératifs de flexibilité en permettant à différents individus de différents services d'unir leur compétence en vue de réaliser un projet, la structure matricielle présente le désavantage de soumettre le travail de chaque membre de l'équipe à une double supervision. Cependant, il existe une structure qui, tout en réunissant les compétences des individus de différents services, ne les soumet pas à une telle contrainte : il s'agit de la structure en réseaux. Cette structure met l'accent sur la transversalité interne des fonctions et sur les alliances stratégiques avec différents partenaires externes (fournisseurs, distributeurs, manufacturiers) et accorde aux entreprises cette flexibilité qui leur permet de répondre plus efficacement aux besoins de leurs clients.

Évaluation des connaissances

QUESTIONS DE RÉVISION

1. En quoi consiste le principe de l'unité de commandement ?

2. Quel effet négatif produit le non-respect du principe de l'unité de commandement ?

3. En quoi consiste le principe de parité ? Donnez un exemple.

4. À quel contexte la structure verticale divisée en services fonctionnels s'adapte-t-elle ?

5. Quel motif incite les dirigeants d'une entreprise à choisir une structure divisionnaire par clientèle ?

6. Qu'est-ce qu'une structure matricielle ?

   a) Quel avantage offre une structure matricielle ?

   b) Quel est l'inconvénient d'une telle structure ?

7. Comment définit-on la structure en réseaux ?

8. On connaît deux modèles de structure en réseaux. Quels sont-ils ?

9. Quels sont les éléments qui favorisent la réussite d'une structure en réseaux dite de « gestion de cas » ?

Analyse de cas

CAS 1 – LA FIÈVRE DU SOCCER AU PAYS DES ONS (degré de difficulté : moyen)

Deux mois après s'être remis des effets néfastes de la grippe A (H1N1), les habitants du pays des Ons voulurent faire la fête afin que les habitants de toutes les contrées se réunissent et forment à nouveau un peuple solidaire. Le chef du gouvernement des Ons décida donc d'organiser le Mondial de soccer au pays des Ons. La nouvelle fut accueillie avec joie.

Les représentants des peuplades de chacune des contrées se réunirent. Il fallait trouver des idées pour que le Mondial soit couronné de succès. Le représentant de la contrée des Simignons prit la parole :

— J'ai vérifié sur Internet-On et j'ai lu qu'en 2010, sur une planète qu'on appelle Terre, un Mondial avait eu lieu en Afrique du Sud. L'équipe locale avait pour nom les Bafana Bafana. Il semblerait qu'en langage zoulou, bafana signifie « garçon ». Chose curieuse, notre équipe locale se nomme les Bafan-Ons Bafan-Ons et chez nous, un bafan-on est un garçon. Nous pourrions ainsi tenir la coupe des Ons dans la contrée du sud en souvenir de cet événement.

Les représentants des autres peuplades ne s'y objectèrent pas.

— Nous pourrions nous replonger dans l'ambiance du Mondial de l'Afrique du Sud et fabriquer des répliques de leurs fameux vuvuzelas, proposa le représentant de la contrée de l'ouest. Vous connaissez tous nos talents pour la fabrication de différents objets !

— Parlez-vous de ces trompettes de plastique qui font un bruit infernal quand on souffle dedans ? demande le président du pays et chef de la contrée des Bambochons.

— Oui !

— C'est d'accord ! Mais d'abord et avant tout, il faut construire un stade dans la contrée du sud, si le budget est approuvé, dit le président en se tournant vers son ministre des Finances.

Le ministre des Finances claqua des doigts et une calculatrice virtuelle apparut devant lui. Il effectua rapidement de nombreux calculs.

— Nous parlons de plus de quatre-vingts millions de dollars…, commença-t-il à dire.

— C'est approuvé ! dit le président.

Dès que la décision fut prise de construire le stade, on décréta qu'à la prochaine pleine lune on donnerait une grande fête. Le boulanger de la contrée des Bambochons promit de fournir du pain gratuitement à tous les invités. Il fit agrandir sa boulangerie et la baptisa « Gailur-On ». Le laitier de cette même contrée promit du lait à tous les habitants de toutes les contrées invités à la fête. Lui aussi fit agrandir sa laiterie et il la baptisa « Le lait Québ-On ».

Le plus important, c'est que deux jours après l'approbation du budget pour la construction du stade de soccer, les architectes de la contrée des Simignons se mirent à l'ouvrage et esquissèrent des plans. Les Grospoltrons décidèrent de fournir toute la main-d'œuvre ouvrière requise à la construction du stade. Les gens d'affaires de la contrée des Wawarons convinrent de fournir toutes les matières premières permettant une telle construction.

Comme les habitants du pays des Ons sont très évolués, ils avaient évalué que trois semaines seulement seraient requises pour la construction du stade de soccer. Ainsi, les gens d'affaires de la contrée des Wawarons et les ingénieurs de la contrée des Simignons mirent sur pied une entreprise chargée du projet de construction, qu'ils nommèrent Le Ballon-Ron inc.

Ils décidèrent de nommer un conseil d'administration qui choisirait, pour l'entreprise, un président et quatre vice-présidents. Chacun des vice-présidents serait responsable d'un département (marketing, finances, production et ressources humaines).

Dans chacun de ses départements, différents services furent créés et on décida que chaque service serait dirigé par un directeur. La liste des services retenus fut la suivante :

- Service de l'approvisionnement
- Service de la paye
- Service de la santé et de la sécurité
- Service de la publicité
- Service de la comptabilité
- Service du contrôle de la qualité
- Service de l'embauche et de la formation
- Service des relations publiques
- Service du contrôle interne
- Service de la fabrication et du contrôle de la production

Les ingénieurs convinrent que deux usines de production devaient être rattachées au service de la fabrication et du contrôle de la production.

EXERCICE

a) Dressez la structure organisationnelle de la société Le Ballon-Ron inc. nouvellement formée en prenant soin de bien rattacher chaque service à la bonne division.

b) Une fois la société Le Ballon-Ron inc. mise sur pied, ses dirigeants ont jugé utile de dresser la structure matricielle d'une équipe de spécialistes qui aurait pour mandat l'organisation d'un préévénement impliquant le déroulement d'un match amical entre les équipes de toutes les contrées. Selon vous, quels spécialistes de chacun des services fonctionnels devraient-ils choisir et quels objectifs ces spécialistes devraient-ils réaliser ? Nommez trois objectifs et expliquez votre réponse.

Analyse de cas

CAS 2 – BIENVENUE AU CLUB DES DÉBROUILLARDS!
(degré de difficulté : moyen-élevé)

Connaissez-vous bien les entreprises de votre région ? Dans le présent exercice, nous vous demandons de visiter une grande entreprise de votre région.

Votre mandat est le suivant :

1. Identifier l'entreprise et décrire son secteur d'activité.

2. Préparer un questionnaire sur l'organisation de l'entreprise (sa structure, les niveaux hiérarchiques, etc.).

3. Rencontrer un cadre dirigeant et lui soumettre le questionnaire.

4. Tracer la structure organisationnelle de l'entreprise.

   Notez que si vous obtenez l'organigramme de l'entreprise, cette étape n'est plus nécessaire.

5. Déterminer – sur la base d'un produit que l'entreprise offre – une modification que pourrait subir ce produit, une variante du produit que l'entreprise pourrait offrir et une nouvelle ligne de produits que l'entreprise pourrait créer.

   À cette étape, développez des projets d'envergure en utilisant vos connaissances en marketing et soumettez-les à l'approbation de votre professeur.

6. Tracer une structure matricielle fondée sur l'organigramme et y insérer trois unités supplémentaires, chacune devant être dirigée par un directeur de projet. Les projets sont ceux que vous avez développés à l'étape 5.

   À cette étape, déterminez les ressources humaines de l'entreprise choisie que vous affecterez à chacun des projets, spécifiez les services d'où elles proviendront et justifiez chacun de vos choix.

7. Soumettre la structure matricielle à l'approbation du cadre dirigeant rencontré.

www.cheneliere.ca/
turgeon-lamaute

Chapitre 5

La motivation au travail

Cheminement d'idées ▸

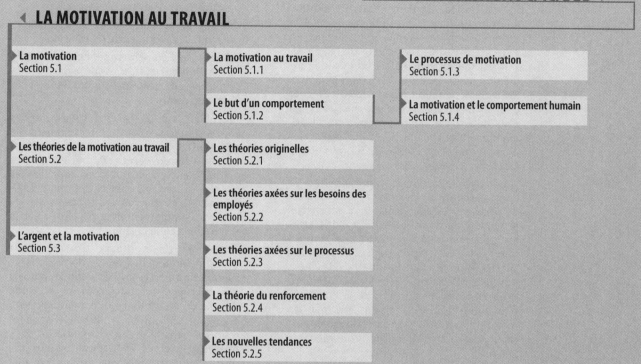

◂ **LA MOTIVATION AU TRAVAIL**

La motivation Section 5.1	**La motivation au travail** Section 5.1.1	**Le processus de motivation** Section 5.1.3
	Le but d'un comportement Section 5.1.2	**La motivation et le comportement humain** Section 5.1.4
Les théories de la motivation au travail Section 5.2	**Les théories originelles** Section 5.2.1	
	Les théories axées sur les besoins des employés Section 5.2.2	
L'argent et la motivation Section 5.3	**Les théories axées sur le processus** Section 5.2.3	
	La théorie du renforcement Section 5.2.4	
	Les nouvelles tendances Section 5.2.5	

Objectifs d'apprentissage :

1. expliquer la nature et l'importance du processus de la motivation ;
2. présenter les théories originelles ;
3. discuter des principales théories de la motivation axées sur les besoins et de leur application dans la gestion ;
4. exposer les principales théories de la motivation axées sur le processus ainsi que leur application dans la gestion ;
5. présenter la théorie du renforcement et son application dans la gestion ;
6. présenter les nouvelles tendances ;
7. analyser le rôle de l'argent en matière de motivation.

Compétences à développer :

- adapter les théories de la motivation au nouveau contexte de gestion des entreprises ;
- intégrer les outils des théories de la motivation à la démarche de l'entreprise visant l'atteinte de ses objectifs ;
- utiliser les outils des théories de la motivation dans le contexte d'une situation globale de travail ;
- résoudre les problèmes de non-motivation d'un employé dans sa fonction.

Motivation et productivité chez les humains

Chli-pou-na est directrice du service de gestion des ressources ouvrières de la fourmilière de Qué-be-Kant[1]. Plus de 250 000 fourmis travaillent dans ce petit univers. Elle a l'impression que la maison va de crise en crise. Le niveau de rendement de la fourmilière est très moyen, malgré un taux de production parmi les plus élevés dans la région. Normalement, la fourmilière devrait afficher de meilleurs résultats, car le travail accompli par Chli-pou-na en trois mois a complètement modifié l'image de l'organisation auprès de toutes les classes de fourmis et des locataires de la chambre royale.

L'analyse de chacune des activités de l'organisation a permis à Chli-pou-na de déceler un problème majeur quant au taux de roulement des ouvrières. La plupart des fourmilières de la fédération des Mon-di-Kant, à laquelle appartient Qué-be-Kant, se distinguent par la fidélité de leurs ouvrières. Dans ces fourmilières, de nombreuses ouvrières ont plus de quinze mois d'ancienneté. Cet élément permet de maintenir un bon standard de qualité et influence favorablement le rendement de la reine.

Qué-be-Kant, pour sa part, affiche depuis toujours des taux de roulement allant de 30 % à 45 %. Ce taux s'est maintenu à plus de 42 % au cours des cinq dernières années. Le service de gestion des ressources ouvrières est donc continuellement à la recherche de nouvelles employées.

Les ouvrières jouent un rôle très important dans le développement de l'image de la fourmilière. Ce rôle consiste principalement à :

- effectuer l'entretien de la fourmilière (creuser des galeries, organiser les espaces et gérer la cité) ;
- prodiguer des soins aux jeunes (donner à manger aux larves, nettoyer et toiletter les œufs, les larves et les adultes) ;
- assurer le service de la reine (lui donner à manger) et des princesses ;

- recueillir la nourriture pour la fourmilière (aller chercher de la nourriture à l'extérieur pour les larves, les soldats et la reine) ;
- assurer la protection de la fourmilière lorsqu'elles endossent le rôle de soldats.

Leur travail a une grande incidence sur la satisfaction des soldats et sur la décision de ces derniers de défendre la fourmilière en cas d'attaque contre Qué-be-Kant.

Un haut taux de roulement implique des efforts supplémentaires de recrutement, de sélection et de formation, diminue la productivité des ouvrières et déprécie le service rendu. D'ailleurs, à quelques reprises, les plaintes de certains soldats ont obligé Chli-pou-na à leur offrir des gouttes de miellat de puceron supplémentaires par trophallaxie afin d'apaiser leur colère.

Le moral de ce groupe d'ouvrières est particulièrement bas et les démissions se succèdent à un rythme effarant. La plupart des ouvrières quittent après avoir donné un avis de un ou deux jours mais, souvent, elles ne se présentent pas au travail et on les retrouve dans le grenier à viande ou dans l'étable à pucerons, où le travail est plus gratifiant. Pourtant, les récompenses en miellat sont parmi les meilleures dans le secteur des fourmilières, bien qu'elles ne soient pas très élevées (une à trois gouttes par jour). À Qué-be-Kant, l'ensemble des conditions de travail sont bonnes.

Malgré cette situation, 103 684e (les ouvrières n'ont pas de nom, leur identité se résumant au rang de leur naissance depuis le début de la saison), à l'emploi de la fourmilière depuis neuf semaines, vient de remettre sa démission : elle quitte dans deux jours. Chli-pou-na l'a rencontrée pour connaître les motifs de son départ ; tout ce qu'elle a obtenu comme réponse, c'est qu'elle « n'est plus intéressée à travailler ici ». Le dossier de 103 684e révèle qu'elle était une ouvrière efficace et très dévouée, ce qui n'est pas le cas de beaucoup d'ouvrières préposées à la crèche des larves et des nymphes, car le travail est monotone et le contexte physique peu stimulant (noirceur, chaleur, humidité, exiguïté, etc.). Pendant six semaines, son directeur ne pouvait que se féliciter de l'avoir embauchée ; au cours des trois dernières semaines, cependant, la qualité de son travail s'est continuellement dégradée.

En fait, Chli-pou-na se demande pourquoi une ouvrière peut offrir un rendement au-dessus de la moyenne pendant un certain temps, puis ralentir au point où elle respecte à peine le minimum requis.

Il faut noter que, pendant la saison d'hibernation (de novembre à mars), Chli-pou-na avait profité du sommeil de ses congénères pour utiliser l'ordinateur de la fourmilière, qui permet de traduire les phéromones («mots liquides») des fourmis en données informatiques, et d'entrer en contact avec des humains à l'aide d'Internet. Pendant ces échanges, elle avait appris les fondements de la motivation des humains au travail et elle avait intégré ces valeurs dans sa gestion des ressources ouvrières de la fourmilière.

Quel est le processus de motivation au travail ? Est-ce que des théoriciens humains ont proposé des modèles pour expliquer le processus de motivation ? Comment peut-elle modifier le travail des ouvrières préposées à la crèche des larves et des nymphes pour le rendre plus intéressant ? Comment faire en sorte qu'elles s'impliquent davantage dans leur travail ? Que faire pour que ces ouvrières restent dans ce secteur plus longtemps ?

De plus, Chli-pou-na se demande, dans une perspective pédagogique, si une ouvrière motivée devient nécessairement une employée productive.

Les réponses à ces questions auraient des conséquences très importantes, car l'ensemble des fourmis de la planète représente plus d'un milliard de milliards d'individus.

Question d'ambiance

Parmi les emplois que vous avez occupés jusqu'ici, quels sont ceux qui vous ont le plus motivé ? Décrivez les raisons qui vous ont incité à quitter certains emplois et celles qui vous ont encouragé à en conserver d'autres.

5.1 La motivation

La motivation est la base de la réussite de toute organisation. L'environnement concurrentiel des organisations contemporaines exige que les employés soient motivés et engagés dans l'atteinte des objectifs de l'organisation. Deux questions se posent alors :

- Qu'est-ce qui motive les employés ?
- Comment créer un contexte motivant et qui susciterait la mobilisation auprès des employés ?

La **motivation** est l'ensemble des forces qui suscitent, orientent et maintiennent un comportement donné jusqu'à ce que le but soit atteint. Un employé qui peut satisfaire ses besoins au sein de son groupe de travail et dans sa relation avec son superviseur immédiat a de bonnes chances d'être «motivé», notamment à s'insérer dans le groupe. Ses efforts étant orientés vers la satisfaction de ses besoins, il adoptera donc un comportement qui lui garantira son intégration dans le groupe, quitte à augmenter son rendement, si cela représente la condition d'admission dans le groupe.

Par cette définition, on reconnaît que le comportement d'un employé trouve sa source dans des **facteurs** qui lui sont **inhérents**, comme ses besoins, ses

Motivation (*motivation*)

Ensemble des forces qui suscitent, orientent et maintiennent un comportement donné jusqu'à ce que le but soit atteint.

Facteurs inhérents
(*intrinsically motivated behavior*)

Facteurs internes découlant de la personnalité de l'employé qui l'incitent à adopter un comportement visant à satisfaire ses besoins ou reposant sur ses expériences et sur sa culture.

Facteurs environnementaux

(extrinsically motivated behavior)

Facteurs externes liés à l'environnement qui incitent l'employé à adopter un comportement visant à acquérir des biens matériels ou des récompenses sociales, ou à éviter des punitions.

expériences et sa culture, et dans des **facteurs environnementaux**, comme la nature du travail, le mode de récompense de l'entreprise et le style de leadership exercé par le superviseur, comme l'illustre la figure 5.1.

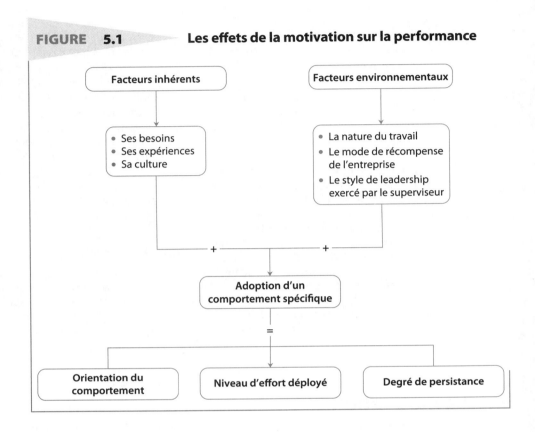

FIGURE 5.1 **Les effets de la motivation sur la performance**

5.1.1 La motivation au travail

Même si elle bénéficie des meilleurs outils de gestion, une entreprise n'est efficace que si ses membres offrent le meilleur d'eux-mêmes pour atteindre ses objectifs. Le talent, la compétence, l'expérience, l'engagement et l'imagination de chaque employé représentent l'actif le plus précieux que doit gérer un cadre. Encourager les employés à déployer toutes leurs ressources et toute leur énergie pour atteindre les objectifs de l'entreprise représente l'essence même de la responsabilité de tous les cadres, quel que soit leur niveau. Cette motivation représente l'*engagement organisationnel*, sujet que nous aborderons dans le prochain chapitre concernant la mobilisation.

La prise de conscience, dans certains courants de pensée en gestion des ressources humaines, de la valeur essentielle des employés peut se traduire par un énoncé de valeurs comme en font foi les exemples suivants :

- « Nos employés sont au cœur de tout ce que nous faisons. »

Boehringer Ingelheim (Canada) ltée

- «Notre personnel est notre atout principal et nous nous engageons à lui offrir une formation de qualité.»

  Bureau des passeports du Canada

- «Notre entreprise familiale est fière de son personnel, qui est des plus qualifiés et aussi des plus stables.»

  J. Léon Bernard inc., courtier d'assurances I.A.R.D.

- «[…] une équipe où vous pouvez mettre en pratique ce que vous avez acquis et relever des défis stimulants vous permettant de vous développer et de vous dépasser.»

  Bombardier

- «Les employés, notre actif le plus important.»

  Dana Corporation

Le **rendement** d'un employé est déterminé par les éléments suivants : sa motivation au travail, qui s'exprimera dans ses comportements ; ses compétences et les facteurs de l'environnement.

Les **compétences** d'un employé se définissent comme la somme de ses talents, de ses habiletés, de ses connaissances, de sa formation et de son expérience.

Dans les organisations contemporaines, la motivation au travail, c'est l'ensemble des forces internes (inhérentes à la personnalité) et externes (provenant de l'environnement) qui initient un comportement au travail et qui déterminent l'**orientation du comportement** d'une personne, le **niveau d'effort** qu'elle déploiera et le degré de **persistance** dont elle fera preuve devant les obstacles[2] (*voir la figure 5.1*). Le tableau 5.1 présente des exemples de comportements spécifiques d'un employé dans le cadre de son travail.

Rendement
(*job performance*)

Combinaison de la motivation, traduite par des comportements, d'un employé au travail ; de ses compétences et des facteurs de l'environnement.

Compétences (*skills*)

Somme des talents, des habiletés, des connaissances, de la formation et de l'expérience d'un employé.

Orientation du comportement
(*behavior choice*)

Représente le type de comportements adoptés.

Niveau d'effort
(*level of effort*)

Somme de l'énergie et de l'intensité déployées par un employé dans l'exercice de sa fonction.

Persistance (*obstinacy*)

Détermination et constance dont fait preuve un employé dans le maintien d'un comportement malgré les obstacles.

TABLEAU 5.1   Des exemples de comportements spécifiques

MODALITÉS DES COMPORTEMENTS	DESCRIPTION	EXEMPLES
L'**orientation du comportement**	Comportement qu'adopte un employé pour satisfaire ses besoins dans le cadre de son travail	Un employé modifie son attitude envers son supérieur afin de s'aligner sur l'attitude de ses collègues de travail.
Le **niveau d'effort** lié aux comportements	Intensité d'un comportement	Un préposé à l'accueil d'un hôtel : • enregistre simplement les clients ; ou • s'efforce de rendre le séjour de ces derniers plus agréable, les invite à poser des questions, leur propose les services disponibles.
La **persistance** du comportement	Détermination et constance d'un employé à faire face aux obstacles pour atteindre un but	Une orthophoniste persiste dans son travail malgré le peu de succès obtenu avec un élève dans les premiers mois d'intervention.

5.1.2 Le but d'un comportement

Le comportement d'une personne vise à réduire la tension créée par un besoin. Par exemple, pendant la semaine qui précède un examen, un étudiant passera de longues heures à étudier dans le but de réussir. Dans les jours qui suivront l'examen, il adoptera d'autres comportements tels que consacrer plus de temps aux loisirs, réduire ses heures d'études, etc.

Le fondement de la motivation consiste à amener l'employé à *vouloir* faire le travail.

Ainsi, nous pouvons affirmer que les employés sont toujours motivés par quelque chose, leur comportement étant toujours orienté vers un but; ce but, cependant, et parfois, le comportement lui-même, n'est pas nécessairement celui visé par l'organisation. Le niveau d'effort et la persistance que manifeste un employé en essayant d'atteindre ce but sont fonction de la perception qu'il a des bénéfices qu'il peut en retirer.

5.1.3 Le processus de motivation

Le rendement d'un employé est influencé par son intérêt personnel et par la possibilité qui lui est donnée de satisfaire ses besoins: cela constitue le processus de motivation (*voir la figure 5.2*). Quels sont alors ses besoins et comment son superviseur peut-il contribuer à leur satisfaction? Le fondement de la motivation consiste à amener l'employé à *vouloir* faire le travail. En conséquence, la motivation n'est pas ce que le superviseur fait à l'employé (il ne le motive pas), mais c'est ce qui vient de l'employé. Le gestionnaire ne peut que créer un environnement qui stimule la motivation chez les employés.

FIGURE 5.2 Le processus de motivation

Besoin → Comportement → Motivation → Récompenses : renforcement → Satisfaction / Insatisfaction

Renforcement — Échec

5.1.4 La motivation et le comportement humain

Tout comportement est motivé par un besoin. Cependant, nous ne connaissons pas parfaitement nos besoins et nous ne pouvons pas toujours expliquer pourquoi nous accomplissons les gestes ou adoptons les comportements qui sont les nôtres. Pour illustrer ce propos, tentez de répondre sérieusement à ces questions:

- Pourquoi avez-vous choisi le cégep où vous étudiez?
- Pourquoi avez-vous choisi ce domaine d'études?

Comprendre nos besoins nous aide à comprendre nos comportements. Le superviseur qui connaît les besoins de ses employés améliorera considérablement sa compréhension de leur comportement au travail.

5.2 Les théories de la motivation au travail

Une **théorie de la motivation** est un ensemble d'idées et de concepts ayant pour but de décrire et d'expliquer le processus de la motivation. Chaque théorie présente un ensemble de propositions, logiquement liées et systématiquement organisées, encadrant un certain nombre de faits observés.

Pour le cadre dirigeant, la qualité première d'une théorie de la motivation n'est pas d'être vraie, mais d'être utile à l'accomplissement de sa tâche et à la compréhension du comportement de ses employés. La figure 5.3 présente les principales théories de la motivation.

Théorie de la motivation

(motivation theory)

Ensemble d'idées et de concepts ayant pour buts de décrire et d'expliquer le processus de la motivation.

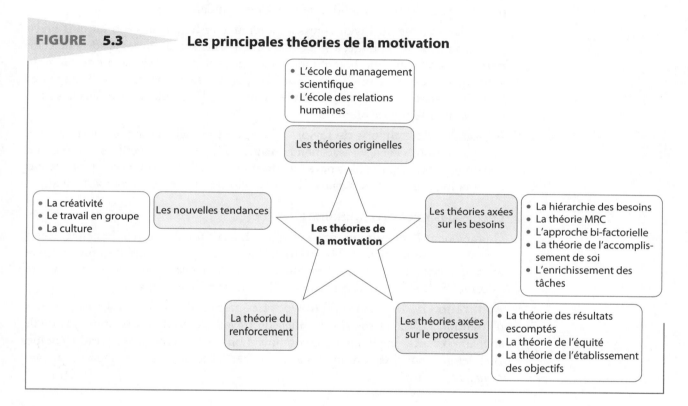

FIGURE 5.3 Les principales théories de la motivation

Puisque c'est l'utilité de ces théories qui nous importe, nous les analyserons et en présenterons les applications dans le contexte des organisations afin de relever celles dont le gestionnaire peut s'inspirer pour améliorer sa compréhension du comportement de ses employés. «Il n'y a rien de plus pratique qu'une bonne théorie», disait Kurt Lewin, le père fondateur de la théorie des dynamiques de groupe. Nous étudierons les théories les plus populaires, sans tenter de déterminer laquelle est la meilleure.

5.2.1 Les théories originelles

La motivation de la personne au travail a fait l'objet d'une multitude d'études et de théories, à commencer par les théories originelles de l'école du management scientifique et de l'école des relations humaines. «Que doit faire le gestionnaire pour encourager la motivation de ses employés?» Au nombre de ceux qui ont tenté de répondre à cette question, on compte les premiers théoriciens de la motivation, tels que Taylor et Mayo, dont nous avons parlé au premier chapitre.

L'école du management scientifique

La théorie traditionnelle de la motivation est née des travaux de Frederick W. Taylor et du mouvement du management scientifique qui apparut au début du XXᵉ siècle. Sa proposition était fort simple: mettre en place un système au sein duquel l'employé serait rémunéré en fonction de sa productivité. Il fallait donc établir objectivement ou «scientifiquement» des standards de production.

Le système de Taylor consistait à rémunérer l'employé selon un tarif prévu pour chaque unité produite, jusqu'à ce qu'une norme soit atteinte; au-delà de cette norme, calculée sur une base quotidienne, un tarif plus élevé par unité produite s'appliquait[3]. Cette théorie se fonde sur l'hypothèse selon laquelle les récompenses financières sont directement liées au rendement de l'individu, et que plus le salaire est élevé, plus l'employé produira.

Application de la théorie de Taylor L'argent est un élément important dans la vie des employés. «Ça change pas le monde, mais…» L'argent est un outil d'échange et son rôle est objectif. Bien sûr, l'argent est neutre, impersonnel et ne comporte qu'une valeur quantitative, mais il suscite néanmoins des émotions et influence les comportements.

L'école des relations humaines

Comme nous le mentionnions au chapitre 1, à la suite des recherches effectuées à l'usine Western Electric de Hawthorne, Elton Mayo a démontré la grande importance des facteurs tels que le sentiment d'appartenance au groupe et le caractère informel de la structure organisationnelle dans le milieu de travail.

Application de la théorie de Mayo Les gestionnaires doivent consacrer plus d'attention à l'aspect social du milieu de travail, démontrer aux employés qu'ils sont importants, améliorer les communications et encourager le travail d'équipe. Bref, les gestionnaires sont invités à se pencher sur les *aspects sociologiques et psychologiques du travail*.

5.2.2 Les théories axées sur les besoins des employés

C'est la nature des besoins et des désirs humains qui est au centre des théories axées sur les *besoins*.

Nous allons étudier cinq des plus importantes théories axées sur le contenu de la motivation ou sur les besoins. Le terme «contenu» signifie, dans ce contexte, la source de la motivation. Selon ces théories, les besoins sont à l'origine de la motivation. Connaître les besoins qui animent les employés peut aider le gestionnaire à fournir les récompenses et les conditions de travail qui leur apporteront satisfaction.

La hiérarchie des besoins

Cette théorie[4] repose sur les deux prémisses suivantes:

- d'abord, les besoins humains peuvent être organisés selon une hiérarchie de cinq catégories ;
- ensuite, les besoins d'une catégorie doivent être raisonnablement satisfaits avant que la catégorie suivante ne présente un intérêt pour l'employé.

Un **besoin** est un déséquilibre physique ou psychologique rendu perceptible par un signal de « douleur », physique ou psychique.

Les différents besoins des employés sont présentés dans la figure 5.4.

Le tableau 5.2 présente, dans l'ordre ascendant, une brève description des besoins selon Maslow.

Besoin (*need*)
Déséquilibre physique ou psychologique rendu perceptible par un signal de « douleur » physique ou psychique.

FIGURE 5.4 **Les niveaux de besoins**

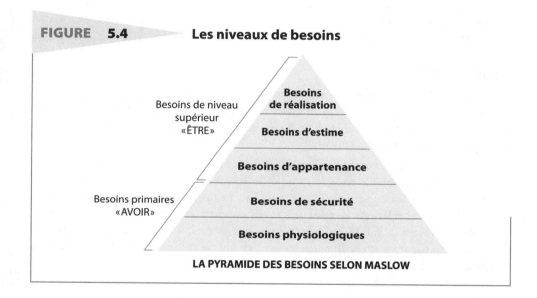

LA PYRAMIDE DES BESOINS SELON MASLOW

TABLEAU 5.2 **La hiérarchie des besoins de Maslow appliquée à la sphère professionnelle**

BESOINS	DESCRIPTION	EXEMPLES
Besoins physiologiques	Besoins primaires, les plus fondamentaux de tous	Un bon salaire pour combler ses besoins physiologiques, se nourrir, se vêtir, s'abriter, etc.
Besoins de sécurité	Besoins primaires qui traduisent le désir d'être protégé ; associés notamment à la santé et à la sécurité d'emploi	Les règles de l'ancienneté dans les conventions collectives
Besoins d'appartenance	Besoins primaires d'appartenir à un groupe, à une communauté	Le sentiment d'appartenance à une équipe de travail
Besoins d'estime	Besoins de niveau supérieur qui englobent le besoin de se respecter soi-même, celui d'accomplir un travail valorisant et celui d'être reconnu par ses collègues	La pratique répandue dans certaines entreprises de la nomination de l'employé du mois
Besoins de réalisation	Besoins de niveau supérieur associés à la créativité, à l'innovation et au besoin de progresser	Désir d'obtenir une promotion en vue de relever des défis plus stimulants ou obtenir un poste où une très grande liberté d'action est accordée

Besoins liés au maintien

(existence needs)

Les besoins physiologiques et leurs équivalents dans le monde du travail comme le salaire, les avantages sociaux et toutes les conditions de travail.

Besoins relationnels

(relatedness needs)

Relations qu'une personne entretient avec les personnes importantes à ses yeux dans son entourage, comme les amis, la famille, les collègues de travail.

Besoins de croissance

(growth needs)

Besoins associés à la créativité, à l'innovation et au besoin de progresser.

Facteurs de motivation

(satisfier factors ou motivators)

Éléments du contexte de travail qui motivent l'employé, comme la reconnaissance reçue à la suite d'un succès, la responsabilité inhérente à certaines tâches, l'atteinte d'un objectif difficile, une possibilité de croissance personnelle et la nature même du travail.

Facteurs de conditionnement

(hygiene factors)

Conditions de travail, relations avec le groupe, statut de l'employé dans l'entreprise, encadrement, politiques et procédures de l'organisation et conditions salariales. Ils préviennent l'insatisfaction mais n'augmentent pas la motivation.

Application de la théorie de la hiérarchie des besoins Cette approche un peu simpliste ne correspond pas à la réalité des personnes au travail[5]. Voyons néanmoins comment un gestionnaire pourrait s'en inspirer.

La catégorisation des besoins peut être d'un grand secours lorsque le superviseur veut proposer à ses employés des renforcements positifs. De plus, cette approche conscientise les superviseurs à l'importance que peut accorder un employé à la croissance personnelle et à la réalisation de soi.

Au XXIe siècle, il est admis que la réalisation de soi n'est pas un objectif confiné au milieu du travail, mais un processus évolutif qui intéresse un grand nombre d'individus. En effet, compte tenu de la disparition du tandem emploi-sécurité, les nouveaux diplômés occuperont plusieurs emplois au cours de leur carrière et poursuivront la réalisation de soi dans les autres aspects de leur vie et probablement même au cours de leur retraite.

La théorie MRC

La théorie MRC[6] d'Alderfer[7] est une solution alternative à la théorie de la hiérarchie des besoins. Elle propose trois niveaux de besoins : les besoins *liés au maintien*, les besoins *relationnels* et les besoins de *croissance*. Il s'agit de besoins spécifiques au contexte du travail.

Les **besoins liés au maintien** (à l'existence) concernent les besoins physiologiques et leurs équivalents dans le monde du travail, comme le salaire, les avantages sociaux et toutes les conditions de travail. Les **besoins relationnels** comprennent, pour l'individu, ses relations avec les personnes importantes à ses yeux dans son entourage, comme les amis, la famille, les collègues de travail. Il s'agit, en fait, de son besoin d'être accepté par les autres, de partager avec eux et de les influencer. Les **besoins de croissance** sont associés à la créativité, à l'innovation et au besoin de progresser. C'est le désir de fournir un effort qui aura un effet important dans le milieu de travail.

La personne tentera de satisfaire ces besoins dans l'ordre. Tout comme dans la théorie de Maslow, il s'agit du principe de la « progression de la satisfaction ».

Application de la théorie MRC Moins connue que la théorie de la hiérarchie des besoins, la théorie MRC incite le superviseur, au regard du constat que l'employé tente de satisfaire plusieurs besoins, à offrir une variété de moyens à cet employé pour qu'il comble ses besoins. Les occasions de satisfaire ses besoins de croissance permettent généralement de combler d'autres besoins simultanément. Cela a un effet très positif sur l'employé.

L'approche bi-factorielle

Au début du XXe siècle, des lecteurs étaient embauchés pour lire des histoires aux employés d'une usine de cigares qui accomplissaient un travail routinier. Aujourd'hui, les employés de cette même usine portent des baladeurs au travail[8]. La recherche sur l'environnement du travail comme élément pouvant avoir une influence positive sur les employés n'est donc pas une préoccupation nouvelle. Selon l'approche bi-factorielle[9], il y a deux catégories de facteurs qui affectent un employé au travail : les **facteurs de motivation** et les **facteurs de conditionnement** ou d'hygiène.

Les facteurs de motivation   Les employés trouvent une source de satisfaction au travail lorsque les facteurs de motivation sont présents:

- la reconnaissance reçue à la suite d'un succès;

- la responsabilité inhérente à certaines tâches;

- la réalisation d'un objectif difficile;

- une possibilité de croissance personnelle et la nature même du travail.

      Lorsque ces facteurs sont présents, les emplois sont considérés comme motivants.

Les facteurs de conditionnement   Les autres facteurs sont généralement liés à l'insatisfaction[10]. Ils proviennent presque invariablement de l'environnement de la tâche, par opposition aux facteurs de motivation, qui sont plutôt rattachés à la tâche elle-même. Il s'agit:

- des conditions de travail;

- des relations avec le groupe;

- du statut de l'employé dans l'entreprise, de l'encadrement;

- des politiques et des procédures de l'organisation;

- des conditions salariales.

      Ce sont des facteurs à considérer, mais non suffisants; s'ils sont bien gérés, ils préviennent l'insatisfaction, mais n'augmentent pas la motivation. Un bon salaire ou un bureau bien aménagé réduit les sources de critiques, mais ne transforme pas un emploi routinier en un emploi motivant.

      Les deux catégories de facteurs de l'approche bi-factorielle sont présentés dans la figure 5.5.

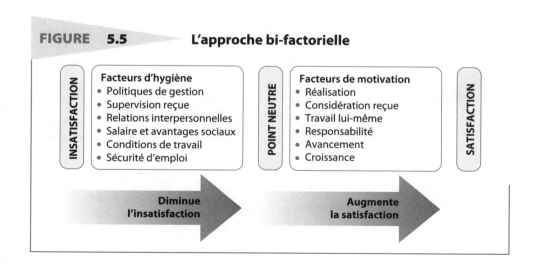

FIGURE 5.5   **L'approche bi-factorielle**

      Ce qui ressort principalement de l'approche bi-factorielle, c'est l'existence d'un lien entre le contenu de la tâche et la satisfaction de l'employé.

Autrement dit, la satisfaction et l'insatisfaction ne sont pas les deux extrêmes d'une même valeur, ce sont deux valeurs différentes. Les facteurs de motivation influent sur la satisfaction, alors que les facteurs de conditionnement affectent l'insatisfaction.

Application de l'approche bi-factorielle   La contribution de cette théorie est substantielle, car elle attire l'attention des superviseurs sur les facteurs directement liés à la tâche et sur la conception des emplois. L'application de l'enrichissement des tâches comme source de motivation découle directement de ces recherches. Nous verrons plus loin comment l'enrichissement des tâches s'insère dans la conception d'un emploi motivant.

La théorie de l'accomplissement de soi

Il ne s'agit plus ici de besoins inhérents à la constitution de l'être humain, mais de besoins découlant de l'apprentissage de la vie ; ce sont des « besoins acquis ». Trois types de besoin sont analysés dans la présente section : le besoin de réussite, le besoin de pouvoir et le besoin d'affiliation (*voir le tableau 5.3*).

Besoin de réussite
(*need for achievement*)
Désir de l'individu de se dépasser et de réaliser une chose parfaitement et de façon plus efficace que par le passé.

Besoin de pouvoir
(*need for power*)
Désir d'influencer les autres, d'être une force et une influence importantes dans le milieu où l'on évolue, d'acquérir un statut prestigieux ou d'augmenter son pouvoir personnel.

Besoin d'affiliation
(*need for affiliation*)
Désir d'être aimé, d'entretenir des relations positives avec son entourage.

TABLEAU 5.3   Une description des composantes de la théorie de l'accomplissement de soi

BESOINS	CARACTÉRISTIQUES DE L'EMPLOYÉ	EXEMPLES
Le **besoin de réussite**	• Assume la responsabilité des solutions adoptées. • Vise l'atteinte des objectifs. • Recherche des défis. • Accepte de prendre des risques calculés. • Attend une rétroaction sur son rendement. • Accepte de fournir un effort maximum.	Un employé qui a un grand besoin de rétroaction concernant ses réalisations prête un vif intérêt à toutes les formes de reconnaissance témoignant de son succès.
Le **besoin de pouvoir**	• Désire maîtriser toutes les situations. • Cherche à influencer les autres. • Recherche la compétition. • Accepte la confrontation.	Un employé dont le besoin de pouvoir est prédominant aime se trouver dans une situation où il peut influencer les autres, les persuader et même, parfois, les contraindre.
Le **besoin d'affiliation**	• Recherche les relations amicales. • Désire être apprécié. • Recherche des activités sociales. • Désire participer à des groupes.	Un employé qui ressent fortement ce besoin est très à l'aise pour intervenir dans les conflits ; amical et facilement porté à l'empathie ; excellent dans les situations où la coopération se révèle nécessaire, où les interactions sont nombreuses et où les relations interpersonnelles sont importantes.

Application de la théorie de l'accomplissement de soi   Les trois besoins existent toujours en chaque personne, mais à des degrés différents. Le superviseur pourra susciter la motivation de ses employés en leur offrant la possibilité de satisfaire, dans une tâche, le besoin auquel chacun d'eux est particulièrement sensible.

La théorie de l'accomplissement de soi concerne surtout les postes de superviseur ou ceux des autres cadres. Ainsi, un employé désirant obtenir un poste de superviseur mais n'ayant pas le profil approprié sur le plan du besoin de réussite peut développer ce besoin à l'aide d'un programme de formation approprié.

La conception d'un emploi motivant

Peut-on structurer un emploi de manière à maximiser la motivation de l'employé ? C'est l'objectif même de la **conception des emplois**, un processus qui consiste à définir la nature d'un poste ainsi que ses relations avec les autres postes en tenant compte des objectifs d'efficacité sur le plan des aspects technologique, organisationnel et humain.

Malheureusement, nous trouvons encore aujourd'hui dans plusieurs usines, et même dans les bureaux, des tâches qui, « grâce » à l'automatisation des tâches que permet l'informatique, sont souvent répétitives et très routinières. Il y a là un problème à résoudre. Il s'agit de définir une conception des emplois qui permettra à l'entreprise de regrouper ses activités d'une manière logique afin d'atteindre un certain degré d'efficacité, d'une part, et à l'employé d'y trouver une source de motivation, d'autre part.

L'automatisation des tâches, issue de l'informatique, rend souvent celles-ci répétitives et routinières.

Le dilemme à résoudre est le suivant :

- L'objectif d'efficacité au travail exige un certain degré de spécialisation et, par conséquent, impose des li-mites à la satisfaction des employés et à leur motivation au travail.

- La satisfaction des employés ne pourra donc souvent être atteinte qu'aux dépens de l'efficacité, sur le plan de la production.

Il y aura continuellement des choix à faire dans la conception des emplois, choix qui permettront d'atteindre un haut degré de productivité, de limiter le temps d'apprentissage, d'offrir de grandes possibilités de motivation au travail ou de limiter le taux de roulement du personnel. Il est pratiquement impossible d'atteindre tous ces objectifs : il faut donc faire des compromis.

Le tableau 5.4, à la page suivante, nous présente les quatre modèles les plus courants dans le domaine de la conception des emplois.

L'enrichissement des tâches

Arrêtons-nous plus longuement sur l'approche de l'enrichissement des tâches puisque les nouvelles structures, résultant notamment de l'aplanissement de la pyramide hiérarchique, ont imposé cette nouvelle approche dans la restructuration des emplois. En exploitant les enseignements de l'approche bi-factorielle, nous pouvons concevoir un poste de travail plus complet en procédant à

TABLEAU 5.4 Une description des modèles les plus courants dans la conception des emplois

MODÈLES	DESCRIPTION	EXEMPLES
La **surspécialisation du travail**	Conception d'un emploi qui n'exige l'exécution que d'un nombre très restreint de tâches offrant peu de variété et d'autonomie et étant peu motivantes, et limitant ainsi les exigences liées au poste.	Le travail à la chaine sur les lignes de montage représente le cas type de cette surspécialisation. Les sources de motivation sont externes à la tâche. Exemples : salaire, sécurité d'emploi, absence de stress, environnement de travail et collègues.
La **rotation des emplois**	Conception d'emplois qui permettent la rotation systématique des employés entre les différents postes de travail dans le but de rompre la monotonie des tâches. Cette approche réduit l'ennui par la diversification des activités des employés et elle procure une plus grande flexibilité dans l'organisation du travail dans l'entreprise.	Il est fréquent que, sur une chaîne de montage, les employés changent de poste de travail selon un cycle préétabli, mais il s'agit souvent de passer d'un poste routinier à un autre.
L'**élargissement des tâches**	Ajout de tâches à un poste de travail sans augmentation du niveau de responsabilité afin de contrer l'ennui découlant d'un travail surspécialisé. Le cycle de travail est prolongé, les habiletés et qualifications du travailleur sont ainsi élargies.	Le responsable du courrier dans l'entreprise, qui trie les documents et à qui il est maintenant demandé d'acheminer le courrier interne ainsi que de livrer le courrier externe au bureau de poste.
L'**enrichissement des tâches**	Augmentation du contenu d'un travail et de ses exigences. Augmentation des sources de croissance, de réalisation, de responsabilité, d'autonomie et de reconnaissance. Réduction des contrôles exercés sur l'exécution de son travail.	Les emplois de professeurs, de chercheurs, de journalistes ou d'enquêteurs permettent justement d'accéder à une grande autonomie et offrent une grande stimulation.

Surspécialisation du travail (*job simplification*)

Conception d'un emploi qui ne demande à l'employé que l'exécution d'un nombre très restreint de tâches, ce qui limite ainsi les exigences liées au poste de travail.

Rotation des emplois

(*job rotation*)

Conceptions des emplois permettant l'échange systématique de poste de travail entre des employés dans le but de rompre la monotonie du travail.

Élargissement des tâches (*job enlargment*)

Ajout de tâches à un poste de travail sans augmentation du niveau de responsabilité, afin de contrer l'ennui découlant d'un travail surspécialisé.

Enrichissement des tâches (*job enrichment*)

Augmentation du contenu d'un travail et des exigences qui y sont associées.

l'enrichissement des tâches. Selon cette approche, il est possible de concevoir un poste de travail qui engendrera motivation, rendement, satisfaction, baisse du taux d'absentéisme et réduction du taux de roulement du personnel.

Afin d'enrichir l'emploi, on doit en modifier les tâches et y inclure des facteurs de motivation. Ainsi, on devra :

- concevoir un emploi dont les tâches sont variées et font appel à différentes compétences et habiletés ;
- faire réaliser l'ensemble plutôt qu'une partie du travail ;

- affecter un employé à une fonction significative qui lui permettra de se faire valoir et de voir sa contribution ;
- accorder une plus grande autonomie à l'employé ;
- remettre des rapports périodiques directement à l'employé concernant son rendement au travail.

L'enrichissement des tâches n'apportera de réels bénéfices que dans les situations où un ensemble de conditions sont réunies. Par exemple, le travailleur doit être sous-utilisé et en avoir conscience ; il doit avoir la capacité et la volonté d'assumer des tâches plus exigeantes et enfin, il doit éprouver une certaine frustration quant à l'impossibilité de satisfaire au travail ses besoins supérieurs. L'enrichissement des tâches aura un effet différent selon les personnes, mais cet effet sera rarement négatif.

La figure 5.6 présente le processus de l'enrichissement des tâches.

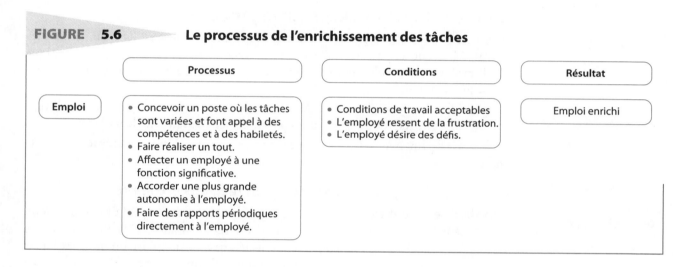

FIGURE 5.6   **Le processus de l'enrichissement des tâches**

Application du modèle de l'enrichissement des tâches   Pour appliquer le modèle de l'enrichissement des tâches, le superviseur doit vérifier l'intensité du besoin de croissance de ses subordonnés.

Pour que les conditions précédentes se concrétisent, certaines conditions préalables doivent être réunies. Il faut :

- que l'employé *ressente les besoins* de reconnaissance et de réalisation ;
- que l'employé veuille *les satisfaire au travail* ; il est possible, en effet, que sa vie familiale et sociale réponde à ses besoins ;
- que la rémunération globale qui lui est accordée soit *équitable*.

Sans la présence de ces trois conditions préalables, le processus de l'enrichissement des tâches peut être sans effet sur le rendement du travailleur.

Le tableau 5.5, à la page suivante, met en parallèle les éléments de chacune des théories.

TABLEAU 5.5 Une comparaison entre les contenus des théories de la motivation axées sur les besoins des employés

THÉORIES FONDÉES SUR DES BESOINS INNÉS			THÉORIE FONDÉE SUR DES BESOINS ACQUIS	PROCÉDÉ DÉCOULANT DE LA THÉORIE BI-FACTORIELLE
La hiérarchie des besoins	La théorie MRC	La théorie bi-factorielle	La théorie de l'accomplissement de soi	L'enrichissement des tâches
• Besoins de réalisation • Besoins d'estime • Besoins d'appartenance • Besoins de sécurité • Besoins physiologiques	• Besoins de croissance • Besoins relationnels • Besoins liés au maintien	• Besoins de motivation • Besoins d'hygiène	• Besoins de réussite • Besoins de pouvoir • Besoins d'affiliation	• Tâches plus variées • Réalisation d'un ensemble • Tâches significatives • Plus grande autonomie • Rapports communiqués directement à l'employé

5.2.3 Les théories axées sur le processus

On a vu ce qui influençait la motivation de l'employé et les résultats sur son rendement. Mais que se passe-t-il dans sa tête ? Quelle est la démarche psychologique de l'employé ? Lorsqu'un employé accepte ou décide d'adopter un comportement, pourquoi le fait-il ?

Dans les théories axées sur les processus, on envisage la motivation sous l'angle du processus de réflexion activé par les personnes afin de satisfaire leurs besoins.

Les principales théories axées sur le processus sont présentées dans la figure 5.7.

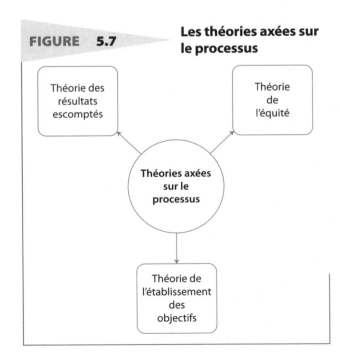

FIGURE 5.7 Les théories axées sur le processus

La théorie des résultats escomptés

« Et l'employé du mois est… » Malheureusement, il n'y aura qu'un seul gagnant. Dès l'instant où le concours pour déterminer l'employé du mois est lancé, un grand nombre d'employés ont déjà renoncé au titre. Quelques semaines plus tard, la vaste majorité a oublié qu'il y avait un concours en marche, et seules deux ou trois personnes, les mêmes qu'au dernier concours, se font compétition pour obtenir le titre et les récompenses qui l'accompagnent. Ce n'est pas exactement le meilleur moyen de favoriser la motivation des employés au travail.

L'évaluation des résultats escomptés découlant d'un comportement Il arrive que des subordonnés manifestent des besoins sans faire aucun effort pour les satisfaire. Parfois, le superviseur leur offre la possibilité d'obtenir une augmentation de salaire ou une promotion, mais rien n'y fait. Les employés ne manifestent aucune intention d'accroître leur rendement. Voyons maintenant ce qui peut inciter un employé à fournir l'effort attendu.

L'individu au travail adoptera un comportement positif et démontrera une grande motivation au travail si :

- il peut établir un lien entre cet effort et le rendement (ses **attentes** organisationnelles) ;
- il peut établir un lien entre le rendement et les récompenses (**perception du lien d'instrumentalité**) ;
- il peut établir un lien entre les récompenses et ce qu'il valorise (ses désirs et la **valeur** qu'il leur accorde)[11].

Le tout repose sur une hypothèse fondamentale : l'être humain recherche ce qui est agréable et fuit ce qui est désagréable. Autrement dit, l'employé se demande : «Que puis-je en tirer personnellement ?» Par conséquent, l'intensité de la motivation repose sur l'importance des motivations et des besoins et individuels, mais elle sera proportionnelle à la perception de la possibilité que l'adoption d'un certain comportement mène à l'objectif attendu.

Attentes (*expectancy*)

Conviction de l'employé que l'effort exigé lui permettra d'atteindre le niveau de rendement attendu.

Perception du lien d'instrumentalité (*instrumentality*)

Conviction de l'employé que l'atteinte du niveau de rendement attendu générera le résultat désiré.

Valeur (*valence*)

Valeur que l'employé accorde aux résultats associés à son effort.

le signet du stratège

Prêt à tout pour une promotion ?

Examinons une situation au sein d'un service où chacun des employés accorde une valeur personnelle (désirabilité, valence) aux différents éléments relatifs à son emploi. Qu'il s'agisse d'une promotion, d'une augmentation de salaire, de la sécurité d'emploi ou de toute autre condition de travail, l'importance accordée à chaque valeur varie selon les personnes.

Supposons que deux employés accordent une grande importance au statut et considèrent qu'une promotion pourrait être un excellent moyen d'améliorer leur position au sein de l'entreprise. Le premier adoptera un comportement en fonction de ses capacités qui favorisent un rendement élevé. Son collègue, par contre, croit que pour obtenir cette promotion, les diplômes universitaires sont plus efficaces

qu'un rendement accru ou, encore, il estime qu'il ne peut fournir l'effort nécessaire au quotidien. Il adoptera alors un comportement en conséquence et ne visera pas le rendement du premier employé. Peut-être s'inscrira-t-il à des cours du soir ou profitera-t-il de tous les cours offerts par l'entreprise. Si le lien entre l'effort et le rendement est établi, l'employé tentera ensuite de mesurer le lien entre les attentes et les récompenses. Désire-t-il vraiment une promotion ?

L'employé doit accorder au résultat une valeur fondée sur ses propres besoins. Ainsi, une croisière peut représenter en soi une belle récompense, mais si l'employé déteste les voyages organisés, structurés et trop planifiés, il n'accordera pas une grande valeur à cette récompense (résultat).

Application de la théorie des résultats escomptés   Cette théorie, schématisée dans la figure 5.8, à la page suivante, permet de développer des leviers pour stimuler l'engagement organisationnel. L'employé doit être apte à obtenir les résultats requis. À cette fin, le superviseur doit lui donner les moyens de parfaire ses compétences et ses habiletés, le soutenir et l'encourager afin qu'il prenne confiance en sa capacité d'atteindre les objectifs visés. Le style de leadership joue, dans ce contexte, un rôle primordial.

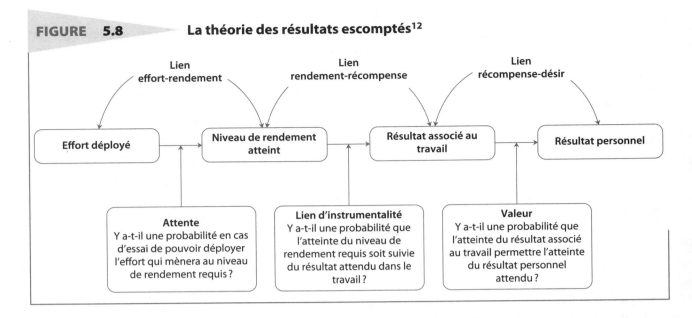

FIGURE 5.8 **La théorie des résultats escomptés[12]**

De plus, le superviseur doit élaborer un système de récompenses qui établira clairement un lien entre le rendement et les récompenses (reconnaissance, évaluation du rendement favorable, augmentation de salaire, etc.). Il doit s'assurer que la piètre performance d'un employé entraînera moins de conséquences positives et plus de conséquences négatives qu'un rendement de haut niveau. Celui qui ne prend aucune initiative ne commet jamais d'erreur; par contre, celui qui est très entreprenant commettra éventuellement une erreur. Si le premier n'est jamais réprimandé, pas même pour son peu d'engagement organisationnel, alors que le second ne reçoit aucune félicitation pour son esprit d'entreprise et est blâmé pour ses erreurs, le conformisme s'installera en maître dans le service.

La théorie de l'équité[13]

Une relation équilibrée, mutuellement profitable   Comme le dirait notre «philosophe national», Yvon Deschamps, «une job steady, pis un bon boss[14]», voilà ce qui apparaît essentiel pour un employé. L'employé doit percevoir qu'il y a une relation équitable entre sa contribution et les récompenses qu'il reçoit en retour.

Nous abordons ici la théorie de l'équité. Il s'agit, en fait, de l'approche utilisée par un employé pour évaluer l'impartialité de sa rémunération globale, le lien entre les récompenses et sa contribution (*voir la figure 5.9*).

Un employé s'attend généralement à recevoir des récompenses proportionnelles à sa contribution: «un salaire approprié pour une journée de travail convenable». Il s'agit de l'équité interne, soit le ratio «récompenses-contribution».

Mais l'analyse peut être poussée plus loin. L'employé vérifiera aussi le ratio entre «les récompenses et la contribution des autres employés de l'entreprise» et le comparera au ratio entre «ses récompenses et sa contribution». Il s'agit alors de l'*équité individuelle* ou salariale (*voir la figure 5.10*).

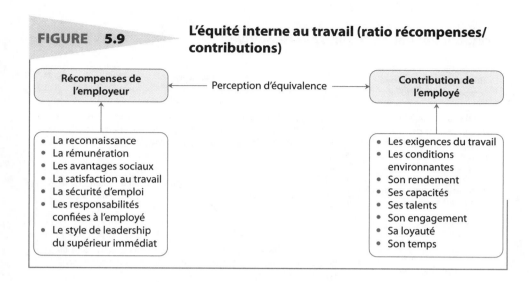

FIGURE 5.9 L'équité interne au travail (ratio récompenses/contributions)

Récompenses de l'employeur ← Perception d'équivalence → **Contribution de l'employé**

- La reconnaissance
- La rémunération
- Les avantages sociaux
- La satisfaction au travail
- La sécurité d'emploi
- Les responsabilités confiées à l'employé
- Le style de leadership du supérieur immédiat

- Les exigences du travail
- Les conditions environnantes
- Son rendement
- Ses capacités
- Ses talents
- Son engagement
- Sa loyauté
- Son temps

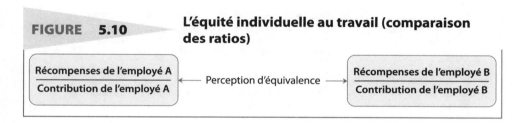

FIGURE 5.10 L'équité individuelle au travail (comparaison des ratios)

$$\frac{\text{Récompenses de l'employé A}}{\text{Contribution de l'employé A}}$$ ← Perception d'équivalence → $$\frac{\text{Récompenses de l'employé B}}{\text{Contribution de l'employé B}}$$

Le processus de rétablissement de l'équilibre des ratios L'évaluation que fait l'employé de l'équité du traitement qu'il reçoit l'amène à comparer subjectivement le ratio entre sa contribution et ses récompenses. De plus, il réalisera une comparaison subjective en comparant son propre ratio à celui d'un autre employé.

Si les ratios sont perçus comme étant équivalents, l'employé en déduira que la relation est équitable. Si elle l'est, le niveau de satisfaction sera probablement élevé. Si tel n'est pas le cas, alors l'employé tentera vraisemblablement de rééquilibrer les ratios en recourant à l'une des approches présentées dans la figure 5.11, à la page suivante.

Application de la théorie de l'équité Les gestionnaires doivent maintenir un climat de saine communication avec leurs employés afin d'être informés de toute perception d'iniquité et d'expliquer clairement les règles d'attribution des récompenses, c'est-à-dire les hausses salariales, les mutations et les promotions.

La théorie de l'établissement des objectifs[15]

Un moyen efficace d'accroître la motivation au travail consiste à présenter aux employés des objectifs propres à stimuler leur engagement. Ces objectifs devront comporter des défis qui les rendront attrayants. Cependant, aussi attrayant puisse paraître un défi, son contexte de réalisation doit être motivant.

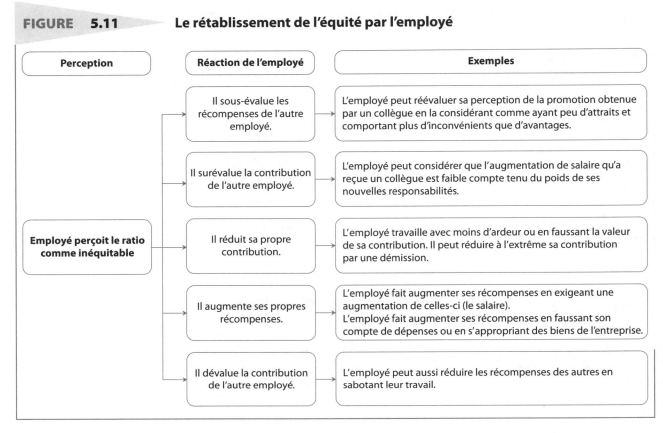

FIGURE 5.11 Le rétablissement de l'équité par l'employé

Perception	Réaction de l'employé	Exemples
Employé perçoit le ratio comme inéquitable	Il sous-évalue les récompenses de l'autre employé.	L'employé peut réévaluer sa perception de la promotion obtenue par un collègue en la considérant comme ayant peu d'attraits et comportant plus d'inconvénients que d'avantages.
	Il surévalue la contribution de l'autre employé.	L'employé peut considérer que l'augmentation de salaire qu'a reçue un collègue est faible compte tenu du poids de ses nouvelles responsabilités.
	Il réduit sa propre contribution.	L'employé travaille avec moins d'ardeur ou en faussant la valeur de sa contribution. Il peut réduire à l'extrême sa contribution par une démission.
	Il augmente ses propres récompenses.	L'employé fait augmenter ses récompenses en exigeant une augmentation de celles-ci (le salaire). L'employé fait augmenter ses récompenses en faussant son compte de dépenses ou en s'appropriant des biens de l'entreprise.
	Il dévalue la contribution de l'autre employé.	L'employé peut aussi réduire les récompenses des autres en sabotant leur travail.

La figure 5.12 présente les caractéristiques que doivent posséder les objectifs et le défi, ainsi que les conditions contextuelles nécessaires à l'établissement de ces objectifs.

Application de la théorie de l'établissement des objectifs Bien que cette théorie de la gestion soit un outil très efficace, la définition d'objectifs spécifiques, stimulants et réalisables ne suffit pas toujours à stimuler chez l'employé les comportements souhaités. Certaines conditions doivent, de surcroît, être respectées pour obtenir un résultat. Par exemple, des objectifs individuels de rendement pour les membres d'un groupe de travail seront probablement inconciliables si la collaboration entre les membres est nécessaire au bon rendement de l'équipe.

De plus, un objectif unique de rendement quantitatif peut nuire à d'autres dimensions du travail. Par exemple, les objectifs de rendement et de productivité peuvent être respectés, mais il pourrait y avoir négligence quant aux objectifs relatifs à la qualité ou à la créativité. Ainsi, le désir du ministère de l'Éducation de rehausser le taux de diplomation doit être accompagné d'un objectif de maintien de la qualité, à défaut de quoi l'objectif quantitatif risquerait d'annihiler les objectifs qualitatifs.

5.2.4 La théorie du renforcement[16]

Le processus du renforcement repose sur la *loi de l'effet*, selon laquelle le comportement d'un individu qui entraîne des conséquences positives, lesquelles agissent

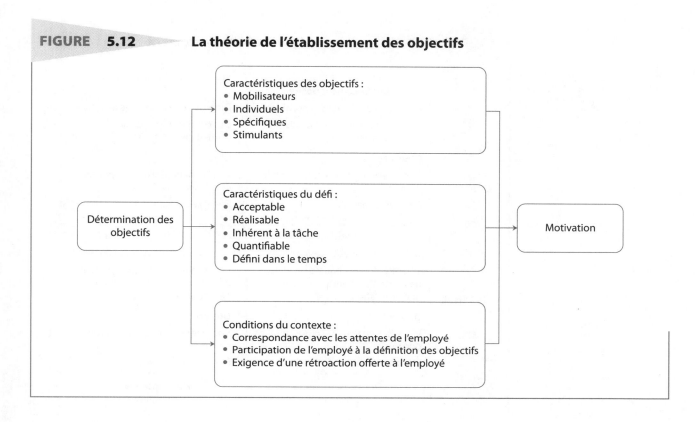

FIGURE 5.12   **La théorie de l'établissement des objectifs**

Caractéristiques des objectifs :
- Mobilisateurs
- Individuels
- Spécifiques
- Stimulants

Caractéristiques du défi :
- Acceptable
- Réalisable
- Inhérent à la tâche
- Quantifiable
- Défini dans le temps

Détermination des objectifs

Motivation

Conditions du contexte :
- Correspondance avec les attentes de l'employé
- Participation de l'employé à la définition des objectifs
- Exigence d'une rétroaction offerte à l'employé

comme des renforcements, sera probablement répété. En psychologie, le processus de renforcement augmente la probabilité de la répétition de ce même comportement. De la même manière, l'individu évitera aussi les comportements dont les effets auront été négatifs. L'employé louangé publiquement par son superviseur pour son travail dans un dossier acceptera plus volontiers de consacrer des efforts à d'autres dossiers dans l'avenir.

Les types de renforcement

Quatre types de renforcement peuvent être utilisés par le superviseur pour influencer le comportement d'un employé : le renforcement positif, le renforcement négatif, la punition et, finalement, l'extinction (*voir la figure 5.13, à la page suivante*).

Les deux premiers types, soit le renforcement positif et le renforcement négatif :
- favorisent la répétition d'un comportement jugé favorable ;
- comportent des conséquences positives pour l'employé : ou bien il gagne quelque chose de positif, ou bien il est soulagé de quelque chose de négatif ; il aura donc tendance à répéter les comportements attendus.

Alors que les deux autres types, soit la punition et l'extinction :
- ont pour objectif d'éliminer la répétition d'un comportement négatif ;
- comportent des conséquences négatives pour l'employé : ou bien il reçoit quelque chose de négatif, ou bien il est privé de quelque chose de positif ; la tendance à

FIGURE 5.13 — Les catégories de renforcement

	Des conséquences positives	**Des conséquences négatives**
OFFRE	**Renforcement positif** Offrir des conséquences positives. Ex. : compliments, hausse salariale, promotion, etc. **Objectif :** Vise la répétition du comportement désiré. Favorise la maturité.	**Punition** Offrir des conséquences négatives. Ex. : critique, réprimande, rejet, congédiement, etc. **Objectif :** Vise l'élimination du comportement non désiré. Favorise l'immaturité.
RETENUE	**Extinction** Offrir des conséquences positives. Ex. : retarder une hausse salariale, ne pas complimenter, retarder une promotion, etc. **Objectif :** Vise l'élimination du comportement non désiré. Favorise la maturité.	**Renforcement négatif** Offrir des conséquences négatives. Ex. : élimination des punitions, arrêt des critiques, pardon, élimination des réprimandes, etc. **Objectif :** Vise la répétition du comportement désiré. Favorise l'immaturité.

répéter les comportements fautifs sera donc réduite. L'employé se soumettra aux politiques de l'entreprise.

Par ailleurs, le renforcement positif et l'extinction favorisent le développement de la maturité de l'employé, alors que la punition et le renforcement négatif favorisent son immaturité. L'encadré 5.1 présente des exemples de renforcement utilisés auprès des employés.

ENCADRÉ 5.1 — L'utilisation du renforcement auprès des employés

Le renforcement positif

1. Énoncer clairement les comportements désirés.
2. Ne récompenser que les comportements désirés.
3. Récompenser l'employé le plus tôt possible.
4. Offrir des récompenses adaptées aux besoins des individus.

Les punitions

1. Énoncer clairement les comportements non désirés.
2. Ne punir que les comportements non désirables.
3. Appliquer les punitions le plus tôt possible.
4. Imposer les punitions en privé.
5. Souligner les comportements positifs de l'employé puni.

Application de la théorie du renforcement   Cette théorie invite les superviseurs à utiliser surtout les renforcements positifs afin d'encourager l'adoption des comportements désirés. Malheureusement, dans certaines circonstances, le superviseur renforce les mauvais comportements. En effet, l'évaluation du rendement au travail, par exemple, peut ne tenir compte que des résultats à court terme, ce qui poussera les employés à n'adopter que des comportements qui auront des conséquences à court terme.

Dans un tel cas, l'entreprise néglige le développement à long terme qui assurerait sa survie. S'il pénalise un employé qui a fait une erreur en prenant des initiatives, le superviseur favorise un comportement de conformité et inhibe toute créativité. Il ne faut pas récompenser la quantité de travail si l'objectif de l'entreprise est d'offrir un produit ou un service de qualité; il ne faut pas non plus primer l'analyse si l'on cherche l'esprit de décision.

5.2.5 Les nouvelles tendances

Nos bases traditionnelles, les théories sur la motivation au travail décrites dans ce chapitre, s'apprêtent à céder une partie de leur territoire à de nouvelles idées. Cette évolution ne tient pas de la rupture, toutefois, car les théories émergentes reposent en partie sur les théories classiques. Dans cette perspective, nous aborderons la créativité, le travail en groupe et la culture.

La créativité

L'intégration de la créativité à l'ensemble des facteurs de motivation semble rallier de nouveaux adeptes. Il a été établi que la motivation, comme les autres comportements, est déterminée par des facteurs internes et externes. La créativité obéit à un processus semblable: les prédispositions naturelles de l'employé et les variables de l'environnement en sont la source (*voir la figure 5.14*).

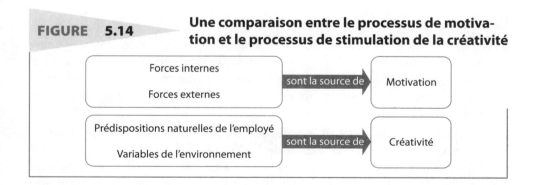

FIGURE 5.14 Une comparaison entre le processus de motivation et le processus de stimulation de la créativité

Un environnement trop contrôlant ou un leader autocratique, par exemple, a tendance à inhiber la créativité. Quant aux collègues de travail, ils ont surtout un effet sur la qualité de la créativité; par exemple, plus le groupe de travail est grand, plus les nouvelles idées proposées seront radicales. En effet, la personne ayant émis une idée se fond dans le grand groupe et se sent moins responsable des conséquences de ses propositions.

Il est donc recommandé de présenter aux employés des objectifs qui feront appel à leur créativité. Lorsque l'employé doit fournir de nouvelles solutions aux problèmes qui lui sont soumis, et qu'il est conscient qu'il sera évalué sur ses propositions, la théorie de l'établissement des objectifs (*voir page 135*) se révèle encore plus efficace pour motiver les employés.

Il apparaît que les variables contextuelles qui stimulent la créativité sont les mêmes que celles qui stimulent la motivation. De ce fait, l'entreprise peut influencer la motivation en proposant des objectifs qui font appel à la créativité.

Le groupe de travail

Depuis quelques décennies, le travail d'équipe (*voir le chapitre 9*) a pris une place prépondérante dans l'organisation structurelle des entreprises. Il faut donc orienter l'analyse du processus de motivation vers la motivation du groupe. La constitution de groupes de travail semi-autonomes et la définition des objectifs de groupe nous ramènent à l'analyse de la conception des emplois (*voir la section 5.2.2*) et à l'établissement des objectifs (*voir la section 5.2.3*). Ces approches semblent donc résister aux nouvelles analyses.

La réorganisation du travail axée sur l'utilisation de groupes semi-autonomes laisse entrevoir des niveaux de satisfaction et d'engagement beaucoup plus élevés. Cela entraîne forcément une amélioration des relations interpersonnelles, de la motivation et du rendement, tant sur le plan quantitatif que qualitatif.

Toutefois, il arrive que dans certaines conditions, le travail d'équipe entraîne l'effet inverse, c'est-à-dire une diminution de la satisfaction et du rendement. Certaines personnes, par exemple, ne sont pas à l'aise avec le travail en équipe et préfèrent le travail solitaire. Afin d'assurer que le travail d'équipe produise les résultats attendus et se révèle efficace, il est recommandé, pour la haute direction, de mettre en place des mécanismes de contrôle et de demeurer à l'écoute de l'évolution des relations interpersonnelles au sein du groupe.

La culture

La presque totalité des théories sur la motivation reposent sur des analyses effectuées dans le contexte américain, imprégné de l'éthique protestante du travail et de la doctrine capitaliste. Au cœur d'un mouvement irréversible de mondialisation des entreprises, il est important de noter qu'un ensemble unique de facteurs de motivation n'existe pas.

Dans ces conditions, il est difficile de formuler une recommandation unique pour améliorer la motivation de l'ensemble des employés d'une organisation. Les employés se présentent au travail avec une constellation de besoins à satisfaire. Il faut alors orienter ses efforts vers l'engagement organisationnel, comme nous le verrons dans le chapitre suivant.

5.3 L'argent et la motivation

L'argent fait partie de la relation entre l'employeur et l'employé : les gens travaillent pour gagner leur vie. Dans cette perspective, l'argent devient un élément de notre valeur en tant que personne, il participe à la définition de notre identité et de notre estime de soi. L'argent tient lieu de symbole de réussite et de réalisation de soi, de statut et de respect, de liberté, de contrôle et de pouvoir.

Le salaire reçu sert à mesurer le degré d'équité du système de distribution des récompenses. La valeur absolue du niveau de paie contribue à la satisfaction de l'employé, mais le résultat des comparaisons qu'il effectue entre son salaire et le salaire de ses collègues joue un rôle important dans le degré de sa satisfaction (équité).

L'argent est en soi un outil et un symbole. Il est toujours présent, à l'arrière-plan, il influence notre engagement organisationnel et notre satisfaction au travail. Toutefois, il n'influence pas de manière déterminante et directe nos comportements au travail.

La raison principale pour laquelle des personnes mettent sur pied une entreprise est la recherche d'un profit. L'argent fait aussi partie de la relation employeur-employé : les gens travaillent pour un salaire.

Chacune des théories décrites dans ce chapitre souligne l'importance de la rémunération et suggère que celle-ci doit être liée à la performance et aux compétences. Comme ces théories le suggèrent, pour que les employés atteignent un haut niveau de motivation, les dirigeants doivent établir un lien direct entre la rémunération et les niveaux de rendement ; les efforts des personnes les plus performantes seront ainsi reconnus (*voir la figure 5.15*).

Un second élément demeure à définir dans le mode de rémunération, soit le système de révision salariale ou de primes fondées sur le rendement. En effet, les programmes qui offrent une rémunération fondée sur le rendement

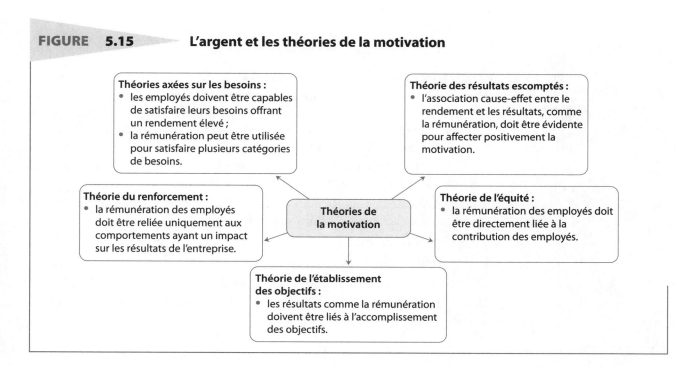

FIGURE 5.15 **L'argent et les théories de la motivation**

Théories axées sur les besoins :
- les employés doivent être capables de satisfaire leurs besoins offrant un rendement élevé ;
- la rémunération peut être utilisée pour satisfaire plusieurs catégories de besoins.

Théorie des résultats escomptés :
- l'association cause-effet entre le rendement et les résultats, comme la rémunération, doit être évidente pour affecter positivement la motivation.

Théorie du renforcement :
- la rémunération des employés doit être reliée uniquement aux comportements ayant un impact sur les résultats de l'entreprise.

Théories de la motivation

Théorie de l'équité :
- la rémunération des employés doit être directement liée à la contribution des employés.

Théorie de l'établissement des objectifs :
- les résultats comme la rémunération doivent être liés à l'accomplissement des objectifs.

(par exemple, les primes) placent les employés dans une situation où leur rémunération est variable et ne garantissent pas que le salaire de l'année suivante sera supérieur à celui de l'année en cours.

En plus de critiquer l'incertitude relative à la rémunération, les employés peuvent soulever une objection par rapport à la rémunération en fonction du rendement s'ils estiment que des facteurs hors de leur contrôle peuvent affecter le mode d'établissement des primes.

RÉSUMÉ

Malgré les nombreuses remises en question, il semble que les théories sur la motivation, comme l'établissement des objectifs, la théorie de l'équité et la conception des emplois, tiennent toujours la route. Mais il faut, croyons-nous, davantage insister sur le comportement de l'employé au travail et sur son engagement organisationnel que sur la seule motivation.

Ce qui importe vraiment, c'est de prévoir ou d'influencer le comportement qui affectera le rendement. Un employé est toujours motivé. Il peut même être motivé à conserver ses énergies ou à se dérober pour éviter les erreurs, mais il cherche toujours à satisfaire un besoin. L'essentiel demeure cependant sa participation active à l'atteinte des objectifs de l'organisation.

Pourrait-on alors remplacer le terme *motivation* par l'expression *engagement organisationnel* ou *engagement organisationnel créatif*? La recherche de la mobilisation des employés plus que la motivation nous semble une avenue à exploiter et c'est ce à quoi nous invite le prochain chapitre.

Évaluation des connaissances

QUESTIONS DE RÉVISION

1. Expliquez pourquoi Jean et Jacques perçoivent des liens de causalité différents, l'un très faible et l'autre très fort, entre le rendement qu'ils peuvent fournir et les résultats espérés, même lorsque le superviseur accorde les récompenses promises sur la base de la performance.

2. Quelle est la différence entre un employé motivé et un employé satisfait au travail? Quels résultats pouvons-nous attendre de chacun d'eux?

3. Comment décririez-vous le comportement d'un employé dont l'action est orientée vers la satisfaction des besoins suivants :

   a) le besoin de pouvoir;

   b) le besoin d'affiliation;

   c) le besoin de réussite?

4. Quels sont les points communs et les différences entre la théorie de la pyramide des besoins et l'approche bi-factorielle?

5. Comment peut-on réaliser l'enrichissement des tâches ? Comment peut-on enrichir la tâche d'un chauffeur d'autobus ? Celle d'un postier ? Celle d'un professeur de collège ?

6. Comment décririez-vous un emploi pour lequel la technique de l'enrichissement des tâches serait inapplicable ?

CAS 1 – MOTIVATION, OÙ ES-TU ? (degré de difficulté : moyen-difficile)

La semaine dernière, vous avez rencontré Ève Bisson, avec qui vous faisiez équipe pour réaliser vos travaux scolaires pendant vos années d'études collégiales. Des souvenirs à la fois agréables et douloureux vous sont revenus. Cette charmante collègue était une travailleuse acharnée et vos résultats scolaires ont atteint des niveaux auxquels vous n'auriez pas aspiré n'eût été de son acharnement à réussir, lequel vous a incité à faire des efforts supplémentaires. Cela a toujours été un plaisir de travailler avec elle, mais les sujets de certains travaux ne vous ont pas toujours inspiré.

Vous avez décidé de vous revoir à l'occasion d'un dîner au centre-ville et, pendant le repas, la conversation s'est concentrée sur vos emplois respectifs et a glissé vers vos frustrations professionnelles. Ève est toujours portée à s'engager à fond dans son travail. Avec elle, il n'y a pas de demi-mesure. «Ce qui mérite d'être fait mérite d'être bien fait», répète-t-elle depuis le cégep. Aussi son implication au travail lui a-t-elle valu une ascension rapide au sein de l'entreprise qui l'emploie.

Après des études universitaires, elle a obtenu un poste d'analyste. Cinq ans plus tard, elle est directrice du service «Organisation et méthodes» au siège social d'une multinationale. Son service comprend 19 personnes, dont 12 spécialistes en organisation et méthodes et en gestion de projets.

«Je ne comprends toujours pas les membres de mon équipe, dit-elle. À vrai dire, j'ai une équipe formidable sur papier. Ils sont tous très compétents et expérimentés. Ils font du bon travail, tout est impeccable. Mais si nous voulons devancer la concurrence, nous démarquer, il nous faut faire plus que notre travail. Tu comprends, je cherche ce petit quelque chose, cette étincelle qui nous permettra de nous démarquer.

— Que font les membres de ton équipe, au juste ?

— Leur travail consiste à analyser les processus et à déterminer les améliorations à y apporter. Ils ont aussi à rédiger les procédures et le matériel de formation pour les employés des services concernés. Ils doivent s'assurer que le système répond aux besoins d'affaires. Ils doivent également rédiger des spécifications à l'intention des analystes-programmeurs lorsque les procédures sont transposées dans le système informatique. Ils assurent évidemment le suivi de la réalisation des projets et, pour chaque analyse, ils ont à développer des plans de tests.

— Bon, bon… Ce sont des professionnels ! Toi, comment fais-tu pour évaluer la qualité de leur travail, de leur performance, de leur engagement ?

— J'utilise un logiciel de gestion de projets afin de vérifier s'ils respectent les délais. Quant à la qualité de leur travail, c'est un peu embêtant. Vois-tu, il y a des protocoles déjà établis pour régler certains problèmes. De plus, l'entreprise désire standardiser les procédures, donc l'innovation est toujours la bienvenue, mais le respect des façons de faire déjà en place est très important. Enfin, leurs propositions appartiennent aux services clients. Donc, c'est le directeur du service qui a demandé du soutien qui évalue leurs propositions. Très souvent, la solution est acceptée, mais elle est immédiatement transformée en fonction de toutes les contraintes du service client. Ce que je veux dire, c'est que la proposition finale que l'on met de l'avant ne représente très souvent qu'une ébauche ou qu'une suggestion pour le client.

— Tu arrives au moins à leur faire respecter les délais ?

— Dans 10 % des cas, probablement moins, avoue-t-elle, dépitée. Ce qui importe, pour eux, c'est de chercher les meilleures solutions, quitte à ce que cela prenne un mois de plus.

— Avez-vous mis en place un système de primes ou de gratifications quelconque ?

— As-tu une idée de leur salaire ? Ce sont les analystes les mieux payés dans la province. La société leur offre aussi un système d'achat d'actions. Une partie des profits annuels est répartie entre tous les employés en fonction de leur salaire. J'ai déjà travaillé dans une autre entreprise où la direction avait implanté pareil système et tous les employés étaient heureux. Ils bénéficient de quatre semaines de vacances après trois ans et les avantages sociaux offerts sont le point de mire de l'industrie. Quant aux promotions, elles sont plutôt rares puisque le nombre d'employés au siège social ne varie pas beaucoup. Je dirais même qu'il a diminué de 10 % en deux ans. Moi, j'ai été embauchée au poste de directrice du service et je venais d'une autre entreprise.

— S'ils sont si nonchalants, as-tu pensé à te débarrasser des pires cas parmi eux ?

— As-tu déjà essayé de recruter un analyste en procédures ? Je veux dire un bon, un compétent ? La simple allusion à une mesure disciplinaire, genre suspension, ferait le tour du service en moins de deux. Là, tu verrais mon patron « charger » mon bureau comme un hussard. Actuellement, 70 % des projets sont en retard, les employés travaillent fort, mais il manque ce petit quelque chose d'indéfinissable.

— Oui, je sais, cela s'appelle la *motivation*. »

QUESTIONS

1. À l'aide des théories exposées dans ce chapitre, expliquez la situation à votre amie en lui décrivant les phénomènes dont elle est témoin.

2. Que feriez-vous pour aider votre amie ? Pouvez-vous utiliser les éléments exposés dans ce chapitre concernant la motivation ?

CAS 2 – DANS LES NUAGES… (degré de difficulté : facile)

Alexandre De Bray est directeur du service de facturation depuis cinq ans. Bien vu de ses supérieurs, c'est un superviseur empressé qui a obtenu ce poste grâce à son implication hors de l'ordinaire. Afin qu'il puisse améliorer ses qualités de superviseur, l'entreprise lui a offert de participer à un séminaire sur la motivation, organisé par le service de la formation en entreprise d'une université.

De retour depuis une semaine, Alexandre rencontre sa supérieure, Mégane Daneau, directrice du service de comptabilité, qui lui demande ses impressions au sujet du séminaire.

«Les profs d'université vivent dans les nuages, affirme-t-il. Ils croient que le salaire n'est pas important pour les employés et qu'on peut les motiver en utilisant des facteurs tels que la considération et l'autoréalisation. L'équité, eh oui! l'équité… et la définition d'objectifs, et le renforcement, et ceci, et cela… Entendez-vous cela? Moi, je les connais, mes employés, ils travaillent pour le salaire, un point c'est tout. Si un autre employeur leur offrait plus, ils partiraient. De toute façon, la loyauté, cela n'existe plus. Aujourd'hui ici, demain ailleurs. Je n'ai aucun employé qui a plus de six années d'ancienneté.»

QUESTION

Croyez-vous que l'analyse faite par Alexandre des facteurs de motivation des employés soit juste?

CAS 3 – LA VÉNÉRABLE SOPHIE (degré de difficulté : facile)

Sophie Lafortune, 59 ans, est contrôleure de la qualité et elle travaille pour la compagnie Kibouf inc. depuis l'âge de 27 ans. En plus d'être une excellente employée, elle est engagée dans les activités sociales de l'entreprise; elle est membre active du club récréatif de sa communauté et membre du conseil de bénévoles de l'hôpital de la Cité de l'espoir. C'est une personne-ressource importante pour les nouveaux employés qui désirent des renseignements concernant le travail.

Seule ombre au tableau, Sophie passe beaucoup de temps au téléphone pour régler des problèmes liés à ses activités extérieures. Certains jours, son travail peut accuser du retard, mais elle se rattrape le lendemain. Le véritable problème découle du fait qu'en certaines occasions, d'autres personnes dans le bureau attendent ses rapports pour effectuer leur propre travail.

L'époux de Sophie travaille au service de la comptabilité d'un concessionnaire d'automobiles du centre-ville. Ils ont deux voitures, une belle maison, une fermette confortable à la campagne. Elle aime son travail, mais elle est convaincue qu'elle a atteint le sommet de sa carrière et semble heureuse qu'il en soit ainsi. Son mari Assan a adopté la même philosophie de vie.

QUESTION

Si vous étiez le supérieur immédiat de Sophie Lafortune, que feriez-vous pour la motiver?

LES QUESTIONS DE CHLI-POU-NA

Reportez-vous à la rubrique «Clin d'œil sur la gestion» présentée au début du chapitre pour répondre aux questions suivantes.

Analyse de cas

À vous de jouer

Chli-pou-na vous pose les questions suivantes et vous invite à lui faire part de vos commentaires en fonction du comportement des employés dans les organisations humaines.

1. Pourquoi 103 684e s'est-elle jointe au personnel de la fourmilière de Qué-be-Kant?

2. Pourquoi est-elle demeurée à l'emploi de cette organisation pendant neuf semaines?

3. Pourquoi s'est-elle présentée au travail assidûment pendant une longue période? Pourquoi a-t-elle offert une performance plus élevée que celle des autres fourmis?

4. Pourquoi a-t-elle adopté un comportement facilitant le déroulement harmonieux des activités et le travail du superviseur?

5. Pourquoi a-t-elle modifié son comportement au travail?

6. Pourquoi a-t-elle décidé de quitter son emploi?

7. Prenons l'exemple de deux collègues, Marie et Lucie, dont les compétences et les habiletés sont semblables. Quelles seraient les facteurs qui amèneraient celles-ci à développer des attentes et des comportements différents au regard des exigences d'un rendement élevé dans les six prochains mois? Appuyez votre réponse sur le contenu présenté à la section 5.2.3.

8. Rencontrez trois personnes effectuant exactement le même travail (par exemple, trois professeurs, représentants, directeurs des finances, camionneurs, etc.). Discutez avec elles afin de déterminer exactement les besoins qu'elles tentent de combler dans le cadre de leur travail.

9. En comparant trois cours différents, expliquez comment les professeurs tentent de valoriser l'équité pour motiver les étudiants.

10. Pierre désire le statut, le respect et le salaire liés au poste de contremaître. Il possède les qualités pour occuper ce poste, mais ne semble pas faire l'effort nécessaire pour l'obtenir. À l'aide de la théorie des résultats escomptés, expliquez cette situation.

11. Au moment de l'établissement des objectifs de travail de Marianne, comment son superviseur peut-il vérifier le niveau d'exigence d'un objectif spécifique?

12. Expliquez pourquoi un superviseur devrait toujours favoriser le renforcement positif plutôt que le renforcement négatif pour motiver un employé.

www.cheneliere.ca/
turgeon-lamaute

Chapitre 6

La mobilisation des employés

◂ **LA MOBILISATION DES EMPLOYÉS**

▸ **La motivation des employés dans un environnement économique concurrentiel**
Section 6.1

▸ **La définition du concept**
Section 6.2.1

▸ **Le contrat psychologique : évolution ou recul ?**
Section 6.2

▸ **Le contrat psychologique : d'hier à aujourd'hui**
Section 6.2.2

▸ **La mobilisation en milieu de travail**
Section 6.3

▸ **La définition du concept**
Section 6.3.1

▸ **Les trois dimensions du concept**
Section 6.3.2

▸ **Les modèles de mobilisation**
Section 6.4

▸ **Le modèle de McShane et Von Glinow**
Section 6.4.1

▸ **Quelques exemples de pratiques mobilisatrices dans les organisations**
Section 6.5

▸ **Le modèle de Fabi, Martin et Valois**
Section 6.4.2

▸ **Le modèle de Lawler**
Section 6.4.3

Objectifs d'apprentissage :

1. expliquer ce qu'est le contrat psychologique et pourquoi cette notion tend de plus en plus à disparaître ;
2. expliquer ce qu'est la mobilisation ;
3. expliquer la triple dimension que peut prendre la mobilisation ;
4. déterminer les styles de gestion qui favorisent la mobilisation ;
5. appliquer un des modèles de mobilisation.

Compétence à développer :

• utiliser des moyens appropriés pour mobiliser les personnes et les orienter vers l'atteinte des objectifs organisationnels.

Le mot *mobilisé* doit retrouver son sens réel

De nos jours, le mot *mobilisé* fait partie du langage courant. Cependant, il peut être vide de sens s'il provient d'un cri du cœur non encadré par des actions concrètes. Un fait cocasse illustre notre propos :

À quelques jours du début de la Coupe du monde 2010, une polémique naissait en France ; polémique initiée par certains politiciens qui, pour des raisons diverses, ou bien ne se reconnaissaient pas particulièrement dans la formation retenue pour l'équipe de France, ou bien trouvaient disproportionnée la concentration de joueurs noirs dans l'équipe (neuf sur onze). Pour d'autres, il ne fallait plus parler de l'équipe «Black-blanc-beur», mais bien de l'équipe «Fric-fric-fric». D'autres allaient jusqu'à soupçonner «les joueurs de l'équipe de France de ne pas se sentir français».

En réaction à ces propos tenus par des élus français, le porte-parole du gouvernement a déclaré : «J'ai parfois le sentiment qu'on est le seul pays où à trois jours d'une compétition internationale comme ça, on est capable d'une telle polémique. Ce qui est important, c'est que tous les Français, y compris les ministres du gouvernement, soient **mobilisés**[1] derrière leur équipe[2]».

Et pourtant, en pleine compétition, la «bisbille» a éclaté parmi les membres de l'équipe de France. Le résultat demeure frappant : sans avoir gagné de match au tour de qualification, l'équipe de France a été éliminée le 22 juin. Voici un cas où, dans le monde du sport, le mot *mobilisé* a été utilisé en vain. Qu'en est-il dans nos organisations ?

À vous la parole !

Après avoir lu ce chapitre, citez trois gestes mobilisateurs que vous aimeriez que votre employeur pose à votre égard.

Si vous occupez un emploi pendant vos études, précisez si vous avez déjà observé ces gestes chez votre superviseur ou s'ils ne demeurent que des souhaits de votre part.

6.1 La motivation des employés dans un environnement économique concurrentiel

Au chapitre 4, nous avons présenté quelques-uns des effets de la mondialisation sur la gestion des entreprises. Nous verrons maintenant en quoi ces effets rendent indispensable, pour les organisations, de faire de la mobilisation des employés un élément important dans leur stratégie de gestion.

Dans un environnement économique instable, beaucoup d'entreprises, soumises à une concurrence mondiale, adaptent continuellement leur stratégie d'affaires à cette réalité. Sur le plan organisationnel, leur planche de salut demeure le recours à davantage de flexibilité. Toutes les fonctions des organisations sont concernées, y compris les ressources humaines. Comme les vieux modèles de gestion mis au point au cours des dernières décennies favorisaient davantage la rigidité et la bureaucratie au sein des organisations, les dirigeants n'ont, dans le présent contexte, pas d'autre choix que celui de «relever le défi de la transformation des organisations par la transformation de la GRH afin de rendre les lieux de travail plus flexibles[3]».

Certaines entreprises ont réagi à la menace concurrentielle en revalorisant le travail de leurs employés, en leur donnant plus de responsabilités et en rehaussant l'importance de chaque fonction de leur travail ; d'autres, en revanche, ont opté pour des mesures plus rigoureuses, comme le gel ou la réduction des salaires et des avantages sociaux, les licenciements successifs et massifs, l'allongement des heures de travail et le recours à une main-d'œuvre temporaire[4].

C'est au regard de ce dernier contexte concurrentiel et truffé d'incertitude que les travailleurs s'interrogent de plus en plus quant à leur avenir au sein des organisations pour lesquelles ils travaillent ; organisations où l'accent est dorénavant mis sur la **main-d'œuvre** dite **à valeur ajoutée**.

Mais dans les entreprises, il existe aussi la main-d'œuvre dite « secondaire », celle qui, sans être à valeur ajoutée, remplit certaines fonctions de soutien ou manuelles. Certaines entreprises choisissent de se départir de cette catégorie de main-d'œuvre et, au besoin, ont recours à la sous-traitance pour des contrats ponctuels. Conséquemment, les entreprises qui ont cessé de retrancher des postes occupés par leur main-d'œuvre secondaire font face à un réel défi, soit celui de regagner la confiance de cette main-d'œuvre afin de la mobiliser pour qu'elle contribue à la réalisation de leur mission et à l'atteinte de leurs objectifs. Ce défi est de taille puisqu'aux yeux de cette main-d'œuvre dite « secondaire », jamais les organisations ne pourront faire renaître le contrat psychologique tel qu'il a jadis existé ; contrat psychologique qui, d'ailleurs, constituait un atout mobilisateur pour ces organisations.

Main-d'œuvre à valeur ajoutée (*value added human resource*)

Main-d'œuvre composée de personnes qui, au sein d'une organisation, occupent un poste stratégique et qui, par leur niveau de performance élevé et constant, contribuent au succès organisationnel.

6.2 Le contrat psychologique : évolution ou recul ?

Dans cette section, nous définirons d'abord ce qu'est le contrat psychologique, puis nous expliquerons l'importance qu'il a déjà eue et enfin, comment il tend à perdre de sa pertinence aux yeux des employeurs aujourd'hui.

6.2.1 La définition du concept

Le **contrat psychologique** consiste en un ensemble d'ententes implicites, voire de promesses et d'obligations réciproques mais non écrites, qui existe entre l'employeur et ses employés, dans le cadre des relations de travail qu'ils entretiennent.

Ce contrat comporte une double dimension :

1. Une dimension que l'on dit « subjective » parce qu'elle provient des interprétations que fait chacune des parties des modalités de ce contrat.
2. Une dimension perceptuelle, qui découle du fait de croire qu'une promesse de récompenses futures a été faite.

Soulignons que le contrat psychologique se développe dans le cadre d'un processus continu, c'est-à-dire qu'il prend naissance dès le processus de sélection et subsiste tout au long de la relation que les travailleurs entretiennent avec leur employeur.

Contrat psychologique (*psychological contract*)

Ensemble d'ententes implicites, voire de promesses et d'obligations réciproques mais non écrites, qui existe entre l'employeur et ses employés, dans le cadre des relations de travail qu'ils entretiennent.

6.2.2 Le contrat psychologique : d'hier à aujourd'hui

Traditionnellement, la conception du contrat psychologique aidait à comprendre quelle perception avaient les travailleurs de leur employeur et l'employeur, de ses travailleurs. Pour les travailleurs, l'employeur était perçu comme un pourvoyeur, c'est-à-dire qu'il était celui sur qui ils pouvaient se fier, car c'est lui qui fournissait un emploi garanti jusqu'à la retraite, des chances de développement, des possibilités d'avancement et des augmentations salariales. En retour, l'employeur, selon sa perception de ce que doit être un travailleur, attendait de ce dernier une bonne performance au travail et de la loyauté.

Les conséquences de la mondialisation sur l'aspect structurel des organisations (recherche de flexibilité, restructurations, etc.) et sur celui des ressources humaines (licenciements massifs, suppressions de postes, baisses salariales, diminutions des avantages sociaux, etc.) font en sorte qu'il est difficile, pour les travailleurs, de comprendre ce que devient la notion de contrat psychologique qui, jadis, tissait subtilement un lien entre l'employeur et eux. De nos jours, trois situations peuvent être observées :

1. Les employeurs ne parlent plus d'emploi à long terme, mais de licenciements, d'impartition des ressources humaines et de recours à la sous-traitance.

2. Les employeurs ne misent plus sur le développement des employés : ils favorisent, à l'embauche, des individus dont la formation témoigne d'une certaine polyvalence.

3. Les employeurs ne se sentent plus responsables de la carrière des employés : ceux-ci en deviennent responsables et ne doivent plus compter entièrement sur l'entreprise pour en assurer le développement.

Par conséquent, la notion d'« emploi stable jusqu'à la retraite » est diluée par toute cette vague d'insécurité d'emploi dont aucun travailleur ne semble être à l'abri.

La sécurité d'emploi étant devenue « chose du passé », la notion de contrat psychologique tend à disparaître graduellement, laissant les organisations face à deux nouveaux défis :

1. elles doivent parvenir à expliquer et à faire accepter aux travailleurs pourquoi les contextes économique et concurrentiel les ont forcées à délaisser un tel contrat ;

2. elles doivent canaliser toutes les énergies afin d'amener les travailleurs à ramer non pas à contre-courant, mais vers la réalisation de la vision de l'entreprise et vers l'atteinte de ses objectifs organisationnels.

Pour relever ces défis, les dirigeants d'entreprise n'ont guère le choix : ils doivent tenter de mobiliser leurs employés.

6.3 La mobilisation en milieu de travail

Licenciements massifs, aplanissement des structures, rationalisation, impartition... Il s'agit là de différentes formules auxquelles les entreprises ont recours pour « accroître leur flexibilité et réduire leur dépendance à long terme face à des ressources qui n'ajoutent pas, selon elles, de valeur à leurs activités[5] ».

Cette réalité mène à un paradoxe : comment peut-on envisager, au sein d'une même entreprise, rationaliser des ressources humaines et tenter de les mobiliser tout à la fois ? La solution à ce paradoxe se trouve peut-être dans le sens même à donner au mot *mobilisation*.

De prime abord, le mot *mobilisation* fait penser à cette action militaire qui consiste à « mobiliser les troupes », c'est-à-dire à les mettre sur le pied de guerre.

6.3.1 La définition du concept

De prime abord, le mot **mobilisation** fait penser à cette action militaire qui consiste à « mobiliser les troupes », c'est-à-dire à les mettre sur le pied de guerre. Sur le plan de la gestion, ce mot contient aussi une dimension collective : on veut mobiliser ses ressources. Cependant si, dans l'armée, à l'approche des forces ennemies, un simple ordre du général suffit à mobiliser les troupes, dans les organisations, une directive d'un cadre à l'endroit de ses employés n'a pas nécessairement un effet similaire.

Cela peut toutefois être le cas si un lien affectif se crée entre les employés et l'entreprise, lien grâce auquel les actions concertées de l'entreprise et de ses employés sont orientées vers l'atteinte des objectifs organisationnels.

Si le lien créé est solide, l'employé qui le ressent s'identifie aux objectifs de l'organisation et manifeste le désir de demeurer en son sein. Ainsi, sur le plan affectif, la mobilisation « renvoie à l'intensité avec laquelle un individu s'engage dans une organisation et s'identifie à elle[6] ».

Sur le plan de la gestion, la mobilisation doit être comprise au sens étroit de gestion mobilisatrice, et on peut la décrire comme « un processus organisationnel qui est mis en place pour motiver les employés[7] ».

Mobilisation
(commitment)

- **Vue comme un lien affectif**
Le fait, pour une personne, de se sentir engagée dans une organisation et de s'identifier à elle.

- **Vue dans le sens de « gestion mobilisatrice »**
Processus organisationnel mis en place pour motiver les employés.

6.3.2 Les trois dimensions du concept

Certains auteurs[8] prêtent au concept de mobilisation trois dimensions : la première relève de la gestion et concerne le processus organisationnel de mobilisation, la seconde est comportementale et permet de saisir la façon dont se comporte, au travail, un employé mobilisé, et, finalement, la troisième désigne un lien affectif, c'est-à-dire la dimension psychologique de cette notion. La figure 6.1 présente ces différentes dimensions.

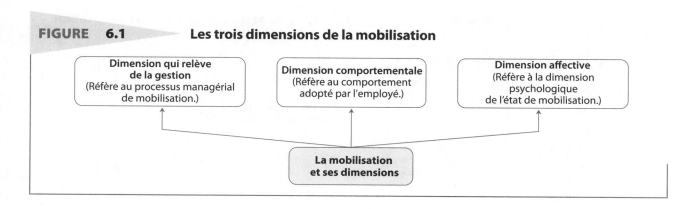

FIGURE 6.1 Les trois dimensions de la mobilisation

Dimension qui relève de la gestion
(Réfère au processus managérial de mobilisation.)

Dimension comportementale
(Réfère au comportement adopté par l'employé.)

Dimension affective
(Réfère à la dimension psychologique de l'état de mobilisation.)

La mobilisation et ses dimensions

La dimension qui relève de la gestion

L'organisation a un rôle important à jouer dans la mobilisation de ses employés. Elle doit rendre suffisamment satisfaisantes pour eux les différentes facettes de leur travail pour qu'ils tissent spontanément avec elle les liens affectifs qui suscitent la mobilisation.

Pour ne pas nuire à la création de ces liens, l'organisation doit former ses gestionnaires. Elle doit les amener à corriger ou à éviter certains comportements qui, généralement, enveniment les relations avec les employés. Parmi ces comportements, notons le favoritisme, l'arbitraire dans les décisions, le manque de transparence, le manque de communication, le manque de reconnaissance, l'obsession du contrôle et le mépris des employés[9]. La figure 6.2 schématise ces comportements.

En revanche, comme le montre la figure 6.3, les styles de gestion favorisant la reconnaissance des employés, leur participation aux décisions, leur responsabilisation

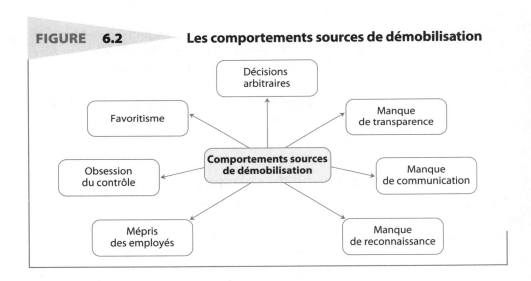

FIGURE 6.2 Les comportements sources de démobilisation

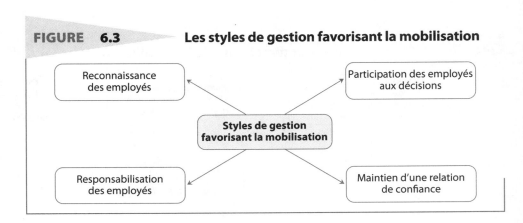

FIGURE 6.3 Les styles de gestion favorisant la mobilisation

et le maintien d'une relation de confiance améliorent les relations entre les employés et les gestionnaires, et sont garants de la mobilisation.

La dimension qui relève de la gestion exige des dirigeants qu'ils assument leurs responsabilités sur deux plans :

- offrir aux employés des possibilités de se mobiliser, c'est-à-dire répondre à leurs besoins ou favoriser l'établissement d'un milieu de travail permettant aux employés de combler leurs besoins et d'éprouver de la satisfaction au travail ;
- donner aux employés des raisons de se mobiliser, c'est-à-dire leur donner le goût de développer et de maintenir un lien affectif avec l'organisation.

La dimension comportementale de la mobilisation

Chez les individus en milieu de travail, « l'engagement organisationnel est caractérisé par l'acceptation, la conviction profonde à l'égard des valeurs et des buts de l'organisation, la disposition à fournir des efforts considérables pour l'organisation ainsi que le désir ferme de maintenir son appartenance à l'organisation[10] ».

Les efforts que les personnes sont disposées à fournir pour l'organisation sont les manifestations comportementales de leur mobilisation. Trois types d'efforts représentant chacune des composantes de la dimension comportementale sont d'ailleurs reconnus[11] :

- les efforts d'amélioration continue, c'est-à-dire les efforts faits dans le but d'augmenter, de façon continue, la qualité de son travail au sein de l'organisation ;
- les efforts d'alignement stratégique, c'est-à-dire les efforts fournis afin d'aligner son travail sur les priorités de l'organisation ;
- les efforts de coordination spontanée, c'est-à-dire les efforts orientés vers la coordination spontanée de son travail et de celui de son équipe de travail.

La figure 6.4 résume cet aspect de la mobilisation.

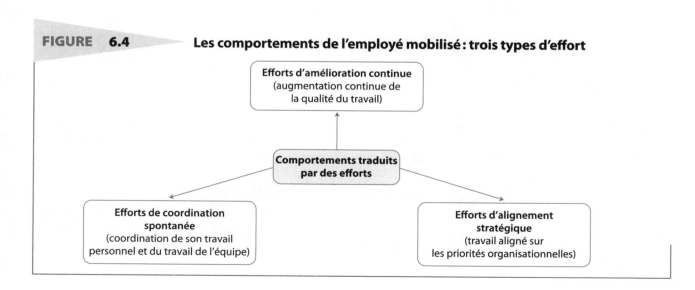

FIGURE 6.4 **Les comportements de l'employé mobilisé : trois types d'effort**

La dimension affective de la mobilisation

Le processus psychologique qui conduit au développement du lien affectif qui s'établit entre l'individu et l'organisation a trait « principalement aux conceptions de soi (attitudes, croyances, valeurs, image de soi, etc.) et aux motivations (besoins, désirs des individus, etc.)[12] ». Cette dimension affective fait ressortir trois sortes d'attachements qui, lorsqu'elles sont coordonnées, forment les bases de la mobilisation. Ces sortes d'attachements, qui constituent chacune des composantes de la dimension affective, se présentent ainsi :

- l'attachement au travail, qui traduit un idéal professionnel et qui explique pourquoi l'individu déploie des efforts d'amélioration continue ;
- l'attachement à la mission de l'organisation, dont témoigne l'intensité avec laquelle l'employé déploie ses efforts d'alignement stratégique ;
- l'attachement aux autres membres de l'organisation, qui explique les efforts de coordination spontanée que déploie l'employé mobilisé.

La figure 6.5 présente les résultantes de la dimension affective.

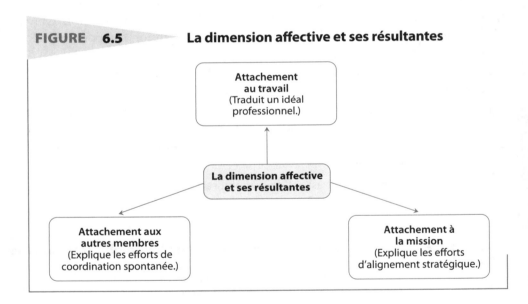

FIGURE 6.5 La dimension affective et ses résultantes

Nous constatons donc que, sans cette relation entre les dimensions comportementale et affective, on ne saurait parler de mobilisation venant de l'employé lui-même (*voir la figure 6.6, à la page suivante*).

6.4 Les modèles de mobilisation

Dans la présente section, nous présentons trois modèles de mobilisation. Il ne s'agit pas de remèdes, mais bien de pratiques susceptibles d'aider les gestionnaires à faire passer la notion de mobilisation de la théorie à la pratique.

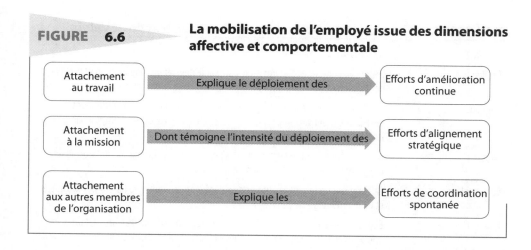

FIGURE 6.6 La mobilisation de l'employé issue des dimensions affective et comportementale

Attachement au travail	Explique le déploiement des →	Efforts d'amélioration continue
Attachement à la mission	Dont témoigne l'intensité du déploiement des →	Efforts d'alignement stratégique
Attachement aux autres membres de l'organisation	Explique les →	Efforts de coordination spontanée

6.4.1 Le modèle de McShane et Von Glinow[13]

Selon ces auteurs, la mobilisation des employés ne peut être assurée que par des stratégies d'intervention qui assurent :

- **l'équité et la satisfaction.** Une pratique de gestion qui vise l'équité et la satisfaction doit être centrée, par exemple, sur le partage des profits non seulement entre les actionnaires externes et internes (hauts dirigeants) de l'entreprise, mais aussi avec les employés qui, par leur travail, contribuent au succès de l'entreprise ;

- **la sécurité d'emploi.** Une pratique de gestion qui vise la sécurité d'emploi ne doit pas nécessairement faire renaître la notion d'emploi à vie, mais doit assurer aux employés une forme de stabilité dans leur emploi ;

- **la compréhension de l'organisation.** Une pratique qui met l'accent sur le partage des informations avec les employés permet à ces derniers de développer une compréhension de l'organisation et des transformations qu'elle vit ;

- **l'engagement des employés.** Une pratique de gestion qui vise l'engagement des employés est mobilisatrice dans la mesure où elle permet aux employés de participer à la prise de décision, et aussi dans la mesure où elle leur permet de constater que les changements que vit l'organisation sont en partie rendus possibles grâce à leur engagement.

La participation des employés au processus de décision suppose, de la part des gestionnaires, une ouverture quant à l'idée de déléguer une partie de leur autorité.

6.4.2 Le modèle de Fabi, Martin et Valois[14]

Ces auteurs exposent les actions que doivent poser les dirigeants afin « d'améliorer les probabilités de succès des transformations organisationnelles, notamment en ce qui concerne le maintien du degré d'engagement organisationnel[15] ».

Ces actions sont présentées dans le tableau 6.1, à la page suivante.

TABLEAU 6.1   Les actions mobilisatrices selon Fabi, Martin et Valois

ACTIONS	DÉFINITIONS
Expliquer	Fournir aux employés l'information juste sur le devenir de l'organisation et sur la façon dont ils seront affectés par les transformations de cette dernière.
Impliquer	Mettre les employés à contribution lors de l'implantation des transformations, c'est-à-dire miser sur leurs compétences, leur expérience et leurs autres qualités pour implanter les changements requis.
Soutenir	Mettre sur pied, pour les employés, des programmes de formation continue ou des programmes de développement organisationnel.
Communiquer	Célébrer les succès organisationnels en décrivant aux employés les progrès accomplis et en leur témoignant de la reconnaissance.
Guider	Emmener les employés à maîtriser les indicateurs de mesure de leurs performances afin qu'ils comprennent l'effet de celles-ci sur celles de l'organisation.
Reconnaître	Adopter des pratiques de gestion centrées sur la reconnaissance financière, qui se traduit, par exemple, par la participation aux bénéfices non sélectifs, ou par la reconnaissance non financière[16].
Pérenniser	Il s'agit d'adapter certaines pratiques de gestion aux nouvelles valeurs promulguées par l'organisation, à la suite des transformations qu'elle a subies.

6.4.3 Le modèle de Lawler[17]

Selon Lawler, les pratiques de gestion qui peuvent créer un haut degré de mobilisation chez les employés se résument à quatre formes de partage. Il s'agit du partage de l'information, du partage du savoir, du partage du pouvoir et du partage des récompenses. La figure 6.7 les présente.

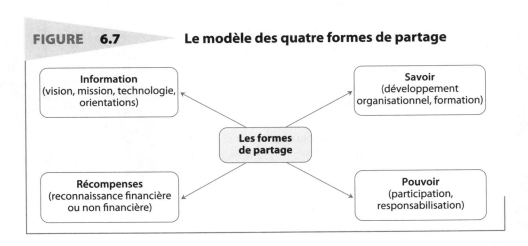

FIGURE 6.7   Le modèle des quatre formes de partage

Le partage de l'information   Cette forme de partage sera pertinente si elle s'effectue entre la direction et les employés, et si elle concerne, entre autres, les nouvelles technologies, le nouvel équipement que l'organisation veut acquérir, les nouveaux procédés de travail qu'elle compte implanter, les nouveaux horaires de travail qu'elle désire adopter. L'idée sous-jacente est la suivante : lorsqu'ils reçoivent les informations adéquates, les employés comprennent ce que l'organisation vit et ce qu'elle attend réellement d'eux.

Le partage du savoir   Cette forme de partage prend toute son importance si elle est garantie par la mise sur pied de programmes de développement et de formation destinés aux employés. L'idée sous-jacente est de les familiariser avec les nouvelles facettes de leur travail ou de développer chez eux de nouvelles compétences.

Le partage du pouvoir   Cette forme de partage est significative dans la mesure où, parmi ses politiques de gestion, une organisation inclut des pratiques qui favorisent la participation des employés à la prise de décision de même que leur responsabilisation par rapport au travail. Il va de soi que le partage du pouvoir suppose, de la part des gestionnaires, une ouverture quant à l'idée de déléguer une partie de leur autorité.

le signet
du stratège

La « règle des 3 C » appliquée aux personnes mobilisées

Saviez-vous que les individus ne se mobilisent pas sans raison valable ? En effet, la mobilisation s'opère soit autour d'un événement à réaliser, soit en fonction d'un objectif à atteindre, soit à partir d'une vision partagée. Tel est le cas, par exemple, de ces individus qui se sentent concernés par la condition de l'environnement et décident d'entreprendre une marche pour commémorer un événement tel que la journée de la Terre. Ou ces travailleurs qui, non satisfaits des offres patronales lors d'une négociation collective, décident de façon concertée de faire la grève. Ou encore, ces individus qui, partageant la vision d'un monde sans pauvreté, manifestent pour sensibiliser les dirigeants concernés, lors d'un des sommets du G20.

Quelle que soit la situation à l'origine de la mobilisation des personnes, la manifestation de cet état dépend d'une règle fort simple : la règle des 3 C : Croyance – Confiance – Conviction.

Croyance : Les personnes mobilisées croient en l'événement, en l'objectif ou en la vision à l'origine de leur mobilisation, et c'est en fonction de cette croyance qu'elles déploient les efforts requis en vue de sa réalisation.

Confiance : Les personnes mobilisées ont confiance en le fait que la réalisation de l'événement, l'atteinte de l'objectif ou la matérialisation de la vision entraînera des résultats qui seront bénéfiques non pas nécessairement pour elles, mais pour l'organisation, l'organisme ou le regroupement pour lequel elles déploient des efforts.

Conviction : Les personnes mobilisées ont en commun la certitude que leurs efforts sont déployés pour une cause qu'elles considèrent juste et importante à leurs yeux. C'est cette conviction profonde qui dicte le comportement qu'elles adoptent en vue de la matérialisation d'un événement défini, d'un objectif concret, d'une vision précise.

Réflexion profonde

Comment pouvez-vous convaincre votre entourage (enseignants, amis, parents, etc.) que vous vous sentez mobilisé par votre programme d'études ?

En d'autres mots, posez-vous la question suivante : si l'institution d'enseignement où vous suivez votre programme d'études hésitait à maintenir ce programme et vous demandait de défendre sa survie, en quoi la règle des 3 C permettrait de conclure que vous avez la croyance, la confiance et la conviction d'une personne mobilisée, prête à sauver son programme d'études ?

Le partage des récompenses   Cette forme de partage est une garantie de mobilisation dans la mesure où elle s'insère dans des pratiques de gestion qui établissent clairement, pour les employés, un système de reconnaissance basé sur des récompenses financières ou non financières.

6.5   Quelques exemples de pratiques mobilisatrices dans les organisations

Dans la réalité des organisations, la mobilisation des employés semble être de plus en plus prise au sérieux, car certains dirigeants sont conscients du fait que seuls des employés mobilisés peuvent diriger leurs efforts vers l'atteinte des objectifs organisationnels. Quelques exemples concrets confirment cet énoncé:

1. Dans un article signé par Renée-Claude Simard, il est fait mention que chez Hewlett-Packard, plusieurs ingénieurs cherchaient depuis des semaines la solution à un problème technique. Quand l'un d'eux l'a finalement trouvée, son patron en a été si enchanté qu'il a voulu lui offrir un présent. N'ayant rien à portée de main, il a ouvert sa boîte à lunch et lui a remis une banane. À la suite de cet événement cocasse, la Hewlett-Packard a fait fabriquer un trophée – le Golden Banana Award – qui est remis à tous les employés qui réalisent un bon coup pour l'entreprise[18]. Dans ce même article, on souligne que cette «histoire s'est vite transformée en exemple à suivre lorsqu'il est question de mobilisation[19]».

2. Selon le président de PLB International, il faut, pour mobiliser les employés, d'abord les écouter, les entendre et les comprendre. Selon lui, il est important d'informer les employés et de les faire participer[20]. Apparemment, au sein de cette entreprise, plusieurs «autres mesures ont été mises en place pour favoriser la mobilisation: concours pour souligner les actions performantes, journal interne, système de gestion des suggestions, etc.[21]».

3. Dans un article intitulé «Les employés sont au cœur du succès des entreprises[22]», il est rapporté, en rafale, les propos de différents dirigeants d'entreprise au sujet de la mobilisation des employés. Ainsi, pour le président de Poulies Maska, c'est «par l'engagement et la fierté des ressources humaines à l'égard de l'entreprise que l'on reconnaît si une entreprise est bien gérée[23]». Pour le directeur du Centre d'entrepreneuriat et de PME de l'Université Laval, le climat de travail est très important et les «employés doivent être motivés et mobilisés. Pour ce faire, les dirigeants d'entreprise peuvent adopter diverses mesures d'intéressement des employés aux résultats de l'entreprise, notamment le versement de primes ou la participation aux bénéfices[24]». Et pour le président de Canplast, une entreprise bien gérée «fait connaître son plan d'affaires et ses valeurs aux employés et les implique dans la prise de décision[25]».

4. Pour la présidente d'IBT Canada, le «piège à éviter pour les gestionnaires est de continuer en mode "économie d'effectif" alors que le nombre de commandes augmente[26]». Les solutions qu'elle propose aux gestionnaires sont de motiver et d'outiller les employés, et d'apprendre à chouchouter les meilleurs d'entre eux pour éviter de les perdre.

5. Enfin, c'est sous la plume de Daphné Cameron que nous pouvons réaliser comment un succès organisationnel peut devenir un élément mobilisateur pour des travailleurs. Elle mentionne le fait que pour «la deuxième fois, *La Presse* vient d'être acceptée dans l'International Newspaper Color Quality Club, qui regroupe les quotidiens les mieux imprimés du monde. Durant quatre mois, *La Presse* a fourni quotidiennement 10 exemplaires à l'Association mondiale des journaux et des éditeurs d'information (WAN-IFRA) pour un contrôle de qualité. C'est au terme de ce processus rigoureux que le travail des artisans de *La Presse* et des employés de l'imprimerie Transcontinental Métropolitain a été récompensé[27]».

RÉSUMÉ

Pour les organisations, «mobiliser» les employés prend une importance capitale. Non seulement le contexte organisationnel, soumis aux effets néfastes de la concurrence, fragilise le moral et la motivation des employés à cause, notamment, des nombreuses suppressions de postes qu'ils doivent subir, mais, de plus, les stratégies d'affaires orientées vers la flexibilité éliminent un élément essentiel de la relation de confiance entre une organisation et ses employés: le contrat psychologique.

Son importance ayant été réduite par les gestionnaires soucieux de maintenir ou d'accroître la rentabilité des organisations, il faut donc regagner la confiance des employés en les mobilisant.

La mobilisation qui provient d'un lien affectif établi entre l'employé et l'organisation comprend trois dimensions : l'attachement au travail, l'attachement à sa mission et l'attachement aux autres membres de l'équipe. Et si cette mobilisation est de nature comportementale, elle se traduira par un triple effort de l'employé : effort d'amélioration continue, effort d'alignement stratégique et effort de coordination spontanée.

Mais si cette mobilisation provient d'une stratégie qui relève de la gestion, les dirigeants doivent abandonner certains comportements qui maintiennent une distance entre la direction et les employés, et adopter des styles de gestion mobilisateurs qui servent entre autres à favoriser la participation et la responsabilisation ou, encore, à développer des moyens permettant d'établir et de maintenir une relation de confiance avec les employés.

Des modèles de mobilisation centrés sur l'importance qu'il faut accorder aux travailleurs dans la vie des organisations ont été présentés par différents auteurs, mais ces modèles ne prennent leur sens que s'ils sont réellement intégrés à une stratégie de gestion qui considère le travailleur et qui vise à mettre ses talents à contribution dans l'organisation.

Évaluation des connaissances

QUESTIONS DE RÉVISION

1. Comment définissez-vous le contrat psychologique ?

2. Selon la conception traditionnelle du contrat psychologique, comment l'employeur était-il perçu par les travailleurs ?

3. Quelle nuance faut-il apporter aux définitions données à la mobilisation ?

4. Quelles sont les trois dimensions du concept de mobilisation ? Expliquez chacune de ces dimensions par une courte phrase.

5. En quoi certains comportements de gestion sont-ils considérés comme des sources de démobilisation ?

6. La mobilisation, en ce qui a trait à la gestion, exige des dirigeants qu'ils prennent leurs responsabilités sur deux plans. Quels sont-ils ? Expliquez-les.

7. Selon le modèle de mobilisation de McShane et Von Glinow, pourquoi la « compréhension de l'organisation » serait-elle un des éléments qui assurent la mobilisation des employés ?

8. D'après le modèle de mobilisation de Fabi, Martin et Valois, en quoi les actions de gestion sont-elles garantes de la mobilisation ? Expliquez trois de ces actions.

Analyse de cas

CAS 1 – « LULU !?... BIEN, C'EST MOI ! » (degré de difficulté : difficile)

On l'appelle « Lulu ». En vérité, son prénom est Lucie. Mais au CPE (Centre de la petite enfance) où elle travaille, les enfants se plaisent à l'appeler « Lulu ». D'ailleurs, elle apprécie ce petit nom, qu'elle trouve mignon. Embauchée trois ans plus tôt par Julie, la directrice du CPE, Lucie s'occupe depuis le début du groupe des Coccinelles, c'est-à-dire le groupe d'enfants âgés de 4 et 5 ans.

« Chose intéressante, avait noté la directrice au cours de la première évaluation annuelle du rendement de Lucie, notre petite Lulu a toujours su exercer un magnétisme incroyable tant sur les enfants que sur les sept autres techniciennes, dès son arrivée au CPE. »

D'ailleurs, il n'était pas rare de voir les enfants s'accrocher aux bras de Lucie, lui caressant les cheveux et le visage. Au moment du repas du midi, il était si cocasse de voir les enfants se bousculer pour manger auprès d'elle que la directrice avait développé un horaire spécial qui permettait à chaque enfant d'avoir sa chance de manger aux côtés de Lucie.

D'après Julie, Lulu n'élevait jamais la voix avec les enfants. De plus, elle souhaitait que toutes les tâches soient bien coordonnées afin que les deux autres techniciennes affectées à ce groupe d'âge suivent chaque étape de la journée sans prendre de retard. Par exemple, quand elle constatait qu'une collègue était débordée de travail pendant la période du repas du midi ou pendant celle du repos de l'après-midi, elle allait volontiers l'aider, lui laissant son groupe tandis qu'elle s'acquittait des tâches de sa collègue. Une fois la situation rétablie, elle reprenait son groupe en charge.

Monsieur Camiré, que tous prenaient pour le nouveau concierge car depuis un an, c'est lui qui vidait les poubelles, nettoyait le plancher et lavait les vitres, se rappelle en souriant de sa première rencontre avec Lucie. Quand il fut embauché, elle était en vacances. Dès qu'elle fut de retour au travail, il souhaita rencontrer celle que tous les employés décrivaient comme étant « Lulu, la merveille du CPE ». Laissant glisser un balai contre le plancher, il s'était approché d'elle en arborant un large sourire, sans savoir qui elle était, mais en devinant bien que c'était Lulu, simplement en voyant les enfants se précipiter vers elle.

— Je cherche une certaine Lulu, lui avait-il simplement dit.

Lucie levant les yeux vers lui, lui avait retourné son sourire en répondant :

— Lulu ?!... Bien, c'est moi !

— Enchanté… Je suis monsieur Camiré. Je viens d'être embauché par la directrice pour un mandat très spécial.

— Vous êtes le nouveau responsable du ménage ?

— Si vous voulez…

Lucie lui avait tendu la main.

— Enchantée de vous rencontrer, lui avait-elle dit.

Monsieur Camiré lui avait serré la main et, comme s'il ne voulait pas trop engager la conservation, il avait continué à balayer le plancher en sifflotant et s'était éloigné d'elle.

Mais ce qui fascinait surtout monsieur Camiré au fil des jours, des semaines et des mois, c'est que Lucie était la seule employée qui venait quand même travailler durant ses journées de congé. Elle venait soit pour aider les cuisiniers, soit pour placer des commandes, soit pour remplacer Julie en cas d'urgence.

Dynamique, Lucie suivait en plus des cours de psychologie de l'enfance à l'université, tous les lundis et jeudis, de 19 heures à 21 heures. Elle disait vouloir améliorer son approche en technique de garde auprès des enfants. Si elle estimait certaines théories susceptibles d'aider ses collègues dans l'encadrement des enfants, elle demandait la permission à Julie de rester le vendredi après les heures de travail afin d'exposer à ses collègues ses nouvelles connaissances. Son objectif était de s'assurer que son travail soit bien coordonné à celui de ses collègues et vice-versa. Bien que la présence à ces réunions demeurait établie sur une base volontaire, toutes les techniciennes tenaient à y assister.

En octobre 2010, le temps était encore venu pour Julie d'évaluer son personnel, comme chaque année à la même période. La première technicienne qu'elle fit entrer dans son bureau était Lucie. Celle-ci sursauta voyant, assis à côté de la directrice, monsieur Camiré, portant un habit bleu, une chemise blanche et une cravate rouge.

— Tu peux t'asseoir en face de moi, lui dit la directrice.

Lucie avança d'un pas léger, mais assuré. La directrice reprit la parole.

— Depuis un an, nous avons eu un observateur mystère qui, en vérité, est un spécialiste en évaluation du personnel de la société Turgeon-Lamaute – consultants en gestion des ressources humaines.

Lucie se tourna vers monsieur Camiré.

— Est-ce monsieur Camiré? demanda-t-elle.

— Oui, en effet! Il n'est pas un concierge. Je l'ai moi-même choisi, mais je ne voulais pas dévoiler son identité. Selon le rapport d'évaluation du rendement qu'il m'a remis, certaines techniciennes devront nous quitter car leur rendement n'atteint pas nos standards.

Lucie devint triste, pensant être visée par de tels propos.

— Mais tu n'as rien à craindre, reprit la directrice. Tu as obtenu une note parfaite. Et monsieur Camiré m'a dit qu'au cours de sa carrière, il n'avait jamais rencontré une personne aussi mobilisée que toi. Il te dit exceptionnelle.

Lucie regarda à nouveau monsieur Camiré.

— Puis-je vous demander une faveur? lui dit-elle.

— Bien sûr, Lucie.

— Accordez-moi une semaine et je vous promets de rendre mes collègues exceptionnelles et ainsi, elles n'auront pas à être licenciées. M'accordez-vous cette faveur?

Monsieur Camiré demeura bouche bée.

«Vraiment, c'est de la mobilisation à l'état pur», pensa-t-il en son for intérieur.

QUESTIONS

1. Monsieur Camiré a dit n'avoir jamais rencontré une personne aussi mobilisée que Lulu. Parmi les trois dimensions de la mobilisation, lesquelles a-t-il observées chez elle?

2. Pour chacune des dimensions que vous avez identifiées:

   a) Quelles composantes de cette dimension ressortent le plus?

   b) Quelles situations provenant du texte démontrent que vous avez identifié les bonnes composantes? Relevez une ou deux situations par composante. Illustrez chacune des composantes identifiées par un ou deux faits tirés du récit.

CAS 2 – LA « STAR » QUI BRILLE DANS L'OMBRE DES AUTRES
(degré de difficulté : moyen)

Dans le département d'informatique du cégep où il enseigne, Jean-Luc est une « star ». D'ailleurs, c'est ainsi que ses 10 autres collègues le qualifient. Doyen du département par son ancienneté et par son âge, il n'a pourtant que 53 ans et compte 27 ans d'expérience en enseignement. À ses débuts, il enseignait seulement au service de l'éducation des adultes. Il occupait une charge d'enseignement à temps plein, qu'il a maintenue pendant sept ans. Sa méthode d'enseignement était si révolutionnaire, semble-t-il, que les étudiants parlaient de lui comme étant « le *king* de l'enseignement », « la *star* du service de l'éducation des adultes », ou encore, ils lançaient sans ambages : « Y'en a pas deux comme lui ! ». Il commandait lui-même les logiciels qu'il utilisait pour son enseignement et les étudiait jusqu'à en connaître toutes les fonctionnalités. Il connaissait si bien toutes les techniques liées à l'utilisation des logiciels de traitement de textes et de configuration d'une base de données qu'il allait jusqu'à donner gratuitement à d'autres enseignants du département d'informatique, à des secrétaires et même à des directeurs de services, différents trucs leur permettant de mieux les maîtriser.

Huguette P., la directrice du service de l'éducation des adultes de l'époque, avait déjà dit de Jean-Luc : « Il a le don de capter pendant trois périodes l'attention du groupe et de se faire admirer par tous les étudiants… C'est un enseignant d'une classe à part !… »

Après sept ans à l'éducation des adultes, Jean-Luc avait obtenu son premier contrat comme enseignant à temps plein au département d'informatique. Sa réputation le précédant, l'accueil parmi ses nouveaux collègues fut impressionnant : petit déjeuner au restaurant, cadeaux nombreux, ballons accrochés à sa porte de bureau et carte de bienvenue.

Pendant les 20 ans qui suivirent la période qu'il avait passée à l'éducation des adultes, Jean-Luc enseigna principalement au département d'informatique du cégep. Cependant, à plusieurs reprises, le service de l'éducation des adultes avait fait appel à lui à cause de la pénurie de professeurs d'informatique qui semblait sévir année après année. Pourtant, dès l'année 2009, son dévouement envers le service de l'éducation des adultes prit fin brusquement.

En voici la raison. Au début des années 2000, le nouveau directeur du service de l'éducation des adultes avait décidé d'organiser une soirée « reconnaissance » au cours de laquelle serait remis un trophée aux trois enseignants qui s'étaient le plus illustrés au sein de ce service, non seulement par leur dévouement, mais aussi par leur enseignement. Tous les professeurs du département d'informatique avaient vu en Jean-Luc le premier récipiendaire d'un des trois trophées. Au service de l'éducation des adultes, des clins d'œil complices, des sourires aux intentions peu voilées et des tapes sur l'épaule lui avaient laissé croire que, de fait, toutes les chances étaient de son côté. Au mois de juin de cette année-là, au cours de la première soirée « reconnaissance », après le copieux repas et les nombreux discours, le nom des gagnants avait été dévoilé. Apparemment, par trois voix, Jean-Luc avait raté sa chance d'obtenir un trophée. Les regards détournés, les paroles de regrets et les haussements d'épaules avaient contribué à rendre plus amère sa déception. Mais qui plus est, le même sort lui fut réservé l'année suivante. Et comme si ce sort peu glorieux semblait vouloir s'acharner sur lui, pendant les huit premières années d'existence de la soirée « reconnaissance », son nom n'a jamais été retenu pour un des trophées. Bien que les professeurs qui remportaient les prix fussent souvent les mêmes, année après année, le bruit courait que pour avoir une vraie chance de gagner, il fallait faire partie du cercle d'amis intimes du directeur.

Déçu par la tournure des événements, dès l'année suivante, Jean-Luc avait cessé d'offrir ses services à l'éducation des adultes. Cependant, en octobre 2010, tandis qu'il travaillait dans son bureau, la porte fermée, le directeur du service de l'éducation des adultes avait frappé à sa porte. Martin, le collègue de Jean-Luc qui partageait avec lui le bureau, avait sursauté d'étonnement. Jamais un directeur ne se rendait au bureau d'un enseignant.

— Bonjour monsieur Lacasse... Comment puis-je vous aider ? Avait demandé Jean-Luc.

Le directeur avait esquissé un sourire insipide.

— J'ai besoin de tes services, mon cher Jean-Luc. Nous offrons un nouveau programme d'études en informatique et nous aimerions que tu prennes en charge le cours *Gestion d'un parc informatique*. J'ai su que tu es la « star » de ton département pour l'enseignement d'un tel cours. Tu me donnerais un sérieux coup de main car le programme commence dans exactement trois jours.

Jean-Luc avait fait un signe négatif de la tête.

— C'est dommage, avait-il répondu. Mon horaire est déjà très chargé. Je dois refuser votre offre.

Le directeur avait dit, en haussant les épaules :

— Je te laisse le soin d'y réfléchir ; appelle-moi sans faute cet après-midi.

Monsieur Lacasse était ensuite sorti du bureau. Martin écarquillait encore les yeux d'étonnement.

— Jean-Luc, tu as dit non à ton directeur ? Avait-il lancé, ahuri.

Jean-Luc lui avait répondu, d'une voix déçue :

— Quand il a besoin de moi, il est prêt à se déplacer pour venir me voir... Mais en temps normal, il a de la difficulté à me saluer quand je le croise dans les corridors. Il dit que je suis la « star » du département mais dans son propre service, il a fait de moi la « star » qui brille dans l'ombre des autres.

QUESTIONS

Dans un continuum allant de « très mobilisé » à « démobilisé », relevez :

a) Trois faits qui démontrent que Jean-Luc a déjà été très mobilisé quand il enseignait pour le service de l'éducation des adultes. (Dans votre réponse, précisez quelles dimensions de la mobilisation et quelles composantes de ces dimensions sont illustrées par les faits rapportés.)

b) Trois comportements qui portent à croire que le nouveau directeur du service de l'éducation des adultes a contribué à démobiliser Jean-Luc. (Dans votre réponse, identifiez les comportements à partir de la figure 6.2 et illustrez-les par un fait tiré du texte.)

www.cheneliere.ca/
turgeon-lamaute

Chapitre 7

Le leadership

Cheminement d'idées ▶

◀ LE LEADERSHIP

Comprendre le leadership
Section 7.1

L'approche fondée sur les traits
Section 7.2

L'approche fondée sur les comportements
Section 7.3

L'approche fondée sur la situation
Section 7.4

La nouvelle approche dans l'étude du leadership
Section 7.5

Les études de l'université de l'État de l'Ohio
Section 7.3.1

Les études de l'université du Michigan
Section 7.3.2

La grille managériale de Blake et Mouton
Section 7.3.3

Le leadership transformationnel
Section 7.5.1

L'engagement du leader transformationnel en faveur de la vision organisationnelle
Section 7.5.2

Le modèle unidimensionnel de Tannenbaum et Schmidt
Section 7.4.1

Le modèle du cheminement critique de House
Section 7.4.2

Le modèle de contingence de Fiedler
Section 7.4.3

Objectifs d'apprentissage :

1. expliquer pourquoi un dirigeant n'est pas nécessairement un leader ;
2. différencier les sources où les leaders puisent leur pouvoir ;
3. expliquer les distinctions entre les trois approches dominantes du leadership ;
4. différencier l'approche transactionnelle de l'approche transformationnelle dans l'étude du comportement des leaders.

Compétence à développer :

- utiliser des moyens appropriés pour orienter les personnes vers l'atteinte des objectifs ;
- élaborer et mettre en œuvre des méthodes de gestion qui, grâce à un leadership approprié, sont adaptées aux situations, aux objectifs et aux personnes.

Michel Roy : un leader de chez nous qui a fait son chemin[1]

En avril 1996, après deux pertes d'emploi consécutives causées par des conditions économiques difficiles dans le secteur de la fabrication de résines époxyde et polyuréthanne dans lequel il travaillait, Michel Roy, 36 ans, a jugé bon de prendre quelques mois de réflexion pour décider de son avenir.

Ayant exercé ses activités dans ce secteur pendant plusieurs années, il savait quelles étaient les compétences à démontrer non seulement pour être un bon distributeur et «formulateur» de résines époxyde et polyuréthanne, mais aussi pour bien se démarquer au sein des marchés québécois et canadien. De plus, il savait que ses relations d'affaires directes avec les utilisateurs de ces types de résine lui procuraient l'avantage de bien pouvoir cerner leurs différents besoins. Une analyse de marché lui avait permis de constater que les entreprises offrant ce type de résine se maintenaient en vie en dépit de la faible qualité de leurs services parce qu'elles exerçaient dans un secteur où l'offre de résines époxyde et polyuréthanne était rare.

Confiant en ses connaissances techniques dans le domaine des polymères, tant sur le plan des résines thermoplastiques que thermodurcissables, et en ses contacts avec les utilisateurs de ces produits, Michel Roy se disait convaincu que son entrée dans le marché lui permettrait de faire la différence. Il demeurait confiant que sa volonté d'offrir des produits correspondant aux besoins spécifiques des clients l'aiderait à bien positionner son entreprise par rapport à la concurrence.

En 1996, Michel Roy a donc fondé Polymères Technologies inc.: une société spécialisée, entre autres, dans la distribution et la formulation de résines époxyde, polyuréthanne et silicone pour les domaines de l'aéronautique, la transformation des plastiques et des caoutchoucs, le prototypage rapide, l'électronique et la protection des substrats en milieu industriel. Il s'est entouré d'une équipe de gestionnaires et de travailleurs à qui il a accordé toute sa confiance.

Aujourd'hui, il affirme que c'est par un marketing différencié axé sur la distribution et la formulation de produits répondant aux besoins spécifiques de ses clients que la société s'est rapidement démarquée de la concurrence et que c'est grâce à un style de gestion démocratique qu'il a favorisé et maintenu un climat de respect mutuel fondé sur le professionnalisme et la bonne entente.

Aujourd'hui, la société Polymères Technologies offre plus de 650 produits testés et validés par ses clients actuels et potentiels et est devenue un leader dans l'industrie. Et quand on demande à Michel Roy à quoi est dû son immense succès, il répond en souriant :

«Je suis à l'écoute de ma clientèle. J'entretiens avec elle une relation de partenariat client/ami… (il sourit de plus belle et ajoute)… J'ai aussi une belle équipe. C'est un privilège pour moi d'avoir des employés qui viennent travailler quotidiennement chez Polymères Technologies. Je prends soin d'eux et je leur fournis tous les outils leur permettant de performer dans leur travail.»

En tant que gestionnaire, Michel Roy est à l'écoute des ses employés et il les respecte. Il n'a pas inventé le leadership, il a tout bonnement démontré que ce concept peut réellement avoir une dimension humaine. Nous sommes heureux de dire que Michel Roy est un leader bien de chez nous.

Question d'ambiance

Après avoir lu ce chapitre, vous devriez avoir noté qu'il existe plusieurs courants de pensée dans l'étude du leadership. Ces courants de pensée sont regroupés selon trois approches.

Selon vous, le leadership que démontre Michel Roy relève de quelle approche ? Expliquez votre choix.

7.1 Comprendre le leadership

Les personnes qui occupent des postes de direction dans une entreprise n'acquièrent pas automatiquement le statut de leader. Étant donné que, dans une organisation, la structure d'autorité est généralement représentée par un organigramme, les liens d'autorité qui en découlent sont de ce fait bien illustrés, de sorte que chaque dirigeant peut clairement déterminer sur qui il exerce son autorité. Il sait, de plus, pour qui il doit fixer des objectifs à atteindre et contre qui il peut, si nécessaire, prendre des mesures coercitives. Il est donc logique d'admettre qu'un dirigeant exerce sur les personnes qu'il dirige une forme d'influence que lui confère son statut.

C'est grâce à ce statut que ce dirigeant peut, par les directives qu'il leur donne, influencer directement le comportement des individus soumis à son autorité. Il détient donc un certain pouvoir. Et, par le pouvoir formel qui lui vient de l'organisation, il dicte sa vision, impose ses objectifs et ses « façons de faire » et peut parfois sévir pour les faire accepter.

Le leader, quant à lui, puise son pouvoir dans le groupe au sein duquel il est appelé à jouer un ou plusieurs rôles. Le **leadership** qu'il exerce est défini comme « l'art ou le processus consistant à influencer les personnes de façon qu'elles consacrent, volontairement, tous leurs efforts à la réalisation de buts collectifs[2] ».

Le respect et la confiance que lui témoignent les membres du groupe ne sont pas imposés, car ils proviennent de l'une ou l'autre des sources suivantes, ou même des deux :

- le charisme qu'il dégage, c'est-à-dire la force d'attraction que ressentent les membres du groupe en sa présence ;
- le travail qu'il abat grâce à ses connaissances (son expertise) et à ses compétences.

Or, ces deux sources sont elles-mêmes, sans contredit, génératrices de pouvoir.

Comme nous le verrons dans ce chapitre, plusieurs courants de pensée ont été développés dans l'étude des leaders et du leadership, si bien que nous pouvons les regrouper selon trois approches : l'approche fondée sur les traits, l'approche fondée sur les comportements et l'approche fondée sur la situation.

Leadership (*leadership*)

Art ou processus consistant à influencer les personnes de façon qu'elles consacrent, volontairement, tous leurs efforts à la réalisation de buts collectifs.

7.2 L'approche fondée sur les traits

Dans la société nord-américaine, nous avons cette tendance à vouloir fabriquer des modèles, et nous aimons nous en inspirer. On en trouve par exemple dans le domaine du sport professionnel (Sidney Crosby au hockey), dans le domaine du cinéma d'aventures (Iron Man), dans le domaine de la politique (Barack Obama, président des États-Unis) ou encore dans le monde des affaires (Steve Jobs de la compagnie Apple).

Particulièrement dans le monde des affaires, les contextes économique, technologique, démographique et social actuels font que les dirigeants d'entreprise désireux de mobiliser les travailleurs cherchent des modèles de gestionnaires infaillibles, capables de relever plusieurs défis importants. Ils cherchent des leaders.

Cependant, on ne peut fabriquer des leaders pièce par pièce. Il serait trop simple de leur attribuer certains traits physiques spécifiques liés soit à leur intelligence, soit à certaines de leurs aptitudes intrinsèques, ou de leur attribuer des caractéristiques extraordinaires relatives à la tâche qu'ils effectuent et des caractéristiques exemplaires de nature sociale.

En somme, «la théorie selon laquelle le leadership est le produit de certains attributs présents chez tous les leaders[3]» ne tient pas forcément la route. Cependant, les organisations devraient favoriser chez certains de leurs gestionnaires le développement de certains comportements gagnants observés chez les leaders au regard de situations bien déterminées, vécues en milieu organisationnel.

Sur le plan de la recherche, les efforts qui ont été déployés en vue d'attribuer des traits caractéristiques spécifiques aux leaders ont permis de regrouper ces caractéristiques en six catégories[4]:

1. les caractéristiques physiques (âge, apparence, taille, poids, etc.);
2. le statut social (éducation, environnement social, mobilité, etc.);
3. l'intelligence (jugement, capacité décisionnelle, connaissances, facilité d'expression, etc.);
4. la personnalité (confiance en soi, vivacité d'esprit, charisme, intégrité, besoin de dominer, etc.);
5. les caractéristiques liées à la tâche ou aux objectifs (forte motivation, besoin d'accomplissement, sens remarquable de l'initiative et des responsabilités, etc.);
6. les habiletés sociales et interpersonnelles (tact, écoute, confiance en soi et en ses collaborateurs, sens de la coopération)[5].

La figure 7.1 présente ces différentes caractéristiques.

Si l'histoire de l'étude du leadership exige que l'on présente l'approche fondée sur les traits, elle dicte aussi les limites de cette approche. En effet, les

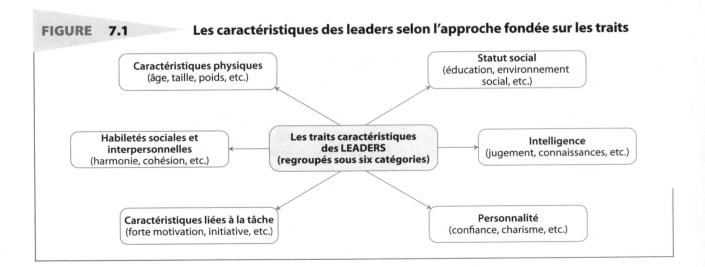

FIGURE 7.1 **Les caractéristiques des leaders selon l'approche fondée sur les traits**

résultats des recherches ayant voulu démontrer un lien direct entre les traits qui caractérisent les leaders, d'une part, et les caractéristiques physiques, le statut social et l'intelligence, d'autre part, ne sont pas concluants. De même, l'affirmation voulant que la personnalité d'un individu soit déterminante dans son aptitude à être un leader «ne peut être généralisée[6]». Cependant, il demeure possible d'attribuer aux leaders des traits caractéristiques liés à l'accomplissement de leur tâche et des traits caractéristiques liés à leurs habiletés sociales et interpersonnelles[7].

En résumé, la difficulté que présente l'approche fondée sur les traits découle du fait qu'il est difficile de s'y fier complètement. Cependant, comme certains éléments issus de cette approche se sont révélés pertinents, d'autres chercheurs s'en sont inspirés et, des résultats de leurs recherches a émergé l'approche fondée sur les comportements.

le signet
du stratège

Portrait d'une femme au parcours génial

Depuis l'année 2000, Julie Payette porte le titre d'astronaute en chef de l'Agence spatiale canadienne.

Connaissez-vous Julie Payette? Il s'agit bien de cette femme ingénieure qui, en juin 1992, parmi un groupe de 5330 candidatures, fut sélectionnée par l'Agence spatiale canadienne afin de devenir astronaute. De nature déterminée, non seulement elle obtient sa licence de pilote commercial, mais elle étudie le russe tout au long de sa préparation en vue d'une mission spatiale.

Son parcours professionnel est impressionnant:

- En 1996, elle devient opératrice de scaphandre pressurisé en eaux profondes.
- En 1996, elle obtient le grade de capitaine sur les jets militaires CT-114.

- En 1996, elle commence un entraînement à la NASA.
- En 1998, elle est reçue spécialiste de mission.
- En juin 1999, elle fait partie de l'équipage de la mission STS-96, à bord de *Discovery*, en tant que spécialiste de mission.

C'est d'ailleurs son équipage qui a réussi le premier arrimage manuel de la navette à la Station spatiale internationale. En septembre 2000, Julie Payette portait fièrement le titre d'astronaute en chef de l'Agence spatiale canadienne[8].

Voici le portrait d'une femme qui, grâce à sa forte motivation, son haut niveau d'expertise et sa grande confiance en soi, fait partie de nos leaders charismatiques.

Petit exercice de détente

En vous appuyant sur les résultats concluants de l'approche fondée sur les traits, soit les caractéristiques liées à l'accomplissement de la tâche et aux habiletés sociales et interpersonnelles, citez deux personnes qui, à vos yeux, sont des leaders charismatiques. Expliquez sur quels traits caractéristiques, dont la fiabilité fut démontrée par les études, vous vous appuyez.

7.3 L'approche fondée sur les comportements

Avant de présenter l'approche fondée sur les comportements, il convient de préciser quelle est la conception du leader ainsi que l'objet de recherche des chercheurs se réclamant de cette approche.

En ce qui a trait à leur conception de ce qu'est un leader, les chercheurs se réclamant de cette approche désignaient ainsi tout gestionnaire qui, occupant un poste de direction en milieu organisationnel, avait à diriger des employés. Dans ce chapitre, nous utiliserons indifféremment les mots « gestionnaire » et « leader » afin de respecter l'esprit de ces recherches. Quant à l'objet de recherche, il portait sur un questionnement précis, à savoir quel comportement spécifique adoptent les gestionnaires (leaders) efficaces pour mener leurs employés à atteindre les objectifs organisationnels[9].

Comme les « recherches initiales relatives à l'approche axée sur les comportements avaient pour objectif de faire ressortir les éléments influençant le comportement de leader et de déterminer les effets du style de leadership sur le rendement et la satisfaction au travail[10] », nous comprenons pourquoi des principales théories qui en émergent ressortent deux dimensions comportementales associées au leadership : le leadership orienté vers la tâche et leadership orienté vers l'employé.

Les principaux résultats des études axées sur le leadership comportemental proviennent des recherches menées à l'université de l'État de l'Ohio, des recherches provenant de l'université du Michigan et des recherches menées par Blake et Mouton sur la **grille managériale**.

7.3.1 Les études de l'université de l'État de l'Ohio[11]

Pour les chercheurs de cette université, les deux dimensions comportementales du leadership se traduisent par deux types de comportements observés chez les gestionnaires :

1. **Des comportements orientés vers l'organisation de la structure**

   Ces comportements mettent en relief les aptitudes permettant au leader :
   - de définir son rôle et celui de ses subordonnés au sein de la structure ;
   - d'organiser le travail, d'assigner des tâches, de favoriser les relations interpersonnelles ;
   - de fixer des objectifs et de travailler dans le but de les atteindre avec le groupe.

2. **Des comportements orientés vers la considération des employés**

   Ces comportements ont une double fonction :
   - ils témoignent de la propension du leader à valoriser les relations humaines ;
   - ils permettent de comprendre comment ses relations dans l'organisation sont fondées sur la confiance mutuelle, le respect des idées des subordonnés et l'attention prêtée à la satisfaction de leurs besoins[12].

   En adoptant une approche où « l'organisation de la structure » et « la considération » sont perçues comme deux dimensions indépendantes, les théories du leadership fondé sur les comportements orientent la réflexion vers certaines réalités organisationnelles :

Grille managériale

(managerial grid)

Grille graduée de 0 à 9 sur ses deux axes et montrant, sur son axe horizontal, les variantes d'un style de leadership orienté vers la tâche et, sur son axe vertical, les variantes d'un style de leadership orienté vers l'employé.

- Il est possible de faire face à des leaders dont les comportements ne manifestent qu'une orientation vers l'exécution des tâches et l'atteinte des objectifs.

- Il est possible d'observer des leaders dont les comportements ne manifestent qu'une orientation vers la considération des employés.

- Il est tout à fait possible de noter l'existence de leaders très orientés vers la tâche et qui peuvent obtenir un haut degré de satisfaction de leurs employés parce qu'ils leur démontrent de la considération[13].

7.3.2 Les études de l'université du Michigan

En concentrant leurs recherches sur la détermination du comportement spécifique des leaders efficaces qui mènent leurs employés à atteindre les objectifs, les chercheurs de l'université du Michigan ont aussi décrit deux types de comportements propres aux leaders. Il s'agit de l'orientation vers l'employé et de l'orientation vers la production.

1. **L'orientation vers l'employé**

   Les leaders qui manifestent une orientation vers l'employé mettent l'accent sur deux éléments : les relations interpersonnelles et la cohésion au sein du groupe. Ces leaders prêtent une attention particulière aux besoins de leurs subordonnés et acceptent le fait qu'il existe des différences individuelles entre eux. Selon eux, la satisfaction des besoins de leurs subordonnés améliore la productivité.

2. **L'orientation vers la production**

   Les leaders qui démontrent une orientation vers la production accordent beaucoup d'importance aux deux éléments suivants : les aspects techniques de la tâche et l'atteinte des objectifs organisationnels. Pour ces leaders, le groupe est perçu comme un moyen permettant d'atteindre les objectifs organisationnels. Ainsi, les principales préoccupations de ces leaders ont trait à l'efficacité, à la production aux moindres coûts et au respect des délais de production.

   En résumé, ce qu'il faut principalement retenir des études provenant de l'université de l'État de l'Ohio et de celle du Michigan, c'est la mise en relief de deux types de comportements possibles chez le leader efficace :

- un comportement manifestant une orientation vers la tâche ; et

- un comportement manifestant une orientation vers les individus.

   La figure 7.2 présente les principales conclusions issues des recherches effectuées dans ces deux universités sur le leadership axé sur les comportements.

7.3.3 La grille managériale de Blake et Mouton

Dans l'étude du leadership fondé sur les comportements, le modèle le plus populaire demeure la grille managériale de Blake et Mouton, justement parce qu'elle revêt une dimension pratique. Bien que ces auteurs reprennent les deux comportements présentés par les chercheurs des universités de l'État de l'Ohio et du Michigan, leur grille comporte un double avantage :

- elle fait ressortir différents styles de leadership ; et

- elle permet de décrire quel semble être le style de leadership idéal[14].

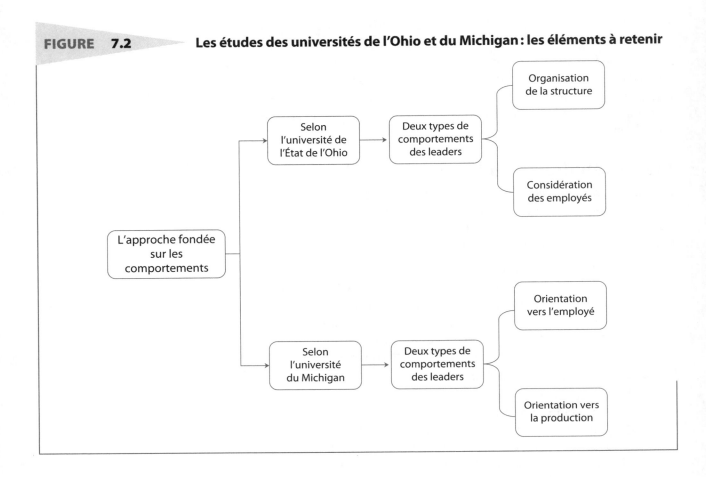

Bien que cette grille managériale laisse entrevoir l'existence de 81 possibilités de styles de leadership, Blake et Mouton ne ciblent que cinq types-repères de leadership. La figure 7.3 illustre la grille managériale. Elle ne présente pas un graphique gradué, mais elle respecte l'esprit des résultats obtenus par Blake et Mouton.

L'axe horizontal de la grille, gradué de 0 à 9, montre le degré d'intérêt accordé à la production. L'axe vertical, aussi gradué de 0 à 9, indique le degré d'intérêt accordé à l'élément humain. Les cinq principaux styles de leadership qui ressortent de cette grille sont le style de gestion dit « anémique » (1,1), le style de gestion dit « club social » (1,9), le style de gestion dit « autocratique » (9,1), le style de gestion dit « intermédiaire » (5,5) et le style de gestion dit « démocratique » (9,9).

Explications :

Le style de gestion dit anémique (1,1)

Le gestionnaire qui correspond à ce style ne prend aucune décision et évite les confrontations dans l'organisation. Il déploie un effort minimal au travail.

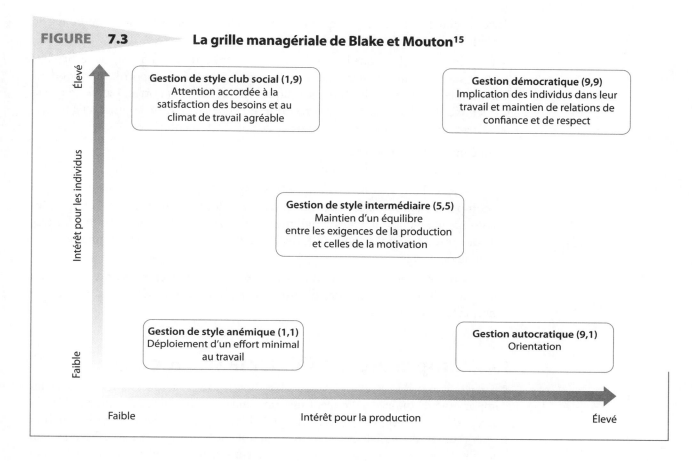

FIGURE   7.3   La grille managériale de Blake et Mouton[15]

Gestion de style club social (1,9)
Attention accordée à la satisfaction des besoins et au climat de travail agréable

Gestion démocratique (9,9)
Implication des individus dans leur travail et maintien de relations de confiance et de respect

Gestion de style intermédiaire (5,5)
Maintien d'un équilibre entre les exigences de la production et celles de la motivation

Gestion de style anémique (1,1)
Déploiement d'un effort minimal au travail

Gestion autocratique (9,1)
Orientation

Élevé

Faible

Intérêt pour les individus

Faible   Intérêt pour la production   Élevé

Le style de gestion dit club social (1,9)

Le gestionnaire qui pratique ce style de gestion ne s'intéresse que peu à la production et se consacre au développement et au maintien de relations interpersonnelles harmonieuses.

Le style de gestion dit autocratique (9,1)

Le gestionnaire à qui on associe ce style de gestion est centré uniquement sur la tâche. Il n'a que peu d'intérêt pour ses employés et n'hésite pas à utiliser contre eux des mesures disciplinaires pour les forcer à atteindre les objectifs organisationnels.

Le style de gestion dit intermédiaire (5,5)

Le gestionnaire qui adopte ce style recherche les compromis. En somme, il ménage la chèvre et le chou. Il est suffisamment centré sur la production pour que ses employés atteignent un rendement moyen, mais il ne les néglige pas pour autant. Il maintient un juste équilibre entre les exigences de la production et les exigences de la motivation.

Le style de gestion dit démocratique (9,9)

Le gestionnaire qui préconise ce style montre un intérêt très élevé pour la production, donc pour le rendement de ses employés, mais il accorde aussi un intérêt très élevé aux relations humaines. Il axe sa gestion sur l'harmonisation de ces deux éléments, et les relations qu'il entretient avec ses employés sont empreintes de confiance et de respect.

En résumé, bien que les résultats issus des trois grands courants de recherches portant sur les comportements des leaders aient constitué un apport important dans la compréhension du leadership, les critiques en ont limité la portée. La raison en est fort simple : les chercheurs qui ont favorisé l'émergence de cette approche ne reconnaissaient chez les leaders que deux types de comportements :

1. une orientation vers la tâche ;
2. une orientation vers l'individu.

Cependant, aucune précision n'a jamais été apportée concernant les types de comportements que les leaders devraient adopter lorsque, par exemple, les situations auxquelles ils étaient habitués changeaient radicalement pour des raisons de nature technologique, politique, structurelle, sociale, démographique, économique ou autres.

Compte tenu de cette lacune observée dans les recherches sur le leadership fondé sur les comportements, d'autres chercheurs ont développé un nouveau concept : le *leadership situationnel*.

7.4 L'approche fondée sur la situation

Ne rejetant pas du revers de la main les théories selon lesquelles les traits et les comportements du leader exercent une influence possible sur la compréhension du concept de leadership, les « chercheurs qui adhèrent à l'approche axée sur la situation se préoccupent des variables situationnelles susceptibles d'influer sur l'efficacité d'un leader[16] ». Les principales recherches rapportent que les variables situationnelles qui influent sur l'efficacité du leader s'articulent autour de quatre axes :

1. les caractéristiques personnelles du leader, c'est-à-dire les traits relatifs à sa personnalité, à ses valeurs, à ses besoins, à ses motivations et à ses expériences ;
2. les caractéristiques des subordonnés, c'est-à-dire leurs traits relatifs à leur personnalité, à leurs valeurs, à leurs besoins, à leurs motivations et à leurs expériences ;
3. les caractéristiques du groupe, c'est-à-dire sa structure, la nature des tâches à effectuer, son stade de développement et ses normes de fonctionnement ;
4. les caractéristiques de la structure organisationnelle, c'est-à-dire la structure d'autorité et les sources de pouvoir ainsi que les règles, les politiques et les procédures établies.

La figure 7.4 présente les principales variables situationnelles.

En ce qui concerne cette approche, nous retenons, à des fins d'étude, trois principaux modèles : le modèle unidimensionnel de Tannenbaum et Schmidt, le modèle du cheminement critique de House et le modèle de contingence de Fiedler. Si, des deux premiers modèles, il faut retenir l'idée que l'efficacité d'un leader réside dans sa capacité à adapter son comportement aux différentes situations auxquelles il est appelé à faire face, il faut retenir que dans le dernier modèle, l'efficacité du leader dépend de sa capacité à adapter les situations à son style de leadership.

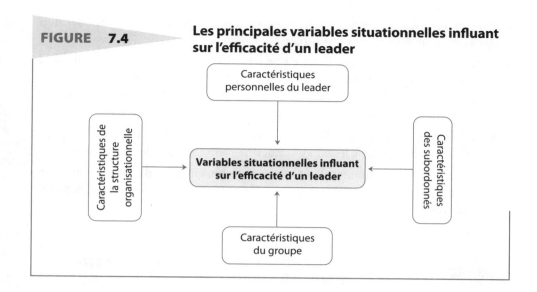

FIGURE 7.4

Les principales variables situationnelles influant sur l'efficacité d'un leader

Caractéristiques personnelles du leader

Caractéristiques de la structure organisationnelle

Variables situationnelles influant sur l'efficacité d'un leader

Caractéristiques des subordonnés

Caractéristiques du groupe

7.4.1 Le modèle unidimensionnel de Tannenbaum et Schmidt

Étant donné que l'objectif recherché est l'efficacité organisationnelle, Tannenbaum et Schmidt stipulent que l'efficacité d'un groupe est soumise à une double influence : celle qui relève des caractéristiques du leader et celle qui relève de la présence de facteurs situationnels.

Les caractéristiques du leader

Tannenbaum et Schmidt proposent un continuum des styles de leadership illustrant les caractéristiques d'un leader. Dans ce continuum, un style de leadership se révèle plus adéquat qu'un autre selon les situations vécues et selon la personnalité du leader (*voir la figure 7.5, à la page suivante*).

À l'extrémité gauche de cette figure, la flèche numérotée 1 indique l'aire d'autonomie du leader, caractérisée par un style de leadership autocratique. Le leader de ce style prend seul les décisions et ses subordonnés s'y rallient.

En aucun cas Tannenbaum et Schmidt n'affirment qu'il existe un style de leadership meilleur qu'un autre. Ils avancent l'idée qu'un leader doit adopter un style en fonction de la situation à laquelle il fait face. C'est pourquoi leur continuum présente sept styles de leadership différents, partant de l'autocratique, se situant sous l'aire d'autonomie du leader, et allant jusqu'au démocratique-participatif, à l'extrémité droite, sous l'aire d'autonomie des subordonnés.

Le premier style de leadership, indiqué par la *flèche numérotée 1* dans la figure, a déjà été présenté. L'énumération qui suit présente les six autres syles.

- *flèche numérotée 2 :* cette aire illustre une situation où le leader essaie de rallier ses subordonnés à son point de vue ;

- *flèche numérotée 3 :* cette aire illustre une situation où le leader annonce ses décisions, mais en discute avec ses subalternes ;

- *flèche numérotée 4 :* cette aire illustre une situation où le leader propose des décisions provisoires qui peuvent être modifiées par ses subordonnés ;

- *flèche numérotée 5 :* cette aire illustre une situation où le leader présente le problème, sollicite les avis de ses subordonnés, puis prend la décision ;

- *flèche numérotée 6 :* cette aire illustre une situation où le leader définit les paramètres à l'intérieur desquels les subordonnés peuvent prendre des décisions ;

- *flèche numérotée 7 :* cette aire illustre une situation où le leader et ses subordonnés prennent des décisions conjointes à l'intérieur des limites imposées par les contraintes organisationnelles.

FIGURE 7.5 **Le modèle unidimensionnel de Tannenbaum et Schmidt**

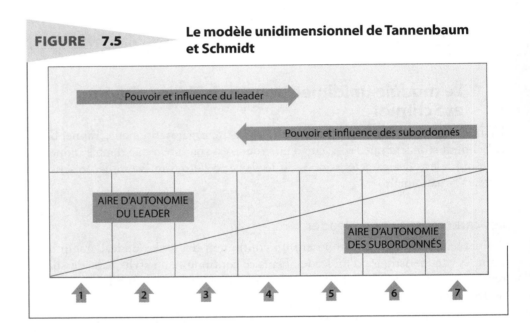

Les facteurs situationnels

Si, pour Tannenbaum et Schmidt, un leader efficace adapte son style de leadership aux situations auxquelles il fait face, il devient impératif de connaître les facteurs à la base de ces situations. Ces chercheurs en décrivent trois.

1. **Les forces propres à la personnalité du leader**

   Il s'agit de forces qui définissent la personnalité du leader et qui mettent en relief certains éléments tels que :

   - son système de valeurs ;

   - la confiance qu'il a en ses subordonnés ;

   - sa préférence pour un style de leadership ou un autre ;

   - sa confiance en soi dans des situations incertaines.

2. Les forces propres aux subordonnés

Il s'agit de forces qui se traduisent par des éléments tels que :

- le désir d'indépendance des subordonnés ;
- leur volonté d'assumer des responsabilités ;
- leur désir de participer au processus de prise de décision ;
- leur degré de tolérance au regard de l'ambiguïté ;
- leur intérêt au travail ;
- leur niveau de compréhension des objectifs de l'organisation ;
- leurs attentes au chapitre de la participation[17].

3. Les forces situationnelles

Il s'agit de situations ponctuelles ou de situations propres à l'organisation, telles que, par exemple :

- les traditions et l'ensemble des valeurs organisationnelles ;
- le degré d'efficacité des subordonnés dans leur façon de travailler en tant qu'unité ;
- la nature et la dimension que prend un problème, selon le degré de centralisation ou de décentralisation de l'autorité requise pour le traiter.

L'exemple 7.1 présente deux cas fondés sur le modèle de Tannenbaum et Schmidt.

EXEMPLE 7.1   **Des exemples d'application du modèle de Tannenbaum et Schmidt**

Cas 1

Un gestionnaire dirige une équipe composée de subordonnés qui manifestent beaucoup d'indépendance dans la réalisation d'un projet spécifique parce qu'ils possèdent l'expertise et l'expérience suffisantes pour le mener à terme efficacement. Selon le modèle de Tannenbaum et Schmidt, dans la mesure où ce gestionnaire fait confiance aux membres de son équipe, il doit – dans cette situation précise – adopter un style de leadership *démocratique-participatif* envers eux et ne fixer que les objectifs à atteindre et le délai requis pour les atteindre.

Cas 2

En revanche, il peut s'agir d'une situation où un gestionnaire doit diriger des employés qui éprouvent de la difficulté à fonctionner efficacement sans l'aide de directives précises et répétées. Devant une telle situation, si ce gestionnaire manifeste peu de confiance envers ses subordonnés, il doit, dès qu'on lui soumet un projet, le prendre en main et manifester un style de leadership autocratique afin de mener les employés par des directives précises et un contrôle serré vers l'atteinte des objectifs.

La figure 7.6, à la page suivante, résume la pensée de Tannenbaum et Schmidt quant à l'influence des facteurs situationnels sur le style de leadership à adopter.

En somme, dans toute situation qui se présente à lui, un leader doit considérer les différents facteurs situationnels avant même d'adopter un style de leadership particulier.

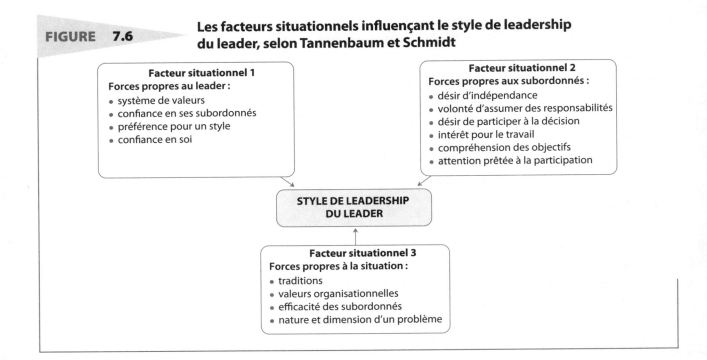

FIGURE 7.6 Les facteurs situationnels influençant le style de leadership du leader, selon Tannenbaum et Schmidt

Facteur situationnel 1
Forces propres au leader :
- système de valeurs
- confiance en ses subordonnés
- préférence pour un style
- confiance en soi

Facteur situationnel 2
Forces propres aux subordonnés :
- désir d'indépendance
- volonté d'assumer des responsabilités
- désir de participer à la décision
- intérêt pour le travail
- compréhension des objectifs
- attention prêtée à la participation

STYLE DE LEADERSHIP DU LEADER

Facteur situationnel 3
Forces propres à la situation :
- traditions
- valeurs organisationnelles
- efficacité des subordonnés
- nature et dimension d'un problème

7.4.2 Le modèle du cheminement critique de House

Modèle du cheminement critique

(*path-goal theory*)

Théorie selon laquelle le comportement du leader est acceptable aux yeux de ses subordonnés dans la mesure où ils perçoivent ce comportement comme une source immédiate ou future de satisfaction de leurs besoins.

Dans son esprit même, le **modèle du cheminement critique** de House ne diffère pas de celui de Tannenbaum et Schmidt car, selon ce chercheur, le style de leadership idéal varie aussi selon les situations. En revanche, c'est dans son contenu que ce modèle diffère car, selon House, un leader est efficace :

- s'il dirige ses employés de façon à les amener à atteindre les objectifs organisationnels ;
- s'il favorise, pour ses employés, l'établissement d'un climat de travail satisfaisant ;
- s'il rend disponibles et désirables, pour ses employés, différentes récompenses ;
- s'il accroît la motivation de ses employés en clarifiant les orientations ou les comportements qui vont leur permettre d'atteindre les objectifs, tout en leur fournissant un soutien adéquat.

En somme, pour House, le leader efficace doit orienter la perception de ses employés de façon qu'ils établissent un lien entre la satisfaction de leurs besoins et l'atteinte des objectifs organisationnels. C'est donc au leader que revient la tâche de préciser à ses employés le comportement à adopter en vue d'obtenir les récompenses servant à satisfaire leurs besoins.

Dans cette optique, House distingue quatre styles de leadership :

1. *le leadership directif :* le leader qui adopte ce style planifie, organise, dirige et contrôle le travail de ses subordonnés ;
2. *le leadership de soutien :* le leader qui adopte ce style établit des relations interpersonnelles et prête attention aux besoins de ses subordonnés ;

3. *le leadership participatif :* le leader qui adopte ce style consulte ses subordonnés et tient compte de leurs suggestions avant de prendre une décision ;

4. *le leadership orienté vers les objectifs :* le leader qui adopte ce style fixe des objectifs de haut niveau et encourage ses subordonnés à fournir le rendement le plus élevé possible afin de les atteindre.

Selon House, le leader efficace doit adopter l'un ou l'autre de ces styles selon les situations qu'il est susceptible de rencontrer. Il va de soi que, dans son milieu de travail, ces situations doivent relever de facteurs situationnels précis, qu'il regroupe en deux classes : les caractéristiques propres aux subordonnés et les caractéristiques propres à l'environnement de travail[18].

Les caractéristiques propres aux subordonnés

Ces caractéristiques réfèrent aux facteurs qui exercent une influence sur le comportement des subordonnés. Ces facteurs, au nombre de cinq, sont les suivants :

- l'étendue du contrôle qu'ils exercent ;
- leur expérience ;
- leur habileté au travail ;
- leur besoin d'accomplissement ;
- leur besoin de compréhension des orientations à suivre[19].

Les caractéristiques propres à l'environnement de travail

Ces caractéristiques regroupent les facteurs suivants :

1. les tâches à accomplir ;
2. la dynamique de groupe ;
3. les politiques, les règles et les normes de travail applicables dans l'organisation.

La figure 7.7, à la page suivante, présente les facteurs situationnels qui, selon House, exercent une influence sur l'adoption du style approprié de leadership.

L'exemple 7.2 présente deux cas fondés sur le modèle de House.

EXEMPLE 7.2　　**Des exemples d'application de la théorie de House**

Cas 1

Dans un service de commercialisation des produits, les subordonnés éprouvent de la difficulté à atteindre les objectifs à cause de la complexité de la tâche à accomplir. Selon le modèle de House, pour le superviseur qui dirige ces employés, le leadership directif doit être le style approprié parce que ce superviseur doit planifier le travail à accomplir, organiser les ressources en conséquence, diriger ses employés avec des directives fermes et exercer un contrôle serré sur le travail qu'ils accomplissent.

Cas 2

Dans un service de contrôle de la qualité, un superviseur dirige des subordonnés qui manifestent un haut niveau de compétence et qui, sans cesse, relèvent les défis qui leur sont présentés. Selon le modèle de House, le style de leadership que doit exercer ce superviseur doit être beaucoup plus orienté vers les objectifs car il peut fixer pour eux des objectifs de haut niveau tout en les encourageant à fournir un rendement élevé pour les atteindre.

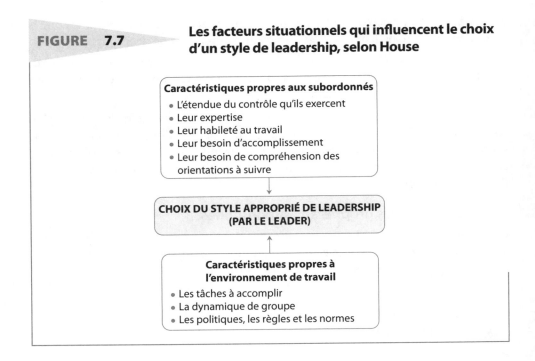

FIGURE 7.7 Les facteurs situationnels qui influencent le choix d'un style de leadership, selon House

Caractéristiques propres aux subordonnés
- L'étendue du contrôle qu'ils exercent
- Leur expertise
- Leur habileté au travail
- Leur besoin d'accomplissement
- Leur besoin de compréhension des orientations à suivre

CHOIX DU STYLE APPROPRIÉ DE LEADERSHIP (PAR LE LEADER)

Caractéristiques propres à l'environnement de travail
- Les tâches à accomplir
- La dynamique de groupe
- Les politiques, les règles et les normes

7.4.3 Le modèle de contingence de Fiedler

Comme nous l'avons précédemment présenté, pour Tannenbaum et Schmidt ainsi que pour House, l'efficacité du leader se mesure par sa capacité d'adapter son style de leadership aux différentes situations qui surviennent; encore faut-il qu'il fasse preuve d'une volonté à changer son style.

Pour Fiedler, l'efficacité du leader se mesure par sa capacité à modifier les facteurs situationnels en fonction de son style de leadership. Dans son modèle de contingence, cet auteur se limite à deux styles de leadership : le style autocratique et le style démocratique.

Fiedler présente ensuite les trois dimensions que peuvent comporter les facteurs situationnels :

1. **Les relations entre le leader et les membres**

   La question que doit se poser le leader sur ce plan est : « Mes subordonnés m'acceptent-ils en tant que leader ? » Cette dimension, qui est de loin la plus importante des trois, s'apparente au degré d'acceptation du leader par le groupe. Elle correspond à l'atmosphère (bonne ou mauvaise) dans laquelle évolue le groupe, au soutien accordé au leader, à la loyauté dont il bénéficie et à la confiance qui règne au sein du groupe.

2. **La structure de la tâche**

   La question que doit se poser le leader sur ce plan est : « Les tâches que doivent exécuter mes subordonnés sont-elles définies avec assez de clarté et de précision pour qu'ils en comprennent toutes les dimensions ? » Selon le modèle de contingence, la tâche peut être structurée ou non structurée.

3. Le pouvoir du leader

La question que doit se poser le leader sur ce plan est : « Ai-je le pouvoir de récompenser ou de punir ? » Ce pouvoir peut être faible ou élevé et se traduit par le degré d'influence que le leader exerce sur l'embauche, les congédiements, l'application des mesures disciplinaires et l'attribution de récompenses (promotions, primes, etc.).

Selon le modèle de contingence de Fiedler, ces « trois variables situationnelles déterminent jusqu'à quel point une situation donnée est favorable ou défavorable à l'exercice du leadership[20] ».

Pour chacune des dimensions qui caractérisent ce modèle, le niveau de contrôle exercé par le leader peut être élevé si, selon son habileté à influencer le groupe, les décisions qu'il prend rendent prévisibles les résultats qu'il veut atteindre. Dans le même ordre d'idées, le niveau de contrôle qu'il exerce peut être faible s'il ne possède pas une telle habileté. En combinant les trois dimensions que peuvent comporter les variables situationnelles avec les deux niveaux de contrôle (élevé/faible), nous obtenons huit situations possibles que le gestionnaire efficace peut modifier en vertu de son style de leadership (autocratique ou démocratique). La figure 7.8 illustre ces différentes situations.

FIGURE 7.8   Le modèle de contingence de Fiedler

Atmosphère	Bonne				Mauvaise			
Structure de la tâche	Structurée		Non structurée		Structurée		Non structurée	
Pouvoir du leader	Élevé	Faible	Élevé	Faible	Élevé	Faible	Élevé	Faible
Situations possibles	1	2	3	4	5	6	7	8
Niveaux de contrôle	Élevé							Faible

En analysant la figure 7.8, on constate que la situation idéale semble être la situation 1, où l'atmosphère est bonne et la tâche est structurée, où le pouvoir et le niveau de contrôle sont élevés. Mais, dans la logique du modèle de Fiedler, étant donné que le leader efficace est celui qui adapte la situation à son style de leadership, le leader orienté vers les objectifs (autocratique) devrait être davantage porté vers la structure de la tâche et le pouvoir qu'il détient que vers la qualité de l'atmosphère. En contrepartie, le leader orienté vers les relations humaines (démocratique) serait plus porté à créer une bonne atmosphère et à structurer la tâche qu'à rechercher un pouvoir élevé.

L'exemple 7.3 présente deux cas fondés à partir du modèle de Fiedler.

Des exemples d'application du modèle de Fiedler

Cas 1

Au sein d'une institution financière qui vient de connaître une restructuration, les dirigeants constatent que le nombre de postes requis pour un service-conseil efficace est nettement inférieur au nombre de postes existants. Sachant que la directrice du service-conseil est du style démocratique, ils décident de la transférer dans un autre service et d'embaucher une autre directrice au style autocratique. Selon le modèle de Fiedler, cette façon de faire est bien indiquée car la nouvelle directrice ne se laissera pas mener par les sentiments, mais par le pouvoir élevé qu'elle détient, et sera en mesure de couper les postes et de licencier les personnes en ne tenant compte que de l'objectif à atteindre, soit l'efficacité organisationnelle. Cette directrice ne fait aucun cas de la détérioration de l'atmosphère résultant des décisions qu'elle applique.

Cas 2

Un directeur au style démocratique gère le service à la vie étudiante d'un collège et supervise le travail de trois employés : le responsable du service des sports, le responsable du service de la pastorale et le responsable de la fondation. Étant donné que ces responsables doivent solliciter des fonds par voie de commanditaires pour que leur service fonctionne adéquatement, ils bénéficient d'une autonomie totale pour mener à bien leurs différentes opérations. Ce directeur, conscient du fait qu'il dirige des services sans incidence directe sur le succès organisationnel et dépourvus de soutien financier découlant de cette organisation, doit ajuster sa gestion en conséquence. En conformité avec le modèle de Fiedler, il doit privilégier le maintien d'une bonne atmosphère de travail, s'assurer que la tâche de ses responsables est toujours bien structurée et maintenir faible l'exercice de son pouvoir.

7.5 La nouvelle approche dans l'étude du leadership

Leadership transactionnel

(transactional leadership)

Forme de transaction qui définit le type de relations que le leader entretient avec ses employés, relations qui prennent la forme de négociations au moyen desquelles, par un jeu de récompenses et de punitions, le leader oriente ses employés vers les comportements à adopter pour atteindre les objectifs organisationnels.

Un nouveau courant d'étude sur les comportements des leaders oppose deux concepts : le leadership transactionnel et le leadership transformationnel. Concept plus ancien, le **leadership transactionnel** réfère à une forme de transaction qui définit le type de relations que le gestionnaire entretient avec ses employés, relations qui prennent la forme de négociations au moyen desquelles, par un jeu de récompenses et de punitions, le leader oriente ses employés vers les comportements à adopter pour atteindre les objectifs organisationnels.

Par ce type leadership, le gestionnaire vise deux résultats : l'atteinte efficace des objectifs organisationnels et l'orientation des employés vers cette réalisation.

Pour y arriver, il doit miser sur des actions concrètes, comme s'assurer de bien associer des récompenses précises à des niveaux de rendement déterminés ou, encore, s'assurer que les employés possèdent le potentiel nécessaire et les ressources suffisantes pour accomplir les tâches exigées d'eux.

Le leadership transactionnel cadre bien dans un contexte économique favorable aux entreprises, c'est-à-dire un contexte où ces dernières dominent leur marché ou y occupent une position de force, contrent rapidement les menaces des concurrences locales ou nationales, évoluent au sein d'une économie stable et demeurent financièrement aptes à offrir des récompenses à leurs employés.

Mais depuis les trois dernières décennies, le contexte économique est différent. Il demeure imprévisible, turbulent et fortement concurrentiel. Comme nous l'avons souligné au chapitre 4, dans ce contexte, les entreprises – qu'elles manifestent une position défensive ou une position proactive – se tournent de plus en plus vers une stratégie prudente de réduction des coûts. Elles misent sur la flexibilité et recherchent différentes formes d'alliances stratégiques dès que l'occasion s'y prête. Sur le plan de la gestion, ces entreprises demandent aux gestionnaires de délaisser le leadership autocratique au profit d'un style plus apte à favoriser la mobilisation des employés et de développer chez eux un engagement organisationnel propice à l'acceptation de la vision organisationnelle.

En somme, c'est la nouvelle réalité économique que vivent les entreprises qui a forcé les gestionnaires à se tourner graduellement vers d'autres types de relations qui leur permettent d'agir directement sur la transformation du comportement de leurs employés à l'égard de l'organisation, de sa vision et des objectifs qu'elle vise. Ces relations décrivent le leadership transformationnel.

7.5.1 Le leadership transformationnel

Selon l'approche fondée sur le **leadership transformationnel**, le leader cultive l'idée que tous les employés acceptent et endossent la mission définie pour le groupe. Dans la relation qu'il vit avec eux, il les amène non seulement à atteindre les objectifs fixés, mais aussi à y croire et à les dépasser. Dans cette optique, le leader transformationnel est avant tout un agent de changement, un agent énergisant qui dirige les employés vers le partage de nouvelles valeurs d'entreprise, vers l'intégration de la vision de l'entreprise et l'adoption de comportements moins individualistes.

Quatre traits caractéristiques clés servent à distinguer le leader transformationnel du leader transactionnel :

1. **Le charisme**

   Il s'agit de ce pouvoir d'attraction par lequel le leader rallie les membres du groupe autour d'un même objectif à atteindre et d'une même vision qui se veut claire, compréhensible et attrayante.

2. **L'inspiration**

   Intègre dans le respect de règles d'éthique de haut standard, persistant dans la poursuite et l'atteinte des objectifs, le leader transformationnel devient une source d'inspiration pour ses employés parce qu'il leur sert de modèle par les valeurs qu'il démontre et par les sacrifices qu'il est prêt à faire pour leur bien-être.

3. **La considération**

   Non seulement le leader transformationnel manifeste-t-il de l'intérêt pour le bien-être de ses employés mais, de plus, il les encourage activement à progresser et à exceller en leur donnant des défis, davantage de responsabilités et beaucoup de soutien.

4. **La stimulation**

   Le leader transformationnel sert d'entraîneur pour ses employés. Il leur montre à envisager les problèmes comme étant tous surmontables et à les résoudre en faisant preuve de créativité.

Leadership transformationnel

(transformational leadership)

Relation grâce à laquelle le leader développe chez ses employés une passion pour l'organisation, devient pour eux une source d'inspiration, les incite à aller au-delà de leurs propres intérêts et à travailler pour les intérêts de l'organisation. C'est une relation au moyen de laquelle il oriente les comportements de ses employés vers la compréhension, l'acceptation et la poursuite de la vision de l'organisation.

Le leader transformationnel est un agent énergisant capable de rallier son équipe autour d'un objectif à atteindre.

La figure 7.9 illustre ces traits caractéristiques clés du leader transformationnel.

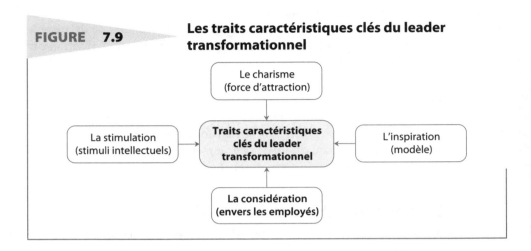

FIGURE 7.9 Les traits caractéristiques clés du leader transformationnel

Le charisme (force d'attraction)

La stimulation (stimuli intellectuels) → **Traits caractéristiques clés du leader transformationnel** ← L'inspiration (modèle)

La considération (envers les employés)

7.5.2 L'engagement du leader transformationnel en faveur de la vision organisationnelle

Au regard de la vision que poursuit l'organisation, l'engagement du leader transformationnel s'articule autour de quatre démarches : la création d'une vision stratégique ; la communication de cette vision ; sa réalisation ; et la création d'un engagement en sa faveur.

1. **La création d'une vision stratégique**

   En période de tension organisationnelle, le leader transformationnel apparaît comme la personne qui peut définir une vision stratégique axée sur l'avenir ; vision qu'il veut à la fois réaliste et attrayante, tant pour l'organisation que pour les employés.

2. **La communication de la vision**

   Si la création d'une vision stratégique constitue la base du leadership transformationnel, la communication de cette vision en constitue le réel défi. Le leader efficace doit être en mesure d'expliquer le sens de cette vision aux employés et de rendre réalisables, à leurs yeux, les objectifs organisationnels qui en découlent.

3. **La réalisation de la vision**

   Le leader transformationnel ne doit pas seulement parler de la vision, il doit aussi la réaliser et la vivre. Il doit servir de modèle et, malgré les difficultés éprouvées dans sa mise en œuvre, il doit être une source d'inspiration et démontrer une persistance réelle dans la résolution des problèmes[21]. Il sera crédible d'abord par les gestes qu'il pose, ensuite par les actions qu'il entreprend, par les décisions qu'il prend et par les comportements qu'il adopte dans différentes situations.

4. La création d'un engagement formel en faveur de la vision

La transformation de la vision en un vécu réel requiert un engagement organisationnel de la part des employés. C'est ici que le rôle de mobilisateur du leader prend toute son importance. Le leader transformationnel doit bâtir cet engagement de différentes façons : par sa manière de communiquer, par le modèle qu'il représente, par les idées qu'il émet, par les réussites qu'il cumule, par le sentiment de satisfaction qu'il crée chez les employés quand il les oriente vers l'atteinte des objectifs et par sa façon de résoudre les problèmes. Tous ses gestes et ses paroles doivent servir à construire un

le signet
du stratège

L'engagement du leader transformationnel : Comment s'y prend le PDG d'Apple ?

Pour Steve Jobs, le PDG d'Apple, il est clair que son entreprise devait devenir chef de file dans son domaine, en adoptant une stratégie de différenciation par l'innovation continue. En avril 2010, au lancement du SDK 4 (Software Development Kit), il annonçait ce que devaient déjà être ses produits vedettes à venir.

En juin 2010, lors de la présentation d'ouverture du WWDC 2010 (la rencontre annuelle des créateurs de logiciels Apple), Steve Jobs dévoilait comment sa vision stratégique avait été réalisée par l'entremise de ses produits futuristes hautement technologiques. Il a dévoilé la version 4 du iPhone OS (iOS 4), ce système d'exploitation des iPhone, iPod Touch et iPad. Il a parlé du populaire logiciel iMovie, éditeur vidéo très convivial qui a été adapté à l'iPhone 4, grâce auquel il est désormais possible de fabriquer son petit clip et de le monter, musique et paroles comprises, directement de l'iPhone, sans avoir à passer par un ordinateur.

De plus, Steve Jobs a annoncé qu'il se vend un iPad aux trois secondes, qu'il existe 8500 applications qui lui sont propres et qu'il s'est produit 35 millions de téléchargements à ce jour.

Sur le plan de l'engagement formel envers sa vision, Steve Jobs demande à ses créateurs de logiciels d'aller encore plus loin. À preuve,

ils ont créé le nouvel iPhone au design haute technologie. Il est 25 % plus mince que le modèle précédent et son armature en acier inoxydable contient une antenne. Il est muni de deux caméras-appareils photo de 5 mégapixels. Son processeur est une puce plus performante et mieux miniaturisée que la précédente et sa carte SIM est devenue une micro-SIM. Aux dires du PDG d'Apple lui-même, c'est l'objet le plus beau qu'Apple ait fabriqué jusqu'à présent. Et, pour les créateurs de logiciels Apple, Steve Jobs est et demeure un PDG charismatique[22].

Questions de réflexion

Vous qui êtes destinés à intégrer le monde des affaires :

1. Cultivez-vous déjà une vision d'entreprise, qu'elle vous soit propre ou inspirée par celle d'un dirigeant (il peut s'agir de l'entreprise familiale) ? Expliquez.

2. La poursuite de cette vision vous motive-t-elle à devenir un leader auprès de vos employés ?

   Si oui, en quoi cette vision reflète-t-elle chez vous l'esprit entrepreneurial retrouvé chez les leaders d'entreprise ?

   Si non, quel rôle futur comptez-vous jouer dans le monde du travail ?

enthousiasme contagieux qui amènera son équipe à endosser sa vision, à y croire et à la vivre.

La figure 7.10 présente les éléments du leadership transformationnel.

FIGURE 7.10 L'engagement du leader transformationnel en faveur de la vision organisationnelle

RÉSUMÉ

Dans les débuts de l'étude du leadership, on a d'abord cru que les leaders partageaient tous des caractéristiques communes. Bien que des chercheurs se soient penchés sur certains de ces traits, les relations qu'ils ont voulu établir entre certaines de ces caractéristiques et le leadership n'étaient pas toutes suffisamment significatives pour en permettre la généralisation.

D'autres chercheurs ont pensé que l'étude du leadership se résumait à l'étude du comportement des leaders. Issues de cette école de pensée, trois théories sont nées, l'une provenant des recherches effectuées à l'université de l'État de l'Ohio, l'autre, des recherches issues de l'université du Michigan et la troisième, des recherches de Blake et Mouton portant sur la grille managériale.

Ce qu'il convient de retenir de ces études, c'est qu'elles ne reconnaissent chez les leaders que deux types de comportements possibles, soit les comportements qui témoignent d'une orientation vers la production et les comportements qui attestent d'une orientation vers les relations humaines. Trop limitatives quant aux types de comportements qu'elles présentent, ces théories ne permettent pas de déterminer les comportements que le leader adopte lorsque les situations auxquelles il doit faire face changent fréquemment.

Les études portant sur le leadership situationnel sont alors apparues pour combler cette lacune. Qu'il s'agisse de Tannenbaum et Schmidt ou de House, notons que, pour ces chercheurs, l'efficacité du leader se mesure par sa capacité d'adapter son style de leadership à la situation qu'il affronte. Cependant, un autre chercheur – Fiedler – propose une théorie selon laquelle le leader efficace est celui qui sait adapter la situation à son style de leadership. Pour appuyer leur théorie respective, ces chercheurs ont énoncé les facteurs situationnels qui sont susceptibles d'intervenir dans les situations que le leader doit affronter.

Ce qui demeure fascinant dans les études portant sur le leadership, c'est que les chercheurs ont toujours voulu définir l'efficacité du leader par les relations qu'il entretient avec ses employés pour les amener à atteindre les objectifs fixés. Ces relations, jadis techniques, prenaient la forme de transactions au moyen desquelles le leader usait de ses pouvoirs de récompense ou de punition pour diriger ses employés. On parlait alors de leadership transactionnel.

Dorénavant, les relations entre le leader et ses employés visent le développement, chez ces derniers, d'une passion pour l'organisation. Le leader devient pour eux une source d'inspiration, il les incite à aller au-delà de leurs propres intérêts et à travailler pour les intérêts de l'organisation. Nous sommes à présent à l'ère du leadership transformationnel.

Évaluation des connaissances

QUESTIONS DE RÉVISION

1. Quels sont les principaux traits sur lesquels portaient les premières études sur le leadership?

2. Pourquoi les conclusions des études sur le leadership fondé sur les traits n'ont-elles pas toutes été convaincantes?

3. Quels sont les deux principaux comportements que reconnaissent les études sur le leadership fondé sur les comportements?

4. Qu'est-ce que la grille managériale?

5. Quels sont les cinq types-repères de leadership que Blake et Mouton ciblent dans leur grille managériale?

6. Les principales recherches rapportent que les variables situationnelles influant sur l'efficacité du leader s'articulent selon quatre axes. Quels sont-ils?

7. Quelles sont les variables situationnelles retenues par Tannenbaum et Schmidt?

8. En une phrase ou deux, comment expliqueriez-vous ce qui distingue la théorie de House de celle de Fiedler?

9. Dans l'étude des styles de leadership des dirigeants de nos organisations, pourquoi, selon vous, la grille de Blake et Mouton demeure-t-elle encore valable?

10. Outre la thèse avancée par Fielder dans son modèle de contingence, quelle est l'idée maîtresse de l'approche du leadership fondé sur la situation?

11. Comment faut-il définir ce qu'est le «leadership transactionnel»?

12. Quelles sont les quatre démarches autour desquelles s'articule l'engagement du leader transformationnel?

13. Pourquoi le leadership transformationnel constitue-t-il réellement le nouveau type de leadership à promouvoir auprès des organisations?

CAS 1 – LE SOLIDE COUP DE PIED DE *PENALTY* DE JEAN-PHILIPPE
(degré de difficulté : moyen)

— Simon, j'ai reçu la liste des joueurs de la ligue Inter-cité pour l'année prochaine et le nom de Jean-Philippe n'y figure pas ! lance l'entraîneur de l'équipe de soccer de la catégorie d'âge des garçons de 9 à 12 ans (U9 à U12).

Simon, directeur technique de la ligue de soccer de la Montérégie, lève les yeux.

— Dominique ! Tu ouvres la porte de mon bureau avec fracas, tu ne me salues même pas et tu sembles me faire des reproches parce que je n'ai pas choisi ton protégé !

— Ce n'est pas une question de protégé. Il est le meilleur de la ligue !

— Mais il n'a pas l'âge requis… Il est encore trop jeune !

— Mais par voie de dérogation, tu peux le surclasser. Nous l'avons déjà fait par le passé !

Simon secoue la tête.

— Oui, mais cette année, c'est un peu plus compliqué. Les parents ont commencé à se plaindre que leur enfant était écarté de la liste Inter-cité et que des plus jeunes prenaient la place.

— Mais ne visons-nous pas l'excellence ?

— Oui, mais pas à n'importe quel prix !

Dominique s'assied, laisse tomber la liste sur le bureau du directeur technique.

— Viens au moins le voir jouer. C'est un vrai leader dans son équipe. Le match commence dans cinq minutes.

— Un leader, dis-tu ?… Bon j'arrive. Mais s'il ne m'épate pas, il ne sera pas surclassé.

— C'est d'accord !

Les deux hommes se rendent sur le terrain. L'équipe des Lions joue contre les Tigres, deux équipes au sommet de leur division respective. Jean-Philippe a été nommé capitaine des Lions par les joueurs, de façon unanime, sans pression de leur entraîneur.

L'arbitre siffle le début du match. Les dix premières minutes se déroulent sans événement marquant, quelques dribbles intéressants de Jean-Philippe, suivis de tirs puissants au but. À chaque occasion, le gardien adverse fait bonne figure.

— Tu devrais faire plus de passes, Jean-Philippe, lui dit Martin, l'entraîneur adjoint, en le rappelant au banc.

— Il n'y a personne pour recevoir mes passes, alors je dois essayer moi-même de tirer au but, répond Jean-Philippe.

— Mais tu ne dois pas porter sur tes épaules le sort de ton équipe.

Jean-Philippe ne lui répond pas, criant aux autres joueurs quelle position ils devraient prendre sur le terrain. Il n'hésite pas à les invectiver dès qu'ils n'écoutent pas ses conseils et mettent leur gardien en position périlleuse. Au bout de dix minutes, un autre changement est effectué. Jean-Philippe est désigné pour retourner au jeu.

— Ce n'était pas trop tôt! lance-t-il.

Deux minutes avant que l'arbitre siffle la demie, une main malencontreuse d'un joueur des Tigres touche au ballon dans la zone de son gardien. L'arbitre siffle le tir de punition. L'entraîneur adjoint des Lions désigne le joueur qui doit tirer.

— Carl! crie-t-il.

— Non *coach*!… Non *coach*!… s'écrient les autres joueurs! Envoie Jean-Philippe.

— J'ai dit Carl!

— Non *coach*!… dit Carl lui-même. Avec Jean-Philippe, c'est sûr qu'on aura un but.

Martin se tourne vers l'entraîneur principal, Dominique, qui hausse les épaules.

— Bon!… Jean-Philippe, tu peux y aller! décide Martin.

Jean-Philippe s'avance vers le ballon en courant, cheveux au vent.

— Attends mon signal! lui dit l'arbitre.

Il siffle. Jean-Philippe prend son élan. Sans hésiter, il frappe le ballon. Le gardien, médusé, voit le ballon voler vers lui, changer de trajectoire et frapper le haut du filet, à sa gauche.

— « *Top corner!* » s'écrie Jean-Philippe.

Ses compagnons l'entourent, le lèvent à bout de bras. Une mère de famille, assise près de Simon, lui lance, sans même savoir qu'il s'agit du directeur technique :

— Ce petit Jean-Philippe a tout un charisme… Mon fils m'a demandé la semaine dernière s'il pouvait changer de nom et se faire appeler Jean-Philippe. C'est son idole.

— Est-ce qu'il joue dans l'équipe de Jean-Philippe?

— Non, il joue avec les Girafes. La semaine dernière, les Lions leur ont donné une raclée, 7 à 0. Jean-Philippe a enfilé les sept buts. Mon fils, qui est à mes côtés, est venu ici spécialement pour le voir jouer.

Dominique baisse la tête et sourit. Simon se frotte le menton. Il a assisté à tout le match opposant les Lions aux Tigres, match qui a pris fin en faveur des Lions, 1 à 0. S'approchant de Jean-Philippe, il lui dit :

— Solide match!… Bravo, tu as fait gagner ton équipe!

— Même si je n'étais pas là, mon équipe aurait gagné, lui répond Jean-Philippe pour clore la conversation au plus vite.

Un parent qui distribuait le jus aux enfants de l'équipe des Lions frotte vigoureusement les cheveux de Jean-Philippe.

— Il est modeste en plus, dit-il en souriant.

1. Selon l'approche du leadership fondé sur les traits caractéristiques du leader, quels sont les traits que l'on peut attribuer à Jean-Philippe et qui en font un leader ? Expliquez votre réponse.

2. a) Selon la grille managériale de Blake et Mouton, quel style de leadership convient à Jean-Philippe ?

   b) Comment pouvez-vous expliquer par une situation du texte chaque chiffre correspondant au style que vous avez attribué à Jean-Philippe ? (Par exemple, si vous avez attribué 9,9, vous devez trouver une situation du texte qui confirme le premier 9 et une autre qui justifie le second 9).

À vous de jouer

AVEZ-VOUS L'ÉTOFFE D'UN LEADER ? (degré de difficulté : facile)

OBJECTIFS

- En apprendre davantage sur les aptitudes requises pour être un leader.
- Évaluer ses propres aptitudes de leader.

Si vous étiez un cadre dirigeant, vous auriez à définir les objectifs à atteindre, à planifier l'ensemble des tâches à accomplir, à établir un budget, à organiser le travail, à dresser une structure et à vous assurer que les bonnes personnes sont à la bonne place pour accomplir le travail. Vous auriez aussi à diriger vos employés pour vous assurer qu'ils font bien le travail prévu et, de ce fait, vous auriez aussi à les évaluer. Vos préoccupations seraient tournées vers les objectifs.

Si vous étiez un leader, vous amèneriez vos employés à atteindre les objectifs en tenant compte de leurs besoins, en misant sur leur motivation et en étant, pour eux, une source d'inspiration. Vos préoccupations seraient tournées vers les besoins.

Le but de cet exercice est de déterminer si vous possédez les aptitudes requises pour pouvoir affirmer que vous êtes un leader.

CONSIGNES

- Lisez chacun des énoncés et indiquez, dans le carré, le chiffre qui représente le mieux la perception que vous avez de vous-même.
- Répondez de façon spontanée. Soyez honnête envers vous-même !
- Additionnez le total des chiffres pour obtenir votre résultat.

NORMES ET MESURE DE CES NORMES

1 : Rejet ferme de l'énoncé

2 : Rejet de l'énoncé

3 : Réaction neutre (ni rejet ni acceptation)

4 : Acceptation de l'énoncé

5 : Acceptation ferme de l'énoncé

1. Je peux séparer ma vie personnelle de mon travail ou de mes études. ☐

2. Je suis honnête envers moi-même. ☐

3. Je communique clairement mes idées. ☐

4. J'accorde la priorité aux tâches à accomplir avant de me lancer dans d'autres activités. ☐

5. Je ne suis jamais en retard à mes réunions ou à mes cours. ☐

6. Je développe toujours une pensée positive et je suis plein d'entrain. ☐

7. Je cherche toujours une solution à un problème au lieu de le laisser s'envenimer. ☐

8. J'assume la responsabilité de mes actions. ☐

9. Je ne blâme pas les autres pour mes erreurs. ☐

10. Quand je travaille au sein d'un groupe, je m'implique avec les autres pour résoudre les problèmes ou pour les prévenir. ☐

11. Je n'ai pas à recommencer un projet parce que mon travail est toujours bien fait et complet. ☐

12. Je ne remets jamais à demain le travail à faire aujourd'hui. ☐

13. Je ne me laisse pas distraire quand je travaille sur un projet (professionnel ou scolaire). ☐

14. Je travaille bien au sein d'un groupe. ☐

15. Je mise davantage sur les bonnes relations humaines que sur l'atteinte des résultats. ☐

16. J'écoute les autres et je sais faire preuve d'empathie au cours d'une conversation. ☐

17. Quand je travaille au sein d'un groupe, je suis plus intéressé par le succès du groupe que par mon succès personnel. ☐

18. Je m'ajuste bien à différents styles de communication. ☐

19. Je félicite les autres quand ils font un bon travail. ☐

20. Je veux toujours être responsable d'un projet, sans bousculer les autres et en leur manifestant du respect. ☐

L'analyse de vos réponses devrait vous fournir des indices sur:

- votre stabilité personnelle;

- votre productivité personnelle;

- votre capacité de gérer vos activités;

- vos aptitudes sur le plan de la communication;

- votre aptitude à connaître vos limites;

- la qualité de votre travail;

- votre attitude à l'égard du travail en groupe.

Compilez vos résultats et votre enseignant vous fournira les éléments d'interprétation.

QUESTIONS

1. Êtes-vous surpris par vos résultats ? Pour quelles raisons ?

2. Isolez les cinq questions pour lesquelles votre résultat est le plus bas. Que pouvez-vous faire pour améliorer ou développer les habiletés associées à ces points ?

Chapitre 8

L'art de communiquer

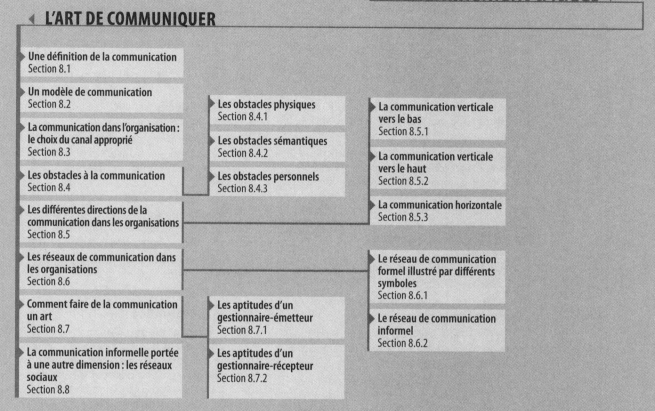

◂ **L'ART DE COMMUNIQUER**

Une définition de la communication
Section 8.1

Un modèle de communication
Section 8.2

**La communication dans l'organisation :
le choix du canal approprié**
Section 8.3

Les obstacles à la communication
Section 8.4

**Les différentes directions de la
communication dans les organisations**
Section 8.5

**Les réseaux de communication dans
les organisations**
Section 8.6

**Comment faire de la communication
un art**
Section 8.7

**La communication informelle portée
à une autre dimension : les réseaux
sociaux**
Section 8.8

Les obstacles physiques
Section 8.4.1

Les obstacles sémantiques
Section 8.4.2

Les obstacles personnels
Section 8.4.3

**Les aptitudes d'un
gestionnaire-émetteur**
Section 8.7.1

**Les aptitudes d'un
gestionnaire-récepteur**
Section 8.7.2

**La communication verticale
vers le bas**
Section 8.5.1

**La communication verticale
vers le haut**
Section 8.5.2

La communication horizontale
Section 8.5.3

**Le réseau de communication
formel illustré par différents
symboles**
Section 8.6.1

**Le réseau de communication
informel**
Section 8.6.2

Objectifs d'apprentissage :

1. définir ce qu'est la communication ;
2. expliquer la façon dont fonctionne le modèle de la communication ;
3. déterminer pourquoi certains canaux de communication sont jugés plus riches que d'autres ;
4. expliquer les principaux obstacles à la communication ;
5. expliquer les principales directions qu'emprunte la communication dans les organisations ;
6. distinguer les réseaux de communication formels des réseaux informels ;
7. expliquer les aptitudes qui font d'un gestionnaire un bon communicateur ;
8. déterminer comment les technologies informatiques influencent le processus de communication dans les organisations.

Compétences à développer :

- communiquer et interagir dans un contexte de gestion ;
- élaborer et mettre en œuvre des moyens de communication adaptés aux situations, aux objectifs et aux personnes.

Une petite histoire cocasse

Le 8 juillet 2010, à la suite d'un concours organisé par une chaîne de télévision privée de la ville de Québec, Nicole B. gagne un voyage pour deux personnes dans la Ville Lumière, Paris. Elle décide d'inviter Judy, une copine américaine rencontrée aux États-Unis alors qu'elle étudiait le droit à l'université Cornell. Ayant toutes les deux gradué en 2008, les deux femmes se rendaient visite en alternance, ou bien au New Jersey, lieu de résidence de Judy, ou bien à Québec, celui de Nicole.

En juillet 2010, c'est au tour de Judy de se déplacer et elle compte passer tout le mois de juillet chez sa copine. Lorsque Nicole lui propose d'aller à Paris, c'est donc sans hésiter que Judy accepte. Sa seule crainte, c'est qu'elle ne parle pas très bien le français. Nicole prend soin de la rassurer en lui promettant de lui servir d'interprète.

Devant les médias de la ville de Québec, Judy s'exclame d'ailleurs :

— C'est mon *première* voyage à *Parisse* et je *suisse* tout à l'envers !

Une fois à Paris, dès le premier jour, les deux amies décident d'explorer cette ville dont elles ont tellement entendu parler.

— Vous n'avez qu'à prendre un *open tour*, leur recommande le tenancier de l'hôtel.

Elles suivent le conseil de ce dernier, et montent à bord d'un autobus touristique qui, selon la formule dite *open tour*, offre la possibilité de s'arrêter, d'un arrondissement à l'autre, en utilisant toujours le même billet. Assise au second étage de l'autobus, l'étage à aire ouverte, Judy pousse des exclamations d'émerveillement, tantôt à la vue de l'Arc de triomphe, tantôt au croisement de la tour Eiffel, tantôt devant la Basilique du Sacré-Cœur de Montmartre. Soudain, un Parisien qui servait de guide à deux jeunes Allemandes lui dit, d'une voix plutôt impatiente :

— Madame, je vous en prie, par vos cris, montrez moins d'exubérance !

— Mais c'est son premier voyage à Paris ! lui répond Nicole.

— *It's true !...*, confirme l'Américaine.

— En plus, renchérit-elle, *Parisse is* beaucoup dépaysant ! Je ne sais plus où j'en *suisse* !

Le Parisien, d'un ton peu délicat, réplique à son interlocutrice :

— Quoi ! Dites-vous que les Parisiens sont des paysans ?! Non, mais !...

Judy, ne comprenant pas les propos du guide, sursaute et fronce les sourcils. Du coup, celui-ci prend conscience de sa méprise…

— Ah, madame, j'y suis ! Vous trouvez Paris si « dépaysante » que vous ne savez plus où vous en êtes ! Elle est bien bonne ! Allez, amusez-vous bien, et bon séjour à *Parisse*, lui dit-il.

Il descend de l'autobus en compagnie des deux Allemandes.

Questions d'ambiance

Dans sa réplique, Judy a affirmé « *Parisse is* beaucoup dépaysant ». L'idée qu'elle voulait exprimer (« Paris est très dépaysante ») n'est pas celle qui a été comprise par son interlocuteur français (« Paris est pleine de paysans »). Ce genre de situation crée ce que l'on appelle en communication un « obstacle sémantique » (*voir la section 8.4.2*).

1. Vous êtes-vous déjà trouvés dans une situation où vous avez utilisé un mot ou une expression qui a prêté à confusion puis suscité une distorsion dans la compréhension de l'idée que vous souhaitiez exprimer ?

2. Si oui, quelle était cette situation ?

3. Si non, avez-vous vécu la situation inverse où, pour des raisons de formulation, vous avez mal interprété les propos d'une personne qui s'adressait à vous ? Expliquez brièvement.

8.1 Une définition de la communication

Comme l'illustre l'anecdote présentée dans la rubrique «Clin d'œil sur la gestion», communiquer n'est pas toujours une activité simple. Non seulement des distorsions peuvent embrouiller le décodage du message qui nous est envoyé, mais de nombreux obstacles peuvent également affecter la qualité des messages envoyés ou reçus. Communiquer devient un art, lorsque l'émetteur du message fait preuve d'empathie et qu'il analyse bien l'effet du message sur le récepteur avant même de le concevoir; et lorsque, en outre, le récepteur renonce à certains préjugés qu'il pourrait cultiver à l'égard de l'émetteur. Le présent chapitre traite de la communication et se veut une réflexion qui nous permettra de répondre à la question suivante: savons-nous réellement communiquer ou nous contentons-nous d'échanger des mots placés les uns à la suite des autres dans une phrase?

Un tour d'horizon des définitions de la communication proposées dans la littérature nous permet d'extraire les concepts clés suivants:

- processus;
- échange;
- transmission;
- compréhension;
- transfert;
- information;
- renseignements;
- personnes (individus ou groupes).

Ainsi, la **communication** peut être comprise comme un transfert d'information et de compréhension d'une personne à une autre[1]. D'autres auteurs définissent la communication comme «un processus bilatéral d'échange et de compréhension de l'information entre au moins deux personnes ou deux groupes[2]». Certains auteurs nous parlent d'«un processus par lequel des significations sont transmises d'un pôle à un autre, le terme pôle signifiant un individu ou un groupe[3]». Un autre auteur la définit comme le processus par lequel les individus transmettent et reçoivent de l'information[4]. Et, finalement, un auteur fait intervenir la dimension de la compréhension en définissant la communication comme un processus de transmission et de compréhension de l'information entre deux ou plusieurs personnes[5]. Nous définirons, pour notre part, la communication comme un processus de transmission des significations d'un individu (ou groupe) à un autre.

Communication

(*communication*)

Processus par lequel des significations sont transmises d'un pôle (individu ou groupe) à un autre.

8.2 Un modèle de communication

La communication étant souvent définie comme un processus, il faut considérer qu'elle peut être décomposée en étapes. La figure 8.1, à la page suivante, présente les différentes étapes de ce processus.

La première étape de ce processus est celle de la conception du message par l'**émetteur**. L'émetteur est la personne qui conçoit l'idée, l'encode, choisit un canal qu'elle juge approprié pour la transmettre et la transmet.

À la seconde étape, l'émetteur procède à l'**encodage** du message, c'est-à-dire qu'il transpose ce dernier dans un langage compréhensible composé de signes dotés de signification; autrement dit, en contexte organisationnel, dans la langue de travail.

Émetteur (*sender*)

Personne qui, dans un cadre formel ou informel, conçoit une idée, l'encode, choisit le canal qu'elle juge approprié pour la transmettre et la transmet vers un ou plusieurs récepteurs.

Encodage (*encoding*)

Opération mentale par laquelle l'émetteur transpose le message dans un langage compréhensible composé de signes, de mots et de symboles.

FIGURE 8.1 **Le processus de communication**

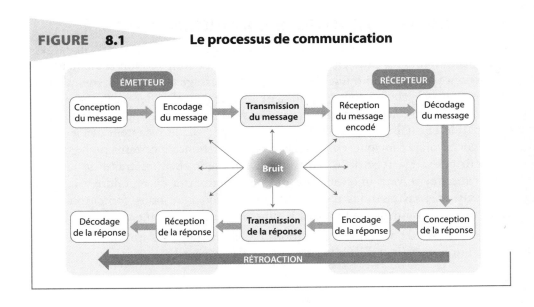

La troisième étape est celle de la transmission du message. Dans le cadre d'une entreprise, l'émetteur doit, à cette étape, utiliser le canal approprié (communication dans une situation de face-à-face, note de service, téléphone, courriel, journal d'entreprise, etc.) pour atteindre le récepteur de façon efficace.

La quatrième étape du processus est la réception du message par le récepteur. Le **récepteur** se définit comme la personne ou le groupe à qui le message est destiné.

Lors de l'étape suivante, celle du **décodage**, le récepteur interprète le message et tente de lui donner un sens.

Si le récepteur comprend le message, c'est-à-dire qu'il lui attribue une signification identique à celle conçue par l'émetteur, et qu'il l'utilise adéquatement, c'est dire que la communication a été efficace. Dans le cas inverse, la communication est inefficace.

Après la réception du message, différents cas peuvent se présenter, dont les trois suivants :

- L'émetteur exige une réponse. Ainsi, l'étape de la rétroaction devient nécessaire. Le processus de communication reprend vie et le récepteur acquiert, cette fois, la fonction d'émetteur, car il lui faut encoder la réponse et la transmettre en utilisant un canal approprié.

- Le récepteur n'a pas compris le message. L'étape de la rétroaction devient nécessaire également dans ce cas. Le récepteur doit alors encoder sa réponse en indiquant clairement à l'émetteur les éléments du message qu'il n'a pas compris.

- L'émetteur n'accepte pas de réponse et le récepteur ne saisit pas la portée du message. Il se produit alors un obstacle à la communication, qui, en milieu organisationnel, peut souvent être lié à la position hiérarchique de l'émetteur, aux stéréotypes ou aux préjugés (*voir la section 8.4*).

Récepteur (*receiver*)

Personne ou groupe à qui le message est destiné.

Décodage (*decoding*)

Opération par laquelle le récepteur interprète le message reçu et tente de lui donner un sens.

À chacune de ces étapes, un ou plusieurs éléments de bruit peuvent nuire à l'efficacité de la communication. Le **bruit** se définit comme un élément perturbateur qui interfère avec la transmission du message et qui peut en déformer la signification.

Par exemple, pendant que vous assistez à un cours, le professeur explique un détail que vous n'aviez pas bien saisi et qui vous empêche de résoudre un problème. Au même moment, un de vos copains vous pose une question sur un sujet qui n'a aucun rapport avec ce que dit le professeur, et il insiste pour que vous lui donniez une réponse. Vous manquez l'explication du professeur car le *bruit* – l'intervention de votre copain – a causé une interférence qui a perturbé la réception du message que transmettait le professeur.

Bruit (*noise*)

Tout élément perturbateur qui interfère avec la transmission du message et qui peut en déformer la signification.

■ RÉFLEXION

HALTE

De la théorie à la pratique

Bien que la figure 8.1 soit éloquente, elle ne peut à elle seule illustrer toutes les situations possibles de communication. Dans la réalité, il survient parfois des situations de communication échappant à ce modèle général.

Considérez la situation réelle suivante.

Un contremaître français a surpris ses ouvriers en train de bavarder et de plaisanter au lieu de travailler, pensant qu'il s'était absenté. Si ce contremaître avait rigoureusement appliqué les étapes présentées à la figure 8.1, voici comment il se serait sans doute exprimé :

— Alors messieurs, dames, qu'est-ce que c'est ?… La récréation ? Il y a du boulot à faire. Il n'est que 14 h 20 et la pause est à 15 h. Si vous continuez à bavarder ainsi, vous serez dans l'obligation de rattraper le temps perdu, à vos frais…

Et, conformément à la figure 8.1, le message, une fois décodé, aurait suscité ce genre de réponse de la part des travailleurs :

— Bien, monsieur… Nous reprenons le boulot.

Dans les faits, voici comment la situation s'est réellement déroulée. Le contremaître entre dans l'usine, constate que les ouvriers rigolent et s'amusent. Il s'écrie spontanément :

— Bande de fainéants !… Dites-moi pourquoi je vous paie !… Pour glander ? Arrêtez-moi ce cirque et mettez-vous au travail ou je vous colle des heures sup !… À VOS FRAIS !

Le message a été compris et aucune réponse n'a été encodée.

Voyez-vous, la figure 8.1 présente un modèle théorique de communication mais dans la réalité, vous aurez, en tant que gestionnaires, à vous adapter à différentes situations parfois imprévisibles.

8.3 La communication dans l'organisation : le choix du canal approprié

Dans l'organisation, le gestionnaire a le choix entre plusieurs canaux pour transmettre ses messages. Un **canal** de communication constitue le moyen par lequel le message est transmis. On l'évalue selon sa « richesse » ou sa « faiblesse ». Ainsi, la « richesse du canal correspond à sa capacité de transmettre le véritable contenu du message au récepteur[6] ». Un canal est riche (*rich medium*) dans la mesure où il permet une transmission efficace de l'information et en favorise l'assimilation. Dans le même ordre d'idées, un canal est faible (*lean medium*) s'il fait preuve d'une incapacité à transmettre le véritable contenu d'un message au récepteur.

Dans un continuum allant de « riche » à « faible » et gradué de 1 à 5 (1 étant le canal le plus riche et 5 étant le canal le plus faible), il est possible d'illustrer les canaux qui sont jugés les plus efficaces (riches) et ceux qui sont les moins efficaces (faibles) pour transmettre de l'information. La figure 8.2 illustre cette gradation de la qualité des canaux de communication.

FIGURE 8.2 Les canaux de communication selon leur qualité respective

Voyons comment interpréter chacun des éléments de la figure.

1. La communication face-à-face

Il s'agit du canal le plus riche, qui présente notamment les avantages suivants :

- Il permet une rétroaction.
- Il permet à l'émetteur de voir immédiatement la réaction du récepteur en cas d'incompréhension du message.
- Il permet au récepteur de percevoir certains indices non verbaux chez l'émetteur, notamment son langage corporel, l'intensité de son regard, le ton qu'il emprunte, etc.

Bien que ce canal soit le plus riche, il est tout de même sujet à être fragilisé par la présence d'obstacles physiques, sémantiques ou personnels (*voir la section 8.4*).

2. **La vidéoconférence**

Ce canal permet une forme d'échange virtuel sur écran qui, lorsque l'équipement est de bonne qualité, s'apparente à une communication face-à-face entre un émetteur et un ou plusieurs récepteurs. Cependant, elle comporte un désavantage : elle est soumise à différentes formes de bruit et d'obstacles (*voir la section 8.4*) dont, entre autres, le risque de bogue informatique.

3. **Le téléphone**

Il n'est ni riche, ni faible, mais moyen. S'il présente le mince avantage de permettre de rejoindre le poste de quelqu'un rapidement, il comporte de nombreux désavantages, dont les suivants :

- Il ne permet pas de saisir les émotions du récepteur.
- Il ne permet pas d'interpréter les silences, ni le non-verbal.
- Le récepteur peut ne pas prêter attention à la conversation et continuer à faire autre chose au cours d'une conversation téléphonique.
- La ligne peut tout simplement être engagée.

Si le téléphone est muni d'un répondeur, cela constitue un avantage si toutefois l'appareil utilisé possède cette faculté de pouvoir indiquer qu'un message a été reçu à telle date et à telle heure, tout en indiquant le nom de l'émetteur.

4. **Le courriel**

Si ce canal a pour avantage la rapidité de transmission d'un message, il ne peut toutefois être considéré comme un canal riche. Trois inconvénients majeurs le positionnent parmi les canaux faibles :

- Le courriel est soumis aux menaces que présentent les bogues informatiques.
- Un courriel peut être noyé par une série de pourriels qui éloignent l'attention du récepteur de son niveau d'importance.
- Trop de courriels reçus peuvent avoir pour effet de décourager le lecteur à les parcourir dans l'immédiat et le forcer à remettre à plus tard une telle tâche.

5. **La note de service et les journaux d'entreprise**

Même lorsque de tels messages sont épinglés sur un babillard à la vue de tous les employés ou même si les journaux sont placés dans des kiosques très fréquentés, les individus s'y intéressent uniquement si, par un autre canal de communication, il leur est demandé d'y prêter attention.

8.4 Les obstacles à la communication

Selon le contexte dans lequel un message est transmis, il n'est pas toujours possible d'utiliser le canal le plus riche pour assurer la qualité de la réception et le niveau de compréhension souhaité. Et, malgré le fait qu'elle constitue un canal fiable, la communication face-à-face n'est pas exempt des interférences qui constituent des obstacles à la communication.

Ces obstacles peuvent appartenir à trois catégories :

- les obstacles physiques (bruit, espace) ;
- les obstacles sémantiques (signification des mots) ;
- les obstacles personnels (attitude, personnalité, comportement).

8.4.1 Les obstacles physiques

Le bruit et l'espace comptent parmi les obstacles physiques. À cette catégorie s'ajoute tout autre phénomène susceptible d'altérer la communication ou de la rompre totalement (par exemple, la réception d'un volume d'information tel qu'il rend un traitement inadéquat). En ce qui concerne le bruit, considérez la différence qui existe entre étudier à la cafétéria en pleine heure de dîner et étudier à la bibliothèque, où le silence est exigé. Le bruit est un phénomène qui nuit à la concentration, quelle que soit l'activité.

En ce qui concerne l'espace, tout émetteur devrait, notamment dans la communication face-à-face, tenir compte de l'espace interpersonnel du récepteur. L'espace interpersonnel est cet espace extensible divisé en différentes zones délimitant chacune la frontière entre nous et nos interlocuteurs. Lorsqu'une personne franchit une zone qui ne lui est pas réservée, elle peut plonger le récepteur dans un inconfort qui peut nuire à sa concentration. Les zones de l'espace interpersonnel se présentent ainsi :

- La zone intime, que peuvent généralement traverser les personnes qui font partie de notre cercle intime.
- La zone personnelle, qui est réservée aux amis et à certains collègues avec qui on découvre des affinités particulières qui facilitent une forme d'amitié.
- La zone sociale, qui est réservée aux collègues de travail et à certaines connaissances qui ne franchissent pas la ligne de l'amitié.
- La zone publique, qui est cette limite que l'on trace entre nous et des gens que l'on croise au travail, sur la rue, à l'épicerie et avec qui on ne peut échanger que si l'occasion s'y prête.

■ CONSEIL

HALTE

Savez-vous ce qu'est l'« infobésité » ?

« Les entreprises d'aujourd'hui souffrent d'un syndrome généralisé : même si leurs employés ont à leur disposition des masses de données, ceux-ci ont toutes les difficultés du monde à trouver l'information nécessaire à leur travail. Plusieurs appellent ce syndrome l'infobésité. On pourrait aussi dire que ces travailleurs meurent de soif dans une mer d'eau douce…

Une étude d'International Data Corporation réalisée en 2002 concluait qu'une entreprise de 1000 employés perd en moyenne 2,5 M$ par année à cause de l'incapacité de ses employés de trouver l'information requise. Cette entreprise perd encore 5 M$ à recréer une information déjà existante et, finalement, elle perd 15 M$ en occasions d'affaires ratées. Et c'est sans compter les dizaines de millions de dollars dépensés à mettre au point des systèmes informatiques dont les masses d'information ne servent pas, ou si peu[7]. »

8.4.2   Les obstacles sémantiques

La sémantique est l'étude de la signification des mots. Lorsque nous nous exprimons, il peut arriver que la signification de certains mots utilisés dans une phrase ne soit automatiquement identique à celle que lui attribue la personne qui l'entend ou qui la lit. L'erreur qui peut survenir est celle d'encoder un message à l'aide de mots ou d'expressions qui, dans notre schème de référence, ont une signification restreinte, voire même fausse, et qu'on les utilise quand même en pensant que la signification qu'on leur attribue est universelle.

Considérez l'exemple suivant: Vous êtes superviseur au sein d'une des cinq unités administratives affectées aux commandes et votre directeur vous convoque à son bureau et vous dit d'un ton grave: «Certaines unités administratives ont pris un sérieux retard dans l'envoi de leurs commandes. Il faut remédier au plus vite à la situation!»

Une telle phrase, forcément, laisse de nombreuses questions en suspens: Quelles sont les unités administratives visées? La vôtre est-elle particulièrement concernée? De plus, qui doit remédier à ce retard? Est-ce vous? Est-ce vos employés? Ou s'agit-il de votre directeur, de vos employés et de vous?

Le véritable obstacle causé par la sémantique vient souvent du fait que la phrase que nous émettons ne correspond pas à la pensée que nous voulons exprimer. Conséquemment, au lieu de demander à une personne: «Quelle direction dois-je emprunter pour me rendre au Stade olympique?», nous préférons simplifier la phrase et lui demander: «Savez-vous où se trouve le Stade olympique?» Un individu qui se contenterait d'un «oui» insipide répondrait à votre question. Et que dire d'un professeur qui inscrit en haut du questionnaire de son examen: «Choisir quatre des cinq questions suivantes.» L'étudiant qui écrit «Je choisis les quatre dernières», sans même y répondre, accomplit ce qui lui a été demandé. Le professeur aurait dû indiquer: «Répondre à quatre des cinq questions suivantes.»

Parmi les obstacles liés à la sémantique se trouvent également les jargons personnels, souvent placés de façon malhabile dans une conversation. Par exemple, les mots «comme» et «genre» insérés dans une phrase de façon désordonnée peuvent la vider de son sens. Considérez la phrase suivante: «Tu sais, le voisin genre pas cool, comme, avec ses cheveux coupés genre bizarre, pas l'fun comme, y m'énerve genre…»

8.4.3   Les obstacles personnels

Il peut arriver que des situations causées par l'attitude d'un individu, par sa personnalité ou par son comportement constituent des obstacles à la communication. Il s'agit d'obstacles dits «personnels». Parmi ces derniers figurent l'écoute sélective, la filtration de l'information, la position hiérarchique de l'émetteur, les stéréotypes et préjugés et le cadre de référence.

L'écoute sélective

Cet obstacle apparaît lorsque les individus ont tendance à percevoir et à capter dans un message ce qu'ils espèrent entendre. Par exemple, dans un message par lequel un superviseur annonce simultanément la date de tombée des prochains rapports internes, la date de mise en œuvre du plan de réaménagement et la date

le signet
du stratège

« La tarte…, c'est vous ? »

Un auteur bien connu du nom de Bernard T., terminant un copieux repas avec des amis, voit avancer d'un pas rapide vers sa table la serveuse. À peine a-t-elle débarrassé la table qu'elle se munit d'un petit carnet et lâche tout bonnement :

— Un dessert pour quelqu'un ?

Bernard T. s'empresse de lui répondre :

— Pour moi, ce sera la tarte aux pommes.

Les autres personnes assises autour de la table choisissent aussi un dessert et les commandes une fois toutes prises, la serveuse disparaît en un coup de vent vers la cuisine. Quatre minutes plus tard, elle revient, le bras gauche soutenant quatre assiettes. Faisant un signe du menton à Bernard T., elle lui demande d'une voix pressée :

— La tarte…, c'est vous ?

Bernard T., plutôt vif, lui répond sans hésiter :

— Oui, mais on ne me l'avait jamais dit ainsi en pleine face !

Gênée, la serveuse semble constater qu'elle s'adresse à un client et se confond en excuses.

Une carte des desserts qui fait sourciller

Dans un restaurant situé sur la rue Saint-Jean, dans le Vieux-Longueuil, deux auteurs (Bernard T. et Dominique L.) participent, en compagnie de trois éditeurs de la maison Chenelière Éducation, à une réunion concernant la réédition d'un de leurs ouvrages. Une jeune serveuse du nom de Karyne s'approche de leur table. D'une voix suave, elle leur propose le menu du jour, dans lequel le poulet à la provençale, régnant en maître, était le plus recommandé.

Elle prend les différentes commandes et c'est le poulet à la provençale, accompagné d'un bon « kil de rouge », qui fait la joie des auteurs.

Après le repas, Karyne d'un geste leste, avance jusqu'à la table. Un petit sourire animant ses lèvres, elle demande :

— Que prendrez-vous pour dessert ?

— Pouvons-nous voir la carte des desserts ? lui demande l'un des éditeurs.

D'un mouvement spontané, elle ouvre les bras et laissant glisser sa main droite le long de son corps, elle répond, en souriant :

— La carte, c'est moi !

Les convives sursautent d'étonnement et la fixent soudain, bouche bée. Quand elle se rend compte de l'effet de la phrase qu'elle vient de lancer, de la réaction qu'elle a provoquée et des pensées qu'elle a sans doute suscitées, elle se met à rougir et balbutie quelques mots d'explication.

Question

Dans chacune des petites histoires racontées, comment, selon vous, les obstacles sémantiques auraient-ils pu être évités ? Expliquez brièvement.

des prochaines vacances, il est clair que les employés qui attendent impatiemment l'annonce de cette dernière concentreront leur attention sur cette information, négligeant, par le fait même, les autres contenus.

La filtration de l'information

Quand le contrôle ou la non-divulgation de l'information par une personne lui confère du pouvoir ou peut lui éviter des problèmes, cette personne pourra être

HALTE

« **E**t la virgule, je la place avant le mot ou après le mot ? »

Dans les exemples qui suivent, regardez comment le jeu de la virgule ou de la ponctuation peut changer tout le sens d'une phrase.

● **Le professeur dit : l'élève est un génie.**

L'élève est génial.

● **Le professeur, dit l'élève, est un génie.**

Le professeur est génial.

● **Bobby Kennedy est mort comme son frère John F. Kennedy.**

Les deux sont morts dans les mêmes circonstances.

● **Bobby Kennedy est mort, comme John F. Kennedy.**

Les deux sont morts.

● **À la suite de ce geste, impardonnable, le président démissionna.**

C'est le président qui était impardonnable.

● **À la suite de ce geste impardonnable, le président démissionna.**

C'est le geste qui était impardonnable[8].

tentée de la filtrer ; soit pour consolider son pouvoir, soit pour se protéger. En somme, cette filtration constitue une forme de manipulation de l'information.

Par exemple, un employé s'absente de son travail pour profiter du beau temps sur un terrain de golf. Le lendemain, il préférera dire à son supérieur immédiat qu'il est malade, ce qui lui permettra de puiser dans sa banque de congés de maladie et d'être payé, au lieu d'amputer le nombre de ses journées de vacances[9].

La position hiérarchique de l'émetteur

Dans les organisations, certains employés vont accorder plus de crédibilité à certaines informations si elles sont rapportées par des gestionnaires de niveau hiérarchique supérieur plutôt que par un cadre de niveau hiérarchique inférieur, même si ces informations sont identiques. Parfois, ils choisissent d'avaliser les propos d'un président non pas parce que ceux-ci semblent logiques, mais parce qu'ils veulent être dans ses bonnes grâces.

Les stéréotypes et les préjugés

Les stéréotypes sont des clichés sans fondement ; les préjugés, quant à eux, sont des idées préconçues qui sont souvent, elles aussi, dénuées de fondement. Par exemple, selon certains employeurs, la nouvelle génération de travailleurs, appelés les « nexters », est sans ambition. Aussi ces employeurs hésitent-ils à communiquer de l'information à ces travailleurs et à leur donner des responsabilités.

Le cadre de référence

Cet élément fait référence au schème ou cadre personnel dont une personne s'inspire pour concevoir un message ou pour l'interpréter. Ce schème, issu de sa culture, se nourrit de ses expériences, de ses valeurs et même de ses appréhensions. De plus, ce schème peut influencer non seulement sa perception et sa compréhension d'un message, mais aussi son attitude et son comportement à l'endroit d'un message reçu.

Ainsi, une personne catholique dont les valeurs religieuses sont importantes peut connaître un blocage en écoutant un message publicitaire dans lequel un jeu de mots est fait avec le nom du pape Benoît XVI. Elle s'attardera sur ce qu'elle croit être un sacrilège et perdra la teneur réelle du message.

Dans un contexte organisationnel, l'annonce de temps supplémentaire pour rattraper les retards de production peut être vue, dans une même usine, comme une punition par les travailleurs plus anciens et comme une chance de faire plus d'argent par les travailleurs occasionnels.

La figure 8.3 présente les différents obstacles à la communication.

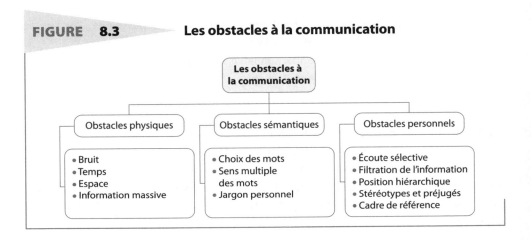

FIGURE 8.3   **Les obstacles à la communication**

8.5 Les différentes directions de la communication dans les organisations

Dans le chapitre 4, nous avons présenté la structure organisationnelle, structure qui revêt une grande importance parce qu'elle permet de comprendre les liens d'autorité qui s'établissent dans les organisations et d'illustrer la direction que prend la communication au sein de ces organisations. Nous présentons ici trois directions possibles que peut prendre la communication dans les organisations : la direction *verticale vers le bas*, la direction *verticale vers le haut* et la direction dite *horizontale*.

8.5.1 La communication verticale vers le bas

Ce type de communication est caractérisé par la transmission d'information d'un niveau hiérarchique supérieur à un ou à plusieurs niveaux hiérarchiques inférieurs. Les formes communes que prend cette information sont les suivantes :

- des directives ou des ordres précis concernant l'exécution d'une tâche ou l'atteinte d'un certain niveau de rendement;

- un énoncé des politiques, des procédures, des pratiques, des processus et de la philosophie de gestion[10];

- une rétroaction donnée aux employés à la suite de l'évaluation de leur rendement;

- une information à caractère idéologique concernant la mission de l'entreprise, sa vision et l'engagement attendu des employés par rapport aux valeurs qu'elle défend.

La communication verticale vers le bas possède cette caractéristique d'être parfois unidirectionnelle, c'est-à-dire qu'elle ne favorise pas une rétroaction venant du récepteur. Ainsi, un contremaître réprimandé qui, au cours des trois dernières semaines, a vainement essayé de faire comprendre à ses employés qu'il leur fallait absolument atteindre l'objectif de réduction hebdomadaire de 3 % des pertes dues aux bris des stocks entreposés, n'entamera pas une conversation avec eux à savoir pourquoi ils n'ont pas fait l'effort demandé afin que l'objectif soit atteint. Son ton sera directif et ressemblera plutôt à un ordre tel que : « Vous devez dès cette semaine réduire de 3 % les pertes sur les stocks entreposés! N'oubliez pas que la direction peut prendre des mesures aussi sévères que l'impartition de nos jobs d'entreposage! »

8.5.2 La communication verticale vers le haut

Contrairement à la communication verticale vers le bas, ce type de communication émane des niveaux hiérarchiques inférieurs et monte vers les niveaux hiérarchiques supérieurs. Elle constitue donc de l'information à fournir aux cadres supérieurs et emprunte, entre autres, une ou plusieurs des formes suivantes:

- des rapports sur la progression des projets en cours;

- des rapports sur les problèmes qui exigent de l'aide des niveaux hiérarchiques supérieurs;

- des rapports sur le rendement des employés;

- des suggestions visant l'amélioration des méthodes de travail.

Par ce type de communication ressort tout le jeu politique que favorise le réseau informel de communication. Par exemple, un cadre qui veut faire valoir auprès du vice-président aux finances une augmentation du budget d'opération de son service peut, dans la coulisse, parler de l'apport positif de son service à la rentabilité générale de l'entreprise, apport justifiant un retour d'ascenseur.

8.5.3 La communication horizontale

S'il favorise l'échange d'information entre les membres d'un même service, ce type de communication permet aussi des échanges entre les services partageant un même niveau hiérarchique dans l'organisation. Comme le signalent certains auteurs, bien « qu'elle soit utilisée moins fréquemment que la communication vers le bas ou vers le haut, la communication horizontale est importante parce qu'elle permet la coordination des activités et la transmission d'information servant à résoudre des problèmes conjoints[11] ». Ce type de communication est aussi utile pour mettre en commun les talents nécessaires à la réalisation d'un projet.

La figure 8.4 montre les différences que nous avons fait ressortir entre les trois directions que prend la communication dans les organisations.

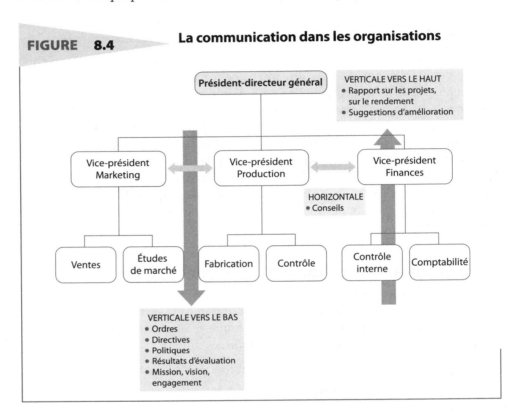

FIGURE 8.4 **La communication dans les organisations**

8.6 Les réseaux de communication dans les organisations

Si, dans une organisation, elle illustre les différentes directions que suit la communication (*voir la section 8.5*), la structure organisationnelle indique, de plus, les voies que cette communication emprunte. Ces voies forment ce qu'on nomme le **réseau formel de communication**. Il correspond à tous les réseaux officiels prévus et établis lors de la création de la structure organisationnelle de l'entreprise.

Cependant, au réseau formel se superpose toujours un réseau de communication parallèle que l'on nomme le **réseau informel de communication**. Nullement structuré, il est soutenu soit par des individus du même niveau hiérarchique travaillant ou non au sein de la même unité administrative, soit par des individus appartenant à des niveaux hiérarchiques complètement différents. Ce type de réseau peut assurer l'efficacité d'une organisation en déjouant la bureaucratie qui entoure le réseau formel. Cependant, il peut aussi nuire à cette efficacité lorsqu'il sert à véhiculer des rumeurs de toutes sortes.

Considérez l'exemple suivant, qui fait intervenir les réseaux formel et informel. Dans une classe, un enseignant donne son cours. Son enseignement se déroule dans un cadre formel, et la communication qui s'établit entre ses étudiants et lui respecte le réseau de communication formel. Pour poser leurs questions, les étudiants lèvent la main et c'est l'enseignant qui y répond. Si, toutefois, l'enseignant donne une explication et que certains étudiants ne saisissent pas la matière enseignée, ils peuvent – par le réseau de communication informel – se faire expliquer la matière par des amis ou par le professeur lui-même en dehors de la classe ou de son bureau, s'ils ont développé une certaine forme d'amitié avec lui.

8.6.1 Le réseau de communication formel illustré par différents symboles

Le réseau de communication formel est souvent représenté par des symboles. Les cinq principaux symboles qui l'illustrent sont la roue, la chaîne, le Y, le cercle et l'étoile. Ces symboles ont une double fonction :

1. ils indiquent la façon dont est transmise l'information d'un individu à un autre; et
2. ils illustrent le degré de centralisation du processus de communication.

Les réseaux formels et la centralisation du processus de communication

Les réseaux formels illustrant la centralisation du processus de communication sont la roue, la chaîne et le Y. Ils indiquent clairement que les gestionnaires qui occupent une position hiérarchique supérieure à celle des autres membres du groupe exercent un plein contrôle sur la transmission de l'information.

La figure 8.5 nous présente les différents types de réseaux formels.

FIGURE 8.5 Les réseaux formels axés sur la centralisation du processus de communication

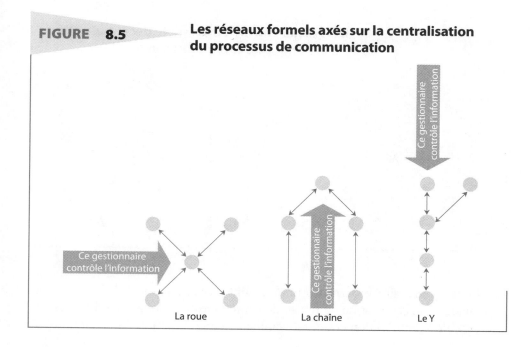

La roue   La chaîne   Le Y

La roue   Une particularité de la roue tient au fait que l'information transmise selon ce modèle de réseau est toujours dirigée vers l'individu du centre, qui occupe une position d'autorité par rapport aux autres. Il en conserve le contrôle.

Une seconde particularité de ce type de réseau est l'absence d'interactions entre les autres membres du groupe. Cette forme de réseau est efficace quand il s'agit, pour un supérieur immédiat, de prendre des décisions rapides.

La chaîne   Ce type de réseau rappelle la forme que prend une structure organisationnelle dite «verticale». C'est le gestionnaire chapeautant cette structure qui reçoit le plus d'information; il détient ainsi un certain pouvoir sur les autres. Quant aux individus qui se trouvent aux niveaux inférieurs, l'information qu'ils reçoivent se trouve plus ou moins restreinte par le degré de filtration qu'exerce leur supérieur hiérarchique.

Le Y   Dans le réseau en forme d'Y, il y a deux individus au niveau supérieur. Cependant, ces individus entretiennent souvent une relation de type hiérarchique et conseil. Ainsi, un cadre hiérarchique qui reçoit une information bénéficie de l'expertise d'un spécialiste-conseil, lequel analyse l'information reçue. C'est cette analyse qui permet au cadre de prendre des décisions.

Les réseaux formels et la décentralisation du processus de communication

Les réseaux formels illustrant la décentralisation du processus de communication sont le cercle et l'étoile. Ils indiquent clairement cette volonté de faire circuler l'information parmi les membres du groupe, parfois de façon restreinte (le cercle), autrement, de façon ouverte (l'étoile).

La figure 8.6 présente ces deux dernières formes de réseaux formels de communication.

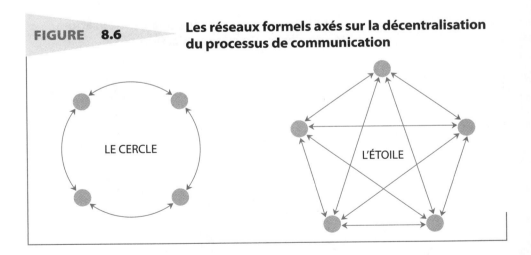

FIGURE   8.6   Les réseaux formels axés sur la décentralisation du processus de communication

LE CERCLE

L'ÉTOILE

Le cercle   Bien qu'elle permette une certaine décentralisation du processus de communication, cette forme de réseau de communication n'offre que des possibilités restreintes d'interaction entre les membres du groupe. Chaque membre ne peut communiquer qu'avec les deux personnes qui lui sont adjacentes. Et si une caractéristique du cercle est de conférer à chaque membre du groupe un statut équivalent, elle ôte aussi toute possibilité de déterminer un leader formel qui puisse orienter la communication. Ce réseau est utile quand on dispose de beaucoup de temps pour prendre une décision et qu'on laisse à chaque membre du groupe l'occasion d'émettre son idée.

L'étoile   Cette forme de réseau permet à tous les membres du groupe de bénéficier de l'ensemble de l'information disponible, de la plus simple à la plus complexe. Encore une fois, nous constatons que les membres du groupe possèdent tous un statut équivalent, donc aucun leader formel ne pourra jouer le rôle de répartiteur de l'information. Le principal avantage de ce réseau ouvert « se trouve dans le fait qu'il encourage l'engagement et la participation de tous les membres de l'organisation et suscite le développement d'un esprit d'équipe[12] ». Et, selon le temps dont disposent les membres du groupe pour prendre une décision, cette forme de réseau peut se révéler utile pour arriver à des décisions complexes.

8.6.2   Le réseau de communication informel

L'établissement d'une structure organisationnelle formelle permet de bien contrôler les « voies » qu'emprunte le réseau de communication formel. Cependant, on constate qu'une telle structure n'est d'aucune utilité quand vient le temps de déceler les « chemins » privilégiés par le réseau de communication informel. Ne respectant aucunement les voies que trace la chaîne de commandement, le réseau informel ne s'embarrasse d'aucun formalisme et peut, par exemple, mettre en relation un vice-président à la production et un technicien en informatique qui partagent une passion commune pour les logiciels de création d'images.

Champion dans la transmission rapide des rumeurs[13], le réseau informel prend différentes formes. Parmi celles-ci, notons le réseau linéaire et le réseau en grappe, illustrés dans la figure 8.7.

Le réseau linéaire

Comme son nom l'indique, ce réseau permet à l'information de circuler de façon linéaire. Ainsi, un individu A transmet une information à un individu B, lequel la transmet à un individu C qui, lui, la transmet à D, et ainsi de suite.

Le réseau en grappe

Pour comprendre le fonctionnement du réseau en grappe, imaginez une grappe de raisins où chaque raisin représente une personne. Parmi ces personnes, certaines ont des affinités avec un petit groupe, d'autres, avec un autre petit groupe, et ainsi de suite. Quand vient le temps de faire circuler une information, un individu A la transmet, par exemple, à B, C et D, avec qui il a certaines affinités. L'individu B transmettra cette information dans son réseau, mais au sein de la même grappe, à E, F et G. Quant à C, il la fait circuler parmi H, I, J et K, et ainsi de suite.

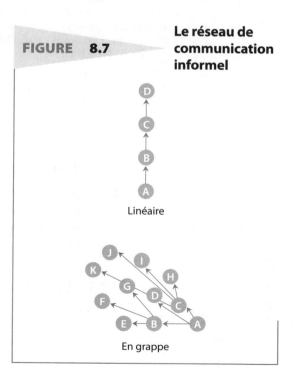

FIGURE   8.7

Le réseau de communication informel

Linéaire

En grappe

Les « envahisseurs » de notre vocabulaire

Avez-vous déjà remarqué que certains mots ou termes s'infiltrent sournoisement dans notre vocabulaire puis s'y installent, sans crier gare ? Ces mots qui, pour la plupart, sont consignés dans le dictionnaire depuis belle lurette, ne font pas d'emblée partie de notre vocabulaire courant, jusqu'à ce qu'une occasion particulière les fasse émerger. En voici quatre exemples :

Une catastrophe naturelle. Le séisme dans l'océan Indien qui s'est produit le 26 décembre 2004 au large de l'île indonésienne de Sumatra a soulevé d'énormes vagues qui, entre autres, ont frappé l'Indonésie. En décembre 2004, le mot « tsunami » a fait une entrée remarquée dans notre vocabulaire.

Un événement à saveur culturelle. Popularisé en 2008 par Internet, un événement à saveur culturelle rassemble dans un lieu public des participants qui ne se connaissent pas pour la plupart et qui exécutent des actions convenues d'avance en un « flash », pour se disperser rapidement par la suite. Cet événement a permis à un nouveau terme de s'introduire dans notre vocabulaire : il s'agit du terme « flash mob ».

Un événement sportif. En 2010, à l'occasion de la Coupe du monde de soccer en Afrique du Sud, des trompettes africaines assourdissaient les spectateurs tandis que les joueurs avaient l'occasion de jouer avec un ballon fabriqué par la société Adidas ; ballon qui a été conçu pour la première fois par la technologie du soudage thermique. Grâce à cet événement sportif, les mots « vuvuzela » et « jabulani » sont rapidement sortis de leur cachette régionale et ont pris place dans notre vocabulaire.

Un événement scientifique. Le lundi 16 août 2010, une nouvelle courait dans Internet à l'effet que les autorités de Taïwan avaient saisi dans un zoo privé deux bébés « ligres », c'est-à-dire des félins hybrides issus du croisement d'un lion et d'une tigresse. Accompagnant cette nouvelle, le mot « ligre » est sorti de l'ombre.

Question

Nous venons de relever le fait que certains mots, jadis rares dans notre vocabulaire courant, ont été popularisés dans le contexte d'événements spécifiques. Pouvez-vous citer deux mots, termes ou expressions qui ont ainsi été popularisés au Québec dans ce type de contexte ? Citez non seulement le mot, mais aussi l'événement qui a permis de l'introduire au sein de notre vocabulaire.

8.7 Comment faire de la communication un art

Pour qu'ils soient des communicateurs efficaces, les gestionnaires-émetteurs doivent posséder ou développer les aptitudes requises pour améliorer le processus de communication. De même, d'autres aptitudes peuvent leur permettre d'être des récepteurs efficaces.

8.7.1 Les aptitudes d'un gestionnaire-émetteur

Dans le tableau 8.1, nous présentons et expliquons les aptitudes qu'un gestionnaire-émetteur doit posséder pour transmettre un message efficace et améliorer le processus de communication.

TABLEAU 8.1 Les aptitudes qui font d'un gestionnaire un émetteur efficace[14]

APTITUDES	EXPLICATIONS
1. Envoyer des messages clairs et complets.	Un message est clair quand le récepteur peut facilement le décoder, le comprendre et l'interpréter. Il est complet quand il renferme toute l'information utile tant à l'émetteur qu'au récepteur, et qu'il procure ainsi aux deux une compréhension identique de son contenu.
2. Encoder les messages avec un langage que le récepteur comprend.	Dans la section 8.4, nous avons fait mention de certains obstacles sémantiques qui peuvent nuire à la communication. Le gestionnaire-émetteur doit en tenir compte et, dans la phase d'encodage de son message, si, par exemple, il utilise un jargon spécifique, il doit s'assurer de n'utiliser le jargon propre à l'organisation que si tout le personnel auquel il s'adresse est familier avec celui-ci.
3. Choisir un canal approprié pour envoyer le message.	Dans le choix du canal, le gestionnaire-émetteur doit tenir compte du degré de richesse de ce canal. Pour ce faire, il doit bien évaluer la nature de son message. Par exemple, s'agit-il d'un message personnel, important, susceptible d'être mal compris ou mal interprété ? Si oui, la communication en face-à-face devient la plus appropriée.
4. Choisir un canal avec lequel le récepteur est familier.	Le gestionnaire-émetteur doit aussi vérifier, avant de transmettre son message, si le récepteur est familier avec le canal qu'il compte utiliser. Cette règle ne vaut pas pour tous les canaux, mais il ne faut pas, pour autant, la négliger. Par exemple, avant d'envoyer par courriel un message urgent à ses employés, un gestionnaire devrait s'assurer qu'ils ont tous le réflexe de vérifier régulièrement s'ils ont reçu des courriels. Ce que le gestionnaire-émetteur doit absolument éviter, c'est d'utiliser le canal avec lequel il se sent le plus à l'aise sans se demander si les récepteurs à qui il adresse les messages sont, eux aussi, à l'aise avec ce canal.
5. Éviter de filtrer inutilement l'information et faire preuve de transparence.	Quelle que soit la raison qui incite à filtrer l'information (vouloir en garder le contrôle, penser que le récepteur n'en utilisera qu'une partie, faire en sorte que le message soit perçu de façon positive, etc.), il faut reconnaître que cette pratique constitue un obstacle sérieux à la communication. Le gestionnaire doit transmettre l'information la plus complète possible et il doit la rendre claire.
6. S'assurer que chaque message envoyé est accompagné d'un mécanisme de rétroaction que le récepteur peut utiliser au besoin.	La rétroaction est indispensable pour rendre le processus de communication efficace. Il est donc essentiel que le gestionnaire-émetteur établisse des mécanismes de rétroaction. Par exemple, il peut activer, dans son ordinateur, la fonction lui permettant de savoir quand un courriel a été lu par le récepteur ou, encore, il peut indiquer dans son message le moment où il communiquera avec le récepteur pour vérifier s'il a bien reçu le message et s'il l'a bien compris, et la façon dont il le fera.
7. Fournir l'information exacte de façon à éviter que des rumeurs non fondées commencent à circuler.	Les rumeurs sont des bribes d'information non officielles qui circulent parmi certaines personnes dans une organisation et qui concernent des sujets que ces personnes pensent être importants, intéressants ou amusants. Mais ces rumeurs peuvent aussi causer du tort à un individu ou à toute l'organisation quand elles sont malveillantes, fausses ou sans fondement. Pour éviter que l'information qu'il transmet soit une source de rumeurs, le gestionnaire doit fournir une information précise, sans équivoque.
8. Démontrer de l'empathie.	Avant de transmettre un message, un gestionnaire devrait se mettre à la place du récepteur afin de percevoir ce qu'il risque de ressentir. En somme, il devrait vérifier l'effet émotionnel que la réception de son message peut causer sur le récepteur. Par exemple, au cours d'une communication en face-à-face, au lieu de faire directement à son employé un reproche comme celui-ci : « Votre travail se fait lentement ; coordonnez mieux vos différentes tâches, car vous retardez toute l'équipe », un gestionnaire pourrait atteindre le même objectif en lui disant : « Je sais que vous devez mener de front plusieurs tâches. Regardons ensemble comment nous pouvons les coordonner afin d'éviter que nous prenions plus de retard. »

8.7.2 Les aptitudes d'un gestionnaire-récepteur

Le gestionnaire-émetteur reçoit aussi des messages. Ainsi, il doit posséder ou développer des aptitudes, relativement à la communication, qui lui permettent d'être un récepteur efficace. Le tableau 8.2 présente trois de ces aptitudes.

TABLEAU 8.2   Les aptitudes qui font d'un gestionnaire un récepteur efficace[15] aux yeux de ses employés

APTITUDES	COMPORTEMENTS
1. Prêter attention.	Être attentif à l'employé quand il endosse le rôle d'émetteur.
2. Savoir écouter.	Démontrer de l'intérêt et éviter toute forme d'écoute sélective envers l'employé.
3. Être empathique.	Comprendre l'état émotionnel où se trouve l'employé dans son rôle d'émetteur et, dans ce contexte, bien interpréter le message qu'il transmet.

Prêter attention

Quand un gestionnaire croule sous le travail et doit penser à plusieurs situations urgentes en même temps, il peut lui arriver de ne pas prêter attention à un message que lui transmet un de ses employés et le reléguer au rang des messages « en attente ». L'écoute sélective, tout comme l'attention sélective, peut constituer un obstacle à une communication efficace. Quelle que soit la charge de travail qui l'accable, un gestionnaire doit toujours garder du temps pour lire les messages que lui transmettent ses employés.

Par exemple, dans une réunion au cours de laquelle un de ses employés lui explique les difficultés qu'il rencontre dans l'exécution de son projet, le gestionnaire-récepteur doit se concentrer sur les informations que lui donne l'employé et non sur les reproches qu'il compte lui adresser parce qu'il les a longuement mûris et qu'il les a bien ancrés dans sa tête.

Savoir écouter

Être un bon communicateur implique aussi de savoir écouter. Comme nous le mentionnions précédemment, savoir écouter signifie qu'il faut éviter toute forme d'écoute sélective. On développe une écoute active en prêtant attention à l'information reçue, en l'interprétant avec un esprit ouvert et en se souvenant de ce qui a été dit.

Être empathique

À l'instar du gestionnaire-émetteur, le gestionnaire qui endosse le rôle de récepteur doit faire preuve d'empathie. Il doit essayer de comprendre l'état émotionnel où se trouve la personne qui lui transmet le message et essayer de l'interpréter dans ce contexte. Cela lui évitera d'interpréter le message selon son seul cadre de référence souvent influencé par le titre qu'il porte.

Quelques conseils pour pratiquer une bonne écoute active

Regardez votre interlocuteur dans les yeux.

Démontrez votre intérêt par des mouvements affirmatifs de la tête.

Évitez les gestes distrayants, comme regarder l'heure sur votre montre.

Posez des questions à votre interlocuteur.

Reformulez en vos propres mots une idée transmise.

N'interrompez pas votre interlocuteur, même si vous ressentez le pressant besoin d'émettre une idée.

N'étouffez pas l'idée de votre interlocuteur en la faisant vôtre pour mieux diriger la conversation et en prendre le contrôle.

Sachez passer de votre rôle d'émetteur à celui de récepteur car, en mode de réception, vous devez restreindre votre rôle d'émetteur.

Évitez de bâiller, même si l'information vous semble de peu d'intérêt.

8.8 La communication informelle portée à une autre dimension : les réseaux sociaux

De nouveaux modes de communication électroniques révolutionnent le monde de la communication informelle par l'entremise, justement, du réseau social à dimension infinie qu'ils semblent vouloir favoriser. Nous pensons entre autres à Facebook et à Twitter.

En tant que réseau social, Facebook permet une interaction entre des utilisateurs partageant les mêmes intérêts. Les utilisateurs peuvent former des groupes et y inviter d'autres personnes. Les interactions entre membres incluent le partage de correspondance et de documents multimédias. Facebook propose aussi à ses utilisateurs des fonctionnalités optionnelles appelées « applications » leur permettant de présenter ou d'échanger des informations avec les personnes qui visitent leur page. De plus, la fonction nommée « chat » de Facebook permet aux membres de signaler à leurs amis leur présence en ligne et éventuellement de discuter dans un « salon » privé. Depuis février 2010, le chat de Facebook permet aux utilisateurs de s'y connecter avec le client de messagerie instantanée de leur choix. Le genre d'information qu'une personne dépose sur Facebook concerne entre autres :

- « Une liste de ses amis ;
- Une liste des amis qu'il a en commun avec d'autres amis ;
- Une liste des réseaux auxquels l'utilisateur et ses amis appartiennent ;
- Une liste des groupes auxquels l'utilisateur appartient ;
- Une boîte pour accéder aux photos associées au compte de l'utilisateur ;

- Un «mini-feed» résumant les derniers événements concernant l'utilisateur ou ses amis, sur Facebook;
- Un «mur» (*wall*, en anglais) permettant aux amis de l'utilisateur de laisser de petits messages auxquels l'utilisateur peut répondre.»

Quant à Twitter, il s'agit aussi d'un outil de réseau social et de microblogage. Tout comme Facebook, il permet à l'utilisateur d'envoyer gratuitement des messages brefs. Ces messages appelés *tweets* ou «gazouillis» sont envoyés par Internet, messagerie instantanée ou par SMS (Short Message Service). Avec une limite de 140 caractères par message, Twitter est ni plus ni moins qu'un site Web doté de la fonctionnalité de microblogue au moyen duquel les utilisateurs émettent de petites mises à jour sur des sujets qui les intéressent. Généralement, ils les publient immédiatement en ligne, «de sorte que n'importe qui puisse les voir ou seules quelques personnes lorsqu'il s'agit de groupes privés. C'est une mini forme immédiate d'expression individuelle[16]». Sachez que vous devez d'abord être un ami mis en boîte par un *twitter* pour recevoir de lui des *tweets*. Sachez de plus que «certains tweets sont émis dans un but commercial. Twitter permet à une personne en affaires d'attirer l'attention sur des entrées de blog, des bons de vente ou des événements. *Twitter* permet aussi de cibler des groupes de personnes de mêmes milieux et avec les mêmes habitudes d'achat[17]».

Mais sur le plan social, quand un utilisateur est aussi un travailleur, est-ce toujours prudent pour lui d'exposer des éléments de sa vie privée sans se questionner sur l'incidence possible que cet exercice peut avoir sur sa vie professionnelle?

Comme le souligne Sandra Bellefoy, «avec l'avènement des blogues et des réseaux sociaux (Facebook en particulier), la responsabilité personnelle devient très importante. Comme il est de plus en plus difficile de déterminer les frontières entre vie privée et vie professionnelle, faire preuve de bon sens est essentiel pour éviter les dérapages[18].» Cette bloggeuse rapporte en exemples des cas où des activités sur Facebook ont coûté leur emploi à certaines personnes, démontrant ainsi l'existence de dangers réels au sein de ces réseaux sociaux virtuels. Elle donne notamment l'exemple de ce gardien de prison qui a été renvoyé parce qu'il avait accepté des détenus comme amis Facebook. Pensons aussi à cet employé de la société Tesco qui a obtenu un congé maladie et qui, le soir même, annonçait qu'il avait passé une bonne soirée. Dénoncé par un collègue, cet employé fut congédié.

Cependant, l'utilisation de ces réseaux sociaux ne cache pas que des dangers virtuels; certains hommes politiques y ont même recours pour leurs communications[19]!

RÉSUMÉ

Nous avons défini la communication comme un processus par lequel des éléments signifiants sont transmis d'un pôle à un autre. Dans ce processus, deux acteurs importants interviennent, soit l'émetteur qui conçoit, encode et transmet le message, et le récepteur qui décode le message et l'interprète en vue de l'utiliser. Il va de soi que l'émetteur doit choisir le canal approprié pour faire parvenir son message, non pas le canal avec lequel il est le plus à l'aise, mais celui qui est familier aux deux. Il faut aussi savoir que plus le canal est riche, moins le message subit les distorsions causées par les obstacles physiques, les obstacles sémantiques et les obstacles personnels.

Dans un contexte organisationnel, la communication emprunte trois voies principales, soit la direction verticale vers le bas, la direction verticale vers le haut et la direction horizontale. D'ailleurs, c'est la structure organisationnelle représentée par un organigramme qui nous indique la structure des réseaux formels de communication. Cependant, ces réseaux n'existent pas seuls au sein des organisations. En effet, à ces derniers se superposent des réseaux informels de communication qui sont reconnus, entre autres, pour être porteurs de rumeurs, fondées ou non.

Un gestionnaire n'a pas pour mission de déjouer les réseaux informels de communication. Mais s'il possède ou développe les aptitudes d'un bon émetteur de même que les aptitudes requises pour être un bon récepteur, il peut au moins réussir à atténuer l'effet négatif potentiel de ces réseaux.

Sur le plan de l'étendue des réseaux de communication, de nouveaux modes de communication peuvent propulser vers des dimensions impensables l'étendue du réseau de la communication informelle. Nous pensons aux médias sociaux Facebook et à Twitter, outils qui permettent aux individus d'émettre des opinions diverses sur leur vie privée, professionnelle, sociale par Internet, par messagerie instantanée ou par SMS. Les dangers virtuels que présentent ces outils naissent de la mince frontière qui sépare souvent la vie privée de la vie professionnelle. Dans ce contexte, deux questions méritent d'être posées : « L'utilisation de Facebook ou de Twitter en dehors du lieu physique du travail devrait-elle être cause de sanctions pour un employé qui dévoile ses opinions sur des éléments concernant son travail ou l'entreprise pour laquelle il travaille ? » et « Une telle activité ne devrait-elle pas être interprétée par un employeur comme le signe qu'un problème doit être réglé, sans nécessairement passer au congédiement ? »

Évaluation des connaissances

QUESTIONS DE RÉVISION

1. Comment peut-on définir la communication ?

2. Comment le processus de communication fonctionne-t-il ?

3. Quels sont les trois canaux de communication que vous utilisez fréquemment ? Quelles sont les forces et les faiblesses de chacun de ces canaux ?

4. En quoi consiste la « richesse » d'un canal ?

5. Dans le processus de communication, quel est, selon vous, le canal le plus riche ? Pour quelle raison le juge-t-on le plus riche ?

6. Quelles sont les principales directions qu'emprunte la communication dans une organisation ? Quelles sont les différences entre ces directions ?

7. Quelles distinctions établissez-vous entre les différents types de réseaux formels de communication que nous trouvons dans les organisations ?

8. Pourquoi affirmons-nous que le réseau informel de communication est champion en ce qui a trait à la transmission rapide des rumeurs ?

9. Pourquoi Facebook et Twitter peuvent-ils être considérés comme des sources de dangers virtuels en ce qui concerne la gestion des réseaux de communication dans les organisations ?

Analyse de cas

CAS 1 – « POUR ALLER AUX CHOUTES, CÉ KAN KI PART LE BOUSSE ? »
(degré de difficulté : difficile)

Le 8 août 2010, un autocar en provenance de l'aéroport Trudeau de Montréal s'est stationné en avant de l'Hôtel Le Reine Elizabeth à 14 h 58. Des vacanciers arrivant de Londres ont commencé à en descendre, exprimant chacun un commentaire sur la température et l'ambiance festive que dégage la ville. Martine, la représentante désignée de la compagnie aérienne British Airways, les attendait, un écriteau à la main indiquant le nom de la ligne aérienne. Nerveuse, elle se demandait bien s'ils la comprendraient car elle ne parle pas l'anglais. Étudiante en communication à l'Université de Montréal, elle faisait un stage en tant que représentante pour la British Airways. Selon l'entente conclue avec son employeur, elle ne devait pas rencontrer de clients. Son rôle était d'accompagner une autre représentante, Stéphanie, et d'apprendre les rouages du métier. De plus, l'entente prévoyait que quatre soirs par semaine, la compagnie défrayait les coûts de ses cours d'anglais.

Mais voici que la représentante qui devait accueillir les visiteurs de Londres à l'aéroport avait dû s'absenter en début d'après-midi pour cause de douleur soudaine à l'estomac. Le représentant en chef de la British Airways à Montréal avait alors demandé à Martine de la remplacer.

« Ne t'inquiète pas, lui avait-il dit, ces Anglais se débrouillent très bien en français… Je me suis entretenu avec eux à l'aéroport, car il m'a fallu moi-même les accueillir à la place de Stéphanie. »

Quand les Anglais voient l'écriteau, ils se dirigent vers Martine en traînant leur valise. Elle leur adresse quelques mots de bienvenue dans un anglais timide et limité et rapidement, elle enchaîne avec la langue qu'elle maîtrise bien, le français. Elle parle tranquillement et invite les voyageurs à la suivre dans une salle réservée au nom de la ligne aérienne. Une fois dans la salle, elle les invite à prendre un verre de vin blanc et sans plus tarder, elle commence à leur parler des attractions touristiques de la ville de Montréal et aussi de celles de la ville de Québec. Parmi les excursions qui semblent le plus attirer les touristes anglais, il y a la visite des chutes Montmorency à Québec. Ils désirent même y aller dès le lendemain. Martine se plie à leur demande et leur explique que le trajet est long et que le lendemain matin, il leur faudra se trouver devant l'hôtel à 6 h 40 car l'autobus partira à 7 h précisément. Elle commence à noter le nom des touristes intéressés, à les inscrire sur un registre, à accepter le paiement requis et à émettre des reçus. Elle écrit lentement car son pouce droit est entouré d'un énorme bandage, résultat d'une blessure qu'elle s'est infligée en jouant au tennis.

Ayant remis le dernier reçu, elle demande aux visiteurs anglais s'ils ont des questions à lui poser. En son for intérieur, elle ne souhaite pas trop en avoir. C'est alors qu'un homme lève la main en agitant lentement, à la manière d'un gentleman, ses index et majeur droits. D'un français qu'il souhaite le plus correct possible, il pose alors, posément, la question suivante :

— Pour aller aux choutes, cé kan ki part le bousse ?

Martine ne comprend absolument rien. Mal à l'aise, elle n'ose pas lui demander de répéter. D'ailleurs, elle n'entend que le mot « bousse » et suppose qu'il est question de son « pouce ». Elle croit réellement alors que l'homme s'inquiète de son pouce entouré d'un bandage. Elle s'empresse de lui répondre en l'agitant dans les airs.

— C'est un stupide accident de tennis… Mais mon pouce va mieux, je vous remercie.

— Ô Lord!, dit l'Anglais… et, se tournant vers son épouse, il lui demande: «Tell me dear, what kind of a thing is a pouce?»

QUESTIONS

1. Quelle erreur d'encodage commet le visiteur anglais en posant la question à Martine?

2. Parmi les obstacles à la communication, auquel de ceux-ci fait face Martine en entendant la question qui lui est posée? Expliquez!

3. Quelle erreur de communication commet Martine une fois qu'elle s'est rendue compte qu'elle n'avait pas compris la question qui lui avait été posée?

CAS 2 – LE VASE CHINOIS (degré de difficulté: moyen)

«Bégin!» crie le président Perrin debout dans l'encadrement de sa porte… Passez dans mon bureau!»

Bégin, l'assistant du président, se lève de sa chaise et se précipite dans le bureau du président.

— Fermez la porte!

Bégin obéit. Il s'avance et s'apprête à s'asseoir.

— Restez debout… Je n'en ai pas pour longtemps avec vous!

— Bien, monsieur…

Le président Perrin a du mal à faire bouger sa chaise, tant son estomac déborde et demeure coincé contre le bureau. Il peste.

— Je devrais me mettre au régime, dit-il pour lui-même puis, regardant Bégin: «Il y a une délégation chinoise qui arrive demain. Je viens d'avoir la confirmation. Une sérieuse transaction va donc se produire. Elle est d'une importance capitale… Alors, faites préparer la salle de conférence pour demain après-midi à 14 h. Je vais faire une annonce qui va surprendre tous mes employés cadres… C'est bon, disparaissez!»

— Oui, monsieur!

Tandis que Bégin se dirige vers la porte, le téléphone sonne…

— Attendez Bégin, c'est peut-être la Chine!

Bégin cesse de marcher. Il entend la conversation du président.

— Ah minou, c'est toi… Le sirop d'érable!… Quel sirop d'érable?… Ah oui, les petits-enfants viennent dîner en fin de semaine… Et tu veux leur faire de la tire d'érable… En plein été?… Bon, s'ils l'ont demandé… Moi aussi je t'embrasse…

Bégin ne peut s'empêcher de sourire. Le président lui envoie un regard qui lui coupe son sourire.

— Bégin, j'ai encore quelque chose à vous demander…

— Oui, monsieur ?

— Trouvez un cadeau pour monsieur Chow, le chef de la délégation chinoise que je vais rencontrer…

— Et à quoi pensez-vous en terme de cadeau ?

— Je vous paie pour être imaginatif, alors soyez-le !

— Oui, monsieur.

— Et pendant que vous courez le cadeau, trouvez-moi aussi du sirop d'érable… En bouteille !

— Et vous pensez à combien de bouteilles ? demande Bégin.

— Une vingtaine… C'est pour mes petits-enfants.

Bégin sort et se rend à son bureau. Il envoie sans tarder un courriel à sa secrétaire :

«Chantal… Une délégation chinoise arrive demain. Réserve la salle de conférence pour demain à 14 h. Il paraît que demain, notre président va annoncer qu'il vend la firme aux Chinois. Trouve-moi aussi un cadeau et aussi, achète vingt bouteilles de sirop d'érable pour Perrin.»

Chantal reçoit le courriel. Elle ne retient que la dernière phrase. Tout de suite, elle prend son téléphone et rejoint sa collègue qui travaille au service de la paie.

— Perrin veut vendre l'entreprise à des Chinois… Il veut les séduire avec du sirop d'érable…, commence-t-elle à dire.

Et comme une trainée de poudre, la rumeur selon laquelle le président Perrin veut vendre sa compagnie se répand, chacun la diffusant au sein de son cercle de connaissances internes.

Le lendemain, à 14 h, le président Perrin reçoit la délégation chinoise dans la salle de conférence. Tous les cadres de la société sont présents et s'attendent à ce que leur président annonce la vente de l'entreprise. Le président Perrin demande au chef de la délégation chinoise de venir le rejoindre en avant. Un homme de petite taille, au sourire charmant s'avance, suivi de deux de ses délégués transportant avec peine une énorme caisse. Monsieur Chow fait déposer la caisse près du président Perrin.

— C'est un cadeau… Pour vous ! dit monsieur Chow.

— Mais, vous n'auriez pas dû, monsieur Chow…

Perrin accepte tout de même le cadeau.

— J'ai moi aussi quelque chose pour vous, dit-il.

Il se tourne vers Bégin, qui hausse les épaules. Ce dernier se tourne vers Chantal.

— Où est le cadeau ? lui chuchote-t-il.

— Quel cadeau ? demande Chantale.

— Tu as bien reçu mon courriel !

— Ô zut de zut !… J'ai complètement oublié ! avoue-t-elle.

Elle esquisse un sourire plein d'embarras. Le président Perrin devient de plus en plus mal à l'aise. Il fronce les sourcils et fixe sévèrement son assistant.

— C'est que le cadeau est resté dans votre bureau, monsieur le président! dit Bégin.

— Alors Bégin, courez le chercher! s'énerve le président.

Bégin quitte la salle, embarrassé.

— Que vais-je faire? se demande-t-il.

Il arrive dans son bureau et voit un vase que le président Perrin lui avait offert à son retour de voyage en Chine, au printemps 2010.

— Tiens, pourquoi pas le refiler à monsieur Chow… Il semblerait que ce vase vaut une fortune, se dit-il.

Il saisit son téléphone et appelle le service de la maintenance.

— Oui, j'aurais besoin de deux personnes à mon bureau. Il faut transporter un énorme vase à la salle de conférence.

Tandis que Bégin parle au téléphone, il constate qu'il a reçu un courriel de sa secrétaire. Étant donné que Chantal lui adresse rarement des messages électroniques, Bégin se dit qu'il s'agit sûrement d'une farce qu'elle fait circuler et détruit le message. Quand les préposés à la maintenance arrivent à son bureau, il leur indique quel vase il faut prendre.

— CE VASE!… Mais il doit peser une tonne! s'écrie l'un d'eux.

— C'est pourquoi vous êtes deux! répond Bégin.

Il retourne à la salle de conférence. Trois minutes après, les deux préposés à la maintenance arrivent, poussant le vase posé sur un chariot. Chantal ouvre grand les yeux de stupeur.

— Ô mon Dieu! lance-t-elle.

— Que se passe-t-il? lui demande Bégin.

— N'est-ce pas le vase qui se trouvait dans votre bureau?

— Oui, et alors?

— N'avez-vous pas lu mon courriel?

— Quel courriel?

— Celui dans lequel je vous indiquais que je vous jouais un tour et que je…

Sa voix est étouffée par les applaudissements du président Perrin et de toute la salle, à la vue du vase chinois. Toute la salle applaudit, sauf les membres de la délégation chinoise. Monsieur Chow semble même très déçu. Il demande alors au président Perrin d'ouvrir son cadeau. Celui-ci fait un signe aux préposés de la maintenance.

— Venez m'aider! leur ordonne-t-il.

Les préposés ouvrent la grande caisse et en extirpent un vase chinois, identique en tout point à celui que le président Perrin vient d'offrir à monsieur Chow. Fâché, Perrin se tourne vers Bégin.

— Bégin, vous êtes un crétin! lui crie-t-il. Si vous n'étiez pas mon gendre, je vous…!

Mais sa voix est couverte par celle de Chantal :

— Le vase n'est pas le cadeau ! s'écrie-t-elle. Le cadeau est dans le vase !

Perrin demeure bouche bée. Monsieur Chow fronce les sourcils. Il demande à ses délégués de pencher le vase et d'en sortir le contenu. Alors ils se mettent à sortir une, puis deux et trois bouteilles de sirop d'érable jusqu'à en dénombrer une vingtaine.

— DU SIROP D'ÉRABLE ! s'écrie de joie monsieur Chow. Mais nous ne sommes que dix personnes et vous nous offrez vingt bouteilles !… Merci !… Merci !

— C'est un plaisir pour moi de vous faire plaisir…, dit le président Perrin, confus.

Bégin se tourne la tête vers Chantal.

— Mais qu'est-ce que le sirop d'érable faisait dans mon vase ?

— C'était le contenu de mon courriel…

Bégin, mal à l'aise, s'approche du président.

— Monsieur Perrin, commence-t-il à dire.

— Taisez-vous Bégin… Aujourd'hui même, vous venez de passer d'assistant à vice-président, lui chuchote le président.

Et tandis que la joie règne dans la salle, le président Perrin prend la parole et fait une annonce importante sans aucun lien avec la rumeur qui a circulé la veille.

QUESTIONS

1. a. Dans le courriel qu'il envoie à sa secrétaire, Bégin laisse planer une rumeur non fondée. Quand Chantal reçoit le message, quel réseau de communication utilise-t-elle pour le transmettre ?

   b. Quelle illustration représente ce réseau ?

   c. Quelle phrase du texte démontre que votre réponse en (b) correspond à la bonne illustration ?

2. a. Chantal a envoyé un courriel à son patron et ce dernier l'a détruit. En vous appuyant sur la figure 8.1, quelle erreur de communication Chantal a-t-elle commise ?

   b. Quelle phrase du texte vient appuyer votre réponse ?

   c. Quand Bégin voit le courriel de sa secrétaire, il n'en fait aucun cas et le détruit. Quelle aptitude face à la communication son geste ne démontre-t-il pas ? Expliquez.

À vous de jouer

AI-JE LES APTITUDES REQUISES POUR ÊTRE UN BON COMMUNICATEUR ?

Le questionnaire[20] suivant porte sur le processus de communication. Il vous aidera à déterminer si vous possédez les aptitudes requises pour être un bon communicateur.

Répondez aux vingt énoncés en vous inspirant de toutes les expériences que vous avez vécues en matière de communication orale ou écrite (en classe, avec un groupe d'amis, au travail, en famille, etc.). Utilisez l'échelle qui vous est fournie. Elle est graduée de 1 à 5 et sert à évaluer votre comportement.

1 : Rarement

2 : Parfois

3 : Habituellement

4 : Souvent

5 : Toujours

Les énoncés suivants décrivent différents comportements. À vous d'évaluer votre façon d'agir par rapport à chacun de ces comportements.

1. Je suis disponible lorsqu'une personne veut me parler. ☐

2. Je regarde mon interlocuteur dans les yeux quand il me parle. ☐

3. Je manifeste de l'intérêt pour l'information qui m'est transmise. ☐

4. Je n'interromps pas mon interlocuteur quand il me parle. ☐

5. Je laisse mon interlocuteur exprimer toutes ses idées avant d'intervenir. ☐

6. Je me renseigne sur les antécédents, les attentes et l'expérience du récepteur de chacune de mes communications. ☐

7. Je tiens compte du point de vue probable du récepteur. ☐

8. Je tiens compte des connaissances que possède le récepteur. ☐

9. Je reconnais les besoins du récepteur et leur influence sur l'accueil qu'il réservera à mes communications. ☐

10. Je détermine la façon d'adapter mes communications afin qu'elles répondent aux besoins du récepteur. ☐

11. Je choisis les termes qui expriment clairement ce que je veux dire. ☐

12. J'examine les divers sens des termes que j'utilise. ☐

13. Je tiens compte du fait que les mots véhiculent souvent un message caché et je m'assure que le message formulé correspond bien à celui que je désire transmettre. ☐

14. Je cherche à obtenir une rétroaction du récepteur pour m'assurer que mon message a bien été compris. ☐

15. J'évite d'utiliser des termes que le récepteur pourrait ne pas connaître. ☐

16. J'évite les répétitions inutiles dans mes communications écrites. ☐

17. J'évite d'utiliser un jargon technique. ☐

18. Je n'exprime qu'une seule idée principale dans chaque phrase. ☐

19. J'utilise certaines phrases ou idées pour assurer la transition d'un paragraphe à l'autre, dans mes communications écrites. ☐

20. Je structure mes communications écrites au moyen d'un plan. ☐

VOS RÉSULTATS ET LEUR ÉVALUATION

Le tableau ci-dessous vous permettra de compiler vos résultats. Vous serez ainsi en mesure d'évaluer votre comportement par rapport à quatre aptitudes bien précises.

1. Calculez vos résultats pour chaque aptitude en additionnant les chiffres que vous avez inscrits à côté des énoncés correspondant aux différentes aptitudes.

2. Additionnez le total des quatre résultats obtenus et indiquez-le dans la case appropriée.

3. Comparez vos résultats avec ceux des autres membres du groupe et, chaque fois qu'ils sont inférieurs à ceux des autres, interrogez-vous sur le comportement que vous pourriez adopter afin d'améliorer l'aptitude ciblée.

4. N'hésitez pas à demander aux membres du groupe leur avis sur les comportements que vous jugez nécessaire de corriger afin d'améliorer votre aptitude.

Tableau des résultats

APTITUDES	ÉNONCÉS	RÉSULTATS OBTENUS
Prêter attention à son interlocuteur.	1 - 2 - 3 - 4 - 5	
Faire preuve d'empathie envers le récepteur.	6 - 7 - 8 - 9 - 10	
Envoyer des messages clairs et complets.	11 - 12 - 13 - 14 - 15	
Encoder les messages avec un langage que le récepteur comprend.	16 - 17 - 18 - 19 - 20	
Résultat total		

Le travail en équipe

◂ **LE TRAVAIL EN ÉQUIPE**

Le mythe du héros
Section 9.1

La raison d'être des groupes
Section 9.2

Les groupes, les équipes et l'engagement organisationnel
Section 9.3

La classification des groupes
Section 9.4

La dynamique des équipes
Section 9.5

Les raisons physiques
Section 9.2.1

Les motifs psychologiques
Section 9.2.2

Les motifs économiques
Section 9.2.3

Les groupes informels
Section 9.4.1

Les groupes formels
Section 9.4.2

Les équipes et le rendement
Section 9.3.1

Les équipes et la qualité
Section 9.3.2

Les équipes et l'innovation
Section 9.3.3

Les équipes et la motivation
Section 9.3.4

Les composantes d'une équipe
Section 9.5.1

Le cycle de vie d'une équipe
Section 9.5.2

Le leadership dans une équipe
Section 9.5.3

La cohésion dans une équipe
Section 9.5.4

Les résultantes de l'efficacité d'une équipe
Section 9.5.5

Objectifs d'apprentissage :

1. catégoriser les différents groupes dans les entreprises ;
2. expliquer les raisons d'être des groupes ;
3. présenter les différents stades du développement d'un groupe ;
4. décrire les facteurs affectant la cohésion dans un groupe ;
5. décrire les résultantes du fonctionnement d'un groupe.

Compétence à développer :

- adapter les théories de la motivation au nouveau contexte de gestion des entreprises ;
- procéder à des activités de gestion de groupe ;
- procéder à l'analyse de l'influence des groupes sur les individus et les organisations ;
- analyser le processus de fonctionnement d'un groupe ;
- énumérer les causes du rejet d'un membre d'un groupe ;
- décrire l'apport de chacun des membres d'un groupe.

La promotion

Il y a trois mois, Isabelle Ligérante a été promue directrice du service de tri de Cygogne Courrier international, une entreprise de messagerie de réputation mondiale. Cette promotion a eu lieu à la suite de la démission de Martin Brepost, qui a quitté ses fonctions parce qu'il avait complètement perdu la maîtrise de ses employés du service de tri. Annie Rhondel, la directrice du centre de distribution, a informé Isabelle Ligérante, au moment de sa nomination, que le poste lui était accordé parce qu'on croyait que, compte tenu du leadership qu'elle exerçait dans le groupe, elle pouvait utiliser ses compétences pour augmenter le rendement de ce service, qui était le pire parmi tous ceux de l'entreprise.

Isabelle Ligérante avait, en effet, beaucoup d'emprise sur le groupe ; c'était un leader naturel et ses compétences étaient reconnues par ses collègues. En fait, Isabelle Ligérante était en partie responsable du départ de Martin Brepost. Elle s'était donné comme mission de mettre en boîte son patron au moins cinq fois par jour. Elle connaissait tous les moyens pour ralentir les opérations et faire perdre les pédales à Martin Brepost. Il n'y avait pourtant aucune animosité personnelle entre les deux personnages ; pour Isabelle Ligérante, il s'agissait tout simplement d'un jeu pour se mettre en valeur.

Par exemple, elle enseignait aux employés à poser des questions qui entraînaient Martin Brepost dans des explications sans fin. Le groupe se fixait des objectifs de rendement et contrôlait radicalement chacun des membres afin qu'il ne dépasse pas la norme informelle établie. Pendant les pauses-café et les dîners, tous les meneurs du groupe étaient les vedettes involontaires de leurs blagues, et leur activité principale consistait à attaquer l'entreprise et ses décisions.

Le groupe, qui comportait une vingtaine de personnes, était très homogène : il était composé à 90 % de femmes et aucune n'envisageait une promotion dans un avenir immédiat. Le travail était particulièrement monotone et les blagues apparaissaient comme une soupape à leur ennui. Cependant, les membres du groupe avaient, dans le passé, démontré beaucoup d'imagination, et ils avaient à quelques reprises remporté la médaille de l'équipe ayant proposé le plus de suggestions retenues par l'entreprise.

Isabelle Ligérante connaissait très bien les membres de son équipe : elle savait qu'ils pouvaient former l'équipe la plus productive dont Cygogne Courrier pouvait rêver. Elle était donc très heureuse d'occuper ses nouvelles fonctions et elle entendait bien réussir là où Martin Brepost avait échoué. Elle désirait surtout délaisser le comportement puéril et sans avenir qu'elle et son groupe avaient adopté depuis un bon moment pour le remplacer par une attitude plus mature et plus productive qui rendrait leur travail plus stimulant.

Par contre, certains problèmes la tracassaient. Depuis quelques semaines, le groupe la tenait à distance. Qui plus est, Manuel Sanvol, un employé du service, semblait avoir pris le leadership du groupe dans le but de perpétuer les comportements que Isabelle Ligérante acceptait peu avant. D'ailleurs, il avait entrepris de lui faire subir les blagues qu'elle avait elle-même imaginées du temps où elle était membre du groupe.

Questions de discussion

1. Le moyen utilisé par Isabelle Ligérante pour remplacer Martin Brepost à la direction du service du tri vous apparaît-il acceptable ? Expliquez votre position.

2. Selon vous, comment la nouvelle responsable peut-elle reprendre le contrôle du groupe ?

3. Quelles suggestions feriez-vous à Isabelle Ligérante à la suite de la lecture du chapitre ?

9.1 Le mythe du héros

Dans notre société, le mythe du héros sauveur perdure[1] ; on peut penser à Napoléon Bonaparte, au général De Gaulle, à Neil Armstrong, à Louis Riel, à Jean Lesage et à René Lévesque, et, dans le domaine sportif, pourquoi ne pas mentionner Jaroslav Halak et Anthony Calvillo… Il existe chez l'humain un besoin de personnifier un succès, une démarche. Pourtant, l'atteinte d'un objectif repose presque toujours sur le travail d'une équipe dont les membres subordonnent leur contribution à l'efficacité de l'ensemble. Michel-Ange a-t-il peint seul la chapelle Sixtine ? Jules César a-t-il conquis à lui seul la Gaule ? Neil Armstrong a-t-il conquis la Lune en solitaire ? Un premier ministre dirige-t-il seul le pays ?

9.2 La raison d'être des groupes

Lors de l'étude de la motivation et de l'engagement organisationnel, nous avons vu que les individus ont de nombreux besoins à satisfaire. La plupart de ces besoins peuvent être satisfaits par leurs interrelations avec d'autres personnes. Les groupes se forment donc souvent pour répondre à ces besoins[2] (*voir la figure 9.1*).

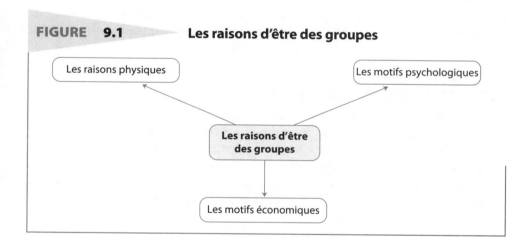

FIGURE 9.1 Les raisons d'être des groupes

9.2.1 Les raisons physiques

La proximité physique issue de l'organisation du travail crée une tendance au développement de relations entre les individus, car l'être humain est fondamentalement social. Ainsi, le simple fait de regrouper des travailleurs dans un même lieu de travail favorisera les communications entre eux. La société Steelcase[3] du Canada, fabricant de meubles de bureau, offre même une collection nommée « Collaborative team space » dont le design est fondé sur l'organisation de l'espace en fonction du travail en équipe. D'ailleurs, les bureaux de cette société ont été complètement organisés selon cette approche[4].

Les facteurs physiques et économiques facilitant les rencontres sont généralement des préalables au maintien d'un groupe. L'éloignement et le coût des rencontres sonnent souvent le glas de l'existence d'un groupe. Par exemple, le télétravail peut avoir un effet négatif sur l'esprit d'équipe au sein d'un service. Le téléphone, les réseaux d'ordinateurs, le courriel et les vidéoconférences sont des outils actuellement utilisés pour créer une nouvelle catégorie de groupes appelés « groupes virtuels ».

9.2.2 Les motifs psychologiques

Le groupe permet à l'individu d'atténuer le sentiment de solitude qu'il ressent devant les demandes de l'administration et il lui offre un sentiment de sécurité lui permettant de résister à des exigences trop élevées.

L'appartenance à un groupe offre aussi à l'individu la possibilité de satisfaire ses besoins d'affiliation, et elle lui procure la interaction nécessaire à la définition de son image de soi. Elle lui permet également de jouir des plaisirs découlant des relations quotidiennes entre les personnes.

De plus, l'appartenance à un groupe « prestigieux » confère à chacun de ses membres ce prestige. Un joueur de soccer moyen dans une équipe championne devient un joueur « champion ».

Enfin, le désir d'un individu d'utiliser pleinement son potentiel et de se développer trouve un écho dans les échanges entre les membres d'un groupe où la qualité des participants favorise l'épanouissement personnel.

9.2.3 Les motifs économiques

L'organisation du travail et le mode de rémunération peuvent influer sur la tendance au regroupement des membres d'une même organisation. Ainsi, un mode de rémunération fondé sur le résultat de l'équipe et comprenant des gratifications, comme les bonis aux équipes gagnantes dans les sports professionnels ou les primes aux employés de la boutique d'une chaîne qui aura atteint ses objectifs de ventes, incitera les membres de l'équipe à multiplier les interactions et à renforcer leurs communications.

9.3 Les groupes, les équipes et l'engagement organisationnel

Les individus au sein des entreprises sont en relation de façon quasi permanente avec les autres membres de l'organisation[5]. Que les interactions se produisent à la faveur d'activités personnelles, telles les brèves rencontres avec le préposé au stationnement ou avec la caissière de la cafétéria, ou d'activités professionnelles, telles les discussions avec les employés du service de l'informatique et avec les membres de l'équipe de travail, elles sont façonnées par la personnalité des individus, par les relations que ces individus entretiennent déjà entre eux, par leur rôle dans l'organisation et par le contexte de l'**interaction** (*voir la figure 9.2*).

Interaction (*interaction*)

Relation interhumaine par laquelle toute attitude, action ou expression d'un membre d'un groupe exerce une influence sur les autres membres.

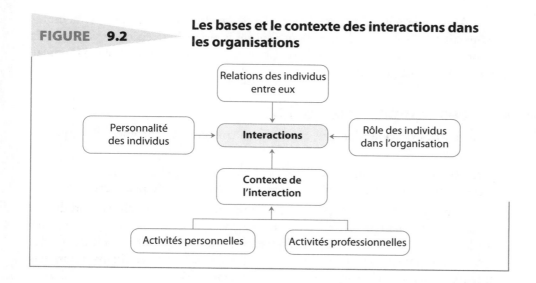

FIGURE 9.2 Les bases et le contexte des interactions dans les organisations

Les membres de l'organisation travaillent au sein d'un ou de plusieurs groupes afin de réunir leurs connaissances, leurs habiletés et leurs efforts. La performance globale de l'entreprise est donc en grande partie le résultat du respect des normes et des standards des groupes, formels ou informels, qui la composent.

Un **groupe de travail** est composé de deux ou de plusieurs personnes qui interagissent essentiellement pour échanger des renseignements et prendre des décisions qui permettent à chacun des membres d'offrir le meilleur de lui-même dans son domaine respectif[6].

Groupe de travail
(work group)
Groupe dont les membres interagissent et prennent des décisions en vue d'accomplir un travail précis.

Une équipe de travail est aussi un groupe, mais un groupe où les interactions et la collaboration ont une intensité plus grande. Cependant, si l'équipe est un groupe, tous les groupes ne sont pas des équipes. Dans une équipe, l'intensité des interactions, la présence de compétences complémentaires ainsi que la présence d'un objectif commun dont tous ont la responsabilité sont fondamentales.

Une classe est un groupe qui peut devenir une équipe si le professeur demande aux étudiants de réaliser un travail commun et si tous décident de s'y consacrer sérieusement. Ce qui distingue les membres d'une équipe de ceux des groupes, c'est leur engagement organisationnel commun.

9.3.1 Les équipes et le rendement

Par leur constitution même, les équipes représentent un avantage[7]. Elles contribuent positivement au rendement de l'organisation en permettant :

- l'émergence du phénomène de la **synergie**. Ce phénomène découle du contexte du travail de l'équipe, qui permet que le résultat des efforts combinés de ses membres soit plus élevé que la somme des efforts de chacun d'eux ;

- aux membres de se corriger mutuellement en cas d'erreur ;

- à l'équipe de bénéficier de l'apport des connaissances et des compétences de tous les membres de l'équipe.

Synergie *(synergy)*
Rendement additionnel qui découle de la coordination des efforts de plusieurs personnes ou de plusieurs services.

Efficacité (*effectiveness*)

Degré de réalisation des objectifs planifiés.

Efficience (*efficiency*)

Capacité d'utiliser les ressources requises pour obtenir un résultat. Il s'agit d'une mesure du rendement.

Normes ISO (*ISO norms*)

Accords provenant de l'ISO et contenant des spécifications techniques destinées à être respectées pour assurer la conformité des intrants.

Assiduité (*diligence*)

Application soutenue d'une personne dans son travail se manifestant principalement par la présence constante de cette personne à son poste.

Taux de roulement

(*turnover rate*)

Ratio entre le nombre d'employés qui quittent définitivement une entreprise pendant une période donnée et le nombre moyen d'employés pendant cette période.

Ainsi, une équipe pourra accomplir des tâches qu'aucun de ses membres ne pourrait faire seul, améliorant la qualité de la prise de décision et facilitant la confrontation des idées et les échanges. Les équipes sont donc une source d'**efficacité** et d'**efficience** pour l'entreprise.

9.3.2 Les équipes et la qualité

Les entreprises doivent, dans un contexte de concurrence forcenée, se surpasser. Les équipes :

- permettent à l'organisation d'offrir à sa clientèle des produits et des services qui correspondent aux attentes et aux exigences de plusieurs demandeurs ;
- sont souvent les seuls outils permettant l'amélioration de la qualité du produit et du service à la clientèle compte tenu des exigences du gouvernement, avec ses lois sur la sécurité des produits, sur l'étiquetage ou sur les garanties ; des demandes des consommateurs ou encore des contraintes imposées par les clients industriels et leurs demandes relatives au respect des **normes ISO**[8] ;
- sont formées à l'aide des ressources des différents services de l'organisation, selon les compétences et les champs d'expertise exigés par la tâche de l'équipe de travail. Afin de répondre à ces exigences, le cadre dirigeant doit s'assurer de la diversité des compétences et des connaissances des membres de l'équipe à former, d'où la constitution d'équipes multidisciplinaires.

9.3.3 Les équipes et l'innovation

L'innovation consiste en l'application d'une nouvelle idée à un processus, à un produit ou à un service qui exige généralement un niveau d'effort relativement élevé et la concentration de plusieurs catégories de connaissances. Très souvent, un seul employé ne possède pas les connaissances, les habiletés et l'expertise nécessaires à la conception d'une innovation. Les équipes peuvent influencer positivement l'innovation, car le cadre dirigeant peut favoriser celle-ci en créant des équipes multidisciplinaires en fonction des projets à réaliser.

Le travail d'équipe permet de multiplier les nouvelles idées, de critiquer les démarches erronées et de compenser les faiblesses de certains membres.

9.3.4 Les équipes et la motivation

Les personnes qui travaillent en équipe sont généralement plus motivées et plus satisfaites dans l'accomplissement de leurs tâches qu'elles ne l'auraient été si elles avaient travaillé individuellement. Cette motivation se communique d'un employé à l'autre, et le désir de collaborer à la réalisation d'une œuvre collective stimule l'**assiduité** et réduit le **taux de roulement**. Cette propriété de l'équipe d'influer sur la motivation individuelle repose sur le fait :

- qu'elle donne la possibilité de partager les tâches monotones et sans intérêt ou les horaires les moins agréables. De plus, l'employé désire souvent combler un besoin d'affiliation : l'équipe de travail lui permet de combler ses désirs d'interaction et d'appartenance ;

- qu'elle est très avantageuse pour les employés sur le plan individuel. En effet, l'équipe est le lieu d'apprentissage des normes et des valeurs de l'entreprise, le lieu d'acquisition des connaissances requises pour accomplir la tâche et le lieu d'exploitation des stratégies retenues pour atteindre les objectifs. L'équipe permet aussi aux individus de satisfaire leurs besoins personnels en matière d'appartenance et de reconnaissance. En outre, la rétroaction entre les individus favorise l'épanouissement personnel.

Les personnes qui travaillent en équipe sont généralement plus motivées et plus satisfaites dans l'accomplissement de leurs tâches.

La capacité de travailler en équipe est un acquis très valable pour un employé et constitue une compétence fort recherchée dans un grand nombre d'emplois : elle est donc transférable dans un autre poste au sein de l'entreprise, et même dans une autre entreprise.

9.4 La classification des groupes

Plusieurs types de groupes existent en milieu de travail. On les classifie souvent en deux catégories : les groupes « informels » et les groupes « formels », ou « équipes » (*voir la figure 9.3*).

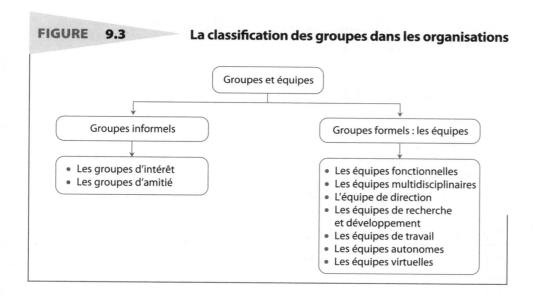

FIGURE 9.3 La classification des groupes dans les organisations

Groupes et équipes

Groupes informels
- Les groupes d'intérêt
- Les groupes d'amitié

Groupes formels : les équipes
- Les équipes fonctionnelles
- Les équipes multidisciplinaires
- L'équipe de direction
- Les équipes de recherche et développement
- Les équipes de travail
- Les équipes autonomes
- Les équipes virtuelles

9.4.1 Les groupes informels

Les **groupes informels** sont des groupes créés par les employés dans le but de favoriser leurs intérêts ou de combler leur besoin d'appartenance. Dans certaines circonstances, ces groupes peuvent viser des objectifs similaires à ceux de l'organisation formelle. Les relations entre les objectifs des groupes formels et ceux des groupes informels revêtent de multiples facettes. Les groupes informels peuvent appuyer ou saboter les plans

Groupe informel

(*informal group*)

Ensemble de personnes réunies sur une base volontaire dans le but de satisfaire leurs besoins personnels ou d'atteindre leurs propres objectifs.

des groupes formels. Par exemple, un groupe formel peut, sous la gouverne du cadre responsable, fournir les efforts nécessaires à l'implantation de changements dans les procédures de travail. L'appui du groupe informel assurera le succès de cette démarche. Par contre, le groupe informel peut, par des techniques de sabotage, ruiner complètement les possibilités de réussite. Ces groupes n'ont pas de leaders officiellement mandatés par une autorité supérieure, bien qu'un leader puisse émerger du groupe.

Le tableau 9.1 présente les deux catégories de groupes informels : les groupes d'intérêt et les groupes d'amitié.

TABLEAU 9.1 Les deux catégories de groupes informels

TYPES DE GROUPES	CARACTÉRISTIQUES	EXEMPLES
Les groupes d'intérêt	• Regroupent des individus qui ont des objectifs et intérêts communs. • Peuvent être un véhicule de revendication ou de contestation. • Constituent un indice, pour les cadres, d'un besoin de changement.	Groupes informels créés afin de faciliter la réclamation d'une garderie sur les lieux de travail, la contestation d'une politique controversée, la demande d'une amélioration des conditions de travail.
Les groupes d'amitié	• Créés pour répondre à des besoins sociaux. • Fondés sur le partage d'un passé, de caractéristiques ou de valeurs communes aux membres. • Facilitent la circulation de l'information et accentuent le désir de collaboration. • Améliorent le climat de travail.	Groupes informels fondés sur le partage d'une activité commune, la pratique d'un sport, un mode de vie ou des valeurs communes. Cela pourrait être la danse sociale, le bridge, une activité de plein air, etc.

Groupe d'intérêt
(*interest group*)
Groupe informel créé afin de faciliter la poursuite d'un objectif qui est commun aux personnes qui composent ce groupe.

Groupe d'amitié
(*friendship group*)
Groupe informel créé afin de combler des besoins sociaux.

9.4.2 Les groupes formels

Les buts visés

Un **groupe formel** est un regroupement d'individus réalisé par une organisation dans un but spécifique ; ce groupe est dirigé par un représentant de la haute direction, choisi par cette dernière. Les groupes formels sont, en fait, des équipes. Les buts visés par ces équipes sont de quatre ordres[9] (*voir le tableau 9.2*) :

Groupe formel
(*formal group*)
Ensemble de personnes, réunies par la volonté des cadres dirigeants dans une unité organisationnelle, responsables de l'accomplissement d'une activité et de l'atteinte d'un objectif.

TABLEAU 9.2 Les buts visés par les équipes formelles

BUTS	EXEMPLES
Effectuer et fournir aux cadres les analyses nécessaires pour prendre des décisions.	Les comités techniques, les comités-conseils et les cercles de qualité.
Produire un bien ou un service.	Les équipes d'agents de bord dans un avion, les groupes de recherche dans un laboratoire et l'équipe de planification dans une entreprise.
Préparer un projet et proposer des solutions créatives aux problèmes en ayant recours à des équipes de spécialistes.	Les équipes de recherche ou les équipes d'analystes.
Accomplir une tâche qui requiert un groupe d'employés spécialisés dont le travail exige un certain degré de coordination.	Les équipes de négociation d'une convention collective, une équipe de soccer, l'équipe de pilotes des avions Snowbird, l'équipe d'intervention technique de la Sûreté du Québec.

Les différentes structures des organisations en sont l'illustration, et nous vous invitons à lire le chapitre 4, « La fonction "organisation" », pour prendre connaissance d'une analyse plus poussée.

Les catégories d'équipes formelles

Il existe sept catégories d'équipes, présentées dans le tableau 9.3.

Les équipes sont des outils qui permettent l'atteinte des objectifs d'une organisation. Dans ces conditions, le cadre dirigeant doit avoir une compréhension approfondie du fonctionnement de ces structures ainsi que des modes de relations

TABLEAU 9.3   Les catégories d'équipes formelles

CATÉGORIES	CARACTÉRISTIQUES	EXEMPLES
Les équipes fonctionnelles (*functional group*)	Composées d'un cadre, qui occupe un rôle de charnière entre les niveaux hiérarchiques, et de ses subordonnés.	Correspondent aux services ou aux divisions d'une entreprise. C'est l'organigramme (la hiérarchie) de l'entreprise.
Les équipes multidisciplinaires (*cross functional team*)	Il s'agit de la structure matricielle créée pour gérer des projets complexes qui touchent plusieurs secteurs de l'entreprise.	Permettent de résoudre des problèmes complexes qui exigent des expertises variées, comme par exemple, • sélectionner les personnes qui participeront à l'élaboration d'une solution et à la présentation de recommandations ; • répartir la responsabilité d'un défi parmi les différents secteurs d'une entreprise ; • regrouper les expertises.
L'équipe de direction (*top management team*)	Formée du président de l'entreprise et des cadres dirigeants de chacune des divisions.	Responsable de définir la mission et les stratégies de l'entreprise.
Les équipes de recherche et développement (*research and development team*)	• Composées de personnes qualifiées pour développer de nouveaux produits ou services. • Elles sont souvent multidisciplinaires.	Ce type d'équipe existe dans les entreprises des secteurs de l'électronique, des produits pharmaceutiques et de l'exploration spatiale.
Les équipes de travail (*work team*)	• Créées dans le but spécifique de soutenir l'équipe fonctionnelle ou de la remplacer. • Ces équipes peuvent être temporaires ou permanentes, selon les circonstances. • Certaines de ces équipes accomplissent une tâche dont l'objectif est permanent et ne sera jamais atteint.	• Un comité formé pour étudier l'informatisation des opérations sur une base temporaire. • Un « Cercle de la qualité » qui deviendrait une équipe permanente. • Un comité pour la protection de la santé des travailleurs, contre le harcèlement au travail ou visant à favoriser l'intégration des handicapés.
Les équipes autonomes de travail (*self-management team*)	• Leurs membres décident du travail à accomplir, de la manière dont il doit être fait et des personnes qui l'exécutent. • L'habilitation, la responsabilisation et l'autonomisation caractérisent ces équipes.	Peuvent viser à améliorer la qualité d'un produit ou d'un service et à rehausser l'engagement organisationnel.
Les équipes virtuelles (*virtual team*)	Nées de l'utilisation d'outils informatiques et collaboratifs comme Internet, qui permettent aux membres d'une équipe dispersés physiquement de travailler simultanément sur un même projet.	• Peuvent inclure des représentants, des fournisseurs, des clients ou tout autre partenaire (voir les systèmes SAP[10]). • Permettent d'améliorer la qualité d'un produit et de l'offrir plus rapidement sur le marché ; par exemple, les équipes d'auteurs et les correcteurs travaillant sur un même manuel scolaire peuvent réviser un texte simultanément sans avoir à se rencontrer.

établis au sein des équipes et entre ces dernières. Les équipes ont souvent un objectif très précis, comme développer une campagne de publicité. Elles jouent aussi des rôles plus informels lorsqu'elles font pression sur un membre pour qu'il se rallie à la décision de la majorité.

Les équipes jouent plusieurs rôles dans les organisations (*voir la figure 9.4*). Plus particulièrement, elles permettent d'accroître leur rendement, elles ont un effet majeur sur la qualité du service à la clientèle, elles favorisent l'innovation et elles influencent positivement la motivation de leurs membres. Voyons comment se concrétisent ces différents rôles.

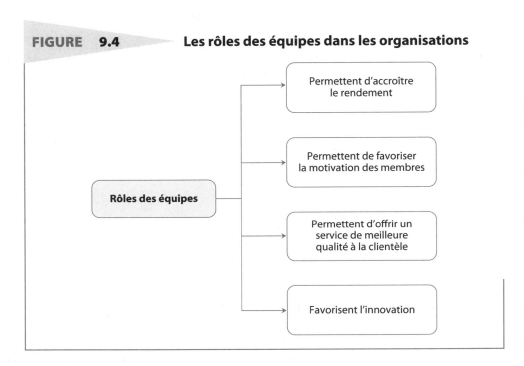

FIGURE 9.4 — Les rôles des équipes dans les organisations

9.5 La dynamique des équipes

Plusieurs facteurs affectent le mode de fonctionnement d'une équipe et son efficacité. Nous aborderons ici les principaux éléments de la dynamique des équipes, soit les composantes de l'équipe, l'étape où l'équipe est rendue dans son cycle de vie, le style de leadership exercé et le degré de cohésion de l'équipe (*voir la figure 9.5*).

9.5.1 Les composantes d'une équipe

Au moment de la formation d'une équipe au sein d'une entreprise, le cadre dirigeant doit tenir compte d'un certain nombre d'éléments, comme l'interdépendance des tâches, l'expertise des membres, la taille de l'équipe et les rôles des membres, qui affecteront la dynamique de l'équipe ainsi que sa cohésion et son efficacité.

FIGURE 9.5 **La dynamique des équipes dans les organisations**

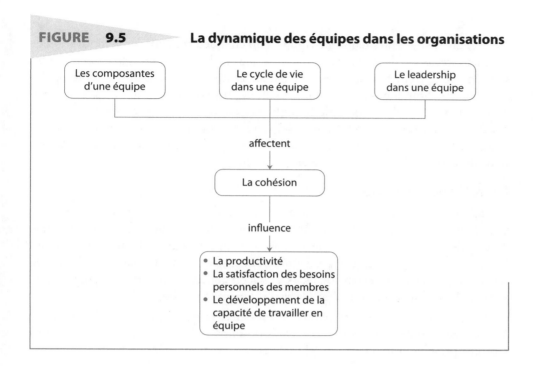

L'interdépendance des tâches

Les liens existant entre les tâches des différents membres de l'équipe déterminent la structure interne de l'équipe (*voir le chapitre 4*, «La fonction "organisation"»). L'**interdépendance des tâches** dans une équipe se définit comme le degré d'influence de la tâche d'un membre sur la tâche d'un autre membre. L'accroissement de l'interdépendance des tâches exige des membres de l'équipe une interaction plus fréquente et plus intense, ainsi qu'une coordination des activités plus soutenue, pour obtenir un rendement élevé. L'interdépendance des tâches peut prendre trois aspects dans une équipe : la mise en commun, les tâches séquentielles et l'interdépendance absolue.

Interdépendance des tâches (*task interdependence*)

Degré d'influence de la tâche d'un membre sur la tâche d'un autre membre.

Les membres d'une équipe

La composition d'une équipe est déterminante pour le niveau de réussite de son fonctionnement et pour son rendement. Les membres de l'équipe doivent avoir les expertises nécessaires pour relever le défi présenté à l'équipe. Ils doivent, de plus, posséder des habiletés en relations interpersonnelles, indispensables au travail d'équipe. Cela est d'autant plus nécessaire dans les équipes où l'interdépendance est absolue.

Si les problèmes sont complexes, un certain degré de diversité dans la composition de l'équipe se révélera une source d'inspiration et permettra de parvenir à des solutions originales. Une trop grande homogénéité, bien qu'elle favorise la bonne entente, limite la diversité des points de vue au regard des problèmes.

La taille

Le nombre de membres dans une équipe a un effet déterminant sur la motivation de ses membres et sur leur engagement, ainsi que sur le rendement global de l'équipe. Une équipe restreinte favorise les échanges et les interactions, facilite la coordination des activités, simplifie l'échange d'informations et permet à chacun de mesurer son apport dans le résultat global de l'équipe. Par contre, les équipes plus nombreuses bénéficient d'un éventail plus large de ressources (connaissances, expériences, habiletés, etc.). Elles rendent surtout possible le partage des tâches en permettant à certains de se spécialiser et d'accroître leur rendement.

Les rôles des membres

Rôle (*role*)

Ensemble de comportements attendus d'un membre dans une fonction donnée au sein d'une équipe.

Un **rôle** est un ensemble de comportements attendus d'un membre dans une fonction donnée au sein d'une équipe. Parfois, un membre peut avoir un rôle unique et le détenir de façon quasi permanente. Dans une équipe multidisciplinaire, par exemple, les membres remplissent presque systématiquement le rôle qui leur est dévolu en raison de leur champ d'expertise. Mais, de façon générale, un membre remplira différents rôles selon sa personnalité, les circonstances et l'évolution de l'équipe.

Les différents rôles se partagent en deux catégories : les **rôles de tâches** et les rôles de maintien de l'équipe, ou **rôles de soutien** (*voir le tableau 9.4*). Certains tableaux présentent les libellés au pluriel et d'autres au singulier.

TABLEAU 9.4 Les rôles dans les équipes

TYPES DE RÔLES	DÉFINITION	EXEMPLES
Les rôles de tâches	Rôles visant la réalisation d'objectifs bien définis.	Les membres qui les remplissent adoptent généralement les comportements suivants : • proposent des objectifs et suggèrent des méthodes de travail ; • demandent des renseignements, offrent des points de vue ; • offrent des renseignements et avancent des suggestions fondées sur leurs compétences ; • proposent des synthèses, des résumés et des clarifications ; • fournissent un effort supplémentaire.
Les rôles de soutien	Rôles visant la participation de tous.	Les membres qui les remplissent adoptent généralement les comportements suivants : • encouragent la participation de tous ; • favorisent la médiation en cas de conflit ; • adoptent une attitude d'animateur ; • présentent des observations sur le fonctionnement de l'équipe.

Rôle de tâches

(*task-facilitating role*)

Ensemble des comportements d'un membre qui favorisent l'atteinte de l'objectif de l'équipe.

Rôle de soutien

(*relationship-building role*)

Ensemble des comportements d'un membre qui favorisent l'établissement d'un bon climat dans les relations au sein de l'équipe.

9.5.2 Le cycle de vie d'une équipe

L'existence des équipes suit certaines étapes relativement prévisibles. La compréhension de ces étapes permet au cadre de mieux intervenir dans les activités des équipes au travail. Ces étapes sont la formation, l'ajustement, la normalisation, l'accomplissement de la tâche et la dissolution (*voir la figure 9.6*).

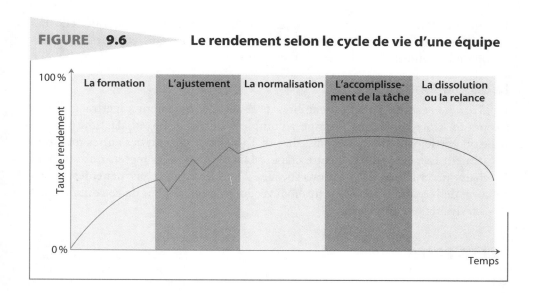

FIGURE 9.6 Le rendement selon le cycle de vie d'une équipe

La formation

La *formation* est l'étape où les membres de l'équipe évaluent les comportements des autres et la tâche à accomplir. Ils cherchent à déterminer ce qui est acceptable et à établir le rôle de chacun et, surtout, le rôle du leader. C'est une période d'insécurité où le climat de confiance n'est pas encore installé et où l'adhésion à l'objectif commun n'est pas encore acquise. Le rôle du leader, à ce stade, consiste à intégrer chacun des membres dans l'équipe afin que tous sentent qu'ils font réellement partie de l'équipe et travaillent à la réalisation du projet qui leur est confié.

L'ajustement

L'*ajustement* est l'étape des conflits. Les rôles sont réévalués et les membres de l'équipe tentent parfois de contester la tâche qui leur est confiée ou, encore, leur leader. À cette étape, certains membres tentent même d'imposer leurs propres normes. Il faut analyser ces conflits, car l'équipe pourrait devoir composer avec le départ de certains membres, ce qui affecterait son rendement. Dans les équipes permanentes, l'arrivée ou le départ d'un membre ramène souvent l'équipe à l'étape de l'ajustement.

La normalisation

À l'étape de la *normalisation* apparaît la cohésion. Il y a enfin consensus sur les normes que l'équipe doit respecter et sur l'objectif poursuivi, et chacun accepte le rôle qui lui est confié. Le climat de confiance s'installe et, parfois, un leader informel s'impose.

L'accomplissement de la tâche

L'étape de l'*accomplissement de la tâche* permet à chacun de remplir ses fonctions et d'interagir avec les autres membres sur la base des normes établies. Ces dernières ont atteint, à ce stade, un haut degré d'acceptation et favorisent la réalisation de la tâche. Les rôles sont aussi clairement établis et la synergie de l'équipe est complète.

Lorsqu'elle atteint cette étape, une équipe est considérée comme fonctionnelle. Par contre, les membres doivent continuer à consacrer toutes leurs énergies à la réalisation de la tâche et au maintien de l'équipe.

La dissolution

La *dissolution* est l'étape où les membres de l'équipe se préparent à mettre un terme à leurs relations après que l'équipe a complété sa tâche. La satisfaction personnelle du participant et la reconnaissance de l'apport de chacun des autres membres constituent l'aspect positif de cette étape. Mais il y a aussi les regrets qu'apportent la séparation et le bris des relations sociales. Dans les équipes permanentes, la dissolution de l'équipe est souvent très mal vécue, et le rendement de ceux qui restent (les survivants) est très variable.

■■ **LES FAITS**

DANS

> Les équipes de travail, en raison de leur permanence, ne suivent pas toutes ces étapes. Mais la tendance récente et persistante à travailler plusieurs heures en comité ou en équipe de projet dans les entreprises met en évidence la nécessité d'établir des normes de fonctionnement spécifiques à l'équipe et à la tâche et, surtout, de consacrer beaucoup d'énergie à la direction des différents comités. Les cadres doivent constamment s'informer des besoins des équipes à chacun des stades de leur développement.

9.5.3 Le leadership dans une équipe

Les équipes gagnent en importance pour les entreprises. Dans un tel contexte, le cadre dirigeant fait face à trois défis: amener les membres d'une équipe à s'engager dans la réalisation des objectifs de l'entreprise, éliminer les problèmes de rendement dans une équipe et gérer les conflits dans les équipes. Nous aborderons ici les deux premiers défis, et consacrerons le prochain chapitre aux conflits.

Le partage du pouvoir et des responsabilités est un élément essentiel dans la volonté de créer un esprit d'équipe.

La gestion des équipes et l'engagement organisationnel

Le travail en équipe impose souvent un niveau d'engagement élevé, des efforts importants et une grande persévérance. La motivation des membres d'une équipe n'est possible que lorsque ces membres bénéficient, individuellement, des retombées de leurs efforts pour réaliser les objectifs de l'entreprise. Le défi qui se pose alors au cadre dirigeant consiste à mettre en place un système de rémunération équitable qui récompensera à la fois l'effort individuel et l'effort collectif.

La gestion des équipes formelles

La collaboration des membres à la formation d'une équipe efficace exige la création d'un climat de confiance. Par la suite, le cadre dirigeant pourra encourager l'esprit d'équipe et travailler au développement d'une équipe productive.

La création d'un esprit d'équipe exige un style de leadership non traditionnel. Le gestionnaire devient, dans ce contexte, un expert en motivation, un agent de liaison et un conseiller, un entraîneur plutôt qu'un « patron ». Le partage du pouvoir et des responsabilités ainsi que la participation imposent cette nouvelle approche, qui ne nie pourtant pas le rôle du leader dans la poursuite des objectifs. Le gestionnaire devient le visionnaire de l'équipe.

La gestion des groupes informels

Lorsqu'il désire tirer parti de la richesse que peuvent apporter à l'entreprise les groupes informels, le gestionnaire doit mettre de l'avant certaines pratiques, dont les plus importantes sont présentées au tableau 9.5.

TABLEAU 9.5   Les pratiques relatives à la gestion efficace des groupes informels

PRATIQUES DU GESTIONNAIRE	EXEMPLES
Viser l'atteinte des objectifs organisationnels.	Allouer aux individus une plus grande marge de manœuvre dans les situations imprévues.
Combler les insuffisances de la structure formelle.	Faire appel à des experts informels pour accomplir des tâches qui ne pourraient leur être assignées selon les normes rigides de la structure formelle.
Accroître son influence sur le groupe informel.	Utiliser, par exemple, les pressions que le groupe peut exercer sur un individu ou s'appuyer sur les recommandations du groupe.
Fournir un soutien aux membres du groupe.	En cas de besoin, fournir un soutien émotif et social à certains membres du groupe afin de réduire leur anxiété.
Entretenir la motivation des membres du groupe informel.	Tenir compte des relations au sein des groupes informels.
Maintenir le bon fonctionnement de l'équipe.	Encourager les activités sociales liées au maintien du groupe informel, même si elles ne sont pas directement liées à l'atteinte des objectifs de l'organisation. Ce pourrait être un club de hockey ou des séances d'aérobie, peut-être même une chorale.

Les problèmes de rendement dans une équipe

Normalement, l'ajout d'un membre à une équipe se traduit par un effet bénéfique sur le rendement. Par contre, au-delà d'un certain nombre de membres, le rendement sera décroissant, en partie à cause d'une difficulté croissante de coordination mais, surtout, à cause de l'effet d'entraînement qu'amènent la fainéantise et la **flânerie**. Nous faisons ici allusion au phénomène du **resquillage**, qui pousse les individus au sein d'une équipe à fournir moins d'efforts lorsque l'équipe grandit.

Par exemple, pour la réalisation d'un travail de session, les professeurs limitent généralement la taille des équipes à quatre personnes. Dans les équipes de cinq personnes et plus, il y aura presque toujours un ou deux individus qui n'apporteront pas leur pleine contribution et qui tenteront de bénéficier du résultat du travail de l'équipe. Ce phénomène affecte le rendement global de l'équipe et peut même l'empêcher de réaliser ses objectifs.

Flânerie (*loafting*)

Comportement d'un salarié qui perd son temps, s'absente de son poste sans raison ou s'occupe à des choses inutiles.

Resquillage (*free ride*)

Comportement d'un salarié qui, lorsqu'il travaille dans une équipe, fournit un effort moindre tout en cherchant à bénéficier des récompenses de l'équipe.

Heureusement, les cadres disposent de certains moyens pour amoindrir ce phénomène, et même l'éliminer, dans les équipes dont ils ont la responsabilité. Le tableau 9.6 présente ces moyens.

TABLEAU 9.6   Les moyens de gestion

MOYENS DE GESTION	EXEMPLES
Reconnaître le travail de chaque membre.	Un membre d'équipe ne voit pas l'intérêt à s'engager dans la tâche lorsqu'il est convaincu que son faible niveau d'effort ou, même, que son haut niveau d'effort ne sera pas remarqué par son supérieur hiérarchique ou par les autres membres de l'équipe. Il croit à la valeur de sa contribution, mais présume que son supérieur ne la remarquera pas.
Valoriser l'apport de chaque membre.	Un membre qui considère son travail comme non essentiel et peu important aura tendance à croire que l'équipe réalisera ses objectifs avec ou sans sa contribution. Il ne croit pas à la valeur de sa contribution, car il considère que son travail est plutôt accessoire.
Former des équipes de taille efficace.	Inclure seulement le nombre de personnes nécessaires à la réalisation de l'objectif visé et au maintien d'un haut degré d'efficience et d'efficacité.

9.5.4 La cohésion dans une équipe

La cohésion et le rendement

Le fonctionnement d'une équipe (les rôles de maintien) exige une certaine somme d'énergie, énergie qui sera détournée de la tâche, ce qui se traduira par une perte de rendement. Le temps et les ressources consacrés à la satisfaction des besoins de chaque membre, déployés pour impliquer tous les membres ou orientés vers la création d'un climat positif pourraient être consacrés plus efficacement à la réalisation de l'objectif. Par contre, il est possible qu'un phénomène de synergie positive compense amplement cette perte.

Les comportements clés d'une équipe qui ont un effet positif sur la réalisation de l'objectif visé et sur le rendement sont l'établissement des normes et le maintien de la cohésion de l'équipe (*voir la figure 9.7*).

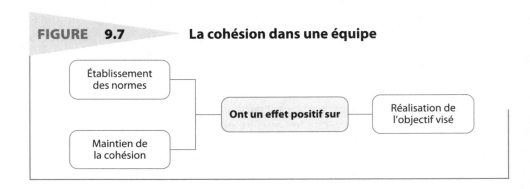

FIGURE   9.7   La cohésion dans une équipe

Établissement des normes

Maintien de la cohésion

Ont un effet positif sur

Réalisation de l'objectif visé

L'établissement de normes

L'établissement de **normes** de rendement permet aux membres d'ajuster leur comportement en fonction des attentes de l'équipe. Les rôles définissent le comportement spécifique de chacun des membres de l'équipe ; les normes, quant à elles, définissent le comportement commun attendu de tous les membres. Les normes concernent le degré d'acceptation des directives des gestionnaires, la solidarité au regard des exigences de la direction, le mode d'intégration des nouveaux employés, la définition de la « journée normale de travail », la qualité et la cadence de la production, et de nombreux autres éléments liés à la tâche et au fonctionnement de l'équipe.

L'adhésion des membres aux normes de l'équipe est motivée par le désir de profiter des récompenses et, aussi, d'éviter des conséquences négatives, comme de devenir la risée de l'équipe ou d'être mis en quarantaine. Chez des membres de l'équipe, le désir d'imiter les personnes à qui ils vouent une certaine admiration peut aussi être un incitatif.

Norme (*norm*)

Comportement attendu des membres d'une équipe.

Le maintien de la cohésion de l'équipe

La **cohésion de l'équipe** est fonction du degré d'attrait que représente l'appartenance à une équipe, de l'ensemble des forces qui incitent l'individu à demeurer membre de l'équipe, de l'influence que les membres ont les uns sur les autres, des éléments qui invitent l'individu à participer activement au travail de l'équipe et du degré de respect des normes établies par l'équipe (*voir le tableau 9.7*).

Cohésion de l'équipe (*team cohesiveness*)

État de l'équipe qui repose sur l'attrait que représente, pour un membre, l'appartenance à une équipe, l'ensemble des forces qui incitent l'individu à demeurer membre d'une équipe et les éléments qui l'invitent à participer activement au travail de l'équipe.

TABLEAU 9.7   Les facteurs favorisant la cohésion d'une équipe

FACTEURS	INFLUENCE SUR LA COHÉSION
Les demandes des gestionnaires	• Lorsque perçues comme acceptables, et même lorsque perçues comme une menace, les demandes des gestionnaires peuvent être un stimulant pour l'équipe. • Si le gestionnaire invite le groupe à battre le record du nombre d'heures de travail sans accident, il créera un climat où chaque membre voudra participer à l'atteinte de cet objectif. • De même, s'il menace un des membres du groupe de sanctions, il pourrait se retrouver devant un groupe plus uni et prêt à prendre la défense de l'employé visé.
Le statut de l'équipe	Se définit par : • le rendement de l'équipe ; • ses exigences et son système de récompense ; • la liberté d'action qu'elle offre et le tremplin qu'elle représente pour accéder à des fonctions supérieures.
La taille de l'équipe	Plus grande est l'équipe, moindre sera sa cohésion. (Il est souvent préférable de scinder une grande équipe en deux et de redistribuer les tâches.)
Les réalisations de l'équipe	Les réalisations rehaussent la fierté des membres de l'équipe. Le succès d'une équipe en influence positivement la cohésion.
L'acceptation des objectifs	L'acception élimine les sources de conflits, d'insatisfaction et de mésentente.
La dépendance des membres à l'égard de l'équipe	La satisfaction des besoins individuels dépend de l'existence du groupe informel. Les besoins de relations sociales ou encore le besoin d'exercer un certain leadership ne peuvent être satisfaits qu'à l'intérieur du groupe informel.

Les résultantes de la cohésion au sein d'une équipe

Lorsque la cohésion d'une équipe devient une de ses caractéristiques spécifiques, le niveau de participation aux activités de l'équipe et à la réalisation de la tâche atteint des sommets (*voir la figure 9.8*). La participation représente l'essence même de l'efficacité de l'équipe : sans elle, l'atteinte des objectifs se révélerait très difficile. En effet :

- la participation stimule la coopération et l'échange d'informations dans l'équipe, ce qui se traduit par une plus grande efficacité. Notons, cependant, qu'une trop grande cohésion dans une équipe peut favoriser les communications sociales, lesquelles, au-delà d'un certain niveau, nuisent à l'efficacité de l'équipe : trop de temps est alors consacré à des activités non productives ;

- la cohésion dans une équipe accroît le niveau de conformité des comportements des membres avec les normes de l'équipe. La réduction des comportements déviants évite à l'équipe de consacrer des énergies à contrôler ces comportements. En effet, lorsque trop de membres adoptent des comportements hors normes, l'équipe éprouve de la difficulté à accomplir sa tâche. Mais il faut noter qu'un niveau de conformité trop élevé peut étouffer les activités créatrices et innovatrices, et scléroser l'équipe ;

- l'objectif commun et la raison d'être de l'équipe deviennent la préoccupation majeure des membres d'une équipe où la cohésion est élevée. La satisfaction d'atteindre l'objectif de l'équipe deviendra la motivation fondamentale des membres, et c'est sans réserve qu'ils se consacreront à cette mission. Une nuance doit toutefois être apportée : dans certains cas, l'atteinte de l'objectif de l'équipe peut se faire au détriment de l'atteinte de l'objectif de l'entreprise. Une compétition malsaine entre les différentes équipes de l'entreprise peut avoir plus d'effets négatifs que positifs. Dans les entreprises où la coopération entre équipes est nécessaire à l'atteinte des objectifs de l'ensemble, l'hostilité entre les équipes de travail conduit directement à une réduction de la coopération et engendre des conflits, ce qui aura des effets négatifs sur les délais, les coûts et les clients.

La réalisation de l'objectif de l'entreprise doit prévaloir sur celle de l'objectif de l'équipe, car le succès se mesure à l'échelle de l'ensemble de l'entreprise. Donc, tant au niveau de l'individu qu'à celui de l'équipe, ce qui importe, c'est l'engagement organisationnel, c'est-à-dire le degré d'énergie que déploie un employé, ou une équipe, dans une entreprise et l'intensité avec laquelle il s'identifie à ses objectifs. Il s'agit alors de la motivation à contribuer aux objectifs de l'entreprise.

9.5.5 Les résultantes de l'efficacité d'une équipe

Les résultantes de l'appartenance à une équipe efficace sont la productivité de l'équipe, la satisfaction de ses membres et le développement de la capacité de travailler en équipe dans de futurs projets[11].

La productivité de l'équipe

En nous fondant sur le principe de synergie, nous pouvons affirmer que, généralement, une équipe prendra de meilleures décisions qu'un individu qui est seul, surtout si une décision nécessite tout un ensemble de renseignements.

FIGURE 9.8 **Les résultantes de la cohésion au sein d'une équipe**

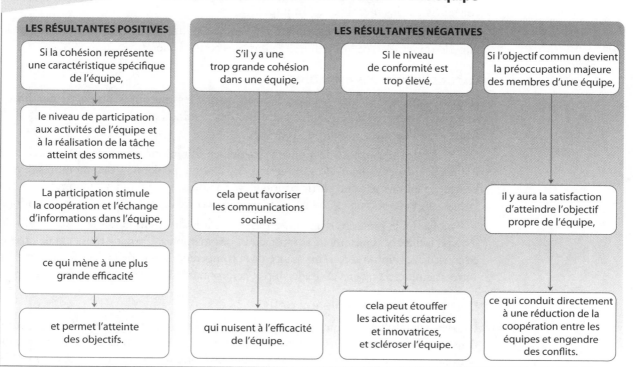

le signet
du stratège

10 conseils pour améliorer la cohésion au sein d'une équipe

1. Maintenez l'équipe relativement petite.
2. Créez une image publique favorable de l'équipe.
3. Encouragez l'interaction et la coopération.
4. Soulignez les caractéristiques et intérêts communs des membres.
5. Soulignez les menaces externes pour favoriser l'esprit d'équipe.
6. Clarifiez régulièrement les buts de l'équipe.
7. Donnez à chaque membre de l'équipe une fonction significative.
8. Canalisez les talents spéciaux de chaque membre de l'équipe vers les buts communs.
9. Reconnaissez et renforcez équitablement les contributions de chaque membre.
10. Rappelez fréquemment que les membres de l'équipe ont besoin les uns des autres pour réaliser la tâche.

Ainsi, les tâches complexes et de grande envergure bénéficieront de l'effort collectif d'une équipe ayant un degré de cohésion élevé. Il en est de même pour les décisions qui nécessitent l'acceptation et le soutien de l'équipe pour leur mise en application.

Par ailleurs, la bonne marche de l'équipe[12] influe de façon positive sur le rendement de l'organisation, particulièrement grâce au niveau élevé des efforts consentis par les membres de l'équipe.

Enfin, un climat favorable dans l'équipe réduira le taux d'absentéisme et le taux de roulement, ce qui réduira d'autant les coûts d'opération.

La satisfaction des membres

La satisfaction[13] est liée à la perception qu'ont les membres de participer librement aux activités de l'équipe, à l'atteinte des résultats et à l'acceptation de la distribution des statuts au sein de l'équipe.

Cette perception de pouvoir participer librement aux activités de l'équipe influence même le degré de satisfaction des besoins personnels des membres. Cette liberté, accentuée par une participation élevée, permet à chacun des membres de satisfaire ses besoins sociaux, ses besoins de reconnaissance et ses besoins d'autoréalisation.

Enfin, la présence d'un consensus relatif à la distribution des statuts au sein de l'équipe influence directement la satisfaction des membres. Certains éléments favorisent ce consensus, comme la reconnaissance de la compétence des experts dans l'équipe par les autres membres, la qualité du leadership et la reconnaissance de la nécessité du leadership.

L'acceptation de nouveaux défis

Un dernier résultat du travail en équipe consiste en un renforcement de la capacité, dans une équipe qui a réussi, de travailler de manière encore plus efficace lorsque de nouveaux défis se présenteront. L'équipe aura alors atteint un haut degré de compatibilité. La loyauté envers l'organisation s'accroîtra, et l'acceptation des buts et de la mission de l'organisation influencera favorablement l'engagement des membres de l'équipe.

Dans cette dynamique, les intrants sont :
- l'interdépendance des tâches ;
- l'expertise des membres ;
- la taille du groupe ;
- le rôle des membres.

Le cycle de vie de l'équipe est composé de :
- la formation ;
- l'ajustement ;
- la normalisation ;
- l'accomplissement de la tâche ; et
- la dissolution.

Ce processus est influencé par :
- la gestion des équipes et l'engagement organisationnel, les problèmes de rendement dans une équipe, les conflits et l'établissement des normes, qui sont eux-mêmes influencés par le leadership en place ;
- la cohésion régnant au sein de l'équipe.

Les résultantes qui en découlent sont la productivité de l'équipe, la satisfaction des besoins personnels des membres, le développement de la capacité de travailler en équipe qui son influencés par les composantes de l'équipe, l'étape du cycle de vie et le leadership.

La figure 9.9 illustre le modèle de la dynamique des équipes dans les organisations.

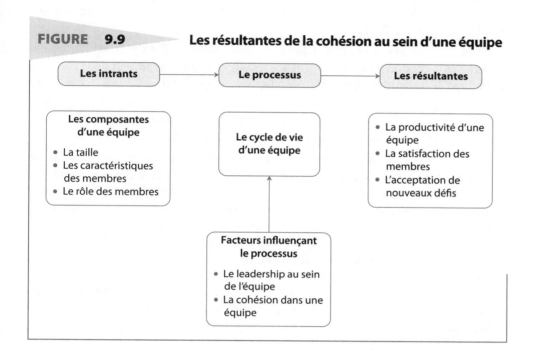

FIGURE 9.9 **Les résultantes de la cohésion au sein d'une équipe**

RÉSUMÉ

Le présent chapitre nous a permis de constater l'importance des équipes dans l'entreprise en raison de leur effet sur le rendement de l'entreprise et, notamment, sur la qualité de la production, sur la motivation des employés, sur le degré d'innovation et sur le niveau de satisfaction des besoins des employés.

Les groupes dans les entreprises peuvent être classés en deux catégories. Il y a les équipes formelles (équipes fonctionnelles, équipes multidisciplinaires, équipe de direction, équipes de recherche et développement, équipes de travail, équipes autonomes et équipes virtuelles); ces équipes sont des regroupements d'individus effectués par une organisation dans un but spécifique. Il y a aussi les groupes informels (groupes d'intérêt et groupes d'amitié); créés par les employés dans le but de favoriser les intérêts ou de combler les besoins sociaux de leurs membres.

Les groupes sont donc formés pour des raisons physiques découlant de la proximité permanente des personnes, pour des motifs psychosociologiques (besoins de sécurité et d'appartenance) et pour des motifs économiques découlant de l'organisation du travail et du mode de rémunération.

Les équipes sont, en fait, des systèmes qui utilisent des composantes (intrants) et qui adoptent un certain nombre de comportements (processus), et dont le produit final consiste en certaines résultantes.

Les principales composantes d'une équipe sont l'interdépendance des tâches, les membres de l'équipe, la taille et les rôles (rôles de tâches et rôles de soutien) des membres de l'équipe. L'énergie déployée pour soutenir l'équipe peut nuire au rendement global de l'équipe. Par contre, il est possible qu'un phénomène de synergie positive compense cette perte.

Les comportements clés d'une équipe qui ont un effet sur la réalisation des objectifs et la productivité sont l'établissement de normes, le maintien de la cohésion de l'équipe, le leadership exercé et le développement de l'équipe.

En ce qui a trait au développement, on sait que les équipes suivent certaines étapes relativement prévisibles dans leur existence. Ces étapes sont la formation, l'ajustement, la normalisation, l'accomplissement de la tâche et la dissolution.

Les résultantes de l'appartenance à une équipe et de l'existence d'une équipe sont la productivité de l'équipe, la satisfaction des membres et le développement de la capacité de travailler en équipe dans le cadre de futurs projets. La productivité de l'équipe se mesure par la capacité de cette dernière à prendre de bonnes décisions. L'équipe prendra de meilleures décisions qu'une seule personne, surtout si une décision nécessite tout un ensemble de renseignements ou, encore, de nombreuses précisions. D'autre part, la satisfaction des membres d'une équipe est liée à la perception de participer librement aux activités de celle-ci, à l'atteinte des résultats et à l'acceptation de la distribution des statuts en son sein. Une dernière résultante consiste en un renforcement de la capacité, dans une équipe qui a réussi, de travailler de manière encore plus efficace lorsque de nouveaux défis se présenteront.

Évaluation des connaissances

QUESTIONS DE RÉVISION

1. Vous êtes membre d'au moins un groupe informel au collège. Décrivez ce groupe. Quels avantages cette appartenance peut-elle vous apporter ?

2. Décrivez, en vous inspirant d'une expérience personnelle, les étapes de l'évolution d'une équipe.

3. Expliquez comment un cadre dirigeant devrait réagir lorsqu'il découvre un groupe informel dans son équipe formelle.

4. Le groupe, par ses normes et ses objectifs, influence le comportement de ses membres. Décrivez comment la personnalité d'un membre de l'équipe peut avoir un effet sur le comportement de l'équipe.

5. Expliquez, à l'aide d'un exemple concret, comment une équipe dans laquelle la cohésion était très grande a su traiter un problème de « parasite ».

6. En vous fondant sur l'exemple de deux groupes auxquels vous appartenez, expliquez pourquoi une personne se joint à un groupe.

7. À l'aide de l'exemple d'une équipe à laquelle vous appartenez, expliquez comment les normes, les rôles et la cohésion affectent les individus et leur rendement dans l'équipe.

8. Qu'est-ce qu'une norme ? Quelles sont les normes dans les groupes auxquels vous appartenez (groupe pour un travail de session, groupe d'étude, groupe familial, groupe d'amis, groupe de travail, etc.) ?

9. Croyez-vous qu'un cadre peut faire partie du groupe de travailleurs qu'il dirige ? Exposez votre point de vue en vous inspirant d'une expérience personnelle.

10. En fonction des catégories de groupes présentées dans le chapitre, décrivez les groupes qui existent dans votre collège ou dans votre milieu de travail.

CAS 1 – UN DÉBUTANT (degré de difficulté : moyen)

Paul Lussier vient de terminer son cours à l'Institut de Nicolet et croit posséder maintenant toutes les connaissances et les habiletés nécessaires pour accomplir le travail de policier. Aujourd'hui, c'est sa première journée de travail dans une petite ville prospère de la Beauce. Il n'a qu'une idée en tête : exploiter pleinement toutes ses connaissances et servir les citoyens de son mieux.

Le sergent Kinperton lui a donné comme partenaire Bernard Lavertu, un policier ayant plus de vingt ans de métier. La première mission de l'équipe consiste à aller recueillir quelques renseignements concernant un vol par effraction commis dans un magasin de l'est de la ville.

En route, Lavertu s'arrête chez le concessionnaire où il vient d'acheter son automobile et discute durant une vingtaine de minutes d'un problème avec le vendeur. Paul, qui est demeuré dans la voiture, montre quelques signes d'impatience au retour de Lavertu.

Arrivé sur les lieux du vol, il sort immédiatement de la voiture et entre dans le magasin. Lavertu le suit quelques instants plus tard et lui dit : « Le jeune, tu es un policier, pas un pompier. »

Au retour, Paul remarque un camion stationné dans une ruelle. « Allons vérifier ! » dit-il à Lavertu. Invoquant la pluie battante, son partenaire ne veut pas s'arrêter et poursuit sa route en se moquant du zèle de Lussier.

À l'heure du dîner, ils s'arrêtent dans un restaurant où trois autres policiers sont déjà attablés. Lavertu se dirige vers eux et s'installe à leur table, laissant Lussier s'asseoir derrière eux, à l'écart. Pendant le repas, ils font quelques blagues sur l'empressement du « jeune » et celui-ci fait semblant de les trouver drôles.

La fin du quart de travail se déroule de la même façon. Lavertu répond aux différents appels avec une certaine nonchalance, fait quelques vérifications de routine de sa propre initiative et maugrée presque tout le temps contre le sergent, le lieutenant ou le directeur, quand ce n'est pas contre les citoyens en général.

Dans le vestiaire, à la fin de la journée, Paul est en train de réfléchir à sa situation lorsque le sergent s'approche pour s'enquérir de son état d'esprit.

«Et puis, le jeune! Bonne journée?

— Excellente, sergent, excellente!»

Mais il pense tout autrement. «J'ai le choix, se dit-il, entre suivre Lavertu et ses méthodes de travail, soit faire le minimum nécessaire, ou agir selon mon désir, mais subir les quolibets de mes collègues et paraître à leurs yeux un zélé qui veut faire ses preuves.»

QUESTIONS

1. Si Paul accepte de se conformer aux façons de faire de ses collègues, quels seront ses motifs?

2. Quelles seront les conséquences s'il refuse de suivre les autres?

3. Peut-il changer la définition d'une «journée normale de travail»?

4. Comment le sergent peut-il aider Paul?

CAS 2 – AU JEU![14] (degré de difficulté: moyen-élevé)

De vrais «joueurs professionnels», ces employés de la compagnie Jugador qui, depuis plusieurs années, jouent au ping-pong tous les midis! En effet, une partie de l'heure du dîner est consacrée à cette activité, et une section de la cantine a été aménagée par les employés de façon à permettre à quatre équipes de jouer en même temps.

Depuis deux ans, les équipes ont été structurées par services, et des tournois ont été organisés. Compte tenu du grand nombre d'employés, certaines équipes ne jouent qu'une fois par semaine. Et la compétition est tellement vive entre les services qu'elle est devenue le sujet d'intérêt de tous les employés. Certains n'hésitent pas à dîner à la pause-café du matin pour être libres à l'heure du dîner.

Quelques employés quittent leur travail vers 11 h 40 afin d'installer les filets. Les autres ralentissent leur rythme de travail à partir de 11 h 30 afin d'être en forme pour la compétition. Bien que les employés n'aient qu'une heure pour dîner, il arrive souvent que les parties se terminent vers 13 h 15.

La direction a toujours ignoré ces activités. En certaines occasions, les contremaîtres ont été vus en train d'encourager les membres de leur service alors que la pause du midi était terminée. Comme il arrive souvent dans ces activités, certaines personnes ont exagéré. Ainsi, la semaine dernière, une partie s'est terminée à 14 h. La direction, qui a remarqué que les participants à ces tournois sont exténués à la pause-café de l'après-midi et ont parfois de la difficulté à terminer leur journée de travail, a décidé d'agir.

Un avis est envoyé à tous les employés pour les informer que les parties de ping-pong sont désormais interdites à cause des abus et que les responsables de la sécurité de l'entreprise verront à l'application de cette directive.

Deux jours plus tard, le directeur général se rend à la cantine et voit deux équipes en train de s'affronter et de nombreux employés, dont trois gardiens de sécurité, les encourager.

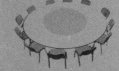

QUESTIONS

1. Pourquoi les employés n'ont-ils pas respecté la directive ?

2. Que devrait faire le directeur général ?

EXERCICE : LA TOUR (degré de difficulté : difficile)

OBJECTIF PÉDAGOGIQUE

Réaliser un projet qui exige qu'un groupe de personnes se transforme en équipe et chemine à travers chacune des étapes du cycle de vie d'une équipe.

TÂCHE À ACCOMPLIR

Réaliser, en tant qu'équipe, le plus grand profit possible en construisant une tour. Afin d'atteindre l'objectif, la tour doit être la plus haute possible, être construite dans le délai le plus court possible et utiliser le moins de matériaux possible.

RÈGLES DE FONCTIONNEMENT

1. Au début du cours, le professeur forme des équipes de 4 à 5 membres en choisissant lui-même les membres qui les composeront. Le but consiste à regrouper des personnes qui n'ont jamais travaillé ensemble et qui se connaissent très peu.

2. Un observateur se joint à chacune des équipes et note la stratégie, les interventions et les réactions des membres. L'observateur doit aussi chronométrer le travail en arrondissant les données à la minute près.

3. Les joueurs disposent de 30 minutes pour élaborer un plan, définir un mode de construction et répartir les tâches. Les joueurs doivent être informés des matériaux qui seront utilisés, mais ne doivent avoir aucun de ces matériaux en leur possession.

4. Lorsque les 30 minutes de planification sont écoulées, le professeur distribue les matériaux : des bâtonnets de bois et un bâton de colle, des pailles de plastique et un bâton de colle, des cure-pipes (dans ce dernier cas, il faudrait doubler les hauteurs requises pour obtenir les profits indiqués*), etc. Chaque équipe reçoit le même nombre d'unités (deux cents unités par équipe sont recommandées).

5. Les matériaux sont disposés en rangées devant le responsable de l'équipe. Le professeur donne alors le signal de départ et chaque équipe entreprend la construction de sa tour.

6. Le temps alloué pour la construction est de 15 minutes.

CONDITIONS

1. Les équipes ne doivent utiliser que les matériaux fournis. Les contrevenants seront pénalisés de 650 000 $.

2. La tour doit mesurer au moins 30 cm. Sinon, l'équipe subira une pénalité de 30 000 $.

3. La tour doit être stable et résister assez longtemps pour être mesurée.

4. Tous les observateurs formeront un jury et évalueront l'esthétisme des tours. La décision doit être unanime.

Tableaux 1, 2 et 3 du calcul des profits

HAUTEUR DE LA TOUR (CENTIMÈTRES)	PROFITS	QUANTITÉ DE MATÉRIAUX (UNITÉS)	PROFITS	TEMPS DE CONSTRUCTION (MINUTES)	PROFITS
0-4	(10 000 $)	181-200	(10 000 $)	5	50 000 $
5-9	(5 000 $)	171-180	(5 000 $)	6	40 000 $
10-14	0 $	161-170	0 $	7	30 000 $
15-19	10 000 $	151-160	5 000 $	8	20 000 $
20-24	15 000 $	141-150	10 000 $	9	15 000 $
25-29	20 000 $	131-140	15 000 $	10	10 000 $
30-34	30 000 $	121-130	20 000 $	11	(10 000 $)
35-39	45 000 $	111-120	25 000 $	12	(15 000 $)
40-44	60 000 $	101-110	30 000 $	13	(20 000 $)
45-49	75 000 $	76-100	35 000 $	14	(25 000 $)
50 et plus	100 000 $	75 ou moins	40 000 $	15	(30 000 $)
Total	**$**	**Total**	**$**	**Total**	**$**

Tableau 4 du calcul des profits

ESTHÉTISME	PROFITS
1er prix	25 000 $
2e prix	15 000 $
3e prix	10 000 $
Total	**$**

Tableau des profits

RÉSULTATS FINALS	RÉSULTATS FINALS
Hauteur de la tour	$
Quantité de matériaux	$
Temps de construction	$
Esthétisme	$
Total	**$**

RÉSULTATS

Lorsque les résultats sont connus, les élèves, y compris les membres du jury, disposent de 15 minutes pour rédiger individuellement un texte relatant les étapes de la formation de leur équipe, les problèmes éprouvés et les solutions trouvées.

Les textes devront être remis au professeur.

Puis, les équipes échangent leurs points de vue en ce qui concerne la dynamique de groupe de leur propre équipe, en insistant spécifiquement sur les étapes du cycle de vie.

www.cheneliere.ca/
turgeon-lamaute

Chapitre 10

La gestion des conflits

Cheminement d'idées ▶

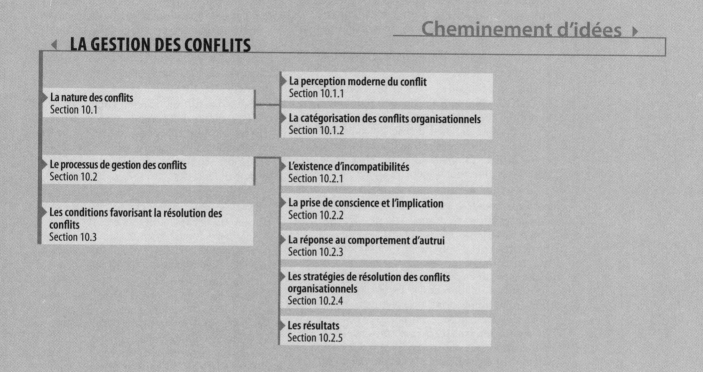

LA GESTION DES CONFLITS

La nature des conflits
Section 10.1

- **La perception moderne du conflit**
  Section 10.1.1
- **La catégorisation des conflits organisationnels**
  Section 10.1.2

Le processus de gestion des conflits
Section 10.2

- **L'existence d'incompatibilités**
  Section 10.2.1
- **La prise de conscience et l'implication**
  Section 10.2.2
- **La réponse au comportement d'autrui**
  Section 10.2.3
- **Les stratégies de résolution des conflits organisationnels**
  Section 10.2.4
- **Les résultats**
  Section 10.2.5

Les conditions favorisant la résolution des conflits
Section 10.3

Objectifs d'apprentissage :

1. expliquer ce qu'est un conflit ;
2. distinguer la perception traditionnelle et la perception moderne du conflit ;
3. distinguer les types de conflits organisationnels ;
4. présenter les causes des conflits ;
5. évaluer les variables perceptibles dans les conflits organisationnels ;
6. décrire le processus des conflits ;
7. développer une vision critique des diverses approches de gestion des conflits ;
8. expliquer les stratégies de résolution des conflits organisationnels ;
9. présenter les résultats des conflits ;
10. décrire les conditions favorisant la résolution des conflits organisationnels.

Compétence à développer :

- appliquer un processus de gestion des conflits pertinent dans le cadre d'une situation donnée ;
- mettre en place les conditions favorisant la résolution des conflits.

Promotion chez Les Adhérents Permanents inc.

Alexandre Laliberté est directeur du service de la comptabilité de la société Les Adhérents Permanents inc. depuis cinq ans. Il y a deux ans, monsieur Roussel, président du conseil d'administration et principal actionnaire de l'entreprise, lui avait demandé de préparer un plan de marketing pour l'année qui s'annonçait.

Alexandre Laliberté profita de l'occasion qui lui était offerte pour se tailler une réputation auprès du conseil d'administration. Il travailla d'arrache-pied pendant un mois et produisit un plan complet de marketing s'adressant à la fois aux consommateurs et aux chaînes de détaillants; bref, tout y était.

La société Les Adhérents Permanents inc. est une nouvelle venue dans le domaine des accessoires de bureau tels que les systèmes de lettrage, les microfilms, les adhésifs de toutes sortes, les rubans magnétiques, etc. La compétition étant très vive, le service de recherche et développement est en constante ébullition et il est très difficile de prévoir les innovations et les nouveaux produits des concurrents. De plus, la société a dû à deux reprises réagir aux campagnes de publicité de ses concurrents, ce qui a complètement déséquilibré le plan de marketing qu'elle avait préparé.

Cela se traduisit de façon désastreuse dans les prévisions des ventes. La première année, l'écart entre les résultats et les prévisions était de plus de 20 %. Compte tenu des circonstances normales entourant un premier essai, le conseil d'administration se montra déçu, mais conserva sa confiance en Alexandre Laliberté.

L'an dernier, les prévisions ont été préparées avec encore plus de soin. Pourtant, les résultats attendus à la fin du mois laissent entrevoir une variation d'au moins 15 % par rapport aux prévisions. Ces résultats désastreux ont fait réagir certains membres du conseil.

Le conseil a donc décidé de confier à Audréanne Vindel, nouvellement embauchée à titre d'adjointe au président, la responsabilité de préparer les prévisions de l'an prochain. À cet effet, un service de communication a été mis sur pied et la responsabilité en a été donnée à Thierry Vindois.

Afin de réussir son mandat, Audréanne sait très bien qu'elle doit compter sur la collaboration d'Alexandre Laliberté. Aussi, dès que sa nomination a été officielle, elle s'est empressée de le rencontrer pour lui offrir son appui et lui demander le sien.

La réaction d'Alexandre fut immédiate. Il refusa d'aider Audréanne, prétextant qu'il n'avait pas les qualifications nécessaires. Ses expériences passées avaient démontré qu'il n'excellait pas dans ce domaine et qu'en conséquence, Audréanne ne devait pas compter sur lui.

Prise au dépourvu par la réaction d'Alexandre, Audréanne s'interrogea les véritables motifs de la prise de position de son collègue. Elle souhaitait obtenir la collaboration de ce dernier, tout en étant consciente que la réaction d'Alexandre était motivée par sa frustration. Elle espérait surtout éviter le conflit qui se profilait entre eux deux et elle demandait comment s'y prendre.

Questions d'ambiance

1. Expliquez, à l'aide des notions présentées dans ce chapitre, pourquoi les groupes multidisciplinaires sont souvent des sources de conflits.

2. À titre de responsable de ce groupe de travail, quelles approches pourriez-vous utiliser pour atténuer les conflits dans le groupe?

10.1 La nature des conflits

Trois éléments sont sous-jacents à presque toutes les définitions proposées des **conflits**[1], soit les interactions, la perception et l'incompatibilité (*voir la figure 10.1*). Le conflit est un processus essentiellement caractérisé par la perception qu'a une personne du fait qu'un individu ou qu'un groupe avec lequel elle entretient des rapports suivis la frustre ou est sur le point de la frustrer, soit délibérément, soit par manque de considération à son égard[2].

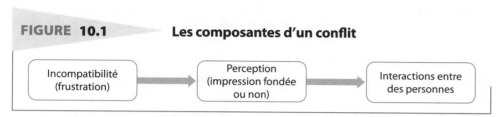

FIGURE **10.1**   **Les composantes d'un conflit**

Incompatibilité (frustration) → Perception (impression fondée ou non) → Interactions entre des personnes

Conflit (*conflict*)

Processus essentiellement caractérisé par la perception qu'a une personne du fait qu'un individu ou qu'un groupe avec lequel elle entretient des rapports suivis la frustre ou est sur le point de la frustrer, soit délibérément, soit par manque de considération à son égard.

Il peut s'agir d'un conflit majeur entre deux individus ayant pour origine l'obtention d'un poste, ou d'un simple conflit entre l'acheteur de l'entreprise et le personnel de bureau quant au choix du modèle d'ordinateur qui sera mis à la disposition des employés. La définition s'applique donc autant à un conflit manifeste et violent qu'à une forme subtile de désaccord.

10.1.1 La perception moderne du conflit

La communication est un échange entre deux parties. Parfois, cet échange peut se révéler difficile à cause des différences existant entre les personnes qui communiquent. Afin de bien se comprendre, elles doivent chacune faire leur part dans l'établissement d'un code ou d'une interprétation commune du message. La communication est souvent, en fait, le début d'un conflit, car toute différence en entraîne l'apparition. Mais la perception du conflit, naguère négative, connaît une évolution qui mérite d'être soulignée.

Traditionnellement, le conflit était très mal perçu. Il arrivait souvent que les gestionnaires se glorifiaient d'accomplir leur travail sans créer de conflit d'aucune sorte. L'agressivité et la violence étaient associées au conflit, et elles avaient fort mauvaise presse. L'harmonie était une vertu de la vie de l'entreprise; le conflit en était le pire des vices.

Nous savons maintenant que le conflit est neutre; ce qui importe, c'est la façon de le gérer. Une équipe plongée dans l'indolence totale peut très bien être stimulée par un conflit portant sur le partage des ressources ou sur la définition des objectifs. Ainsi, le conflit aura une valeur positive ou négative, selon la situation. De nos jours, une approche dite «interactionniste» suggère même d'encourager un certain niveau de conflit afin de susciter le changement et l'innovation[3].

En fait, le conflit est inévitable, car il provient des facteurs inhérents à la structure des organisations. C'est aussi un élément du processus de changement que nous examinerons plus loin.

Quelle que soit la relation entre deux parties, le degré d'amitié ou d'acceptation qui les lie, il y aura toujours des moments où les besoins, les idées ou les valeurs de l'une entreront en conflit avec ceux de l'autre. Il existe, par ailleurs, plusieurs niveaux de conflits, comme l'illustre le tableau 10.1.

TABLEAU 10.1   Les différents niveaux de conflits

NIVEAU DE CONFLIT	CONSÉQUENCE	EXEMPLE
Conflit sur les moyens	S'il y a manifestation de bonne foi, le conflit ne risque pas de dégénérer.	Le choix entre une réduction d'impôts pour les familles ou une allocation mensuelle peut être résolu, sans conflit majeur, par une analyse de l'efficacité financière de chacune des approches.
Conflits sur les objectifs ou sur les valeurs	La réconciliation entre les parties peut être difficile.	Confier la gestion du réseau hospitalier à l'entreprise privée plutôt qu'au secteur public peut être la source d'un conflit important.

Un conflit peut donc contribuer à maintenir la coopération, à la réduire ou même à l'anéantir. Parfois, il peut se traduire par un affrontement majeur.

Quoi qu'il en soit, le conflit le plus grave, le plus définitif (gagnant-perdant), aura toujours des retombées qui peuvent favoriser le développement à long terme de l'organisation[4]. Par exemple, les avantages sociaux des travailleurs au Québec découlent souvent de conflits de relations de travail qui ont permis l'émergence de systèmes de protection, lesquels n'auraient peut-être jamais vu le jour autrement.

Voilà la conception moderne du conflit. Nous ne pouvons rien changer à l'existence des conflits, mais nous pouvons modifier notre façon de les gérer ou de les résoudre.

10.1.2   La catégorisation des conflits organisationnels

Les conflits, dont les causes sont multiples, peuvent être classés selon les parties impliquées. Nous aborderons ici les conflits intrapersonnels, les conflits interpersonnels, les conflits intragroupes, les conflits intergroupes et les conflits interorganisationnels.

Les conflits intrapersonnels

Les conflits intrapersonnels concernent l'individu, c'est-à-dire qu'une personne peut vivre des situations conflictuelles aussi bien au sein de l'organisation que dans sa vie personnelle. Différents types de conflits sont susceptibles de se présenter à une personne qui tente de satisfaire simultanément plusieurs besoins mutuellement exclusifs ; ce sont le conflit approche-approche, le conflit évitement-évitement et le conflit approche-évitement.

Le conflit le plus simple à résoudre pour une personne est le **conflit approche-approche**. Dans ce conflit, la personne est sollicitée par deux objets qui lui apparaissent désirables. Remarquez qu'il peut y avoir plus de deux objets et que le terme *objet* désigne un bien, une valeur ou une personne.

Le **conflit évitement-évitement** représente une situation de choix semblable à la précédente, sauf que les deux objets sont indésirables. Souvent, dans pareil cas, le fait de refuser une chose nous oblige à en accepter une autre.

Le **conflit approche-évitement** est celui où l'individu doit accepter ou refuser un objet (option unique) qui présente des éléments positifs et des éléments négatifs avec des conséquences à la fois attrayantes et contraignantes.

Conflit approche-approche (*approach-approach conflict*)

Conflit découlant du fait qu'une personne est sollicitée par deux objets qui lui apparaissent désirables.

Conflit évitement-évitement (*avoidance-avoidance conflict*)

Conflit découlant d'une situation de choix où les deux objets sont indésirables.

Conflit approche-évitement (*approach-avoidance conflict*)

Conflit où l'individu doit accepter ou refuser un objet (option unique) qui présente des éléments positifs et des éléments négatifs.

Enfin, les **conflits approche-évitement multiple** sont notre lot quotidien. Il s'agit de situations où nous sommes devant des choix multiples comportant tous des éléments positifs et des éléments négatifs.

Les types de conflits intrapersonnels que nous venons d'exposer sont illustrés dans le tableau 10.2.

TABLEAU 10.2   Les types de conflits intrapersonnels

TYPE DE CONFLIT	DÉFINITION	EXEMPLES
Conflit approche-approche	La personne est sollicitée par deux objets qui lui apparaissent désirables. C'est le conflit le plus simple à résoudre.	• Un employé doit choisir entre deux offres de postes intéressants. • Un étudiant doit choisir entre deux universités qui lui ouvrent leurs portes.
Conflit évitement-évitement	La personne est sollicitée par deux objets qui lui apparaissent indésirables.	• Un employé doit choisir entre deux offres de postes dont aucun ne soulève son enthousiasme. • Un étudiant doit choisir ses cours complémentaires pour le trimestre parmi une liste de cours qui ne l'intéressent pas.
Conflit approche-évitement	Une personne doit accepter ou refuser un objet (option unique) qui présente des éléments désirables et indésirables ainsi que des conséquences attrayantes et contraignantes.	• Un employé se voit offrir un poste très rémunérateur, mais très éloigné de son lieu de résidence.
Conflit approche-évitement multiple	La personne est placée devant plusieurs choix comportant chacun des éléments désirables et indésirables.	• Un employé reçoit une offre de promotion alléchante dans une ville éloignée ainsi qu'une offre pour un poste moins important dans sa ville natale. • Un étudiant doit choisir entre se préparer pour un examen ou aller au théâtre avec la personne aimée.

Les conflits interpersonnels

Cette deuxième catégorie, celle des **conflits interpersonnels**, comprend les conflits d'allégeance ou d'orientation et les luttes de pouvoir entre les individus. Les conflits interpersonnels sont, bien sûr, la conséquence des différences individuelles, mais dépendent souvent également de facteurs structuraux propres à l'entreprise. Des personnalités qui pourraient très bien s'allier dans des circonstances normales s'affronteront peut-être dans l'entreprise à cause, par exemple, de conflits structuraux déjà existants.

Les conflits intragroupes

La troisième catégorie de conflits, celle des **conflits intragroupes**, comprend tous les conflits entre les membres d'un même groupe ou entre un membre et le reste du groupe. Ce type de conflit résulte, de manière générale, d'une incompatibilité entre le comportement d'un individu et les normes du groupe.

Le non-respect des normes par un des membres du groupe entraîne généralement une dissension au sein du groupe. Cela peut se produire lorsqu'un individu dépasse, par exemple, le nombre d'heures consacrées à une journée normale de travail. Dans le cycle de vie d'un groupe, les conflits intragroupes sont plus nombreux au moment de l'étape de l'ajustement (*voir le chapitre 9, section 9.5.2, «Le cycle de vie d'une équipe»*).

Les conflits intergroupes

La quatrième catégorie englobe tous les **conflits intergroupes**, lesquels proviennent principalement de l'évolution dynamique des groupes qui composent l'organisation. Les conflits intergroupes sont ceux qui apparaissent entre les différentes entités d'une même organisation, c'est-à-dire entre des groupes qui doivent obéir à des règles communes.

Dans les conflits interpersonnels, ce sont les individus qui sont en opposition, tandis que dans les conflits intergroupes, l'opposition vient de la situation des personnes au sein de l'entreprise. À l'extérieur de celle-ci, leurs relations peuvent être très cordiales. Par exemple, deux chefs de parti politique peuvent n'avoir aucun conflit interpersonnel, mais s'opposer (conflit intergroupe) au Parlement. La situation est semblable dans le conflit classique entre le directeur des ventes et le directeur des opérations, qui poursuivent des objectifs divergents, l'un voulant satisfaire complètement le client, l'autre cherchant à réduire les coûts de production.

Bref, le conflit peut permettre aux différentes entités d'une entreprise d'atteindre des niveaux de réalisation insoupçonnés ou, au contraire, être la cause de l'éclatement de cette entreprise. Les structures matricielles et les structures en réseaux dans les entreprises ont pour effet de réduire les conflits intragroupes en regroupant les entités de l'entreprise en fonction de la tâche à accomplir, donc en leur attribuant respectivement un objectif commun.

Les conflits interorganisationnels

La dernière catégorie comprend tous les **conflits interorganisationnels**, conflits qui apparaissent lorsque les membres d'une organisation perçoivent une menace dans le comportement des membres d'une autre organisation. L'organisation du travail à l'aide des structures en réseaux aura probablement un effet atténuant sur les conflits entre les organisations qui travaillent collectivement à l'atteinte du même objectif. Ainsi, les échanges très poussés entre un producteur de biens ou services, ses fournisseurs et ses clients devraient réduire les conflits destructeurs.

Certains conflits interorganisationnels apparaissent entre des organisations qui n'ont aucun lien direct dans leur fonctionnement quotidien. Les conflits entre les Cris et la société Hydro-Québec au sujet de l'environnement en sont un exemple. Les conflits entre Greenpeace et les sociétés forestières de la Colombie-Britannique sont un autre exemple de conflit interorganisationnel.

La figure 10.2 qui suit présente les diverses sources de conflits selon leur catégorie.

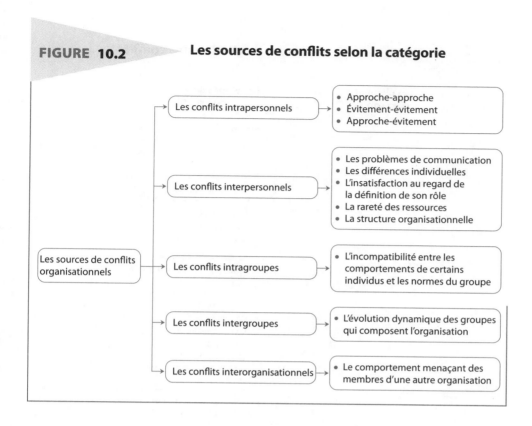

FIGURE 10.2 Les sources de conflits selon la catégorie

Les sources de conflits organisationnels

- **Les conflits intrapersonnels**
  - Approche-approche
  - Évitement-évitement
  - Approche-évitement

- **Les conflits interpersonnels**
  - Les problèmes de communication
  - Les différences individuelles
  - L'insatisfaction au regard de la définition de son rôle
  - La rareté des ressources
  - La structure organisationnelle

- **Les conflits intragroupes**
  - L'incompatibilité entre les comportements de certains individus et les normes du groupe

- **Les conflits intergroupes**
  - L'évolution dynamique des groupes qui composent l'organisation

- **Les conflits interorganisationnels**
  - Le comportement menaçant des membres d'une autre organisation

10.2 Le processus de gestion des conflits

Le processus de gestion des conflits[5] comporte cinq étapes : l'émergence d'au moins une incompatibilité, la prise de conscience et l'implication, la réponse au comportement d'autrui[6], les stratégies de résolution et les résultats. La figure 10.3, à la page suivante, présente ces étapes.

10.2.1 L'existence d'incompatibilités

Le mode de résolution d'un conflit dépendra du type du conflit et de sa cause. Il faut savoir qu'un conflit peut avoir plusieurs causes, mais qu'il y en a toujours une qui est prépondérante.

La vie des entreprises s'articule autour d'objectifs, de règles de fonctionnement, d'une orientation et connaît une certaine stabilité, mais, surtout, elle est dynamique. Lors de périodes d'instabilité ou d'évolution rapide, les conflits et les changements apparaissent plus souvent.

Les causes possibles des conflits peuvent être regroupées en cinq catégories : les problèmes de communication, l'insatisfaction au regard de la définition des rôles, la répartition insatisfaisante des ressources, la structure organisationnelle et le style de leadership et les variables personnelles. Ce sont les antécédents.

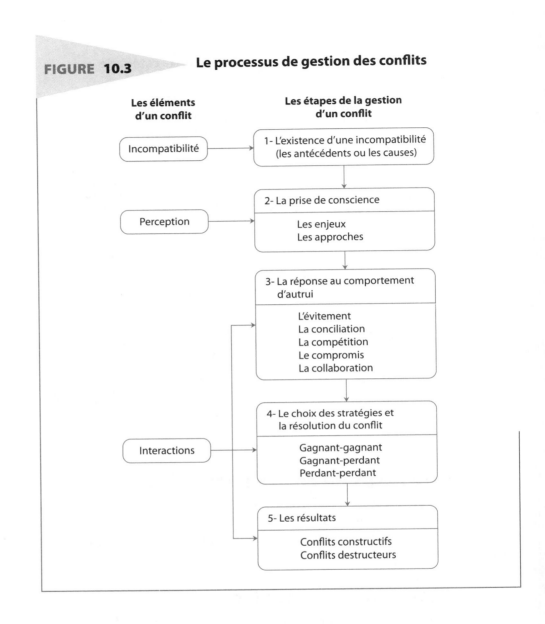

FIGURE 10.3

Le processus de gestion des conflits

La figure 10. 4 nous présente les différentes causes possibles des conflits.

Les problèmes de communication

Les problèmes de communication sont la principale cause des conflits interpersonnels. L'incapacité des membres d'une organisation à communiquer efficacement les empêche de prendre les décisions nécessaires. L'absence d'échanges donne l'impression qu'il y a écart d'opinions, donc existence d'un conflit. Il faut se rappeler que les conflits existent même s'il ne s'agit que d'une perception. Les mauvaises communications ne sont pas la source de tous les conflits, mais tous les problèmes de communication desservent la collaboration et avivent l'incompréhension.

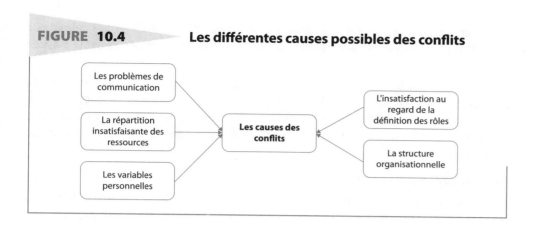

FIGURE 10.4   **Les différentes causes possibles des conflits**

L'insatisfaction au regard de la définition des rôles

Les conflits interpersonnels proviennent aussi de l'individu qui désapprouve le type de relations interpersonnelles existant dans l'organisation. En fait, la personne concernée est insatisfaite de son rôle dans l'entreprise par comparaison avec celui de ses collègues, désapprouve la distribution des fonctions et des responsabilités dans l'entreprise.

La répartition insatisfaisante des ressources

Qu'il s'agisse de l'équipement, du financement, de l'espace ou des ressources humaines, la répartition des ressources est souvent la cause de conflits car, dans bien des cas, la réussite d'un service dépend de la somme des moyens mis à sa disposition. La gestion consiste à obtenir, à développer, à protéger et à utiliser les ressources nécessaires à l'organisation pour qu'elle soit efficace et efficiente. Un des rôles importants du cadre dirigeant consiste à répartir les ressources de l'entreprise. Ces ressources, quelles qu'elles soient, sont toujours présentes en quantité limitée et, généralement, ne peuvent répondre aux besoins de chacune des unités de l'organisation. Il y aura donc compétition.

La structure organisationnelle

Les conflits découlant de la structure organisationnelle sont ceux qui proviennent non pas des individus et de leur personnalité, mais de la piètre qualité du système de rémunération, de l'incompatibilité des objectifs rattachés aux différents rôles dans l'entreprise et du style de leadership.

- La piètre qualité du système de rémunération : Un piètre système de rémunération est une source de conflits lorsqu'il accorde des récompenses à certains individus ou à certains groupes tout en créant de la compétition entre ceux-ci dans des circonstances où la collaboration est exigée.

- L'incompatibilité des objectifs : Toute incompatibilité des objectifs dévolus aux différents individus ou aux différents groupes par la distribution des rôles inhérents à la structure de l'organisation est source de conflits. Le service du marketing désire que les produits soient disponibles et que les revenus augmentent, le service des approvisionnements recherche les achats aux meilleurs prix et un mode d'entreposage le moins coûteux possible, le service de production recherche l'efficacité dans les opérations, alors que le service du contrôle de la qualité veut que les produits offerts aux clients respectent toutes les normes de qualité exigées par ceux-ci.

- Le style de leadership: Le style de leadership semble aussi avoir un effet sur la fréquence des conflits. Un leadership autocratique est vraisemblablement une cause de la hausse des conflits dans un groupe. D'autre part, un leadership participatif, parce qu'il encourage la manifestation des différences, favorise aussi la naissance des conflits, mais d'un ordre différent.

Les variables personnelles

Enfin, les variables personnelles sont souvent l'amorce de certains conflits causés par les différences dans les personnalités des membres d'un groupe, par l'incapacité d'un membre d'accepter ces différences, par le caractère autoritaire d'un membre, par les différences de valeurs ou par toute autre caractéristique personnelle, si futile soit-elle.

Les différences individuelles en matière d'âge, de sexe, de valeurs, d'expérience ou de formation influencent la perception d'une situation donnée. Puisque les perceptions peuvent être différentes à l'égard d'un problème, deux individus verront poindre un conflit simplement à cause de leurs points de vue divergents.

10.2.2 La prise de conscience et l'implication

Les facteurs énumérés dans l'analyse de la première étape du conflit peuvent passer inaperçus ou, encore, ne pas toucher les individus ou les groupes dans une organisation. Ce n'est que lorsque ces facteurs affectent ou risquent d'affecter une chose à laquelle tient une personne ou un groupe, et que ces derniers en sont conscients et perturbés, qu'ils seront perçus en tant qu'incompatibilités ou qu'ils entraîneront une réaction d'opposition.

Cette prise de conscience et la réaction qui s'ensuit permettent de définir le conflit et influencent l'attente des protagonistes au regard des résultats attendus dans le règlement du conflit. Selon l'esprit de collaboration qui anime chaque partie et selon l'enjeu, le résultat laissera deux gagnants, un gagnant et un perdant, ou deux perdants.

Les enjeux

Les conflits diffèrent les uns des autres tant par leurs enjeux que par la nature des parties qui s'opposent. La composition des organisations, divisées en structures fonctionnelles selon le travail à accomplir et en structures hiérarchiques selon les niveaux d'autorité, crée une hétérogénéité d'objectifs, de valeurs et de personnalités. Il n'est donc pas surprenant de constater que les solutions des uns ne sont pas nécessairement acceptées par les autres.

Il ne faut pas non plus s'étonner de voir qu'il y a perception d'incompatibilité entre les objectifs des différentes parties lorsque la réalisation de ces objectifs dépend du partage des ressources limitées de l'organisation. Ces éléments justifient l'intérêt que l'on porte aux nouvelles structures de l'organisation, qui sont plus flexibles, comme la structure en réseaux présentée dans le chapitre 4.

10.2.3 La réponse au comportement d'autrui

Les cadres dirigeants disposent de plusieurs approches (*voir la figure 10.5*) pour réduire ou résoudre les conflits dans les organisations et ainsi en atténuer les conséquences négatives.

Le gestionnaire peut réduire un conflit en éliminant sa cause. Ainsi donc, si le chevauchement des rôles entre deux employés est à l'origine du conflit, le gestionnaire doit clarifier les responsabilités et le niveau d'autorité des personnes impliquées. Ce dernier peut aussi rallier les troupes derrière un objectif rassembleur qui exige un effort et un soutien de chacun des membres du groupe ou de chacun des groupes en conflit. Cet objectif rassembleur ou, encore, la nécessité de se regrouper contre un ennemi commun stimule les membres du groupe, qui relégueront leurs différends en seconde place. Pensons aux querelles intestines d'une équipe de hockey qui disparaissent à l'approche des séries éliminatoires.

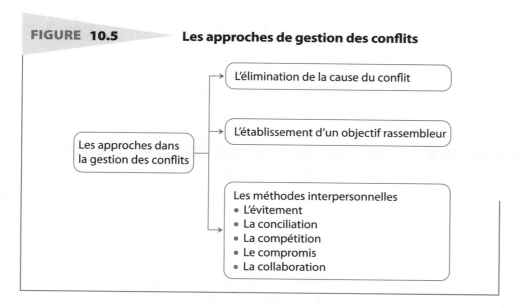

FIGURE 10.5 — Les approches de gestion des conflits

Parallèlement aux approches déjà mentionnées, le gestionnaire peut exploiter certaines approches interpersonnelles afin de résoudre les conflits (*voir la figure 10.6, à la page suivante*). Ces approches sont constituées de différentes combinaisons des éléments formant les deux dimensions des interactions entre les groupes.

- La première dimension, c'est-à-dire le degré de coopération, repose sur la conviction du gestionnaire que les objectifs des deux groupes sont compatibles.
- La seconde dimension, le degré d'égocentrisme et de confiance en soi, reflète la perception, au sein d'un groupe, que l'objectif du groupe est très important et qu'il doit être atteint même si d'autres groupes doivent en subir des conséquences.

FIGURE 10.6 **La grille de gestion des conflits selon les approches interpersonnelles**

La compétition
- Cas d'urgence
- Cas de décision impopulaire
- Cas vital de survie
- Devant un groupe qui prendrait avantage d'une attitude de non-compétition

La collaboration
- L'ensemble des objectifs est important.
- Désir de favoriser la participation
- Désir de fusionner les vues de tous

Le compromis
- Conflit impliquant des intérêts divergents
- Désir de favoriser une entente à court terme
- Situation défavorable à long terme

L'évitement
- Cas d'un enjeu banal
- Conviction de l'impossibilité de satisfaire les objectifs de toutes les parties
- Désir de laisser retomber la poussière
- Présence d'autres conflits plus importants

La conciliation
- Présence de maturité chez les parties
- Reconnaissance de l'importance des objectifs des autres
- Constitution d'un capital politique
- Technique pour réduire les pertes lorsque la défaite est évidente
- Cas exigeant un climat harmonieux

L'enjeu est important.

Niveau auquel le groupe désire satisfaire ses propres besoins.

Coopération: niveau auquel le groupe désire satisfaire les besoins de l'autre groupe.

La relation avec l'autre partie est importante.

Le résultat des combinaisons de ces deux dimensions mène à cinq approches interpersonnelles de gestion des conflits que nous présentons dans le tableau 10.3.

Aucune de ces approches ne constitue une solution idéale. Chacune possède des avantages et présente des inconvénients, et chacune constitue une approche intéressante dans des circonstances particulières et selon l'objectif visé. Par exemple, le conflit chez Quebecor (*Journal de Montréal*) semble incompatible avec la philosophie de collaboration souhaitée dans les relations de travail. Cependant, l'obligation ou le désir de chacune des parties d'imposer sa solution élimine toute possibilité de collaboration. Dans la logique des parties en cause, ou de l'une d'elle, l'approche « compétition » représente un choix éclairé[7].

TABLEAU 10.3   Les approches interpersonnelles de gestion des conflits

CATÉGORIE D'APPROCHE INTERPERSONNELLE	DESCRIPTION
L'évitement	Consiste à ignorer le conflit, de peur de l'envenimer, en espérant que le temps le fera disparaître ou que ses conséquences négatives s'atténueront.
La conciliation	Implique la résolution du conflit par l'acceptation, par l'une des parties, de concessions qui favoriseront l'autre partie, non par conviction, mais pour éviter le conflit.
La compétition	Consiste à inciter une des parties à tenter de remporter la victoire en éliminant la partie adverse. Cette approche fait nécessairement un gagnant et un perdant.
Le compromis	Vise à amener les deux parties à échanger en vue d'établir une solution qui permette à chacune de se trouver dans une situation avantageuse, bien que temporaire. Il y aura deux gagnants, à court terme, mais sans garantie pour l'avenir.
La collaboration	Vise l'atteinte complète des objectifs de chacune des parties, du moins en ce qui concerne les objectifs importants, ce qui exige une bonne dose d'imagination, de créativité et de coopération.

10.2.4 Les stratégies de résolution des conflits organisationnels

À cette étape, les conflits sont connus, les positions des parties sont déclarées ; il s'agit donc d'une étape d'actions et de réactions. Dans la résolution des conflits, ou dans leur élimination lorsqu'il s'agit de conflits destructeurs, plusieurs stratégies peuvent être employées.

Selon les facteurs déjà énumérés et selon la perception qu'un groupe a des conflits, différentes options s'offrent au cadre dirigeant quant au mode de résolution. Les différentes stratégies peuvent être classées en fonction des résultats possibles sur le plan de la perte ou du gain pour les protagonistes[8] : gagnant-perdant, perdant-perdant et gagnant-gagnant. Les stratégies utilisées par les parties déboucheront presque systématiquement sur l'un de ces résultats, et ce, de façon prévisible.

Chacune présente un coût de renonciation différent, offre des avantages sous la forme de compensations et s'applique dans des conditions très précises.

La stratégie gagnant-perdant

Le résultat d'un conflit dans lequel une des parties obtient satisfaction et l'autre se trouve dans le camp des perdants découle de l'utilisation de différentes tactiques : le jeu du pouvoir, l'ignorance des arguments de l'autre ou l'ignorance de l'autre, tout simplement, et l'utilisation des règles de la majorité et de la minorité.

L'utilisation du pouvoir doit être un choix délibéré fait à la suite d'une analyse de la situation. Il s'agit, en fait, de régler une fois pour toutes le conflit ou d'en déterminer irrévocablement les résultats. Les coûts d'une telle tactique sont importants et représentent un inconvénient à son utilisation. Tout d'abord, il y aura une réaction hostile de la partie perdante, même si elle ne s'exprime pas toujours ouvertement. Il s'ensuit une coupure des communications, situation lourde de conséquences dans une structure organisationnelle fondée sur l'interdépendance des fonctions. Les sources de pouvoir d'une partie dans une organisation

Approche adéquate d'analyse d'un conflit

Le choix d'une approche interpersonnelle de gestion des conflits n'est pas nécessairement ouvert. Les individus engagés dans un conflit ont tendance à favoriser une approche particulière en fonction de leur personnalité. Un test à la fin du chapitre vous permettra d'évaluer votre tendance. Devant affronter une situation conflictuelle, certaines personnes joueront le tout pour le tout, d'autres chercheront la solution la plus avantageuse pour tous, d'autres tenteront de tout faire pour éviter le conflit, d'autres s'efforceront d'être conciliantes et, enfin, certaines opteront pour un partage équitable.

Afin de gérer un conflit avec succès, le gestionnaire doit respecter certaines étapes. Il serait inutile de consacrer des énergies à l'élaboration d'une solution si les faits ne sont pas bien établis ou si les objectifs ne sont pas définis clairement. Voyons une approche qui pourrait entraîner des résultats intéressants.

1. Établir les faits

Quel est le vrai problème? Que se passe-t-il réellement? Quelles sont les personnes impliquées? A-t-on besoin d'informations ou d'analyses supplémentaires pour clarifier le problème?

2. Déterminer les besoins des deux parties Que veulent les personnes impliquées?

S'il vous est possible de définir un but commun pour les personnes impliquées, cela facilitera le travail de recherche de solutions sur lesquelles les deux parties s'accorderont.

3. Évaluer la situation

Le conflit est-il d'une complexité gérable ou doit-il être découpé en plusieurs petits problèmes?

4. Décider d'un processus

Quel processus choisirez-vous pour résoudre le conflit? Les problèmes doivent-ils être discutés dans un ordre précis? Quel est le programme? Y a-t-il une date butoir? Quelles sont les règles de négociation?

5. Rechercher des solutions

Les parties veulent-elles négocier sur la base des problèmes? Le médiateur doit-il inventer des propositions spécifiques de compromis? Les parties doivent-elles élaborer leurs propres propositions ou travailler ensemble sur un accord commun et négocier ensuite section par section?

6. Accorder les deux parties et mettre en œuvre des actions

Comment s'assurer que les parties respecteront l'accord? L'accord doit-il être mis à jour plus tard si les conditions changent?

7. Préciser l'accord final

Quand elles parviennent à un accord, il est important que les parties aient la même vision des résultats.

proviennent de son autonomie par rapport aux autres parties, d'une compétence exceptionnelle ou d'une coalition avec l'autorité formelle.

La deuxième tactique consiste à *ignorer les efforts de l'autre* pour influencer une décision. Toute réaction ou question, tout appui ou désaccord, et même la simple manifestation d'un intérêt quelconque représenteraient une attitude de réceptivité. L'ignorance de l'intervention de l'autre partie constitue une décision finale et irrévocable au regard de son expression : l'autre partie est perdante.

La *règle de la majorité* doit permettre à chacune des parties de s'exprimer librement et implique que les parties se sentent liées par la décision finale. L'existence de clans à l'intérieur de l'organisation fausse le jeu de la démocratie, car l'individu votera en fonction de son sous-groupe et non en fonction de la nature de la décision. Malheureusement, la partie minoritaire croit souvent qu'on fait preuve d'incompréhension à son égard et a tendance à riposter par une nouvelle bataille dont elle espère sortir gagnante.

La *règle de la minorité* emprunte à deux approches. Une première approche consiste, pour l'une des parties, à s'assurer de jouir d'au moins un appui. La proposition de cette partie est alors présentée et soutenue avec impétuosité afin de convaincre l'ensemble du groupe qu'il y a plus de membres qu'il n'y paraît qui soutiennent la proposition. La deuxième approche consiste, pour cette même partie, à faire une charge à l'emporte-pièce contre la première personne qui s'oppose à la proposition, limitant ainsi les tentatives d'intervention des autres.

Le tableau 10. 4 résume les stratégies gagnant-perdant.

TABLEAU 10.4   Les stratégies gagnant-perdant

STRATÉGIE	CARACTÉRISTIQUES	CONSÉQUENCES
L'utilisation du pouvoir	Utilisation du pouvoir de l'une des parties en vertu : <ul><li>de son autonomie par rapport aux autres parties ;</li><li>d'une compétence exceptionnelle ou d'une coalition avec l'autorité formelle[9].</li></ul>	Elle peut engendrer : <ul><li>une réaction hostile de la partie perdante, même si elle ne l'exprime pas ouvertement ;</li><li>une rupture des communications, néfaste dans une structure organisationnelle fondée sur l'interdépendance des fonctions.</li></ul>
L'ignorance des efforts de l'autre	Absence de réaction ou questionnement, de tout appui, de désaccord ou d'intérêt quelconque pour signifier une attitude de non-réceptivité.	Il s'agit d'une décision finale et irrévocable à l'issue de laquelle l'autre partie est perdante, puisque son point de vue ne sera pas entendu.
La règle de la majorité	Chacune des parties peut s'exprimer librement. Implique que les parties se sentent liées par la décision finale.	L'existence de clans à l'intérieur de l'organisation peut : <ul><li>fausser le jeu de la démocratie ;</li><li>inciter l'individu à voter en fonction de son sous-groupe et non en fonction de la nature de la décision.</li></ul>
La règle de la minorité	Une partie peut avoir recours à deux procédés : <ol><li>faire défendre une proposition par l'entremise d'au moins un appui, en faisant supposer un soutien unanime de la majorité ;</li><li>faire une charge à l'emporte-pièce contre toute opposition.</li></ol>	<ul><li>Provoque généralement une réaction hostile, ouvertement ou non, de la partie perdante.</li><li>Engendre une coupure des communications, lourde de conséquences.</li><li>Peut provoquer une riposte de la partie perdante.</li><li>Limite les tentatives d'intervention des autres.</li></ul>

La stratégie perdant-perdant

Les tactiques de ce type permettent à tous les individus de gagner quelque chose. Mais, pour ce faire, une condition est essentielle : il faut qu'il y ait repli de chacun sur certains points. L'issue de l'emploi de ces méthodes peut être un résultat gagnant-perdant sur certains points, mais, en ce qui a trait à l'ensemble du litige, il y a deux perdants. Les principales tactiques de cette catégorie sont la négociation (le compromis), la compensation, l'évitement, l'utilisation d'une norme et l'appel à une tierce personne qui agira comme arbitre.

Le *compromis* consiste à partager les ressources limitées en fonction d'un accord commun. Cette méthode se rapproche de la collaboration et du jeu du pouvoir. Elle est le trait d'union entre les tactiques de collaboration (consensus et méthode résolutive) et celles du jeu du pouvoir. L'avantage majeur du compromis est qu'il permet le règlement du litige. Ici, il ne s'agit plus de négocier le partage des biens, des privilèges ou des avantages, mais de céder sur des positions fondamentales qui affectent l'essence même de la position des parties ; cela met en danger, parfois, la survie de la partie qui concède un point.

La *compensation* est l'acceptation par un groupe d'une rémunération consentie en retour d'un repli ou de l'abandon de privilèges ou de droits acquis. Un groupe peut, par exemple, accepter de travailler dans un local donné en retour d'une compensation financière, sachant que la piètre qualité du local affectera son travail ou la santé de ses membres.

Les parties peuvent aussi battre en retraite et s'isoler les unes des autres, affecter l'indifférence et ignorer les conflits d'intérêts ou, encore (dans le cas d'un sous-groupe), s'effacer complètement. En général, une tactique d'évitement permet de mieux préparer la bataille ou d'attendre une situation plus favorable.

Une autre façon de réduire l'implication des parties consiste à choisir une règle qui aidera à résoudre le conflit. Tirer à la courte paille suppose qu'un membre du groupe héritera de la tâche que personne ne veut accomplir. Il demeure cependant qu'une méthode jugée équitable (pile ou face) amènera les parties à en accepter les résultats, même si ces derniers paraissent non équitables.

Pour éviter un affrontement direct entre les parties, on peut faire appel à une *tierce personne*. L'arbitrage se fera, comme dans le cas de la règle de la majorité, entre des options qui sont toutes acceptables mais auxquelles les différentes parties n'accordent pas une importance égale.

Le tableau 10.5 résume les stratégies perdant-perdant.

La stratégie gagnant-gagnant

Les modes de résolution des conflits débouchant sur un résultat gagnant-gagnant satisfont les parties à la fois sur le plan concret et sur le plan subjectif. Il s'agit du consensus et de la méthode résolutive.

Le *consensus* fait partie intégrante d'un grand nombre d'exercices dans lesquels les participants doivent prendre ensemble certaines décisions, particulièrement dans les cours de relations humaines et de psychologie industrielle. L'acceptation de la décision finale ralliant les membres d'un groupe caractérise la méthode du

TABLEAU 10.5 Les stratégies perdant-perdant

STRATÉGIE	CARACTÉRISTIQUES	CONSÉQUENCES
Le compromis	Partager des ressources limitées en fonction d'un accord commun.	• Permet le règlement du litige. • Élimine la négociation sur le partage des biens, des privilèges ou des avantages. • Peut mettre en danger la domination, l'influence ou le prestige de la partie qui concède un point.
La compensation	Acceptation par un individu ou un groupe d'une rémunération en retour d'un repli ou de l'abandon de privilèges ou d'acquis.	Peut avoir une incidence sur la santé, le confort et l'équilibre psychologique des personnes.
L'évitement	Décision des parties de battre en retraite et de s'isoler les unes des autres, en affectant l'indifférence et en ignorant les conflits d'intérêts ou, encore, en s'effaçant complètement.	Permet de mieux préparer la bataille ou d'attendre une situation plus favorable.
La règle	Volonté des parties de réduire leur implication et d'accepter une règle à même de résoudre le conflit.	Incite les parties à accepter les résultats, même si ces derniers paraissent non équitables.
L'arbitrage	Recours à une tierce personne (arbitre) dans le but d'éviter un affrontement direct entre les parties.	Le choix s'établit entre des options qui sont toutes acceptables mais auxquelles les différentes parties n'accordent pas une importance égale.

consensus. Par cette attitude, les participants cherchent beaucoup plus à résoudre le problème qu'à imposer leurs idées.

La *méthode résolutive* ne diffère pas fondamentalement de celle du consensus. Selon cette approche, les parties considèrent qu'il est possible de trouver une solution qui sera profitable à tous. Ainsi, les énergies consacrées à cet objectif le sont sans restriction. Le pouvoir et les renseignements détenus par chaque partie sont mis au service de la recherche de la solution au problème.

Une telle attitude à l'égard du conflit entraînera un certain nombre de modifications dans la vie du groupe, rendant celle-ci plus riche et plus productive. Parmi ces modifications, on peut mentionner l'accroissement de l'intensité des communications sur les plans de l'émission et de la rétroaction.

Par ailleurs, le groupe verra de plus en plus dans le conflit un outil favorisant la créativité et l'innovation. Les relations entre les membres deviendront aussi plus intenses, plus profondes et plus honnêtes. Enfin, le climat régnant au sein du groupe favorisera une plus grande ouverture vers l'autre; l'instauration d'une relation de confiance; l'émergence d'un sentiment d'intégrité et d'authenticité ainsi qu'une attitude plus positive à l'égard de la prise de risques. Les deux stratégies gagnant-gagnant sont résumées dans le tableau 10.6, à la page suivante.

L'énumération des différentes stratégies de résolution de conflits avait pour but de présenter tous les outils disponibles. Mais il est évident que la valeur de certaines techniques est relative et que d'autres présentent des risques à long terme. Par exemple, le choix des techniques fondées sur l'approche résolutive ne découle d'aucun facteur normatif, il est plutôt motivé par des facteurs personnels. D'autres techniques qui semblent, pour certains individus, inutilisables en raison de normes

TABLEAU 10.6   Les stratégies gagnant-gagnant

STRATÉGIE	CARACTÉRISTIQUES	CONSÉQUENCES
Le consensus	Les parties prennent ensemble certaines décisions.	Suscite chez les participants une attitude proactive dans la recherche de solutions en commun.
La méthode résolutive	Les parties considèrent possible de trouver une solution profitable à tous. Les compétences et le pouvoir de chacun sont mis à contribution.	• Bonifie les relations entre les membres, lesquelles deviendront plus intenses, plus profondes et plus honnêtes. • Contribue à améliorer l'ouverture des uns envers les autres et à développer un lien de confiance.

morales, sont employées couramment par d'autres individus dans la plupart des groupes et constituent même, dans certains groupes, la méthode unique de résolution des conflits.

La figure 10.7 résume les stratégies de résolution des conflits organisationnels.

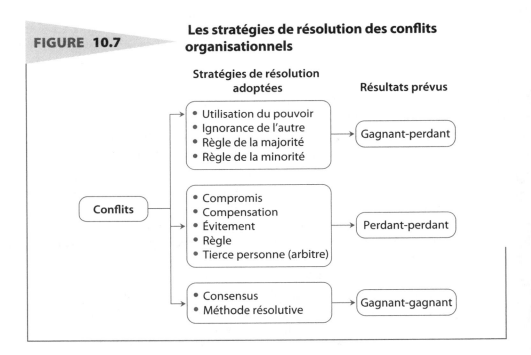

FIGURE 10.7 — **Les stratégies de résolution des conflits organisationnels**

10.2.5 Les résultats

Trop souvent, les conflits dans les organisations sont assimilés à des éléments pernicieux. Une approche plus réaliste nous permet d'aborder le conflit en tant que facteur positif ou négatif. La gestion que l'on en fera lui donnera son orientation. Le conflit est une dimension inévitable de la vie de l'entreprise ; c'est aussi une source d'innovation et de créativité, une sorte de remise en question des pratiques et des habitudes de gestion.

Les conflits constructifs

Chaque fois que des conflits surviennent au sein d'une entreprise, un certain nombre de phénomènes les accompagnent, qui contribuent à rendre ces conflits constructifs et à entraîner des résultats fonctionnels :

Les conflits permettent d'épurer l'atmosphère des tensions qui grugent souvent les relations entre les individus.

- Ce genre d'événement sort les personnes de leur routine quotidienne ; autrement dit, le conflit les stimule.

- Les démarches inhérentes au conflit obligent les parties à communiquer, à créer de nouveaux réseaux de communication.

- Les conflits d'une intensité acceptable permettent à une partie de prendre conscience du rôle, des responsabilités et des problèmes de l'autre partie, ce qui suscite l'empathie, dans bien des cas.

- Les conflits sont aussi un excellent antidote au conformisme, c'est-à-dire à un fonctionnement de groupe qui ne laisse aucune place pour les remises en question.

- Enfin, les conflits permettent d'épurer l'atmosphère des tensions sous-jacentes qui grugent souvent les relations entre les individus pendant de longues périodes avant de faire surface.

Notons que la tendance actuelle dans la composition de la société canadienne se traduit par une présence multiethnique et multiculturelle dans les groupes de travail. La diversité des intérêts et des valeurs est source de conflits, mais cette hétérogénéité stimule la créativité, améliore la qualité des décisions et facilite le changement.

Évidemment, ces conséquences positives ne sont pas toujours présentes et dépendent d'un certain nombre de facteurs, comme les objectifs des parties en cause, le partage des ressources et l'interdépendance des parties. Mais ce qui importe surtout dans la détermination du résultat, c'est la manière dont le conflit a été géré.

Le conflit destructeur

Les conflits interpersonnels, souvent émotifs, ou les conflits de fond portant sur des objectifs ou des valeurs sont les plus difficiles à gérer. Lorsque le conflit atteint le stade des attaques verbales, des menaces, des ultimatums, des attaques physiques ou, dans le pire des cas, des tentatives de destruction de la partie adverse, on peut parler de **conflits destructeurs**, dont découlent les résultats dysfonctionnels suivants :

- Les communications se détériorent.
- La cohésion du groupe s'effrite.
- Le désir de gagner prédomine sur l'atteinte des objectifs.
- Le groupe n'est plus productif dans les situations extrêmes.
- L'éclatement du groupe n'est qu'une question de temps.

Si certains conflits peuvent entraîner des effets positifs, les cadres doivent, pour obtenir de tels résultats, stimuler les conflits. Bien que la culture actuelle des organisations soit « anticonflit », les conditions découlant de la féroce compétition des entreprises du XXIᵉ siècle exigent des remises en question continuelles, de l'innovation, des contestations, des débats et des divergences. C'est une question de survie. L'entreprise a le devoir de pénaliser personnes qui ont recours à des stratégies d'évitement et à récompenser le dissentiment.

Conflit destructeur

(*destructive conflict*)

Conflit qui affecte négativement le rendement d'une personne ou d'un groupe.

10.3 Les conditions favorisant la résolution des conflits

S'ils optent pour la création et la stimulation des conflits afin d'accroître le rendement et de dynamiser l'innovation, les cadres dirigeants des entreprises doivent, au préalable, instaurer des conditions permettant l'avènement de résultats constructifs. Voici, regroupées en cinq catégories, les conditions nécessaires à un déroulement positif des conflits:

1. **Les conditions fondamentales**

   L'absence de pression quant au temps laisse à chaque partie la possibilité de s'ajuster à l'autre. Le temps constitue donc une condition fondamentale favorisant la résolution des conflits. Une autre condition est l'égalité des parties sur les plans du pouvoir et de l'autorité; s'il y a inégalité, aucune des parties ne souhaitera entreprendre une lutte de pouvoir.

   Enfin, la taille du groupe est importante dans une discussion: lorsqu'elle est appropriée, elle favorise les interactions et la participation. Enfin, la structure organisationnelle doit appuyer la démarche active de résolution des conflits et stimuler une dépense d'énergie menant à la réalisation de cet objectif.

2. **Les conditions relatives à la communication**

   Les échanges dans le groupe doivent tendre au partage complet des renseignements disponibles. De plus, les modes de communication des idées doivent être très efficaces. Enfin, l'information doit avoir pour tous les individus la même signification; il faut donc que la rétroaction soit descriptive, précise et nullement évaluative.

3. **Les conditions relatives au problème**

   C'est le problème, et non la partie adverse, qui doit être au centre des échanges, et le désir de résoudre ce problème doit être partagé par tous. Les parties doivent être conscientes de l'existence ou de la virtualité du problème. Elles doivent de plus sentir qu'elles sont liées entre elles (enjeu) et que leur sort commun les oblige à s'engager dans la discussion et à appuyer la décision qui en découlera. Enfin, les parties doivent savoir que toute concession représente un sacrifice coûteux, mais qu'il en coûte également quelque chose lorsque aucun accord n'est conclu.

4. **Les conditions relatives à la solidarité**

   Les membres d'un groupe doivent tous manifester un sentiment de respect et de réceptivité à l'égard de la partie adverse, et garder en tout temps un esprit ouvert. Le climat en sera alors un de confiance mutuelle. Il n'y aura donc aucune intervention teintée de menace, de chantage ou de colère, et le langage utilisé sera neutre. L'objet de la discussion sera dépersonnalisé et les interventions ainsi que les questions viseront uniquement la clarification des données.

5. **Les conditions relatives à la procédure**

   La condition la plus négligée nous semble celle concernant une éventuelle procédure de reconnaissance du conflit dès son apparition. Une telle procédure repose sur la conviction que toutes les parties peuvent bénéficier d'une solution qui respecte leurs objectifs; cette solution sera donc souhaitable et acceptable. Pour y arriver, les membres doivent s'entendre sur la procédure et sur les modes de résolution avant l'ouverture des délibérations, et que le problème soit clairement défini et compris par toutes les parties.

RÉSUMÉ

L'absence de conflit pendant une certaine période dans un groupe n'est pas nécessairement le résultat d'une saine gestion. Le conflit est un phénomène inévitable dans la vie de l'entreprise. Il doit être perçu comme une source d'innovation et de créativité, une sorte de remise en question des pratiques et des habitudes de gestion. Il découle des relations entre les individus et entre les groupes.

Traditionnellement, le conflit était perçu très négativement. Selon une perception plus moderne, le conflit est neutre. Il peut prendre une valeur positive ou négative, selon la situation et selon la manière dont il sera géré.

Afin de bien gérer un conflit, on doit savoir à quelle catégorie il appartient. Il y a cinq catégories de conflits. La première, les conflits intrapersonnels, concerne l'individu qui tente de satisfaire en même temps plusieurs besoins mutuellement exclusifs. La deuxième, les conflits interpersonnels, comprend les conflits d'allégeance et les luttes de pouvoir entre les individus. La troisième catégorie comprend tous les conflits opposant un individu au groupe auquel il appartient. Les conflits de la quatrième catégorie, celle des conflits intergroupes, proviennent principalement de l'évolution dynamique des groupes qui composent l'organisation. Enfin, la cinquième catégorie regroupe les conflits interorganisationnels, qui apparaissent lorsque les membres d'une organisation perçoivent une menace dans le comportement des membres d'une autre organisation.

Pour que le conflit existe, il doit y avoir présence d'une incompatibilité et prise de conscience de cette incompatibilité. La gestion du conflit amènera le gestionnaire à éliminer la cause du conflit, à établir un objectif rassembleur ou à utiliser des méthodes interpersonnelles. Les résultats seront, selon les approches et les stratégies retenues, constructifs ou destructeurs.

Le dirigeant peut choisir une stratégie de résolution qui permettra au conflit de se clore par un gain pour tous (gagnant-gagnant), par une perte pour tous (perdant-perdant) ou par un gain pour une partie et une perte pour l'autre (gagnant-perdant).

S'ils croient que les conflits ont des conséquences positives, les cadres dirigeants pourront les stimuler une fois qu'ils auront instauré des conditions permettant l'avènement de résultats constructifs. Enfin, les parties doivent savoir que toute concession comporte un coût, mais qu'il en coûte également quelque chose lorsqu'aucun accord n'est conclu. L'objectif final recherché repose sur la conviction que toutes les parties peuvent bénéficier d'une solution qui respecte leurs objectifs.

Évaluation des connaissances

QUESTIONS DE RÉVISION

1. Décrivez deux conflits dans lesquels vous avez été impliqué, dont l'un a entraîné des résultats positifs et l'autre, des résultats négatifs, puis répondez aux questions suivantes.

   a) Dans quelle catégorie classeriez-vous chacun de ces deux conflits ?

   b) Quelles ont été, selon vous, les causes de chacun de ces conflits ?

   c) Quelles ont été les stratégies utilisées par les personnes responsables du groupe ?

   d) Si vous aviez été responsable de chacun de ces groupes, auriez-vous agi différemment ? Si oui, comment ?

   e) Quels ont été les résultats de chacun de ces conflits ?

2. En utilisant les catégories présentées dans ce chapitre, décrivez les types de conflits qui peuvent affecter votre association étudiante ou la vie d'un autre groupe de votre cégep.

3. Votre directeur de service vous déclare que les conflits doivent être évités à tout prix, car ils consomment trop de ressources et d'énergie. Quelle est votre réaction ? La classe doit être divisée en deux groupes : un groupe prépare une réponse qui soutient la position du directeur, l'autre groupe prépare une réponse qui vise à le convaincre de l'utilité des conflits.

4. Si vous étiez le directeur d'un camp d'été pour les jeunes, comment stimuleriez-vous les conflits dans votre équipe de moniteurs ? Pourquoi ?

5. Décrivez les causes d'un conflit personnel dans lequel vous avez été impliqué. Comment auriez-vous pu utiliser les notions présentées dans ce chapitre pour obtenir un résultat constructif dans la résolution de ce conflit ?

6. Décrivez des situations où une approche gagnant-perdant pourrait être avantageusement remplacée par une approche gagnant-gagnant.

7. Certaines personnes semblent vouloir éviter les conflits à tout prix, d'autres donnent plutôt l'impression qu'elles les cherchent. Pourquoi cette différence ?

8. Les groupes dans une organisation ont pour but d'atteindre un objectif commun. Dans ce contexte, pourquoi y a-t-il des conflits dans les organisations ? Utilisez une situation concrète pour illustrer votre propos. Cette situation peut mettre en scène le groupe d'étudiants du cours « Activités de gestion », l'association étudiante, la direction du collège ou l'entreprise où vous travaillez. Précisez le type du conflit dont il est question.

À vous de jouer

LE JARDIN (degré de difficulté : difficile)

OBJECTIF

Vous devez analyser la dynamique des groupes dans un contexte de compétition et en mesurer les effets sur la performance.

La classe est partagée en deux groupes égaux. Il est préférable que les groupes ne soient composés que de dix joueurs ou moins. Si la classe comprend plus de vingt personnes, le rôle d'observateur doit être assigné aux autres membres. Chaque groupe se retire dans un coin isolé, si possible dans un local particulier.

Le but de l'exercice consiste, pour chaque équipe, à obtenir un score positif à la fin des dix périodes. Si elles ont chacune un total de points positif, les deux équipes gagnent, même s'il y a une différence dans le pointage. Par exemple, si l'équipe des Verts a 3 points et l'équipe des Rouges en a 9, les deux équipes sont gagnantes.

De la même façon, un pointage négatif entraîne la défaite de l'équipe ou des équipes. Par exemple, si l'équipe des Verts a −3 points et l'équipe des Rouges a −9 points, les deux équipes sont perdantes.

Pour obtenir des points, les équipes doivent choisir entre deux éléments dans le tableau qui suit. L'équipe des Verts peut choisir entre « Pomme » et « Olive », l'équipe des Rouges, entre « Cerise » et « Tomate ». Le choix doit permettre à l'équipe d'obtenir le plus grand nombre de points possible.

Les conséquences du choix d'une équipe dépendent aussi du choix de l'autre équipe. Cet élément de confiance demeure la seule ressource des équipes. On trouvera, à la page suivante, le tableau des choix et leurs conséquences.

DÉROULEMENT

Les équipes ont dix décisions à prendre, l'une à la suite de l'autre, et les résultats de chaque décision sont affichés avant de passer à la décision suivante.

a) Les équipes isolées décident du choix de la première étape en visant le maximum de points possible et en tentant de prévoir le choix de l'autre équipe.

b) Après cinq minutes de discussion, le choix de chacune des équipes est remis par écrit au professeur. Celui-ci indique les résultats aux deux équipes en se référant au tableau I, à la page suivante. Par exemple, si l'équipe des Verts a choisi « Olive » et l'équipe des Rouges, « Cerise », le résultat est le suivant : Verts : −6, Rouges : +6.

c) Les équipes passent alors à la deuxième étape ; elles ont trois minutes.

d) Les choix sont de nouveau remis sans divulgation au professeur, qui indique les résultats de la deuxième étape et le total de chaque équipe.

e) Les équipes poursuivent l'exercice jusqu'à la fin de l'étape 10.

f) À chaque étape, le résultat cumulatif est affiché.

NOTES

1. Les résultats des décisions 1, 2, 4, 5, 6, 7 et 9 sont indiqués dans le tableau I.

2. Les résultats des décisions 3 et 8 sont doublés et ajoutés au total.

3. Les résultats de la décision 10 sont ceux du tableau I mis au carré, sans signe mathématique, et ajoutés au total. (Si le résultat est −3, alors −(3²) = −9.)

4. Il n'y a aucun échange entre les équipes, sauf aux deux occasions suivantes : après les décisions 3 et 8, chaque équipe se choisit un représentant ; ces deux personnes se rencontrent en tête-à-tête. Après leur discussion, elles retournent dans leur équipe et l'exercice se poursuit.

Tableau I Le résultat des choix combinés des équipes

CHOIX		RÉSULTATS	
LES VERTS	**LES ROUGES**	**LES VERTS**	**LES ROUGES**
Pomme	Cerise	+3	+3
Olive	Cerise	+6	−6
Pomme	Tomate	−6	+6
Olive	Tomate	−3	−3

Tableau II La feuille d'inscription des résultats (exemple)

	CHOIX DE L'ÉQUIPE		RÉSULTATS DE LA DÉCISION		RÉSULTATS CUMULATIFS	
	LES VERTS	**LES ROUGES**	**LES VERTS**	**LES ROUGES**	**LES VERTS**	**LES ROUGES**
1	Olive	Cerise	+6	−6	+6	−6
2	Pomme	Cerise	+3	+3	+9	−3
3*	Olive	Tomate	−6	−6	+3	−9

* Compte en double.

Tableau III La feuille d'inscription des résultats

	CHOIX DE L'ÉQUIPE		RÉSULTATS DE LA DÉCISION		RÉSULTATS CUMULATIFS	
	VERTS	ROUGES	VERTS	ROUGES	VERTS	ROUGES
1						
2						
3*						

Chaque équipe délègue un représentant à une rencontre privée. Le but de la rencontre consiste à établir une stratégie pour prendre les décisions suivantes (4 min).

4						
5						
6						
7						
8*						

Chaque équipe délègue un représentant à une rencontre privée.

Le but de la rencontre consiste à établir une stratégie pour prendre les décisions suivantes (4 min).

9						
10**						

* Compte en double.

** Mettre les résultats de la décision au carré.

Une fois les résultats finaux connus, les équipes discutent :

- de leur stratégie ;
- de leur objectif ;
- du résultat ;
- de l'orientation des discussions dans chaque équipe ;
- du mode de prise de décision ;
- du rôle des deux représentants ;
- de la perception qu'elles avaient de l'équipe adverse avant et pendant l'exercice, et de leur perception actuelle ;
- des éléments qui ont influencé leur comportement.

QUESTIONS

1. Quel a été l'effet de l'interdiction de communiquer entre les équipes quant aux décisions ?

2. Y a-t-il eu des manifestions d'hostilité, de compromis, de frustration ou de désir d'arrêter l'exercice ?

3. Quelles pourraient être les conséquences d'une telle situation dans une entreprise ?

www.cheneliere.ca/
turgeon-lamaute

Chapitre 11

La gestion du changement

Cheminement d'idées ▶

◀ **LA GESTION DU CHANGEMENT**

▶ Les besoins de changement Section 11.1	La distinction entre le changement et l'innovation Section 11.1.1
▶ Le cycle de vie des organisations Section 11.2	
▶ Les catégories de changements organisationnels Section 11.3	Les résistances émanant de sources individuelles Section 11.5.1
▶ Les cibles du changement planifiées Section 11.4	
▶ Les causes de la résistance au changement Section 11.5	Les résistances émanant de sources organisationnelles Section 11.5.2
▶ Les stratégies de gestion de la résistance au changement Section 11.6	▶ Le dégel Section 11.8.1
▶ L'analyse des champs de forces Section 11.7	▶ Le changement Section 11.8.2
▶ Le processus de changement Section 11.8	▶ Le regel Section 11.8.3
▶ Le succès d'un changement Section 11.9	

Objectifs d'apprentissage :

1. définir le changement ;
2. présenter le cycle de vie des organisations ;
3. distinguer le changement et l'innovation ;
4. présenter la classification des changements ;
5. expliquer les phases du changement ;
6. décrire les causes de la résistance au changement ;
7. comparer les stratégies pour faciliter le changement ;
8. décrire le processus de changement.

Compétences à développer :

- comparer les stratégies pour faciliter le changement ;
- appliquer un processus de gestion du changement.

Un nouveau patron

Marie-Hélène Lalonde est directrice du service de la comptabilité de Racine Transport depuis près de 20 ans. C'est Richard Garnier, le précédent directeur général de la société, qui l'avait embauchée à l'époque. Marie-Hélène a toujours considéré que son travail consistait à accomplir le plus rapidement possible et dans la pleine mesure de ses compétences les tâches qui lui étaient dévolues. Le travail, selon elle, est une activité imposée ; il n'est donc pas source de plaisir ou de satisfaction. Parfois, les tâches sont intéressantes, parfois elles sont ennuyeuses et monotones, mais c'est toujours du travail. La satisfaction découle plutôt du sentiment d'avoir répondu à un appel et accompli son devoir : ce qui importe, ce n'est pas ce qu'on fait, mais de bien faire ce qu'on exige de nous.

Son mode de pensée est simple : si un employé aime son travail, tant mieux ; par contre, s'il ne l'aime pas, il doit se convaincre que c'est bien ou démissionner. Le bureau n'est pas une garderie.

Sa réputation de cadre efficace n'est plus à faire : elle dit toujours que la première erreur est tolérée, mais que la deuxième est sanctionnée. Le taux de roulement dans son service est extrêmement bas. Tous les employés, ou presque, l'aiment et la respectent. Ils considèrent qu'elle est très compétente et font preuve de dévouement.

Amélie Tougas est la nouvelle directrice générale. Elle a été nommée à ce poste il y a trois mois, soit au moment du départ à la retraite de Richard Garnier. Depuis, elle a commencé à imposer ses façons de faire et a exposé sa vision de la gestion à tous les directeurs de service.

Elle désire que les employés participent davantage à la gestion de l'entreprise et au processus de prise de décision. Dans cet esprit, elle a formé un comité paritaire de planification des activités sur lequel siègent trois directeurs et trois employés. Elle a aussi annoncé l'implantation d'un système de suggestions. Enfin, elle a réuni tout le personnel pour lui présenter son nouveau plan de rémunération comprenant un programme incitatif de rendement. Selon les dernières rumeurs, elle en serait à développer un nouveau système d'évaluation du rendement des employés.

Un jour, à l'heure du dîner, Marie-Hélène se trouve à la cafétéria de l'entreprise avec François, le directeur de la gestion de la flotte de camions.

« Il semble bien qu'Amélie va changer des choses ici, dit Marie-Hélène.

— Oui ! Espérons que ce seront les bonnes, s'exclame François.

— Je n'en suis pas certaine. Elle va tout brasser et il y aura des réactions et des problèmes. Tout roule bien dans cette boîte, pourquoi faut-il tout changer ?

— Tout va bien, c'est sûr. Mais il y a toujours de la place pour l'amélioration, affirme-t-il. Quoi qu'il en soit, je suis en faveur du changement et je crois que nous devrions tous l'appuyer dans ses efforts.

— Selon moi, les choses vont plutôt s'améliorer. Euh… je veux dire empirer.

— J'ai toujours cru que tu aimais ça quand il y avait de l'action… »

Questions d'ambiance

1. Pourquoi, selon vous, Marie-Hélène est-elle si sceptique au regard de la nouvelle situation ?

2. Quels pourraient être les motifs qui poussent François à ne pas voir la situation de la même manière que Marie-Hélène ?

3. Si vous étiez Amélie, comment procéderiez-vous pour implanter vos changements ?

11.1 Les besoins de changement

Les défis[1] que doivent relever les entreprises canadiennes n'ont jamais été aussi nombreux qu'en ce début de XXIe siècle. La structure de l'entreprise et l'attitude de l'employé à l'égard du travail et de l'entreprise sont en mutation profonde. Nous avons souligné quelques-uns de ces bouleversements dans le chapitre 4, et en voici d'autres :

- la rationalisation des emplois ;
- l'apparition de l'**esprit d'intraprise** ;
- la disparition des emplois permanents ;
- la création d'**emplois atypiques** ;
- la hausse des exigences en matière d'engagement organisationnel ;
- la diversité de la main-d'œuvre ;
- le déclin de la population des pays industrialisés ;
- l'accroissement des populations des pays en émergence ;
- la croissance de la collecte des données personnelles des clients.

Le changement est une caractéristique inéluctable de la vie de l'entreprise[2], au même titre que le conflit. Il désigne la démarche qui accompagne la vie de toute entreprise face à l'instabilité et au développement de son environnement. Gérer le changement, c'est à la fois anticiper, définir et mettre en place cette démarche.

Puisqu'elles sont des systèmes ouverts sur leur environnement et qu'elles doivent constamment s'ajuster, les organisations doivent changer leurs politiques, leurs procédures, leurs structures et, parfois, leurs membres pour survivre et progresser. Cette situation n'est pas de nature à rassurer les membres de l'organisation et les amène souvent à développer du stress et à résister aux changements proposés ou, plutôt, à résister aux conséquences de ces changements.

Nous avons vu que les conflits entraînent le changement ; mais le changement peut aussi provoquer de nombreux conflits. La fréquence et la variété des changements obligent les cadres à être plus conscients des conséquences de l'évolution qui se fait. Plus encore, ils doivent initier les changements. Pour ce faire, ils doivent apprendre à leur accorder une place dans leur gestion quotidienne, à en prévoir les conséquences et à en mesurer les effets sur les membres de l'organisation. Enfin, ils doivent s'habituer à contrôler les résistances à ces changements.

La recherche de la stabilité et de la réalisation de ses objectifs oblige l'entreprise à s'adapter aux facteurs variables de l'environnement. L'absence de dynamisme, de flexibilité et d'adaptation dans ses opérations se traduira par la complaisance et la stagnation. Le problème n'est pas de savoir si le changement doit être apporté, il s'agit plutôt de savoir comment l'effectuer sans soulever trop de résistance. N'oublions jamais que les gens peuvent se conformer aux demandes des gestionnaires par obligation, mais la perte d'enthousiasme aura pour conséquence le maintien d'un rendement tout juste adéquat ou, pire, des tentatives de faire avorter le changement.

Ce qui est constant dans les organisations, c'est le changement, et les gestionnaires compétents y voient un phénomène inéluctable, nécessaire et profitable.

Esprit d'intraprise

(intrapreneurship)

Utilisation des qualités d'entrepreneuriat à l'intérieur d'une organisation déjà établie, généralement de grande taille, notamment pour pallier la relative incapacité des structures lourdes de produire des innovations.

Emploi atypique

(contingent job)

Emploi autre qu'un emploi salarié permanent et à temps plein.

En tant que systèmes ouverts sur leur environnement, les entreprises doivent anticiper et favoriser le changement, démarche qui crée souvent de l'incertitude chez leurs membres.

11.1.1 La distinction entre le changement et l'innovation

Avant d'analyser la gestion du changement[3], on doit établir la distinction entre le changement et l'innovation. Le **changement** est une modification de l'état normal des choses, du *statu quo*. L'**innovation** constitue une nouvelle idée appliquée à un processus, à un produit ou à un service; elle est donc une catégorie de changement[4]. Par exemple, le prolongement des heures d'ouverture des magasins pendant la saison des fêtes de Noël représente un changement n'exigeant pas une trop grande adaptation de la part des employés. Par contre, l'ouverture des magasins le dimanche a complètement bouleversé l'organisation des magasins et la vie familiale des employés, il s'agit donc d'une innovation. Il s'agit de processus similaires, bien que l'innovation, parce qu'elle repose sur des idées nouvelles, génère des difficultés plus grandes. Notons que toutes les innovations entraînent un changement, mais que tous les changements ne comportent pas nécessairement des innovations.

L'innovation se distingue par un certain nombre de caractéristiques (*voir la figure 11.1*). Ainsi, elle se développe dans un environnement ponctué d'incertitudes, car les étapes qui la composent et le succès qui est visé sont aléatoires. Ensuite, son processus est fondé sur la concentration des connaissances, surtout durant la période de développement, au sein d'un groupe relativement restreint d'employés; la recherche de l'innovation rend donc l'entreprise vulnérable lorsque le taux de roulement dépasse un certain seuil. Troisièmement, une controverse liée à l'allocation des ressources l'accompagne généralement, car certaines activités à court terme peuvent réclamer les ressources qui lui sont affectées. Enfin, son

Changement (*change*)

Modification de l'état actuel des choses, du *statu quo*. Démarche qui accompagne la vie de toute entreprise face à l'instabilité et au développement de son environnement.

Innovation (*innovation*)

Nouvelle idée appliquée à un processus, à un produit ou à un service; il s'agit d'une catégorie de changement.

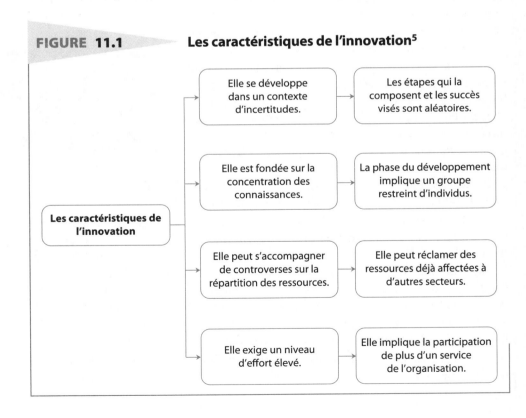

FIGURE 11.1   **Les caractéristiques de l'innovation[5]**

Les caractéristiques de l'innovation

- Elle se développe dans un contexte d'incertitudes.
- Les étapes qui la composent et les succès visés sont aléatoires.
- Elle est fondée sur la concentration des connaissances.
- La phase du développement implique un groupe restreint d'individus.
- Elle peut s'accompagner de controverses sur la répartition des ressources.
- Elle peut réclamer des ressources déjà affectées à d'autres secteurs.
- Elle exige un niveau d'effort élevé.
- Elle implique la participation de plus d'un service de l'organisation.

processus exige un niveau d'effort relativement élevé, car il implique généralement la participation de plus d'un service de l'organisation.

11.2 Le cycle de vie des organisations

Les organisations traversent un certain nombre de stades dans leur cycle de vie. Le passage d'un stade à un autre exige d'une organisation qu'elle s'adapte, qu'elle change, sinon son évolution sera entravée, parfois au point où elle sera menacée de disparition, purement et simplement. Ces stades, au nombre de quatre, sont les suivants: le stade entrepreneurial, le stade charismatique, le stade de la formalisation et le stade de la structuration (*voir la figure 11.2*).

Dans son cycle de vie, une entreprise traverse un certain nombre de stades. Le passage de l'un à l'autre exige qu'elle s'adapte, sans quoi son évolution sera entravée et son avenir compromis.

FIGURE 11.2 **Les effets des stades du cycle de vie sur le niveau de changement**

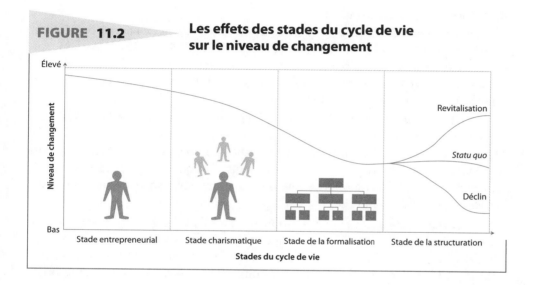

1. Le stade entrepreneurial

La création de la majorité des organisations découle d'une invention ou d'une innovation. C'est la concrétisation de l'idée ou du rêve d'un individu ou d'un petit groupe de personnes: le ski en métal de Howard Head, la motoneige de Joseph-Armand Bombardier, le Apple de Jobs et Wozniak, le scooter «Ginger» ou Segway HT de Dean Kamen. Il ne s'agit pas, à ce stade, de dépenser ses énergies dans des activités de planification ou de coordination. En fait, l'initiateur consacre toute son énergie et ses ressources à faire évoluer son projet, ce qui l'oblige à chercher des appuis extérieurs. Ce sera l'échec ou le passage au second stade.

2. Le stade charismatique

À ce stade, d'autres personnes, souvent aussi enthousiastes que le fondateur, joignent l'organisation. Les efforts sont fournis sans compter, le groupe part en croisade, l'organisation devient sa raison de vivre. L'engagement de chacun des membres est à son maximum et l'identification au groupe est très forte. Souvent, une grande partie de la rémunération est versée sous forme d'actions dont la valeur est encore très spéculative. Tout est informel, les structures sont quasi inexistantes, seul l'avancement du projet compte.

Le degré de croissance de l'organisation rend la gestion et, surtout, le contrôle extrêmement difficiles. L'« artiste[6] », le visionnaire ou le fondateur de l'organisation est dépassé par son entreprise et il doit faire appel à de véritables gestionnaires.

3. Le stade de la formalisation

L'organisation est ensuite structurée en divers services, généralement en fonction des activités spécialisées que sont les finances, les opérations et les ventes ; le contrôle est alors centralisé, et les règlements et les procédures deviennent monnaie courante afin d'assurer la coordination des activités. La centralisation accrue de la gestion impose des contraintes à l'organisation et pourrait l'empêcher d'évoluer. L'entreprise se sclérose, ce qui affecte l'innovation et le désir de prendre des risques.

4. Le stade de la structuration

L'organisation procède alors à un exercice de décentralisation de la prise de décision. La départementalisation par fonction est souvent remplacée par une départementalisation par produits ou services. L'organisation vit alors une phase de « débureaucratisation » et de réduction des coûts. Bref, il s'agit ici de revitaliser l'organisation, de lui redonner le goût de l'innovation.

L'incapacité de traverser ce stade entraînera une réduction de l'innovation, la recherche constante d'un bouc émissaire, un fort taux de roulement et des conflits. Dans ces conditions, l'intensité de la résistance au changement affectera, encore davantage, les possibilités d'innovation. La faillite, la liquidation ou la fusion seront les seules portes de sortie offertes aux organisations incapables de maintenir une capacité minimale d'innovation.

Certaines restructurations et rationalisations dans les grandes entreprises ont été effectuées afin d'éviter les risques que représente ce stade. Les récentes fermetures d'usine et les rationalisations de la main-d'œuvre chez Ford Motor[7], General Motor[8] et Chrysler[9] avaient, entre autres objectifs, celui de rendre ces entreprises plus flexibles dans leurs réactions à la crise du marché.

11.3 Les catégories de changements organisationnels

Devant le changement, les employés et les gestionnaires peuvent réagir de cinq façons (*voir la figure 11.3*). D'abord, ils peuvent nier le changement, ce qui aura pour effet de faire chuter de façon continue le niveau de rendement de l'organisation. Les gens peuvent aussi ignorer le changement en espérant que le temps corrigera la situation ; il s'agit alors de procrastination. Les membres de l'organisation peuvent également résister au changement pour toutes sortes de raisons, ce qui compliquera l'introduction des modifications requises au sein de l'organisation. Il arrive aussi que les gens acceptent le changement et s'adaptent à la nouvelle situation. Enfin, ils peuvent prévoir le changement et le planifier et, ainsi, mieux le contrôler.

FIGURE 11.3

Les réactions face au changement

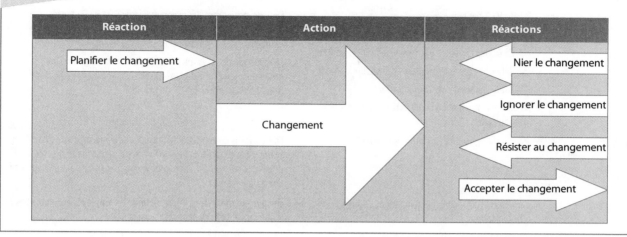

On peut classer les changements en deux catégories : les changements réactionnels et les changements planifiés.

1. Les changements réactionnels

Les **changements réactionnels** sont des changements qui surviennent soudainement en réaction à un événement majeur ou à une crise et qui obligent les organisations à restructurer leurs opérations. Les quatre premières formes de réactions décrites dans la section précédente (nier le changement, l'ignorer, lui résister ou l'accepter) émanent de ces changements.

Dans ces circonstances, les cadres n'ont généralement que peu de temps à consacrer à l'analyse de la situation et à la planification du changement. S'ils optent pour des solutions inappropriées ou inadéquates, les résultats pourront donc être décevants. Sans la présence de l'événement déclencheur, jamais ces changements n'auraient été apportés, ou ils l'auraient été plus tard et ils auraient été effectués à un rythme plus lent.

2. Les changements planifiés

Les **changements planifiés**[10], prévus et contrôlés génèrent la dernière forme de réaction (prévoir le changement) des membres de l'organisation. Cette réaction devient alors une activité proactive ayant un objet prédéterminé. Il peut s'agir de changements linéaires et continus qui respectent les valeurs et la philosophie fondamentale de l'entreprise, ou de changements plus en profondeur qui affectent radicalement plusieurs dimensions et plusieurs niveaux de l'entreprise. Nous décrivons les cibles de ces changements planifiés dans la section qui suit.

Changements réactionnels (*reactive change*)

Changements apportés en réaction à des événements ou à des crises.

Changements planifiés (*planned change*)

Activités proactives ayant un objet prédéterminé.

11.4 Les cibles du changement planifiées

Les changements organisationnels portent sur six aspects ou cibles de l'entreprise, soit : les stratégies, la structure, les employés, la culture organisationnelle, la technologie et l'aménagement physique. Nous les présentons dans le tableau 11.1, à la page suivante.

TABLEAU 11.1   Les catégories de changements organisationnels

CIBLES	OBJECTIFS	EXEMPLES
Les stratégies	• S'ajuster à l'environnement. • Profiter des occasions d'affaires du marché. • Miser sur les capacités particulières de l'organisation. • Se défendre contre les menaces de l'environnement. • Pallier les faiblesses de l'organisation. • Modifier la mission ou les objectifs stratégiques de l'organisation.	• Des collèges offrant des programmes de DEC-BAC intégrés ou de nouveaux programmes mieux adaptés aux métamorphoses du marché. • La demande de Vidéotron au CRTC de lui offrir une certaine protection pendant l'implantation de son service téléphonique IP (téléphonie par câble).
La structure organisationnelle	• Systématiser la structure organisationnelle.	• Le passage d'une structure par fonctions à une structure matricielle influe sur la répartition du pouvoir entre gestionnaires possédant une autorité de commande et gestionnaires possédant une autorité de conseil.
Les employés	• Améliorer l'efficacité et le rendement de l'organisation. • Exiger des modifications qui touchent les comportements, les habiletés, les modes de travail et les attentes des employés.	• Un programme de formation qui initie les employés aux nouvelles manières d'être et de faire de l'organisation. • Un programme d'embauche permettant de renouveler progressivement la main-d'œuvre en fonction des nouveaux besoins.
La culture organisationnelle	• Modifier les valeurs, les croyances et les normes qui cimentent la cohésion des membres d'une organisation[11].	• La valorisation de l'innovation, de l'esprit de compétition, ou l'accent mis sur les profits, le développement de la main-d'œuvre, la productivité ou la qualité du travail.
La technologie	• Moderniser l'équipement et les outils et renouveler les procédures et les connaissances utilisées dans la production de biens et de services. • Améliorer les biens et les services fournis par l'organisation.	• L'implantation de la robotisation et de l'automatisation dans des usines ou l'intégration des technologies de l'information affectent toutes les sphères de l'organisation en modifiant les réseaux de communication.
L'aménagement physique	• Organiser l'espace et l'emplacement des équipements afin de favoriser les exigences du travail, les interactions formelles et les besoins de relations sociales des employés.	• Le regroupement physique des employés par domaines d'affectation favorise le développement des relations personnelles et professionnelles. • La transformation de bureaux individuels fermés en un lieu de travail à aires ouvertes aura un effet majeur sur le comportement et les relations des employés.

Les employés sont la clé de voûte du changement. Il est essentiel, pour l'entreprise, de mobiliser les employés dans la poursuite de ses objectifs.

Notez aussi qu'il existe une relation évidente entre les changements: ainsi, un gestionnaire qui désire effectuer des changements de type technologique se verra dans l'obligation d'effectuer des changements concernant les membres et les structures de l'organisation. L'introduction de l'informatique dans les opérations d'une usine, par exemple, exige un programme de formation pour les employés en place, un réaménagement des postes de travail et une redistribution des responsabilités et de l'autorité.

11.5 Les causes de la résistance au changement

La mise en œuvre de changements par les gestionnaires ne s'effectue pas toujours selon les attentes. Les employés sont la clef de voûte du changement. Si une entreprise désire conquérir un marché, il est essentiel, pour qu'elle y parvienne, que ses employés croient en elle et qu'ils s'engagent à poursuivre ses objectifs, non pas pour le seul profit de leur service, mais pour celui de toute l'organisation.

Nous aborderons donc dans les pages qui suivent les causes de la résistance au changement, les stratégies qui permettent de gérer cette résistance et les phases du changement. Les principales causes des résistances au changement sont illustrées dans la figure 11.4.

Selon une croyance répandue, les employés résistent automatiquement à tout changement. Cette résistance représente d'ailleurs un indice de stabilité de l'organisation et permet de prévoir les comportements des individus, ce qui, en soi, est positif.

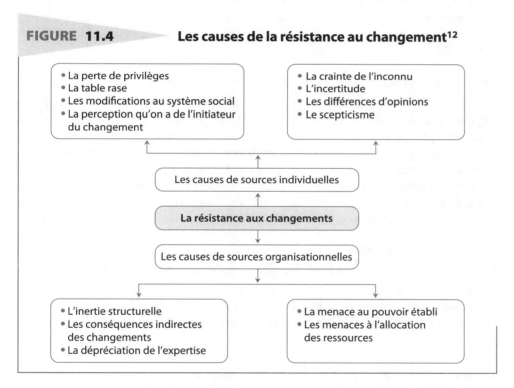

FIGURE 11.4 **Les causes de la résistance au changement[12]**

- La perte de privilèges
- La table rase
- Les modifications au système social
- La perception qu'on a de l'initiateur du changement

- La crainte de l'inconnu
- L'incertitude
- Les différences d'opinions
- Le scepticisme

Les causes de sources individuelles

La résistance aux changements

Les causes de sources organisationnelles

- L'inertie structurelle
- Les conséquences indirectes des changements
- La dépréciation de l'expertise

- La menace au pouvoir établi
- Les menaces à l'allocation des ressources

11.5.1 Les résistances émanant de sources individuelles

Le changement suscite de l'opposition, surtout lorsque ses conséquences sont perçues négativement ou lorsqu'il est difficile de prévoir ses conséquences.

La perte de privilèges

La première cause de la résistance au changement provient de la perte de privilèges. L'individu qui doit faire face à un changement se pose immédiatement une question : « Comment ce changement va-t-il m'affecter ? »

Une restructuration organisationnelle amènera une reformulation des fonctions, des responsabilités et du champ d'autorité des cadres. Les personnes qui, dans une structure donnée, jouissent d'une situation privilégiée ou d'une grande autorité risquent d'en perdre une partie dans la restructuration. Elles seront donc les premières à s'opposer à toute modification du partage des rôles.

La table rase

La deuxième cause de la résistance au changement provient du constat de l'inutilité des investissements en ressources humaines ou financières déjà consentis. L'acceptation du changement dans ce cas signifierait la perte des ressources déjà investies ou une renonciation totale à des principes ou à des valeurs souvent âprement défendus. Il faudrait alors faire table rase du passé.

Les modifications au système social

La troisième cause de la résistance au changement découle du fait que la structure organisationnelle définit souvent le système social des membres de l'organisation. Tout changement apporté à cette structure amène une redéfinition de leur rôle et, surtout, du système d'interactions.

La perception qu'on a de l'initiateur du changement

La quatrième cause provient de la perception qu'ont les membres d'une organisation de l'initiateur du changement. La perception qu'a le groupe de la personne qui apporte un changement joue un rôle important dans son acceptation par les autres. Ainsi, les cadres auront tendance à recevoir avec méfiance une proposition émanant du syndicat. De même, les militants syndicaux auront peut-être des appréhensions à l'égard des initiatives provenant de la haute direction. Ce qui est en cause ici, ce n'est pas la valeur réelle des propositions de chacune des parties, mais plutôt l'impression créée par la mise en place de normes extérieures.

La crainte de l'inconnu

La crainte de l'inconnu constitue la cinquième cause de la résistance. Elle se nourrit de l'incompréhension et de la méfiance suscitées par ce qui est proposé. Lorsque les motifs des changements n'ont pas été clairement expliqués ou compris, les individus peuvent se sentir manipulés, convaincus que les raisons réelles du changement leur ont été cachées.

L'incertitude

Le besoin de sécurité constitue la sixième cause de la résistance au changement. La crainte des employés quant aux conséquences de ce qui est proposé sur leur vie personnelle et professionnelle suffit pour qu'ils développent une résistance aux propositions de changement. Il peut s'agir d'une simple appréhension au regard d'une situation ambiguë ou d'une inquiétude réelle des employés quant à leur capacité d'adaptation au changement, particulièrement au changement technologique.

Les différences d'opinions

Les différences d'opinions quant à la nécessité du changement, au genre de changement à apporter ou à la manière d'effectuer le changement sont des causes fréquentes de résistance. Au regard d'un problème, les conclusions des différents intervenants ne convergent pas toujours, et elles peuvent entraîner une réaction de résistance de la part de ceux qui ne réussissent pas à imposer leur choix.

Le scepticisme

Enfin, la résistance au changement peut être le fait du cynisme et du scepticisme à l'égard des changements. Certains employés ont vécu de multiples changements dans leur carrière. Si, selon leur perception, rien ne semble avoir véritablement changé dans la réalité quotidienne, ils seront sceptiques à l'égard des nouvelles propositions de changement.

11.5.2 Les résistances émanant de sources organisationnelles

Les organisations doivent leur survie à un certain conservatisme. Pourtant, elles ne survivront que si le changement devient une de leurs caractéristiques essentielles. Il s'agit d'un paradoxe quotidien illustré par le comportement d'institutions telles que les Églises, les syndicats, les universités, les gouvernements, les partis politiques et, bien évidemment, les entreprises[13].

Les principales causes de la résistance organisationnelle sont présentées dans la figure 11.4, à la page 281. Ce sont l'inertie structurelle, les conséquences dérivées des changements, la dépréciation de l'expertise, la menace au pouvoir établi et les menaces à l'allocation des ressources.

L'inertie structurelle

Les organisations reposent sur un minimum de conservatisme afin d'assurer leur survie et leur stabilité. Par exemple, le mode de structuration de l'entreprise, qui suppose l'utilisation de politiques, de procédures, de normes et de règles, impose une stabilité dans les comportements et les relations des employés. De manière générale, les critères de sélection des nouveaux employés favorisent l'insertion dans l'entreprise de personnes dont les valeurs et les objectifs sont conformes à ceux des employés déjà en place.

Les conséquences indirectes des changements

L'entreprise est composée d'un ensemble de parties, de sous-systèmes. Tout changement à l'intérieur d'un sous-système risque fort d'affecter les autres sous-systèmes. Ainsi, un changement technologique peut affecter la structure organisationnelle. La modification de la structure organisationnelle affecte les relations entre les individus et le pouvoir ou les privilèges de certaines personnes, d'où la résistance à certains changements.

La dépréciation de l'expertise

Lorsque survient un changement dans les rôles et les responsabilités des membres d'une organisation, cela peut mettre en péril l'image, le rôle et parfois même le poste de certains individus. L'informatisation des entreprises a complètement bouleversé le rôle des secrétaires, des services centralisés d'informatique, des bibliothécaires, des graphistes, des imprimeurs, des centres de distribution du courrier et d'autres éléments de l'entreprise. Grâce à Internet, l'information est maintenant accessible à l'ensemble des employés travaillant au niveau des opérations. Certains spécialistes ont vu leur rôle être remis en question et leur importance dans la structure décliner.

La menace au pouvoir établi

Être cadre intermédiaire dans une entreprise est une situation généralement inconfortable[14]. En effet, le pouvoir des personnes occupant un tel rôle au sein de l'organisation est remis en question chaque fois que sont implantés de nouvelles structures qui favorisent l'émergence de groupes de travail ainsi que des programmes de participation des employés à la prise de décision.

Les menaces à l'allocation des ressources

À l'instar de la perte de pouvoir, la perte de ressources, ou la perception d'une possibilité de perdre des ressources, peut s'avérer suffisante pour susciter une résistance à un changement. Les groupes qui, dans la situation présente, contrôlent une part importante des ressources ont tout à perdre d'une nouvelle allocation de ces ressources, et très peu à gagner.

11.6 Les stratégies de gestion de la résistance au changement

La manifestation ouverte et immédiate d'une forme de résistance par des employés facilite la gestion de la situation par le cadre dirigeant. Par contre, une résistance différée ou larvée pose de nombreux problèmes, surtout qu'il est souvent difficile d'établir un lien entre un comportement et un changement spécifique. Par exemple, la baisse du niveau de motivation, la hausse du taux d'absentéisme ou la hausse du taux d'erreurs qui se manifestent quelques mois après un changement d'horaire de travail pourront difficilement être liées à ce changement spécifique.

La figure 11.5 résume les six principales stratégies qui s'offrent aux cadres pour gérer la résistance au changement et qui sont : l'information, la participation, le soutien, la manipulation, la négociation et la contrainte.

L'information

Cette stratégie visant à modifier la perception des employés est sans doute la plus utilisée. Elle repose sur le postulat que l'ennemi principal du changement, c'est l'ignorance. Cette approche exige le respect de deux conditions fondamentales : d'abord, que le dispensateur de l'information soit digne de confiance et, ensuite, que les employés soient capables de comprendre le message qui leur est transmis (*voir le chapitre 8*).

Le gestionnaire devra être clair quant aux objectifs visés par les changements et leurs conséquences. La résistance des employés est souvent causée par le fait qu'ils ignorent les effets du changement. Informer les employés du contenu des changements afin qu'ils puissent réagir en fonction des faits et non des rumeurs, voilà une exigence de l'acceptation du changement.

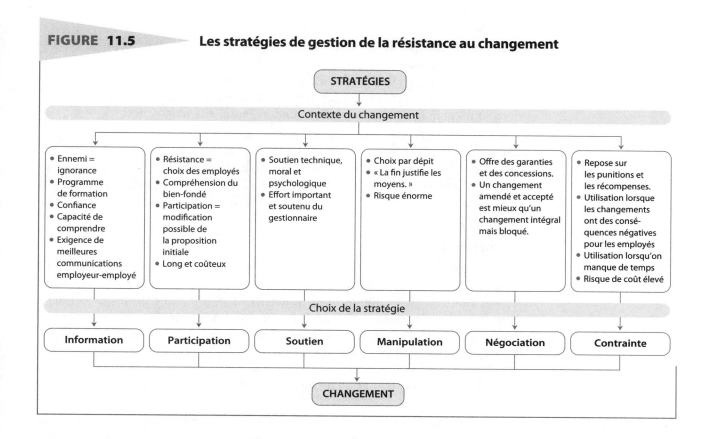

FIGURE 11.5 Les stratégies de gestion de la résistance au changement

STRATÉGIES

Contexte du changement

- Ennemi = ignorance
- Programme de formation
- Confiance
- Capacité de comprendre
- Exigence de meilleures communications employeur-employé

- Résistance = choix des employés
- Compréhension du bien-fondé
- Participation = modification possible de la proposition initiale
- Long et coûteux

- Soutien technique, moral et psychologique
- Effort important et soutenu du gestionnaire

- Choix par dépit
- « La fin justifie les moyens. »
- Risque énorme

- Offre des garanties et des concessions.
- Un changement amendé et accepté est mieux qu'un changement intégral mais bloqué.

- Repose sur les punitions et les récompenses.
- Utilisation lorsque les changements ont des conséquences négatives pour les employés
- Utilisation lorsqu'on manque de temps
- Risque de coût élevé

Choix de la stratégie

| Information | Participation | Soutien | Manipulation | Négociation | Contrainte |

CHANGEMENT

Cette stratégie est très utile lorsqu'il s'agit de changements technologiques, dont la compréhension exige une connaissance précise de certaines données et lorsque les délais permettent d'informer toutes les personnes touchées par les changements.

La participation

Les tenants de cette stratégie soutiennent que la résistance d'un employé à qui l'on demande de faire quelque chose relève d'un choix. De fait, si l'employé refuse le changement, c'est qu'il a trouvé une autre façon de faire qui correspond mieux à ses valeurs. Ainsi, avant de le former et de l'informer, comme le préconise la stratégie précédente, il faudra modifier ses valeurs et ses croyances. Pour y parvenir, le gestionnaire devra multiplier les rencontres et les discussions, créer un climat de confiance et faire preuve d'ouverture[15].

Dans ce cas, les individus qui participent à l'élaboration des changements en comprendront mieux le bien-fondé ; ils se sentiront concernés et vivront moins d'incertitude quant aux conséquences de ces changements. Mais il se peut que la démarche des employés amène, en contrepartie, un changement de comportement chez le gestionnaire. Celui-ci doit donc accepter l'éventualité d'avoir à modifier sa proposition de changement. L'exercice risque ainsi d'amener des changements proposés de part et d'autre, tant par le gestionnaire que par les employés.

Le soutien

Le gestionnaire qui adopte cette approche offrira à l'employé qui éprouve de l'insécurité devant le changement le soutien technique, moral et psychologique qui lui est nécessaire pour affronter les difficultés qui résultent de ce changement. Cette stratégie doit souvent être utilisée avec les employés qui occupent un poste depuis longtemps et qui, de ce fait, ressentent un fort sentiment de sécurité.

Cette approche exige cependant un effort important et soutenu de la part du gestionnaire. S'il n'est pas prêt ou s'il ne dispose pas du temps nécessaire, mieux vaut qu'il n'entreprenne pas cette démarche. Si le soutien provient de la haute direction de l'organisation, il s'agira d'un avantage marqué pour annihiler ou réduire la résistance au changement, particulièrement dans les cas de changements structuraux affectant plusieurs services.

La manipulation

Cette stratégie est souvent retenue par dépit. En effet, le cadre sera tenté d'y recourir s'il sent qu'il ne jouit pas auprès des employés de la confiance qui lui permettrait de communiquer directement avec eux et de les convaincre. Par exemple, le cadre ne fournira aux employés que l'information ayant un effet positif, leur dissimulant les effets négatifs qu'il connaît déjà. Cette stratégie repose sur le principe selon lequel « la fin justifie les moyens ». Malheureusement, le coût de cette méthode peut dépasser toute évaluation. En effet, lorsqu'ils découvrent qu'ils ont été manipulés, les employés en gardent un souvenir vivace.

Cooptation (*cooptation*)

Nomination d'un nouveau membre dans un organisme par les membres qui en font déjà partie.

Parfois, le gestionnaire utilisera la **cooptation**, qui est une forme de manipulation : le gestionnaire choisit un employé qui représente une opposition possible et, avec de l'imagination, lie les besoins de ce dernier aux objectifs du changement visé. Il suffira, par exemple, d'accorder à la personne qui risque le plus de s'opposer au changement un poste au sein du comité responsable de l'implantation du changement. Cette personne se ralliera, espérant faire accepter ses propositions dans les rencontres du comité. Dans ce cas particulier, le gestionnaire ne désire pas vraiment la participation du « résistant » ; l'objectif consiste surtout à obtenir son adhésion et son concours pour éliminer les velléités de résistance des autres employés. Une fois gagné à la cause, cet employé pourra, seul ou accompagné du cadre dirigeant, présenter à ses collègues les changements proposés.

La négociation

Sans mettre en péril son autorité, un cadre peut négocier avec les personnes affectées par le changement afin de réduire le niveau de résistance. Lorsqu'un individu, un groupe ou un service représente potentiellement une source sérieuse de résistance, son appui peut être obtenu en échange de garanties ou de concessions.

Ajoutons que le compromis n'est pas déshonorant. Lorsque le gestionnaire propose un changement, il est possible que les membres du service touché exigent que des modifications y soient apportées. Mieux vaut un changement amendé et accepté qu'un changement intégral, mais bloqué.

Enfin, le changement crée des remous, il dérange la routine. C'est pourquoi le gestionnaire doit offrir aux personnes concernées certaines garanties ou compensations. Il se peut que toutes les résistances au changement ne puissent être éliminées. Si les motifs favorisant le changement sont fondés, il faudra accepter de ne pouvoir satisfaire tout le monde.

La contrainte

La stratégie fondée sur la contrainte repose sur les punitions et les récompenses, le jeu du pouvoir. Le gestionnaire emploie cette stratégie lorsqu'il considère que les changements auront des conséquences négatives pour les employés ou qu'ils auront des effets désagréables. Il peut s'agir, par exemple, de pertes d'emplois, de rétrogradation, de mutation ou de compressions salariales. Cette technique est pratique lorsque le temps manque. Mais, pour l'appliquer, le cadre doit posséder un grand pouvoir de récompenser et de punir; il doit édicter une « règle » et la faire connaître, et aussi faire connaître les conséquences d'un manquement à cette règle. Cette approche, qui en est une de dernier recours, est aussi fondée sur le principe voulant que la fin justifie les moyens. Malheureusement, le coût de cette méthode peut dépasser ses avantages et tout projet de changement futur risque d'être contesté.

11.7 L'analyse des champs de forces

Tout compte fait, la meilleure stratégie est celle qui est adaptée à la situation, et il faut éviter de s'en tenir à une seule. Sinon, les employés finissent par la connaître et comprennent qu'elle n'est pas fondée sur une démarche sérieuse, mais simplement utilisée par facilité ou par automatisme. De plus, il ne faut pas se contenter de croire que le changement passera l'épreuve du temps avec succès et que, de toute façon, les employés finiront par l'accepter. Il faut planifier le changement.

Afin d'exploiter la stratégie la plus appropriée et la plus efficace dans une situation donnée, les gestionnaires utilisent une technique appelée **analyse des champs de forces**[16]. Cette méthode consiste en l'analyse des deux catégories de forces affectant une proposition de changement, soit les *forces positives* et les *forces négatives*. Les forces positives sont les facteurs favorisant un changement, et les forces négatives sont les facteurs qui nuisent à ce même changement.

Il ne faut pas confondre les champs de forces et les conséquences, les premiers étant les facteurs affectant le changement, alors que les secondes sont les résultats du changement.

Afin de réaliser un changement, le cadre dirigeant doit accroître les forces positives ou réduire les forces négatives. Il est préférable de travailler à la réduction des forces négatives. Voyons l'exemple d'une entreprise qui désire réduire les coûts de production. La figure 11.6, à la page suivante, illustre les forces positives et négatives qui affecteront le rythme et la permanence du changement.

Analyse des champs de forces (*force-field analysis*)

Méthode consistant en l'analyse des deux catégories de forces affectant une proposition de changement, soit les forces positives et les forces négatives. Les forces positives sont les facteurs favorisant le changement et les forces négatives sont les facteurs qui nuisent à ce même changement.

FIGURE **11.6**

L'analyse des champs de forces

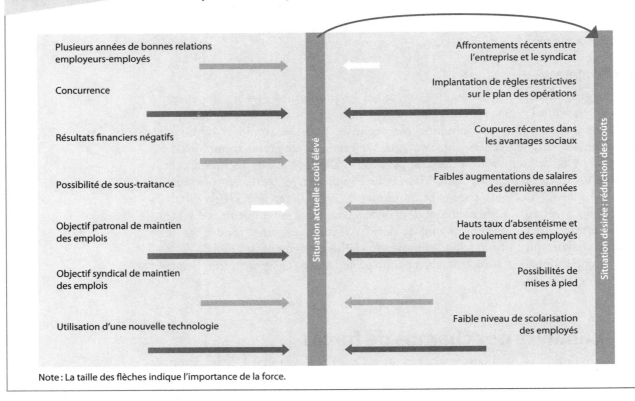

Plusieurs années de bonnes relations employeurs-employés

Concurrence

Résultats financiers négatifs

Possibilité de sous-traitance

Objectif patronal de maintien des emplois

Objectif syndical de maintien des emplois

Utilisation d'une nouvelle technologie

Situation actuelle : coût élevé

Affrontements récents entre l'entreprise et le syndicat

Implantation de règles restrictives sur le plan des opérations

Coupures récentes dans les avantages sociaux

Faibles augmentations de salaires des dernières années

Hauts taux d'absentéisme et de roulement des employés

Possibilités de mises à pied

Faible niveau de scolarisation des employés

Situation désirée : réduction des coûts

Note : La taille des flèches indique l'importance de la force.

11.8 Le processus de changement

Afin de réaliser les changements planifiés, les gestionnaires doivent respecter un processus[17] comprenant six étapes, soit la perception d'une occasion d'affaires ou d'une menace, l'analyse de la situation, la présentation d'une solution et l'adoption du changement, la réduction de la résistance au changement, la mise en œuvre du changement et l'évaluation des résultats. Ces étapes sont regroupées en trois phases : le dégel, le changement et le regel, comme l'illustre la figure 11.7.

11.8.1 Le dégel

La phase de dégel apparaît habituellement lorsque les membres de l'organisation font face à de nombreux problèmes dont certains sont répétitifs. Cette accumulation de problèmes constitue le signal du dégel au sein de l'organisation. C'est la phase où les dirigeants prennent conscience que les stratégies, les structures et les modes d'opération ne fonctionnent plus ; c'est aussi la phase de la sensibilisation au changement. Le dégel apparaît concrètement lorsque les individus touchés par les problèmes entament des discussions portant sur les besoins de changement. Les membres de l'organisation refusent le *statu quo*, reconnaissent le besoin de change-ment, proposent des solutions de rechange et en discutent.

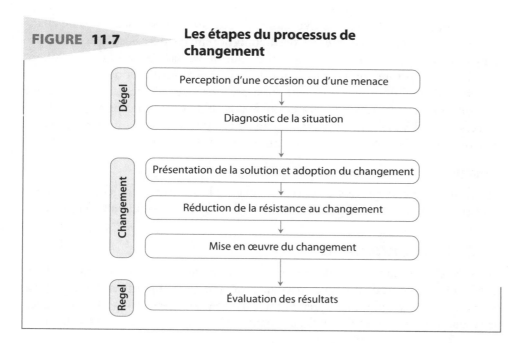

FIGURE 11.7 Les étapes du processus de changement

Dégel
- Perception d'une occasion ou d'une menace
- Diagnostic de la situation

Changement
- Présentation de la solution et adoption du changement
- Réduction de la résistance au changement
- Mise en œuvre du changement

Regel
- Évaluation des résultats

le signet du stratège

Approche pour bien implanter un changement

Une approche gagnante lors de l'implantation d'un changement exige le respect de certaines règles. Voici donc quelques conseils à suivre:

1. Développez un climat de confiance.

La confiance entre le superviseur et les employés favorise l'acceptation des changements.

2. Discutez des changements à venir.

L'inconnu étant un ennemi, il faut informer les employés et leur offrir une écoute active.

3. Faites participer les employés aux changements.

Il faut faire participer les employés dès le début du processus afin de gagner leur confiance et de profiter de leur apport.

4. Assurez-vous que les changements soient raisonnables.

Afin de s'assurer que les changements proposés sont raisonnables, les gestionnaires doivent être au fait de l'environnement de travail des employés concernés.

5. Évitez les menaces.

Une menace suppose l'existence de mauvaises nouvelles. Cela accroîtra la résistance au changement.

6. Choisissez méticuleusement le milieu d'implantation du changement.

Certaines personnes ou certains groupes sont plus flexibles et présentent une attitude positive à l'égard du changement. Il serait préférable d'amorcer les changements auprès de ces personnes.

La perception d'une occasion d'affaires ou d'une menace

Le processus de changement commence lorsqu'il y a perception d'une occasion d'affaires ou d'une menace. Généralement, les gestionnaires réagissent aux menaces et aux problèmes. Malheureusement, de nombreuses occasions de changement sont ratées parce que ces derniers ignorent les occasions que leur offre le marché. Il faut évidemment analyser ce qui ne va pas, mais il faut également examiner en profondeur les éléments de l'organisation qui vont très bien : les occasions d'amélioration pourraient aussi profiter à ces éléments[18]. Notons que l'exploitation des occasions favorables n'est possible qui si l'entreprise possède un processus accéléré de prise de décision ; d'où l'importance de la mise en place de structures flexibles, comme les structures en réseaux évoquées dans le chapitre 4.

L'analyse de la situation

La seconde étape du processus consiste à analyser la situation et à générer des idées novatrices, sans toutefois négliger les éléments de l'organisation qui fonctionnent bien.

11.8.2 Le changement

Le processus de changement débute par l'implantation de programmes qui permettent la mise au point de nouvelles structures, de nouveaux objectifs et d'une nouvelle façon de faire. Cette phase comprend l'étude des solutions de rechange, l'implantation de la solution qui sera retenue et l'ajustement final en fonction des résultats obtenus.

La présentation d'une solution et l'adoption du changement

La présentation d'une solution et l'adoption du changement constituent la troisième étape du processus de changement. C'est l'étape où, généralement, la résistance se manifeste. En effet, la proposition sera probablement rejetée, à moins que le gestionnaire n'ait effectué un travail de persuasion dont le but aura été de démontrer l'importance et la nécessité du changement proposé.

La réduction de la résistance au changement

Vient ensuite l'étape de la réduction de la résistance au changement. En raison de tous les facteurs évoqués dans la section 11.5, « Les causes de la résistance au changement », il y aura certainement, dans un groupe de l'organisation, manifestation de résistance. Il faut donc planifier des actions afin de réduire cette résistance, c'est-à-dire bien planifier l'introduction du changement à l'aide des stratégies présentées dans la section 11.6, « Les stratégies de gestion de la résistance au changement ».

La mise en œuvre du changement

La cinquième étape est la mise en œuvre du changement. L'effort investi dans la préparation du changement et la qualité de la réalisation des étapes précédentes rendent cette étape relativement facile. C'est le moment de vérité.

11.8.3 Le regel

La phase du regel correspond à l'acceptation des changements et à l'émergence d'un nouveau *statu quo*. C'est la phase de la stabilisation du changement. La tentation de retourner à l'« ancienne manière » ou de résister au changement est complètement disparue. Cette phase est atteinte seulement après une période d'ajustement qui comporte des manifestations de résistance au changement. Il est plus aisé de traverser cette période de résistance lorsque le gestionnaire connaît les motifs de la résistance et les stratégies pour faciliter le changement. Il est préférable de laisser le temps au regel de bien s'installer avant d'introduire de nouveaux changements.

L'évaluation des résultats

L'évaluation des résultats constitue la sixième et dernière étape du processus de changement. Comme nous l'avons vu lors de l'étude du processus de gestion, la planification ne prend sa vraie valeur que lorsqu'une activité de contrôle permet de vérifier si les objectifs sont atteints ou, encore, de mesurer l'ampleur des correctifs à apporter afin de rapprocher les résultats des attentes.

11.9 Le succès d'un changement

Les employés sont le fondement de la réussite d'un changement. Les cadres doivent avoir ce fait à l'esprit s'ils espèrent gérer efficacement les changements à apporter aux stratégies, aux structures, à la technologie, aux valeurs ou au personnel. Leurs efforts se traduiront en succès lorsqu'ils constateront que[19]:

- la situation de l'entreprise correspond à celle qu'ils avaient planifiée;
- les opérations et le fonctionnement de l'entreprise correspondent à leurs attentes;
- les changements ont été effectués à un coût raisonnable pour l'entreprise;
- il n'y a pas de séquelles importantes chez les employés qui ont été affectés par les changements.

RÉSUMÉ

Nous avons vu que le changement est une caractéristique inéluctable de la vie de l'entreprise. En effet, les organisations sont des systèmes ouverts sur leur environnement et elles doivent s'y ajuster constamment au cours de leur existence. Le cycle de vie des entreprises se divise en une suite de stades, dont le stade entrepreneurial, le stade charismatique, le stade de la formalisation et le stade de la structuration.

Le stade entrepreneurial est la concrétisation de l'idée d'un individu. Le stade charismatique est celui où d'autres personnes se joignent à l'organisation. Le stade de la formalisation correspond à l'application du processus d'organisation. Enfin, le stade de la structuration est celui où l'organisation effectuera un exercice de décentralisation de la prise de décision.

Le changement se définit comme une modification de l'état stationnaire des choses. L'innovation constitue une nouvelle idée appliquée à un processus, à un produit ou à un service; il s'agit d'une catégorie de changements.

Il existe essentiellement deux catégories de changements, soit les changements réactionnels et les changements planifiés. Les changements réactionnels surviennent à la suite d'un événement majeur qui oblige l'organisation à restructurer ses opérations. Le changement planifié est une activité proactive ayant un objet prédéterminé. Il existe six cibles de changements dans les organisations: les stratégies, la structure, la technologie, le personnel, l'aménagement physique et la culture organisationnelle.

Les résistances individuelles viennent des employés que la situation actuelle privilégie, qui y ont investi des ressources ou dont les rôles ou les relations risquent d'être affectés négativement par le changement. L'attitude de l'initiateur du changement joue aussi un rôle important dans l'acceptation de ce changement par les employés. L'incompréhension, la méfiance et les différences d'opinions quant à la nécessité du changement sont aussi des sources fréquentes de résistance. Enfin, l'incertitude quant aux conséquences des changements sur la vie personnelle et professionnelle des employés constitue une autre source de résistance au changement.

Les sources des résistances organisationnelles les plus courantes sont l'inertie structurelle, les conséquences dérivées des changements, la dépréciation de l'expertise, la menace au pouvoir établi et la nouvelle allocation des ressources.

Les principales stratégies pour gérer le changement sont l'information, la participation, le soutien, la manipulation, la négociation et la contrainte.

Afin de réaliser les changements planifiés, les gestionnaires doivent respecter un processus comprenant six étapes : la perception d'une occasion ou d'une menace, l'analyse de la situation, la présentation d'une solution et l'adoption du changement, la réduction de la résistance au changement, la mise en œuvre du changement et l'évaluation des résultats. Ces six étapes s'organisent en trois phases, soit la phase du dégel, la phase du changement et la phase du regel.

Le succès d'un changement est confirmé lorsque la situation de l'entreprise correspond à celle qu'on avait planifiée, et que ce changement s'est effectué à un coût raisonnable pour l'entreprise.

Évaluation des connaissances

QUESTIONS DE RÉVISION

1. Pouvez-vous vous inspirer d'une situation que vous avez vécue pour expliquer les étapes du changement ?

2. De quels facteurs le cadre doit-il tenir compte dans le contrôle de la résistance au changement ?

3. En vous inspirant d'exemples concrets, pouvez-vous décrire les réactions les plus courantes des employés lorsque survient un changement ?

4. Comment un gestionnaire pourrait-il atténuer la résistance au changement ?

5. Pouvez-vous donner un exemple de chacune des causes de la résistance au changement ?

6. Comment expliqueriez-vous la différence entre le changement et l'innovation ? Utilisez un exemple pour illustrer votre propos.

7. Quelles stratégies pourrait-on employer pour contrer la résistance au changement ? Illustrez trois d'entre elles à l'aide d'exemples.

8. Quelles sont les quatre étapes du cycle de vie des organisations ? Décrivez-les.

9. Comment les gestionnaires peuvent-ils utiliser les équipes multidisciplinaires pour atténuer la résistance au changement ?

10. Pouvez-vous expliquer en quoi la résistance au changement n'est pas un acte irrationnel ?

Analyse de cas

Outilex est un manufacturier d'outils pour les bricoleurs et les rénovateurs amateurs. L'entreprise fabrique des pinces, des marteaux, des tournevis, des truelles et d'autres outils depuis plus de 35 ans. Ses produits sont distribués dans les centres de rénovation, les quincailleries et les chaînes de distribution. Certains produits sont aussi vendus dans quelques chaînes d'alimentation et dans les pharmacies.

Martin Vendette est le président fondateur de l'entreprise. C'est un ancien vendeur de Black and Decker. Il a déjà aussi été représentant pour un fabricant de produits alimentaires et un distributeur de barbecues au propane. D'ailleurs, plusieurs cadres de l'entreprise ont commencé leur carrière dans la vente. Par conséquent, l'entreprise consacre des efforts considérables à la satisfaction de la clientèle.

Cette orientation s'est traduite par des succès impressionnants dans les ventes : la part de marché d'Outilex frôle les 15 %, ce qui faisait de l'entreprise, jusqu'à tout récemment, le chef de file de l'industrie au Canada dans cette catégorie de produits.

La croissance d'Outilex a toujours reposé sur l'introduction de nouveaux produits et sur la hausse du volume des ventes des produits classiques. La structure de l'entreprise est la même depuis le début. Seuls de nouveaux territoires ont été développés, ce qui a nécessité l'ajout de directeurs des ventes et de nouvelles équipes pour les desservir. Les processus de production, d'entreposage, d'achat de matières premières et de comptabilité sont les mêmes depuis la création de l'entreprise. Le service de la comptabilité s'est informatisé il y a huit ans, mais il s'agit là du seul changement survenu dans les pratiques de gestion.

Les nouveaux produits sont développés pour répondre à la demande des clients, et les modes de production sont peaufinés afin de respecter les normes de qualité élevées de l'entreprise. Les coûts de production ne sont jamais remis en question, et peu d'études ont été effectuées pour les réduire.

Au cours des dernières années, Outilex a glissé au quatrième rang des producteurs d'outils pour les bricoleurs. Sa rentabilité a diminué, même si l'entreprise ne cesse de mettre sur le marché de nouveaux produits. Plusieurs acheteurs des chaînes de magasins qui écoulent ses produits se plaignent de leurs coûts sans cesse croissants.

Pour réagir à cette situation, Martin Vendette a embauché Véronique Rubert, une jeune diplômée en techniques administratives du cégep. Après à peine six semaines dans l'entreprise, Véronique en est à rédiger ses constatations et ses recommandations. Un matin, lorsque qu'il est entré dans le bureau de Véronique, Martin a remarqué sur l'écran de son ordinateur le titre de son rapport : « Changement de culture ».

QUESTIONS

1. Décrivez, dans vos mots, la culture organisationnelle d'Outilex.

2. En quoi consistera, à votre avis, la proposition formulée dans le rapport de Véronique sous le thème de « changement de culture » ?

3. Quels sont les changements qu'il est désormais nécessaire d'apporter dans cette entreprise ?

4. Quels sont les problèmes que l'entreprise pourrait connaître au moment de l'implantation d'un changement de culture ?

 **Analyse de cas**

CAS 2 – LE DÉMÉNAGEMENT (degré de difficulté : moyen)

La société Résotix Canada a son siège social dans un immeuble à bureaux du centre de Montréal depuis plus de 12 ans. Cet emplacement sert l'image de marque de l'entreprise ; de plus, il permet aux cadres et aux représentants de la société d'être près de leurs fournisseurs et de leurs clients. D'ailleurs, jusqu'à tout récemment, trois des principaux clients de l'entreprise se trouvaient dans le même édifice.

Cependant, la récente expansion de l'entreprise l'a incitée à déménager à Ottawa. Deux des clients qui logeaient dans l'édifice de Montréal sont déménagés dans cette ville, et 60 % de la nouvelle clientèle provient de la région de la capitale nationale. Il est vrai que le gouvernement canadien et certaines de ses sociétés comptent maintenant parmi les clients de Résotix.

Le service des ventes de l'entreprise a ses bureaux au siège social. Les employés de ce service sont divisés en deux groupes : le premier groupe est composé de représentants à l'interne dont le rôle consiste à prendre des commandes téléphoniques ; le deuxième groupe réunit les représentants qui ne passent que quelques heures par semaine à leur bureau et qui partagent le reste de leur temps entre les visites aux clients et les appels de service.

Les dirigeants ont décidé de déménager tous les représentants dans les bureaux d'Ottawa puisque près de 70 % de la clientèle se trouve maintenant dans cette ville. Andrée Risoto, directrice du service des ventes, a donc reçu une directive du vice-président au marketing lui demandant d'annoncer le déménagement à ses représentants.

Un très grand nombre de ceux-ci demeurent à Laval ou à Longueuil. Ils se sont installés dans ces villes à cause de l'accessibilité de leur lieu de travail en voiture. Ils ont pris l'habitude de dîner dans les restaurants du centre-ville, où le choix est vaste. Enfin, la proximité des grands magasins permet à plusieurs d'entre eux d'effectuer leurs achats le midi, ce qui leur évite de gaspiller leurs journées de congé à faire des emplettes.

Le déménagement les obligerait évidemment à vendre leur maison et à déménager leur famille.

QUESTIONS

1. Quels sont les champs de forces favorables et les champs de forces défavorables à ce déménagement ?

2. Andrée Risoto doit-elle informer le vice-président des problèmes personnels que le déménagement causera aux employés ?

3. Si vous étiez Andrée Risoto, comment annonceriez-vous la nouvelle aux employés ?

4. Comment procéderiez-vous pour faire accepter le déménagement aux représentants ?

www.cheneliere.ca/
turgeon-lamaute

Chapitre 12

L'exercice du contrôle

Cheminement d'idées ▸

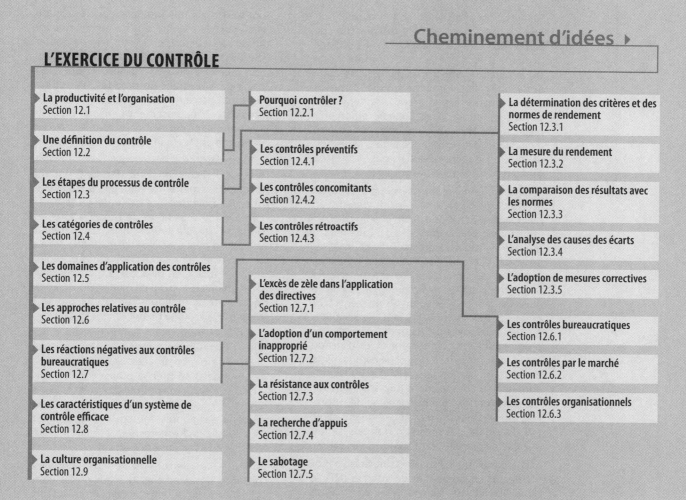

L'EXERCICE DU CONTRÔLE

La productivité et l'organisation
Section 12.1

Une définition du contrôle
Section 12.2

Les étapes du processus de contrôle
Section 12.3

Les catégories de contrôles
Section 12.4

Les domaines d'application des contrôles
Section 12.5

Les approches relatives au contrôle
Section 12.6

Les réactions négatives aux contrôles bureaucratiques
Section 12.7

Les caractéristiques d'un système de contrôle efficace
Section 12.8

La culture organisationnelle
Section 12.9

Pourquoi contrôler ?
Section 12.2.1

Les contrôles préventifs
Section 12.4.1

Les contrôles concomitants
Section 12.4.2

Les contrôles rétroactifs
Section 12.4.3

L'excès de zèle dans l'application des directives
Section 12.7.1

L'adoption d'un comportement inapproprié
Section 12.7.2

La résistance aux contrôles
Section 12.7.3

La recherche d'appuis
Section 12.7.4

Le sabotage
Section 12.7.5

La détermination des critères et des normes de rendement
Section 12.3.1

La mesure du rendement
Section 12.3.2

La comparaison des résultats avec les normes
Section 12.3.3

L'analyse des causes des écarts
Section 12.3.4

L'adoption de mesures correctives
Section 12.3.5

Les contrôles bureaucratiques
Section 12.6.1

Les contrôles par le marché
Section 12.6.2

Les contrôles organisationnels
Section 12.6.3

Objectifs d'apprentissage :

1. comprendre les motifs qui incitent les entreprises à se doter de systèmes de contrôle ;

2. reconnaître les types de contrôles ;

3. concevoir un système de contrôle bureaucratique ;

4. développer un système de contrôle à l'aide des budgets et interpréter les ratios financiers ;

5. utiliser une procédure pour implanter un système de contrôle efficace ;

6. promouvoir un contrôle organisationnel au sein d'une entreprise qui reconnaît la valeur de l'habilitation.

Compétences à développer :

• être en mesure de proposer un processus de contrôle à une unité administrative ;

• déterminer les normes et les critères de contrôle ;

• appliquer les mesures de contrôle des résultats ;

• évaluer les caractéristiques d'un système de contrôle efficace et les facteurs qui en affectent la qualité.

L'école en crise

Anna Nafraix a été sélectionnée en avril dernier pour occuper le poste de directrice de l'école polyvalente d'Amok. Elle a enseigné pendant 18 ans et elle était, au moment de sa nomination, directrice adjointe dans une école primaire, fonction qu'elle occupait depuis quatre ans. Son dossier témoigne de sa réputation de professeure efficace et respectée. À titre de cadre, elle s'est révélée dynamique, bien que son rôle dans la gestion de l'école primaire ne lui ait pas permis de prendre des initiatives d'envergure.

Sa candidature a été retenue parce qu'elle était animée de l'ardent désir de prendre en main la destinée d'une école où elle pourrait appliquer sa philosophie. Anna a toujours cru que certains professeurs sont responsables de nombreux problèmes affectant les écoles. Plusieurs enseignants, selon elle, ne respectent pas les normes de la commission scolaire ni celles de l'école. Souvent, ils ne respectent même pas les normes les plus élémentaires du professionnalisme. Ils ne suivent pas les programmes d'enseignement ni les plans de cours. Ils acceptent l'indiscipline comme règle de fonctionnement dans leur classe. D'autres entretiennent des relations trop amicales avec les jeunes et ne visent qu'à devenir des «compagnons de classe» de leurs étudiants. Bref, elle considère qu'un certain nombre d'entre eux devrait quitter la profession.

La polyvalente d'Amok est une école à problèmes. Sa situation dans un quartier difficile de la ville fait que les choses ne vont pas en s'améliorant. Plusieurs élèves proviennent de familles éclatées qui vivent dans la pauvreté. Les corridors et, principalement, la section des casiers des étudiants, sont des lieux où la drogue et l'alcool circulent presque librement et où les échauffourées sont des incidents quotidiens.

Au cours des cinq dernières années, six directeurs ont été affectés à cette école. Ils ont tous exigé une mutation dans une autre école; un de ces directeurs a même accepté un poste de directeur adjoint afin de quitter ses fonctions à la direction d'Amok. Un directeur adjoint a déjà été suspendu pour avoir participé à un trafic de drogues, un autre a été muté parce qu'il cohabitait avec une des étudiantes, heureusement majeure. Bref, les incidents se produisant dans cette école font fréquemment les manchettes des journaux.

C'est dans ce contexte qu'Anna a pris les rênes de l'école en avril dernier. Pendant les mois de mai et de juin, elle a fait distribuer les politiques et les règlements de la commission scolaire et de l'école à tous les professeurs. Elle leur a aussi fait parvenir une lettre personnalisée les incitant à suivre consciencieusement ces politiques et règlements. Anna a, de plus, exigé que tout incident, même bénin, relatif à un écart ou à une inconduite et impliquant un étudiant lui soit rapporté la journée même.

Depuis la rentrée, en septembre, elle organise des réunions hebdomadaires de suivi avec les professeurs. Les réunions ont lieu le vendredi à 16 h et se poursuivent parfois jusqu'à 18 h 30. Le contrôle des présences est effectué à chaque cours, les pauses-café sont prises à des heures précises et le calendrier des examens du trimestre a été établi pour tous les cours selon ses directives.

Toutes les deux semaines, un conseiller pédagogique vient présenter aux professeurs, à l'heure du dîner, une miniconférence sur l'art d'enseigner. Tous sont tenus d'y assister.

Maintenant, tout semble bien se passer. Le nombre de sanctions pour indiscipline a diminué pour chacun des niveaux scolaires, les professeurs respectent scrupuleusement leurs horaires et les examens ont été tenus selon le calendrier prévu par Anna. Tous les dossiers sont à jour et le nombre d'articles dans les journaux concernant la polyvalente a diminué de

▶

70 %. Pour Anna, tout est sous « contrôle » et le prochain trimestre lui permettra de raffiner sa gestion et de faire en sorte que tout rentre dans l'ordre.

Le 17 décembre, pourtant, Anna est convoquée au bureau de Rose Laverdure, directrice de la commission scolaire. Après les salutations d'usage, Rose lui présente trois lettres qu'elle extrait d'un dossier. La première concerne une pétition, signée par 45 % des élèves, qui demandent qu'elle soit mutée dans une autre école. La seconde est aussi une pétition, mais signée par 41 des 47 professeurs, qui exigent qu'elle soit remplacée à la tête de la polyvalente d'Amok. Enfin, le troisième document est un grief formel du syndicat. Dans ce document, il lui est reproché d'interférer dans la gestion pédagogique des professeurs, d'utiliser des méthodes et des tactiques tyranniques, de porter atteinte à la réputation des professeurs et de nier leurs compétences pédagogiques.

« Ouf ! » laisse échapper Anna…

Questions d'ambiance

1. Que pensez-vous des moyens de contrôle d'Anna ?
2. Quelles sortes de contrôles Anna utilise-t-elle ?
3. Pourquoi les systèmes de contrôle d'Anna sont-ils critiqués ?
4. Si vous deviez implanter des systèmes de contrôle pour assurer la gestion de cette polyvalente, comment procéderiez-vous ?
5. Quels sont les contrôles bureaucratiques qui pourraient être utilisés dans ce cas-ci ?
6. Quels sont les contrôles par le marché qui pourraient être utilisés ?
7. Quels sont les contrôles organisationnels qui pourraient être utilisés ?

12.1 La productivité et l'organisation

Les organisations du XXIᵉ siècle font affaire dans un contexte inédit de concurrence, d'innovation technologique sur le plan des communications et de l'information, de rapides changements de stratégie des concurrents, de retournements des conditions économiques et de modifications des comportements d'achat des consommateurs, de diversité, de mondialisation et de prise de conscience de l'importance de l'éthique. Dans ce contexte, les cadres doivent s'adapter, innover et accroître la productivité pour survivre[1].

La **productivité** se définit comme la mesure quantitative et qualitative du rendement de l'organisation en fonction des ressources investies. Elle peut être formulée ainsi :

$$\text{Productivité} = \frac{\text{Extrants}}{\text{Intrants}} = \frac{\text{Biens + Services}}{\text{Main-d'œuvre + Ressources financières + Ressources matérielles + Énergie}}$$

Productivité

(*productivity*)

Mesure quantitative et qualitative du rendement de l'organisation en fonction des ressources investies.

Lorsqu'il est nécessaire de comparer des ressources de natures diverses diverses ou des résultats exprimés en biens produits et en services rendus, il est commode de faire appel à une mesure unique. L'unité de mesure la plus usuelle est le dollar. Ainsi, nous pourrons mesurer les biens produits en établissant leur valeur en dollars, de même que nous pourrons mesurer les ressources utilisées en calculant leur coût. Par exemple, l'équation à la page suivante permet d'établir à 4,08 $ le rendement de chaque dollar consacré à la production d'un bien.

$$\text{Productivité} = \frac{5\,000\,000}{1\,225\,000} = \frac{4\,200\,000 + 800\,000}{600\,000 + 150\,000 + 350\,000 + 125\,000} = 4{,}08$$

Afin d'être productives, les organisations doivent bénéficier d'un système de contrôle éprouvé. En effet, le contrôle consiste à faire en sorte que ce qui se produit correspond à ce qui était planifié.

La réussite d'une entreprise dans un marché compétitif repose sur l'utilisation efficace de ses ressources, sur l'écoute attentive des besoins des clients, sur le respect de la qualité du service et du produit et sur la mise en œuvre d'une politique d'innovation. Le contrôle favorise le développement de ces comportements. L'atteinte d'un bon niveau de rendement nécessite un système d'information qui fournit aux cadres les éléments nécessaires à l'implantation de mesures de correction ou d'amélioration. Jim Padilla, président et chef de l'exploitation de Ford, s'est fait l'apôtre de la qualité en multipliant les inspections de ses nouveaux véhicules au cours des dernières années. Il a ainsi pu réduire les frais de garantie de près de un milliard de dollars US depuis 2001[2].

Le processus de gestion présenté dans la figure 12.1 illustre les liens entre les différentes fonctions de la gestion.

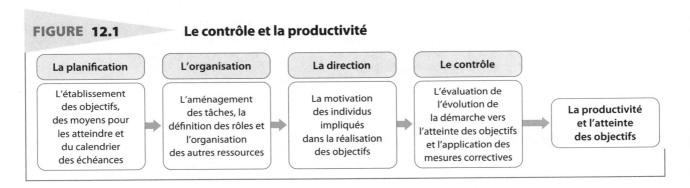

FIGURE 12.1   **Le contrôle et la productivité**

La fonction de contrôle est donc intimement liée aux autres fonctions de gestion, mais plus particulièrement à la fonction «planification», car elle lui fournit les outils pouvant assurer le suivi des objectifs établis au moment de la planification et lui permettant d'effectuer les ajustements nécessaires à leur atteinte. Puisqu'il s'agit d'une boucle (c'est-à-dire d'un processus itératif), le contrôle nous permet de redéfinir la planification… et le processus recommence.

12.2 Une définition du contrôle

Le contrôle est la force qui maintient soudés les éléments d'une organisation. L'absence de contrôles, ou encore leur inefficacité, peut être une source d'augmentation des frais d'exploitation, mais peut également entraîner la faillite de l'entreprise[3].

Le **contrôle** est le processus qui permet d'évaluer l'évolution de la démarche vers l'atteinte des objectifs et d'appliquer les mesures correctives qui garantissent que le rendement correspond aux attentes de la direction. En fait, tout processus qui oriente le comportement des individus vers l'atteinte des objectifs organisationnels

Contrôle (*control*)

Processus qui permet d'évaluer l'évolution de la démarche vers l'atteinte des objectifs et d'appliquer les mesures correctives.

est une forme de contrôle. Le contrôle n'est pas qu'une réaction aux événements après leur réalisation.

Contrôle et planification sont indissociables. Le contrôle découle des plans et des stratégies définis par les cadres. Il faut s'assurer, lorsque l'étape de la définition des objectifs est complétée, que les comportements des employés rendent possible l'atteinte des cibles.

On comprend que la qualité du processus de planification facilite le déroulement des contrôles, et que l'efficacité des contrôles facilite, réciproquement, le processus de planification. La planification projette l'entreprise dans l'avenir, le contrôle devra mesurer le progrès accompli. En évaluant de manière continue ou périodique l'allocation et l'utilisation des ressources, on améliore la qualité de la planification.

12.2.1 Pourquoi contrôler[4] ?

Si les activités de contrôle doivent être appliquées avec tact et jugement, comme nous le verrons plus loin, elles n'en demeurent pas moins essentielles au bon fonctionnement d'une organisation. Les raisons d'être des contrôles sont présentées dans le tableau 12.1.

TABLEAU 12.1   Les raisons d'être des contrôles

RAISON D'ÊTRE	CARACTÉRISTIQUES
1. Prévenir l'incertitude	Les contrôles permettent aux cadres d'affronter *l'incertitude* des marchés, des approvisionnements et des préférences des clients.
	Ils assurent un suivi de la demande des consommateurs et de la disponibilité des matières premières.
2. Détecter les irrégularités	Ils permettent de relever rapidement les *irrégularités* relatives à la qualité, aux coûts des opérations ou au roulement des ressources humaines.
	La détection en amont des problèmes réduit le coût des interventions correctives et évite de transformer une erreur en un désastre.
3. Repérer les occasions d'affaires	Ils permettent de repérer les *occasions d'affaires* en mettant en relief les activités qui dépassent les attentes et incitent les cadres à concentrer leurs ressources dans les points stratégiques.
4. Faciliter la coordination	Ils facilitent la *coordination* dans les entreprises dont les activités sont complexes. Ainsi, la gestion de la chaîne de magasins Walmart et de ses 1 200 000 employés exige un processus de contrôle très développé afin que tous maintiennent le cap vers les objectifs communs.
5. Soutenir la gestion	L'imposition de contrôles est la condition nécessaire à l'exercice d'une gestion fondée sur la *délégation de la prise de décision*. En limitant les points de contrôle et les variables contrôlées, les cadres des niveaux supérieurs conservent la mainmise sur les activités de l'entreprise tout en accordant aux cadres des niveaux inférieurs une grande latitude dans leur travail.
6. Contrôler les coûts et créer de la valeur	Ils permettent aussi de réduire les *coûts de main-d'œuvre* et d'offrir une *valeur ajoutée* à la clientèle. Les problèmes récents des trois grands de l'automobile américains (GM, Ford et Chrysler) découlent de la différence (à la hausse) avec l'Asie sur le plan des coûts de production et de la perception par le consommateur que les voitures japonaises sont mieux construites que les voitures américaines.

12.3 Les étapes du processus de contrôle

Le processus de contrôle consiste en une suite d'étapes dont le but est de déterminer l'action à poser en fonction des écarts constatés et de s'assurer que le déroulement réel des activités soit conforme au plan initial.

Avant d'entamer le processus de contrôle, il faut déterminer l'objet du contrôle. Dans le cas d'une chaîne de production en usine, il peut s'agir de contrôler la qualité du produit, l'utilisation des matières premières, le coût de la main-d'œuvre, l'utilisation de l'équipement ou, encore, les délais de production. Un système de contrôle qui négligerait un élément spécifique pourrait se révéler finalement inefficace. Par exemple, le contrôle de l'entretien d'une chambre d'un patient hospitalisé visera les équipements des chambres, les méthodes de nettoyage, les produits utilisés, etc. Cependant, si le contrôle du lavage des mains par le personnel qui circule d'une chambre à l'autre est négligé, tout l'exercice du contrôle se révèle inutile pour prévenir la contamination.

La figure 12.2 illustre le processus typique d'un système de contrôle.

FIGURE 12.2 **Le processus de contrôle**

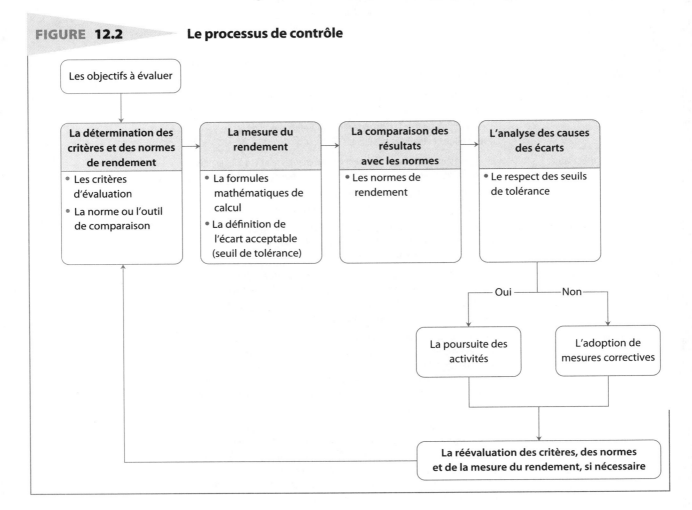

12.3.1 La détermination des critères et des normes de rendement

Toute entreprise vise des objectifs de rentabilité, d'innovation, de satisfaction de la clientèle et de satisfaction des employés. C'est le travail du cadre de définir des indicateurs de rendement pour évaluer l'atteinte de ces objectifs, soit des **critères d'évaluation**.

Puis, il lui faut une **norme**, soit une mesure pour comparer une activité donnée avec les attentes ; cette norme est la valeur de référence, l'objectif de rendement. C'est la règle qui permet d'établir un classement des possibilités, lequel sert à mesurer l'efficacité relative d'une action dans la perspective de la satisfaction d'objectifs, ou à évaluer les résultats des programmes. Le tableau 12.2 présente des critères et des normes typiques pour différents services fonctionnels de l'entreprise.

Critères d'évaluation
(*criteria of evaluation*)
Indicateurs de rendement pour évaluer l'atteinte des objectifs.

Norme (*norm*)
Mesure pour comparer une activité donnée avec les attentes.

TABLEAU 12.2   Des exemples de critères et de normes

SERVICE FONCTIONNEL	TYPE DE MESURE	CRITÈRES	NORMES
Finances	Quantité	Ratio de liquidités	De 0,50 à 1,00
	Quantité	Profit net/ventes	12,5 %
Ressources humaines	Quantité	Taux de roulement	14 %
	Quantité	Nombre de griefs	1 grief par tranche de 20 employés
	Coût moyen	Candidat embauché	250 $ par candidat
Opérations	Temps	Heures supplémentaires	4 500 heures/année
	Qualité	Nombre de rejets	1 unité/10 000 unités produites
	Quantité	Nombre d'unités	45 unités par machine
Marketing	Quantité	Ventes	4 500 000 $/année
	Quantité	Part du marché	35 %

Il s'agit, en fait, de mesurer l'efficacité, la qualité des produits ou des services, l'attention prêtée aux besoins du client et le degré d'innovation.

12.3.2   La mesure du rendement

La **mesure du rendement** est d'abord l'évaluation de la quantité de produits ou de services fournis. L'évaluation du nombre de clients servis par une caissière d'un supermarché ou, encore, celle du « volume de ventes » réalisé en une heure par la même caissière représentent des mesures du rendement de la production. La mesure de la qualité et de la quantité du travail est simple à effectuer dans les cas d'opérations standardisées, facilement localisables et répétitives. Par contre, dans certains domaines, comme l'enseignement, par exemple, une telle mesure n'est pas chose aisée.

La mesure du rendement doit aussi évaluer les comportements. Par exemple, l'attitude de la caissière du supermarché à l'égard des clients, son accueil, son esprit

Mesure du rendement
(*performance measure*)
Évaluation de la quantité de produits ou de services fournis.

d'initiative et son écoute sont tous des comportements qui doivent être évalués pour apprécier le rendement de cette employée.

Il est nécessaire également de définir, dès le départ, ce qui sera mesuré ; l'étape du processus des opérations où l'on procédera à cette mesure ; le moment de cette mesure et sa fréquence.

12.3.3 La comparaison des résultats avec les normes

Afin de permettre une comparaison rapide, les unités utilisées pour mesurer le rendement doivent être les mêmes que celles qui définissent la norme. De plus, la définition de la norme doit comprendre une marge de tolérance et, surtout, il importe que la norme permette d'isoler rapidement un problème. Pour atteindre cet objectif, deux principes de contrôle sont appliqués, soit le principe du contrôle par exception et le principe de l'importance relative.

- Le principe du contrôle par exception nous amène à ne vérifier que ce qui sort de l'ordinaire, de la normalité. L'utilisation des outils informatiques facilite l'application de ce principe grâce à la surveillance automatique du déroulement des activités. La capacité de surveillance des systèmes numériques lors de la production d'un bien permet de contrôler chaque unité. Cela serait impossible pour une personne, car elle ne pourrait procéder que par échantillonnage.

- Le principe de l'importance relative découle du constat que le processus de contrôle comporte un coût non négligeable et qu'il faut conserver ce coût en deçà des avantages que retire l'entreprise du processus. Il importe donc de faire porter l'essentiel du contrôle sur les quelques domaines d'importance où les déviations peuvent avoir des conséquences graves sur l'ensemble des résultats.

12.3.4 L'analyse des causes des écarts

L'analyse des causes de l'écart entre la norme et le résultat présente très souvent un défi de taille. L'évidence existe en de nombreux domaines, et elle permet de pointer facilement les causes des écarts. Un taux d'absentéisme élevé, un retard dans la livraison des matières premières, l'échec à un examen appartiennent à la catégorie des évidences. Dans chaque cas, une analyse le moindrement sérieuse permettra de déterminer les causes du problème avec une certaine justesse. Mais, dans la recherche de la cause des écarts, les hypothèses de causalité sont souvent les seules explications disponibles.

12.3.5 L'adoption de mesures correctives

La phase active du contrôle organisationnel consiste en la prise de mesures correctives. Lorsque les écarts sont importants, il faut agir immédiatement et vigoureusement. Un contrôle efficace est incompatible avec les délais. Les principales mesures correctives disponibles sont a) le maintien du *statu quo* et b) une action de correction. Le gestionnaire peut aussi modifier un critère qui, dans sa forme originale, peut ne pas être représentatif de la réalité à évaluer. Le cadre peut réviser les normes, et les réduire si elles sont trop ambitieuses. Si le problème est lié au processus, il y aura lieu de modifier l'utilisation des ressources, de former le personnel ou de se procurer un équipement plus performant. Quant au processus lui-même, peut-être faut-il le réévaluer.

Dans certains cas, il peut se révéler nécessaire de repenser la planification, de refaire l'organisation ou de corriger des problèmes de direction.

12.4 Les catégories de contrôles

Les activités de contrôle peuvent se faire en trois occasions par rapport à l'activité visée (*voir la figure 12.3*). Certains contrôles ont lieu avant que l'activité ne débute ; ce sont les contrôles préventifs. D'autres ont lieu pendant que l'activité se déroule ; ce sont les contrôles concomitants. Enfin, les contrôles rétroactifs ont lieu une fois l'activité terminée.

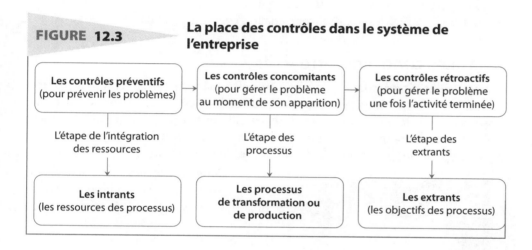

FIGURE 12.3 La place des contrôles dans le système de l'entreprise

12.4.1 Les contrôles préventifs

Les **contrôles préventifs**, ou **préliminaires**, sont effectués avant l'accomplissement de l'activité. Ils sont orientés vers l'avenir. L'objectif consiste à prévenir les problèmes avant leur apparition. Il ne s'agit pas d'attendre les résultats et de les comparer avec les objectifs. Lorsqu'il s'assure que toutes les ressources sont disponibles avant le début d'une activité, qu'il effectue l'entretien de l'équipement ou qu'il informe les fournisseurs des caractéristiques des produits au moment de la commande, un cadre effectue des activités de contrôle préventif qui lui permettent d'éviter les surprises désagréables. Bref, les contrôles préventifs visent surtout les intrants.

Les politiques de l'entreprise, les règles et les procédures qu'elle établit sont des formes de contrôle préventif. Mentionnons aussi, parmi les contrôles préventifs couramment utilisés, le contrôle de la qualité des matières premières avant leur utilisation, les budgets et les limites au pouvoir de dépenser sans autorisation.

Contrôles préventifs ou préliminaires
(feedforward controls)

Contrôles effectués avant l'accomplissement de l'activité.

12.4.2 Les contrôles concomitants

Contrôles concomitants

(*concurrent controls*)

Contrôles qui ont lieu pendant l'exécution de l'activité.

Les **contrôles concomitants** ont lieu pendant l'exécution de l'activité. L'apparition des nouvelles technologies de l'information et des communications a généralisé leur utilisation. La correction est apportée dès qu'un écart est décelé, et ce, avant que l'activité ne soit terminée.

Le contrôle de la qualité des unités et des quantités produites pour vérifier si les normes et les échéanciers sont respectés constitue un contrôle concomitant. Les activités assurant la présence au moment requis des composantes d'un produit sur une ligne d'assemblage et l'évaluation du rendement d'un employé sont aussi des contrôles concomitants. Les procédures d'analyse automatique des données permettant de déceler des écarts budgétaires sont devenues, grâce à l'informatisation des activités, des outils de contrôle concomitant. Un cadre peut maintenant observer de façon continue la progression de la production, détecter immédiatement les erreurs, assurer le suivi de la performance des équipes de production et effectuer toutes les vérifications et les mesures lui permettant d'apporter rapidement des corrections, ce qui évite que de simples écarts ne deviennent des catastrophes. Bref, les contrôles concomitants concernent surtout les processus.

12.4.3 Les contrôles rétroactifs

Contrôles rétroactifs

(*feedback controls*)

Contrôles qui ont lieu une fois que l'activité est terminée.

Les **contrôles rétroactifs** sont, quant à eux, effectués une fois que l'activité est terminée. Les constatations qui découleront de ces analyses permettront d'ajuster les ressources pour la production à venir. Elles aideront aussi à évaluer le rendement des cadres et des employés et à prendre les décisions appropriées. Mais les mesures prises ne pourront en aucun cas affecter les résultats courants.

Cette catégorie inclut les états financiers, le contrôle de la qualité des produits finis et, sous certains aspects, l'évaluation du rendement des employés. Bref, les contrôles rétroactifs visent surtout les extrants.

À chaque étape d'un processus, les contrôles concomitants assurent le respect des échéances, des normes de performance et des impératifs de qualité. En cas d'écart, les correctifs nécessaires peuvent être apportés.

12.5 Les domaines d'application des contrôles

Les domaines d'application des contrôles les plus courants sont ceux des ressources matérielles, des ressources humaines, des ressources informationnelles et des ressources financières. Dans chacun de ces domaines, différentes catégories de contrôle sont utilisées.

- Le contrôle des ressources matérielles s'effectue sur les immeubles, l'équipement et les matières premières. Par exemple, il existe des outils pour contrôler l'utilisation des ordinateurs, du matériel roulant et d'autres machineries. Il existe également des techniques d'inventaire et de gestion des stocks qui permettent de connaître le niveau des stocks, les besoins de la production et les délais de livraison des fournisseurs. D'autres contrôles visent la qualité et visent à garantir que les produits sont fabriqués selon les spécifications et dans le respect des normes acceptées.

- Le contrôle des ressources humaines concerne les employés et il inclut les tests de personnalité et le contrôle anti-dopage au moment de l'embauche, les tests d'habileté et d'aptitude au moment de l'embauche, les tests de rendement pendant la formation, les évaluations du rendement pour mesurer la productivité au travail et les enquêtes de motivation pour évaluer la satisfaction au travail et la qualité du leadership des cadres.

- Le suivi des calendriers de production, l'analyse des prévisions des ventes, l'étude des analyses environnementales, des analyses de la concurrence, des conférences de presse, etc., sont tous des contrôles visant le suivi des ressources informationnelles de l'organisation.

- Les factures des fournisseurs sont-elles acquittées dans les délais requis? Quel est le niveau d'endettement envers les fournisseurs? L'organisation a-t-elle assez de liquidité pour s'acquitter de ses obligations? Quel est le calendrier de remboursement des dettes? Quel est le budget publicitaire? Assurément, les contrôles financiers de l'organisation sont importants, car ils peuvent affecter les trois autres types de ressources.

12.6 Les approches relatives au contrôle

Les contrôles dans les organisations peuvent être classés selon trois approches ou philosophies[5] (*voir la figure 12.4*).

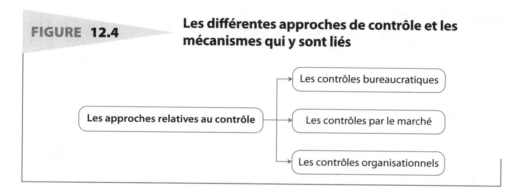

FIGURE 12.4 **Les différentes approches de contrôle et les mécanismes qui y sont liés**

12.6.1 Les contrôles bureaucratiques

L'approche usant de **contrôles bureaucratiques** se caractérise par l'utilisation des règles et de l'autorité formelle pour superviser le rendement. Les outils utilisés pour orienter le rendement et assurer l'atteinte des résultats sont alors les plans, les budgets, les rapports statistiques et les évaluations du rendement des employés. Les contrôles bureaucratiques mesurent les résultats en regard d'un objectif quantitatif qui permet de mesurer la qualité (nombre de plaintes des clients par semaine), l'innovation (nombre de brevets déposés par année) et l'écoute des clients.

Le contrôle bureaucratique est un processus de gestion qui permet au cadre d'évaluer le rendement des activités dont il a la responsabilité, de comparer les résultats obtenus avec les objectifs poursuivis et de prendre les mesures correctives nécessaires dans les cas jugés défavorables.

Par exemple, dans la vie quotidienne d'un étudiant, les contrôles bureaucratiques peuvent prendre l'aspect de la prise des présences en classe, de la carte de la bibliothèque, des travaux à faire, des examens à passer, etc.

Contrôles bureaucratiques
(*bureaucratic controls*)
Contrôles qui consistent en l'utilisation des règles et de l'autorité formelle pour superviser le rendement.

12.6.2 Les contrôles par le marché

Les **contrôles par le marché**, pour leur part, consistent en l'utilisation des mécanismes des prix sur le marché pour encadrer les activités internes de l'entreprise, comme s'il s'agissait de transactions entre organisations indépendantes. Chaque unité opérationnelle est considérée comme une entité indépendante, certaines étant des centres de profits et d'autres, des centres de coûts. Il y a alors facturation interunité (prix de transfert) pour tout service ou produit offert par une unité et consommé par une autre.

L'utilisation du contrôle par le marché est en nette progression en raison du phénomène **d'impartition**, qui progresse dans la plupart des entreprises. L'impartition est un processus qui consiste à utiliser un fournisseur externe pour effectuer des tâches qui étaient jusque-là prises en charge par l'entreprise. Le gardiennage et l'entretien des immeubles, par exemple, ne sont maintenant que rarement effectués par des employés de l'entreprise. Certains services informatiques, la publicité, l'imprimerie, les services de buanderie (dans les hôpitaux et dans la restauration), le recrutement et la sélection des employés, la formation sont d'autres exemples de services souvent impartis à des fournisseurs externes.

Le contrôle bureaucratique consiste en une gestion fondée sur les règles et l'autorité formelle pour superviser et maintenir le rendement.

En ce qui a trait aux unités opérationnelles d'une entreprise, les contrôles consistent à vérifier si une unité peut offrir aux autres unités, à un prix concurrentiel, le produit ou le service qui constitue sa mission. Les autres unités peuvent s'adresser à un fournisseur extérieur pour s'approvisionner lorsque le prix d'un produit est inférieur au prix demandé par l'unité opérationnelle interne qui fabrique ce produit. L'existence de cette unité peut même être remise en question. Par exemple, le service d'imprimerie dans un hôpital doit offrir ses produits à un coût compétitif; sinon les autres unités, afin de réduire leurs propres coûts, feront appel à l'impartition, c'est-à-dire qu'elles confieront leurs réquisitions d'impression à une entreprise externe.

12.6.3 Les contrôles organisationnels

Les **contrôles organisationnels**[6] reposent, quant à eux, sur la prémisse que les intérêts des individus et ceux de l'entreprise sont convergents. Selon cette prémisse, les employés partagent les valeurs et les objectifs de l'entreprise, et leur comportement reflète cette attitude. La nécessité du contrôle cède le pas au climat de confiance qui existe entre les partenaires d'une «entreprise» commune.

La culture organisationnelle représente un autre système de contrôle qui influence le comportement et les attitudes des employés. La **culture organisationnelle** se définit comme l'ensemble des valeurs, des normes et des attentes qui gouvernent les relations entre les individus et les groupes dans l'entreprise, et leurs actions dans la réalisation des objectifs de l'entreprise. Les contrôles organisationnels découlent de l'influence de cette culture sur les individus et les groupes.

Le tableau 12.3 compare les contrôles bureaucratiques et les contrôles organisationnels.

TABLEAU 12.3   Une comparaison entre les contrôles bureaucratiques et les contrôles organisationnels

CONTRÔLES BUREAUCRATIQUES	ÉLÉMENTS	CONTRÔLES ORGANISATIONNELS
Structures stables Organigramme fonctionnel Environnement stable	← Entreprises →	Structures flexibles Gestion par projet Environnement en ébullition
Conformité aux objectifs	← Objectifs →	Participation à la définition des objectifs
Politiques, procédures et règles précises Contrôles rigides Respect strict des échelons hiérarchiques	← Normes →	Normes du groupe Autocontrôle Culture de groupe Socialisation
Participation limitée et formelle	← Participation →	Participation intensive et informelle
Structure pyramidale à plusieurs niveaux Autorité centralisée	← Structure organisationnelle →	Aplanissement de la structure Partage de l'autorité et du pouvoir Délégation Habilitation
Respect des exigences minimales de rendement	← Rendement →	Dépassement des exigences minimales de rendement
Récompense individuelle	← Système de récompenses →	Récompense de groupe

le signet
du stratège

Les contrôles organisationnels

Contrairement au contrôle bureaucratique, qui est imposé aux employés, le contrôle organisationnel se caractérise plutôt par l'intégration des valeurs et des normes par l'employé, valeurs et normes qui influenceront ses gestes et ses décisions.

À la cantine du collège, les étudiants se placent en file et respectent l'ordre d'arrivée pour se servir; c'est là une norme sociale acceptée et intégrée. Nul besoin, dans ce cas, d'un contrôle bureaucratique ou d'une règle. La tenue vestimentaire au bureau ou le type de relations, distantes ou informelles, selon le cas, à entretenir avec ses subordonnés sont d'autres formes de contrôle organisationnel.

Le style décontracté, l'ardeur au travail et l'esprit d'innovation de Bill Gates (fondateur de Microsoft) et de Steve Jobs (fondateur de Apple) ont imprégné à ce point leur entreprise que les employés semblent parfois appartenir à une secte. Les trois règles fondamentales de Sam Walton (le respect des individus, le service à la clientèle et la recherche de l'excellence) ont modifié les comportements et les attitudes de tous les «associés» de Walmart.

Dans ce contexte, l'habilitation devient un élément essentiel dans les outils de contrôle des cadres. Il n'y a plus de manière unique de faire une tâche, et il est impossible pour les cadres d'assurer un suivi constant des activités

▶

Les contrôles organisationnels (*suite*)

des employés. Les cadres doivent donc déléguer la prise de décision aux employés et être confiants qu'ils accompliront leur tâche dans l'intérêt supérieur de l'entreprise.

Il ne s'agit nullement, pour les cadres, d'abandonner la gestion du contrôle. Cette approche les oblige plutôt à utiliser efficacement le contrôle organisationnel et à abandonner le contrôle fondé sur l'autorité formelle. Le contrôle organisationnel implique la présence d'une relation fondée sur le respect mutuel et devrait inciter chaque employé à assumer personnellement ses responsabilités.

Question d'ambiance

Énumérez des éléments de contrôle organisationnel que vous percevez dans l'entreprise où vous travaillez ou dans le collège où vous étudiez.

12.7 Les réactions négatives aux contrôles bureaucratiques

À l'aide des systèmes de contrôle, on cherche à contraindre les employés à adopter un comportement et à prévoir leur comportement futur. Cependant, la réaction des employés à un contrôle n'est pas toujours passive. Ils peuvent, selon les circonstances, adopter des comportements déviants. La figure 12.5 présente ces derniers.

FIGURE 12.5 **Les comportements déviants des employés face à un système de contrôle bureaucratique**

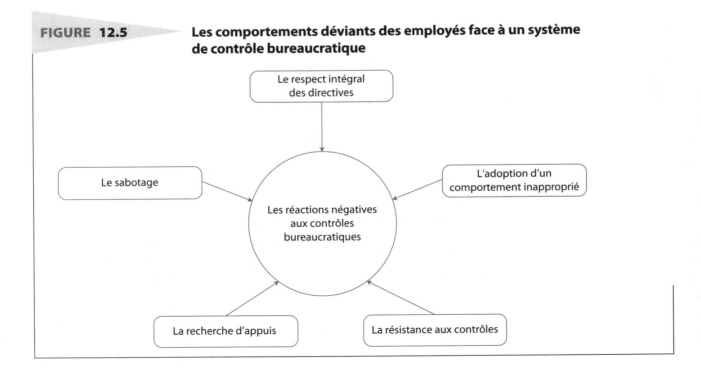

12.7.1 L'excès de zèle dans l'application des directives

Au regard d'un système de contrôle, les employés peuvent adopter un comportement qui les fera paraître sous leur meilleur jour. Dans les situations où le respect des directives imposées est extrêmement important et où les initiatives personnelles sont inacceptables et incompatibles avec le mode de gestion et d'opération, cela se révèle un avantage : ils peuvent respecter intégralement et sans nuance chacune des directives imposées.

Cependant, la rigidité et la conformité d'un comportement peuvent affecter l'efficacité de l'entreprise et, surtout, le service à la clientèle. Par exemple, un cadre intermédiaire de qui on exige une hausse des profits nets sera tenté de réduire certaines dépenses pour atteindre cet objectif. Le problème de rentabilité refera surface dans quelques trimestres, lorsque les conséquences des compressions exagérées des dépenses dans la recherche, dans l'entretien préventif, dans le service après-vente et dans l'embauche apparaîtront. Le court terme peut hypothéquer le long terme.

12.7.2 L'adoption d'un comportement inapproprié

Les contrôles se révéleront inefficaces dans le cas du comportement tactique d'un employé qui déploie toutes ses énergies pour « combattre le système ». Il est toujours possible pour un employé qui désire obtenir de « bons » résultats de manipuler les informations et même de les falsifier. Évidemment, il pourrait modifier les données provenant d'un rapport ou d'une étude. Cela est facile, mais risqué. Mais lorsqu'il s'agit de fournir des prévisions ou de dresser la liste des conséquences potentielles d'une décision, l'optimisme ou le pessimisme volontaire et manifeste d'un employé peut difficilement donner matière à reproche.

12.7.3 La résistance aux contrôles

La résistance aux contrôles provient de plusieurs sources. Premièrement, les systèmes de contrôle confrontent l'employé à son rendement. Ses erreurs sont dévoilées, son statut est fragilisé, sa sécurité d'emploi peut même être menacée. Quel que soit le statut d'un employé, son niveau d'ancienneté, ou le fait qu'il soit syndiqué, un piètre rendement peut avoir des conséquences sérieuses sur sa carrière ou son statut.

Deuxièmement, des systèmes de gestion tels que S.A.P.[7] et PeopleSoft[8] ou des logiciels maison prennent en charge les décisions relatives à la détermination des coûts de production, aux achats, au suivi de la clientèle, etc. L'expertise, le pouvoir et l'autorité des cadres et des employés responsables antérieurement de ces décisions sont alors remis en question.

Troisièmement, les systèmes de contrôle peuvent placer les personnes dans des situations de compétition, ce qui affecte les structures relationnelles et amicales dans l'entreprise, rendant alors plus difficile la satisfaction des besoins sociaux.

Enfin, les contrôles révèlent parfois des informations sur les individus. Il est normal alors de se rebiffer. Par exemple, l'installation d'un système de positionnement[9] dans les camions permet à l'employeur de tout connaître sur les habitudes de conduite de ses chauffeurs. Il est alors informé du comportement de ses employés, des endroits où ils s'arrêtent et se restaurent, de leur connaissance du système routier, etc. Lorsque les contrôles sont trop nombreux, l'employé devient allergique à toute intervention des cadres.

12.7.4 La recherche d'appuis

Il s'agit, lorsque les constats d'un contrôle semblent négatifs, de tenter d'obtenir une interprétation différente de la part d'un autre cadre. Si l'entreprise vit des problèmes de communication, la situation sera favorable à l'employé qui désire obtenir une autre évaluation de son travail. Par exemple, lorsque le supérieur immédiat d'un employé manifeste une insatisfaction quant au travail de ce dernier, cet employé pourra chercher l'appui du supérieur de son supérieur immédiat ou celui d'un cadre d'un autre service.

12.7.5 Le sabotage

Réagissant à des contrôles omniprésents, les employés peuvent utiliser l'arme ultime : le sabotage. Le sabotage peut être un acte manifeste, comme lorsqu'un employé détruit l'équipement ou altère la qualité de la production de l'entreprise. Mais il peut aussi se produire de façon plus sournoise; il prendra alors la forme de vols, de commérages, de médisances sur ses collègues ou ses supérieurs, d'une attitude négative à l'égard des clients ou de commentaires publics pernicieux et dommageables pour l'entreprise.

12.8 Les caractéristiques d'un système de contrôle efficace

Certaines caractéristiques des systèmes de contrôle permettent d'en tirer les plus grands avantages tout en réduisant les comportements négatifs des employés. Ces avantages apparaissent lorsque les contrôles :

- reposent sur des normes de rendement valides;
- favorisent la communication d'informations pertinentes;
- sont acceptés par les employés;
- s'appuient sur différentes approches;
- favorisent la reconnaissance du lien entre le contrôle et l'habilitation (empowerment);
- s'appuient sur des critères d'efficacité;
- s'appuient sur des critères de rentabilité;
- sont récurrents et constants.

L'établissement de normes de rendement valides

La qualité du contrôle est directement proportionnelle à la valeur des normes utilisées. L'approche quantitative dans l'établissement des normes est préférable. La mesure des écarts est alors plus précise et il est difficile pour un employé de prétendre atteindre les objectifs lorsque son rendement ne respecte pas les normes.

Il importe, en outre, de maintenir le coût du contrôle en deçà des avantages qu'en retire l'entreprise. Il est inutile de disperser ses énergies à vouloir contrôler tous les aspects de l'entreprise. Ce qui importe, en dernière analyse, c'est de faire porter l'essentiel du contrôle sur les quelques domaines d'importance où les déviations peuvent avoir des conséquences graves sur le rendement de l'ensemble de l'entreprise.

La communication d'informations pertinentes

En fait, le système de contrôle et l'information qui en découle doivent fournir à tous les preneurs de décision les éléments qui facilitent leur tâche, leur fournissent la quantité d'information nécessaire, sans surcharger le système, et permettent la distribution de l'information de manière à permettre aux membres de chaque unité opérationnelle d'être informés sur le fonctionnement des autres unités.

Par exemple, la rétroaction concernant leur rendement doit leur parvenir rapidement et doit aussi leur permettre d'apporter eux-mêmes les correctifs nécessaires. C'est une approche qui affectera positivement la motivation tout en réduisant les coûts d'encadrement.

L'acceptation du système de contrôle

Les employés sont plus portés à accepter le système de contrôle si ce dernier est fondé sur des normes fonctionnelles qui soulignent les performances et les comportements positifs. L'approche la plus efficace pour définir des normes qui seront acceptées consiste simplement à faire participer les employés à la définition de ces normes. La participation à l'élaboration du système de contrôle et à la définition des normes améliore la compréhension du système, réduit la méfiance des employés et entraîne un effet positif sur la motivation.

L'utilisation de différentes approches

Le contrôle n'est pas qu'un ensemble de techniques, mais plutôt une façon de voir, une philosophie. Cette philosophie s'appuie sur la conviction que, dans un environnement en constante évolution, il est possible d'assurer à l'entreprise une certaine stabilité, un moyen d'atteindre des objectifs prédéterminés.

Bien que la simplicité soit de rigueur, il serait téméraire de croire qu'un seul outil de mesure suffira pour mener la plupart des opérations de contrôle. Les contrôles doivent être multiples. Un système de contrôle efficace doit comprendre des normes quantitatives et des normes qualitatives. Il doit aussi comporter des contrôles préventifs, concomitants et rétroactifs.

La reconnaissance du lien entre le contrôle et l'habilitation

Le contrôle permet de déceler les zones à problèmes dans l'entreprise. Mais avant de prendre des mesures correctives, il faut déterminer si ce sont les opérations ou les employés qui sont responsables des écarts constatés. Les opérations qui produisent de piètres résultats n'ont pas à être modifiées si les employés n'ont pas reçu la formation nécessaire pour bien les exécuter. Aussi, il est inutile de revoir les techniques de planification de la production si ce service n'a aucun contrôle sur la qualité des achats de matières premières. Bref, un employé doit faire l'objet de mesures de contrôle seulement s'il est adéquatement informé de ce qu'on attend de lui, s'il connaît la manière de procéder et s'il contrôle les opérations qu'il effectue.

L'appui sur des critères d'efficacité

Les systèmes de contrôle sont des outils qui facilitent la définition des objectifs, le suivi des activités et la rétroaction, lesquels produiront les informations nécessaires au cadre dans son rôle de preneur de décisions. Les contrôles doivent être suffisamment efficaces pour aider le cadre à affronter les menaces du marché et à tirer le meilleur parti possible des occasions qui se présentent.

Dans cette perspective, les contrôles doivent présenter au cadre une appréciation la plus complète et la plus objective possible de la situation afin qu'il puisse prendre des décisions éclairées et à jour.

L'appui sur des critères de rentabilité

Les coûts du contrôle sont une considération très importante. Puisque chaque activité d'une entreprise à but lucratif doit produire une plus-value, il faut que les ressources consacrées à une activité de contrôle entraînent des bénéfices plus grands que les coûts que cette activité engendre. Dans le cas d'une entreprise à but non lucratif, le bénéfice pourra se manifester à l'extérieur de l'organisme et parfois, ce sera l'ensemble de la société qui en bénéficiera.

Un contexte de récurrence et de constance

L'efficacité des contrôles se mesure à la qualité de l'information qui en découle et à leur effet sur la prise de décision. Afin d'atteindre une grande efficacité, les activités de contrôle doivent être intégrées au système de gestion et accomplies de façon régulière, selon une fréquence qui dépend de l'importance de l'activité sous contrôle. De plus,

le signet
du stratège

Les obstacles au contrôle

Le succès du système de contrôle sera perturbé par la présence de certains éléments. Pour chacune des situations énoncées ci-dessous, êtes-vous en mesure de fournir un exemple concret?

1. Existence de trop nombreux contrôles

Cette approche conduit généralement à la frustration ou au sabotage et nuit grandement à l'initiative.

2. Peu de participation des employés

L'acceptation des contrôles implique la participation des employés à leur définition et à leur implantation.

3. Accent mis sur les moyens et non sur la finalité

Les contrôles sont des outils, des moyens. Leur utilisation vise l'élimination des problèmes.

4. Accent mis sur les procédures et la paperasserie

Les activités d'une organisation sont orientées vers la réalisation d'objectifs; les rapports permettent le suivi des activités, mais ne présentent aucune plus-value.

5. Utilisation d'une approche unique de contrôle

Les activités doivent être analysées sous plusieurs angles. L'accent mis sur un élément (le coût, le temps de production, les rejets, etc.) risque de laisser dans l'obscurité d'autres aspects dont la connaissance serait fort utile pour résoudre des problèmes.

les critères et les normes doivent conserver une certaine constance afin que les comparaisons puissent être signifiantes. Puisque les contrôles reposent sur des comparaisons, il faut maintenir un haut degré de stabilité dans la définition des outils utilisés.

12.9 La culture organisationnelle

Le contrôle organisationnel repose sur la compréhension de la culture organisationnelle. Dans certaines circonstances, la culture organisationnelle peut avoir une influence positive sur les attitudes et les comportements des employés ; si c'est le cas, les employés partagent alors les mêmes objectifs, les mêmes priorités et les mêmes pratiques de travail. L'approche des employés au regard de leur tâche et de leur rôle repose davantage sur des convictions que sur des contrôles.

En d'autres circonstances, une culture organisationnelle peut se révéler négative lorsqu'elle encourage le conformisme à cause de ses règles rigides qui tuent la créativité, le dynamisme et la flexibilité.

La culture organisationnelle existe réellement lorsque l'énoncé de la mission et des objectifs de l'entreprise correspond exactement aux comportements encouragés à l'intérieur de celle-ci. Si une entreprise valorise le service à la clientèle dans sa mission mais réduit les services de soutien après-vente, coupe dans la formation de son personnel et limite la garantie de ses produits, les employés auront de la difficulté à adhérer à sa mission. La culture du service ne sera qu'un énoncé qui ne se traduira pas dans les comportements des employés.

La fierté de porter l'uniforme ou les symboles de l'entreprise, les rites et les cérémonies, les laïus d'encouragement (*pep talks*) quotidiens sont toutes des démonstrations de l'adhésion des employés à la culture de l'entreprise.

Dans le contexte de la vive compétition dans les marchés, l'accent est actuellement mis sur le service à la clientèle et sur la qualité des produits et des services. Les entreprises comptent sur la culture organisationnelle pour atteindre ces objectifs. Un leadership des cadres de niveau supérieur qui met de l'avant une vision d'entreprise et des idéaux inspirants pour les employés dans la recherche de la qualité, dans l'adhésion à un code d'intégrité et dans le maintien d'un niveau d'innovation élevé constitue la source même de la culture organisationnelle.

Le développement et le maintien d'une culture organisationnelle exigent de l'entreprise qu'elle pratique l'habilitation des employés, qu'elle encourage l'implantation de groupes autonomes, qu'elle délègue la prise de décision à la source même du problème, qu'elle développe un climat de confiance et de respect, qu'elle utilise une structure de normes acceptées pour asseoir son contrôle et qu'elle encourage le travail d'équipe.

RÉSUMÉ

Ce chapitre nous a démontré que l'entreprise ne peut laisser les employés agir d'une manière exclusivement individuelle : elle doit imposer des balises qui permettront que les actions de tous et chacun favorisent la réalisation de l'objectif commun. Les systèmes de contrôle sont des mécanismes qui guident le cadre dirigeant dans l'utilisation des ressources mises à sa disposition.

L'application du processus de contrôle comprend cinq étapes: la détermination des critères et des normes de rendement; la mesure du rendement; la comparaison des résultats avec les normes; l'analyse des écarts; et la prise de mesures correctives. Les processus de contrôle peuvent s'appliquer à trois occasions par rapport à l'activité visée. Certains contrôles ont lieu avant que l'activité ne débute; ce sont les contrôles préventifs. D'autres ont lieu pendant que l'activité se déroule; ce sont les contrôles concomitants. Enfin, les plus connus et les plus pratiqués sont les contrôles rétroactifs, qui ont lieu une fois que l'activité est terminée.

Il est à noter qu'il y a un parallèle systématique entre la planification et le contrôle, ce qui démontre une fois de plus le lien particulier entre ces deux fonctions de gestion.

Au regard du contrôle, les cadres peuvent adopter différentes approches selon les circonstances et les domaines d'application à contrôler. Il y a d'abord les contrôles bureaucratiques, qui consistent en l'utilisation des règles et de l'autorité formelle pour superviser le rendement. Les contrôles bureaucratiques mesurent les résultats, l'atteinte d'un objectif quantitatif qui permet de mesurer la qualité de l'innovation et l'écoute des clients. Le contrôle par le marché, quant à lui, peut être utilisé dans une entreprise pour évaluer le rendement d'une division ou d'une unité opérationnelle sur le plan de la profitabilité. Enfin, le contrôle organisationnel repose sur la compréhension de la culture organisationnelle. En certaines circonstances, la culture organisationnelle peut avoir une influence positive sur les attitudes et les comportements des employés.

Par ailleurs, la réaction des employés à un contrôle n'est pas toujours passive. Ils peuvent, selon les circonstances, adopter des comportements déviants. Par exemple, ils peuvent respecter intégralement et sans nuance les directives imposées. Dans d'autres situations, ils adopteront un comportement inapproprié. Dans certains cas, ils résisteront, parfois farouchement, aux contrôles. Pour entretenir leur guérilla, ils pourront même rechercher des appuis auprès de cadres de l'entreprise dont ils ne sont pas les subordonnés immédiats. Enfin, ils pourront, dans certaines circonstances, effectuer du sabotage dans le cadre de leur travail. Dans toutes ces circonstances, les efforts déployés par les cadres ne seront que des sources de frustration.

Cependant, certaines qualités d'un système de contrôle permettent d'en tirer les plus grands avantages tout en réduisant les comportements négatifs des employés. Ces avantages apparaissent lorsque les contrôles reposent sur des normes quantitatives, lorsque les informations pertinentes sont communiquées aux employés, lorsque les normes sont acceptées par les employés, lorsque les contrôles reposent sur plusieurs approches différentes, lorsque le lien entre le contrôle et l'habilitation de l'employé est reconnu et lorsque les contrôles s'appuient sur des objectifs d'efficacité, qu'ils sont rentables et que leurs critères et leurs normes sont récurrents et constants.

QUESTIONS DE RÉVISION

1. Décrivez les étapes du processus de contrôle en utilisant l'exemple d'une entreprise de votre région.

2. Quelle est l'utilité du contrôle ?

3. Pourquoi est-il important de faire participer les employés au processus de contrôle ?

4. Qu'est-ce que la culture organisationnelle et comment affecte-t-elle le comportement des employés ?

5. Décrivez les différentes approches relatives au contrôle et donnez un exemple de chacune.

6. Quelles sont les différentes mesures correctives qu'un cadre peut appliquer dans les cas où les résultats présentent des écarts importants par rapport aux objectifs planifiés ?

7. Expliquez brièvement les différentes catégories de contrôles en fonction du moment où ces contrôles sont effectués et donnez un exemple de chacun.

8. Décrivez les réactions négatives que suscitent les contrôles bureaucratiques et donnez un exemple de chacune.

9. Quelles sont les principales qualités d'un système de contrôle efficace ?

10. Décrivez l'utilisation qui est faite du contrôle par le marché dans une entreprise.

11. Expliquez ce qu'est la culture organisationnelle et décrivez les liens qui existent entre la culture organisationnelle et le contrôle organisationnel.

CAS 1 – LES NOUNOURS HORS DE CONTRÔLE (degré de difficulté : moyen)

Nounours d'amour est une entreprise du Cap-de-la-Madeleine qui fabrique des animaux en peluche et qui distribue ses produits dans les boutiques de souvenirs et dans les boutiques spécialisées dans la vente de jouets. La fabrication de ces animaux est relativement simple et le personnel de l'usine est composé d'une main-d'œuvre n'ayant aucune formation spécialisée. La majorité des employés ont un diplôme d'études secondaires, mais près de 20 % ont à peine neuf années de scolarité. Le taux de roulement des employés est de 8 %.

Patrick D'Amour, le président de l'entreprise, constate que, depuis cinq ans, la productivité a baissé de cinq à quatre nounours par heure rémunérée ; ses profits, quant à eux, ont chuté de 40 %, et il semble que le niveau de motivation dans l'entreprise soit à son plus bas.

Les trois contremaîtres ont été invités à exercer un contrôle plus serré sur les activités quotidiennes. Dans une seule semaine, ils ont découvert deux employés qui fumaient et qui jouaient aux cartes dans les toilettes, et un autre qui lisait un journal à la cantine pendant les heures de travail. Durant la même période, cinq employés sont arrivés en retard et trois ont quitté leur poste quinze minutes avant l'heure du dîner. Il faut noter que l'entreprise ne compte que trente-huit employés.

Les employés effectuent des tâches spécifiques sur chaque animal ; par conséquent, le travail est organisé selon les principes du travail à la chaîne. De ce fait, lorsqu'un employé ralentit la cadence, c'est le rythme d'une douzaine d'employés qui est affecté. Le ralentissement de la production a, à quelques reprises, empêché l'entreprise de respecter des délais précis imposés par certains contrats. Quatre clients insatisfaits se sont donc adressés à des concurrents par la suite. Certains autres délais ont été respectés parce que les dirigeants de l'entreprise ont accepté de faire faire des heures supplémentaires aux employés, ce qui a sérieusement affecté la rentabilité des opérations.

Un groupe d'employés a constaté que le ralentissement de la production au début d'un mois se traduisait invariablement par l'octroi d'heures supplémentaires dans la dernière semaine du même mois. Les plus anciens employés ont donc profité de la situation pour accroître leurs revenus.

QUESTIONS

1. Quels sont les problèmes de Nounours d'amour ?
2. Comment les techniques de contrôle peuvent-elles venir en aide à l'entreprise ?
3. Quels contrôles implanteriez-vous dans cette entreprise ?

Notes et références

Chapitre 1

1. Sylvie Ruel, « Le bal des oiseaux migrateurs ». *Revue Touring*, printemps 2010, p. 11.

2. Nicole Côté, Harry Abravanel, Jocelyn Jacques et Laurent Bélanger, *Individu, groupe et organisation*, Boucherville, Gaëtan Morin Éditeur, 1986, p. 282.

3. Dans un article plutôt cocasse, Nicole Côté souligne que « l'amenuisement de la frontière entre la vie professionnelle et la vie personnelle prend des proportions alarmantes ». Elle souligne que, pour certains cadres, les petits déjeuners, déjeuners et dîners sont de vraies sessions de travail, et que certains n'hésitent pas à organiser deux petits-déjeuners d'affaires en une même matinée. À quand les couchers d'affaires ? S'interroge t-on. Voir Nicole Côté, « Voulez-vous coucher avec nous ? », *Affaires plus*, avril 2001, p. 61.

4. Kathy Noël, « Les gestionnaires sont essoufflés », *Les Affaires*, 26 juin 1999, p. 25.

5. Parmi les défis, plusieurs notent, entre autres, les changements qui concernent la démographie et la main-d'œuvre (le ralentissement de la croissance de la population et de la main-d'œuvre et le vieillissement de celle-ci, la baisse du taux d'activité des hommes, la décroissance du nombre de jeunes travailleurs, la hausse du taux d'emploi des femmes, les besoins de la main-d'œuvre issue des minorités ethniques et ceux des personnes handicapées, la hausse du niveau de scolarité des travailleurs), les changements relatifs à l'emploi et à la structure du travail (les changements portant sur la durée du travail, ou touchant les professions exercées par les travailleurs), les tendances et perspectives économiques (la situation économique en général, l'évolution technologique, l'ouverture des marchés étrangers) et la transformation des valeurs sociales (les valeurs associées au travail, à la mobilité et à la retraite). Voir, entre autres, à ce sujet : Dolan L. Shimon, Tania Saba, Susan E. Jackson et Randall S. Schuler, *La gestion des ressources humaines : tendances, enjeux et pratiques actuelles*, 3e éd., Saint-Laurent, Éditions du Renouveau Pédagogique Inc., 2002, p. 5-24.

6. Voir Pierre Lainey, *Le leadership organisationnel*, Montréal, Chenelière Éducation, 2008, 267 p.

7. lapresseaffaires.com, « L'AMF veut une peine plus sévère pour... », *La Presse Affaires*, 10 septembre 2009, p. 2.

8. Il s'agit de transactions qui consistent « à tirer parti des différents fuseaux horaires en négociant pour une courte période de temps des fonds internationaux dans l'anticipation qu'ils limiteront le comportement des marchés nord-américains ». Voir Jean Gagnon, « Peine de 200 M$ pour l'industrie de fonds communs », *Les Affaires*, décembre 2004, p. 46.

9. Telle est l'opinion de Jean-Luc Landry dans « Le naufrage de l'éthique », *Les Affaires*, 30 octobre 2004, p. 18.

10. Qu'on pense, entre autres cas, aux entreprises Enron, Hollinger ou Cinar.

11. Pensez au scandale des commandites qui, en 2004, a compromis le gouvernement fédéral.

12. Ce fût le cas dans l'affaire Conrad Black, ce dirigeant d'entreprise qui s'était approprié la presque totalité des bénéfices de la firme Hollinger. Richard Grasso, président du New York Stock Exchange (un organisme de réglementation

sis aux États-Unis), a lui aussi mis la main sur une part importante des surplus annuels de l'entreprise.

13. Florent Francoeur, « Repérer et encadrer les comportements, un choix rentable », *Les Affaires*, 31 janvier 2004, p. 30.

14. Voir Jean-Luc Landry, « Le naufrage de l'éthique », *loc. cit.*, p. 18.

15. Voir Jean-Luc Landry, « Pourquoi l'étique s'affaiblit », *Les Affaires*, 6 novembre 2004, p. 16

16. Soulignons que, dans un contexte où les consommateurs sont avisés et exigeants et où les groupes de pression se mobilisent très rapidement, une entreprise ne peut se permettre de tromper la population et de lui fournir des informations erronées sur ses agissements.

17. Selon Florent Francoeur, environ « 80 % des plus importantes organisations canadiennes possèdent un code ou une politique traitant d'éthique […], mais encore faut-il s'assurer que ce code soit bien connu et appliqué par tous les membres de l'organisation » (dans « Adieu, conflits d'intérêts... Voici le code d'éthique ! », *Les Affaires*, 16 octobre 2004, p. 40).

18. Citation latine signifiant « Avé César, ceux qui vont mourir te saluent ! ». Dans la Rome antique, cette formule était prononcée par les gladiateurs avant leur combat dans l'arène.

Chapitre 2

1. Les citations de ce clin d'œil sur la gestion proviennent de Mali Ilse Paquin, « Ciel du nord de l'Europe : Zone interdite », *La Presse*, 16 avril 2010, p. A2.

2. Voir Agence France-Presse et Bloomberg, « Offensive chinoise dans les sables bitumineux », *La Presse, La Presse Affaires*, 13 avril 2010, p. 1 et 4 et aussi : La Presse canadienne, « Telus investit 250 millions au Québec », *La Presse, La Presse Affaires*, 13 avril 2010, p. 6.

3. Martin Croteau, « L'Université de Montréal s'agrandit à Laval », *La Presse*, 15 octobre 2009, p. A 11.

4. L'information concernant l'eau potable de New-York provient de l'adresse internet suivante : www.radio-canada.ca/emissions/la_semaine_verte/2009-2010/chronique.asp ?idChronique=95517.

5. Cette information provient de Andrée Lebel, « Île de Pâques : Fascinant mystère », *La Presse*, Cahier Vacances voyage, 3 avril 2010, p. 1, 8 et 9.

6. Ces informations proviennent de Judith Lachapelle, « Houston, nous avons un problème », *La Presse*, Cahier Actualités, 10 avril 2010, p. A 22.

7. Cette information provient de [ANONYME], « Le Jour de la Terre a 40 ans », *Le Clairon Régional*, 20 avril 2010, p. 38.

8. Voir Harold Koontz et Cyril O'Donnell, *Management : principes et méthodes de gestion*, Montréal, McGraw-Hill, 1980, p. 113.

9. Bernard Turgeon, *La pratique du management*, 3e éd., Montréal, Chenelière/McGraw-Hill, 1997, p. 89.

10. Les informations ayant permis de dresser ce tableau proviennent de Bernard Turgeon, *op. cit.*, p. 89-90.

11. Voir Herbert A. Simon, *Administrative Behavior : A Study of Decision-Making Process in Administrative Organizations*, 4e éd., New York, Free Press, 1997.

12. Shimon K. Dolan, Éric Gosselin, Jules Carrière et Gérald Lamoureux, *Psychologie du travail et comportement*

organisationnel, 2e éd., Boucherville, Gaëtan Morin Éditeur, 2002, p. 262.

13. Voir Stephen P. Robbins et Nancy Langton, *Organisational Behavior : Concepts, Controversies, Applications*, Scarborough, Prentice-Hall Canada, 1998, p. 359.

14. Shimon L. Dolan, Éric Gosselin, Jules Carrière & Gérald Lamoureux, *op. cit.*, p. 258.

15. *Ibid.*, p. 264.

16. Louis A. Lefebvre et Elisabeth Lefebvre, « Commerce électronique et entreprises virtuelles : défis et enjeux », *Gestion, Revue internationale de gestion*, vol. 24, no 3, automne 1999, p. 20.

17. Dans les faits, « les portails verticaux se veulent un lieu de rencontre, une sorte de communauté virtuelle au sein de laquelle des acheteurs et des vendeurs d'un même secteur, de partout dans le monde, peuvent se rencontrer à n'importe quelle heure du jour afin d'y effectuer leurs transactions. On y retrouve également de l'information spécifique au secteur ainsi que des services spécialisés à l'intention des utilisateurs ». Irwin Kramer, « Les portails verticaux et le commerce électroniques interentreprises sur le Web », *Gestion, Revue internationale de gestion*, vol. 25, no 2, été 2000, p. 10.

18. Voir Suzanne Rivard, Alain Pinsonneault et Carmen Bernier, « Impact des technologies de l'information sur les cadres et les travailleurs », *Gestion, Revue Internationale de gestion*, vol. 24, no 3, automne 1999, p. 52.

19. Jean de La Fontaine, *Les animaux malades de la peste, dans Les fables de la Fontaine*, Tome 1, Varennes, Éditions AdA, 2009, p. 43.

Chapitre 3

1. Lire à ce sujet « Contrat de remplacement des voitures de métro : une bonne nouvelle pour la clientèle de la STM », 5 octobre 2010, //www.stm.info/ et « C'est confirmé : Bombardier-Alstom obtient le contrat », LCN, TVA, http://lcn.canoe.ca/lcn/infos/national/archives/2010/10/20101005-095328.html.

2. Lire à ce sujet : *Newton MessagePad- Models: original (OMP) and 100 (MP100)*, www.msu.edu/~luckie/gallery/mp100.htm, « *Obsolite tears* » (Nostalgie vidéoludique), www.obsolete-tears.com/apple-newton-message-pad-omp-machine-281.html.

3. Lire à ce sujet : « Veille stratégique.net », www.veille-strategique.net/qu-veille-strategique-f5461.html; *Agent intelligent.com*, www.agentintelligent.com/veille/veille_strategique.html.

4. Lire à ce sujet Liker, Jeffrey, *Le Modèle Toyota - 14 principes qui feront la réussite de votre entreprise*, 2e éd., Paris : Pearson Education, 2009.

5. Énoncé de mission librement traduit de l'anglais par les auteurs « *To sustain profitable growth by providing the best customer experience and dealer support* ».

6. Le lecteur peut toujours étudier les sujets suivants dans des ouvrages plus spécialisés : l'accroissement moyen, la corrélation et la régression linéaire, les ajustements saisonniers, la corrélation multiple, la régression non linéaire, le lissage exponentiel, l'analyse factorielle, etc.

7. Corentine Gasquet, « Maîtrisez votre temps : Cinq principes pour mieux gérer son temps », *Le Journal du management*, décembre 2003, http://management. journaldunet.com/dossiers/031218temps/index.shtm.

8. Lire à ce sujet Christian Bégin, *Devenir efficace dans ses études*, Laval, Éditions Beauchemin, 1992 ; Christian Bégin, *Devenir efficace dans ses études : cahier d'activités*, Laval, Éditions Beauchemin, 1995 ; D. Bertrand et H. Azroun, *Réapprendre à apprendre au collège, à l'université et en milieu de travail*, Montréal, Éditions Guérin Universitaire, 2000 ; Bernard Dionne, *Pour réussir, guide méthodologique pour les études et la recherche*, Montréal, Chenelière Éducation, 2008.

9. Lire à ce sujet Corentine Gasquet, « Maîtrisez votre temps : Attention, culte de l'urgence », *Le Journal du management*, décembre 2003, http://management.journal.dunet.com/dossiers/031218temps/ index.shtml.

10. Lire à ce sujet Chantal De Séréville, *Forgez-vous une mémoire d'éléphant*, Paris, Librairie générale française, 2000, et Patrick Dessi, *La mémoire, la développer, la garder*, Marseille, Solal, 1996.

Chapitre 4

1. Voir Marc Thibodeau, « Vague de suicides chez un géant français des télécommunications », *La Presse*, Cahier Affaires, 16 septembre 2009, p. 1 et 4.

2. Pour une explication des effets de l'externalisation sur les ressources humaines, voir Dominique Lamaute et Bernard Turgeon, *De la supervision à la gestion des ressources humaines : à l'ère d'une GRH en transition*, Montréal, Chenelière Éducation, 2009, p. 35.

3. Voir Agence France-Presse, « France Télécom reconnaît être "peut-être allé trop loin" », *La Presse*, Cahier Affaires, 15 octobre 2009, p. 8.

4. Il s'agit là d'une des conclusions retenues des études de Elton Mayo. Voir Elton Mayo, *The Human Problems of an Industrial Civilization*, New York, Macmillan, 1933.

5. C'est à Maslow qu'on doit la pyramide illustrant la hiérarchie des besoins humains. Il s'agit des besoins physiologiques, de sécurité, d'appartenance, d'estime et d'actualisation. Voir Abraham H. Maslow, « A Theory of Human Motivation », *Psychological Review*, vol. 50, juillet 1943, p. 370-396.

6. Il s'agit bien entendu d'un résumé des théories X et Y de Douglas McGregor. Pour une vue d'ensemble de son étude, voir Douglas McGregor, *La dimension humaine de l'entreprise*, Paris, Gauthier-Villars Éditeur, 1971.

7. Voir les travaux de F. Herzberg sur la théorie des deux facteurs dans F. Herzberg, B. Mausner et B. B. Snyderman, *The Motivation to Work*, New York, John Wiley & Sons, 1959.

8. Voir Max Weber, *Économie et société — Les catégories de la sociologie*, Paris, Pocket [1921/1922], tome 1 (Coll. Agora).

9. Voir Henri Fayol, *Administration industrielle et générale*, Paris, Dunod, 1950.

10. Cette époque se situe après la Deuxième Guerre mondiale, époque où les économies industrialisées vivaient une période de croissance soutenue. Voir Alain Lapointe, « Nouvelle économie et gestion », dans Marcel Côté et Taïeb Hafsi, dir., *Le management aujourd'hui : une perspective nord-américaine*, Québec, Les Presses de l'Université Laval, Économica, 2000, p. 65.

11. Voir Annie Cornet, « Dix ans de réingénierie des processus d'affaires : Qu'avons-nous appris ? », *Gestion, Revue internationale de gestion*, vol. 24, n° 3, automne 1999, p. 66.

12. En ce qui concerne les travailleurs, on assiste, depuis le début de la décennie 1990, « à l'émergence d'une main-d'œuvre diversifiée, hautement formée, plus autonome et peu à l'aise avec des structures d'autorité rigides ». Cette réalité nous est rapportée dans Alain Rondeau, « Transformer l'organisation. Comprendre les forces qui façonnent l'organisation et le travail », *Gestion, Revue internationale de gestion*, vol. 24, n° 3, automne 1999, p. 16.

13. Alain Lapointe, *loc. cit.*, p. 68.

14. Alain Lapointe présente cette information dans un tableau récapitulatif. Voir Alain Lapointe, *loc. cit.*, p. 68.

15. Annie Cornet, *loc. cit.*, p. 66.

16. Pour une définition de la fonction « organisation », voir la section 1.4 du chapitre 1.

17. Harold Koontz et Cyril O'Donnell, *Management, principes et méthodes de gestion*, Montréal, McGraw-Hill, 1980, p. 195.

18. Dans le présent chapitre, le mot « organisation » peut prendre deux significations. Il peut s'agir d'une des grandes fonctions de la gestion (planification, organisation, direction, contrôle) ; nous parlerons alors de phase d'organisation. Il peut aussi s'agir de l'organisation en tant qu'entreprise.

19. Mylène, « Concilier travail et études : Combiner le meilleur des DEUX ! », *ME - Magazine Mode d'Emploi*, vol. 3. n° 4, janvier 2010, p. 6.

20. Cette figure est inspirée de Gareth R. Jones, Jennifer M. George, Charles W. L. Hill et Nancy Langton, *Contemporary Management*, Toronto, McGraw-Hill Ryerson, 2002, p. 225.

21. Voir H. James Harrington, *Le nouveau management selon Harrington : Gérer l'amélioration totale*, Montréal, Les Éditions Transcontinental, 1997, p. 552.

22. Voir Alain Lapointe, *loc. cit.*, p. 65.

23. Les informations ayant permis de construire cette figure proviennent de H. James Harrington, *op. cit.*, p. 553.

24. Les informations ayant permis de construire cette figure proviennent, en partie, de H. James Harrington, *op. cit.*, p. 553.

25. Cette définition s'apparente à l'idée émise dans Gareth R. Jones, Jennifer M. George, Charles W. L. Hill et Nancy Langton, *op. cit.*, p. 234.

26. Diane Poulin, Benoît Montreuil et Sophie D'Amours, « L'organisation virtuelle en réseaux », dans Marcel Côté et Taïeb Hafsi, *op. cit.*, p. 482.

27. Marcel Laflamme, « La qualité totale : un nouveau paradigme en matière d'organisation ? », dans Marcel Côté et Taïeb Hafsi, *op. cit.*, p. 101.

28. H. James Harrington, *op. cit.*, p. 559.

29. Les informations contenues dans ce signet proviennent de Maude Craig-Duchesne, « Les Kilomètres de LaSalle », *HGT (Home Grown Talent) Sports Magazine*, 3e éd., avril 2010, p. 11.

Chapitre 5

1. Allusion au livre de Bernard Weber, *Les fourmis*, Paris, Albin Michel, 1991.

2. Voir C. C. Pinder, *Work Motivation in Organizational Behavior*, Upper Saddle River, Prentice-Hall, 1998 ; R. Kanfer, « Motivation Theory in Industrial and Organizational Psychology », dans M. D. Dunnette et L. M. Hough, *Handbook of Industrial and Organizational Psychology*, 2e éd., Palo Alta, Consulting Psychologists Press, 1990, vol. 1, p. 75-170.

3. Frederick W. Taylor, *Scientific Management*, New York, Harper and Row Publishers inc., 1947.

4. Voir à ce sujet Abraham H. Maslow, *Motivation and Personality*, New York, Harper & Row, 1954, p. 93-98.

5. Voir M. Wahba et L. Birdwell, « Maslow Reconsidered : A Review of Research on the Need Hierarchy Theory », *Organizational Behavior and Human Performance*, vol. 15, 1976, p. 212-240 ; W. Mittelman, « Maslow's Study of Self-Actualization : A Reinterpretation », *Journal of Humanistic Psychology*, vol. 31, n° 1, p. 114-135 ; D. Cullen, « Maslow, Monkeys and Motivation Theory », *Organization*, vol. 4, 1999, p. 355-373 ; J. M. Usher, « Monkeys to managers : A bridge too far? », *Academy of Management Review*, vol. 24, 1999, p. 854-856.

6. L'expression « ERG » de Clayton Alderfer (*existence needs, relatedness needs, growth needs*) a été traduite par Pierre G. Bergeron par les expressions « besoins liés au maintien », « besoins relationnels » et « besoins de croissance » (MRC). Pierre G. Bergeron, *La gestion dynamique : concepts,*

méthodes et applications, 2e éd., Boucherville, Gaëtan Morin Éditeur, 1995, p. 477. Nous avons adopté cette traduction par souci d'uniformité.

7. Clayton P. Alderfer, « Existence, Relatedness and Growth : Human Needs » dans *Organizational Settings*, New York, Free Press, 1972.

8. Voir C. Powell, « When Workers Wear Walkmans on the Job », *The Wall Street Jounal*, 11 juillet 1994, p. B1, B8.

9. Voir F. Herzberg, *Work and the Nature of Men*, Cleveland, World, 1966.

10. Voir Frederick Herzberg, Bernard Mausner et Barbara Bloch Synderman, *The Motivation to Work*, 2e éd., New York, John Wiley and Sons, 1959 ; F. Herzberg, « One More Time : How Do You Motivate Employees ? », *Harvard Business Review*, janvier-février 1968 ; Frederick Herzberg, Bernard Mausner et Barbara Bloch Synderman, *The Managerial Choice : To Be Efficient and To Be Human*, Homewood (Ill inois), Dow-Jones-Irwin, 1976.

11. Voir Victor H. Vroom, *Work and Motivation*, New York, John Wiley and Sons, 1964 ; T. Connely, « Some Conceptual and Methodological Issues in Expectancy Models of Work Performance Motivation », *Academy of Management Review*, vol. 1, n° 4, 1976, p. 37-47.

12. Adapté de James H. Donnelly Jr., James L. Gibson et John M. Ivancevich, *Fundamentals of Management*, 6e éd., Plano, Texas, Business Publications inc., 1987, p. 305.

13. Théorie proposée par John Stacey Adams.

14. Extrait du monologue d'Yvon Deschamps, *Les unions qu'ossa donne ?*

15. Voir E. Locke, « Toward a Theory of Task Motivation and Incentives », *Organizational Behavior and Human Performance*, vol. 3, 1968, p. 157-189.

16. B.F. Skinner, *Science and Human Behavior*, New York, Macmillan, 1953.

Chapitre 6

1. Le caractère gras est de nous.

2. Cette information provient de Marc Thibodeau, « Coupe du monde de soccer : La fièvre frappe les élus français », *La Presse*, 8 juin 2010, p. A 19.

3. Sylvie St-Onge, Michel Audet, Victor Haines et André Petit, *Relever les défis de la gestion des ressources humaines*, 2e éd., Montréal, Gaëtan Morin Éditeur, 2004, p. 74.

4. Dominique Lamaute et Bernard Turgeon, *De la supervision à la gestion des ressources humaines : À l'ère d'une GRH en transition*, 3e éd., Montréal, Chenelière Éducation, 2009, p. 34 et 35.

5. Alain Rondeau, « Transformer l'organisation. Comprendre les forces qui façonnent l'organisation et le travail », *Gestion, Revue internationale de gestion*, vol. 24, n° 3, 1999, p. 13.

6. Bruno Fabi, Yves Martin et Pierre Valois, « Favoriser l'engagement organisationnel des personnes œuvrant dans des organisations en transformation. Quelques pistes de gestion prometteuses », *Gestion, Revue internationale de gestion*, vol. 24, n° 3, automne 1999, p. 103.

7. Thierry Wils, Christiane Labelle, Gilles Guérin et Michel Tremblay, « Qu'est-ce que la "mobilisation" des employés ? Le point de vue des professionnels en ressources humaines », dossier spécial présenté chez Samson Bélair-Deloitte & Touche, été 1998, p. 1.

8. *Ibid.*, p. 10.

9. *Ibid.*, p. 6.

10. Bruno Fabi, Yves Martin et Pierre Valois, *op. cit.*, p. 103.

11. Voir Thierry Wils, Christiane Labelle, Gilles Guérin et Michel Tremblay, *op. cit.*, p. 2.

12. *Ibid.*, p. 4.

13. Voir Steven L. McShane et Mary Ann Von Glinow, *Organizational Behavior*, Boston, Irwin/McGraw-Hill, 2000.

14. Bruno Fabi, Yves Martin et Pierre Valois, *loc. cit.*, p. 102-113.

15. *Ibid.*, p. 105.

16. Comme exemple de reconnaissance non financière, on peut citer le cas du Golden Banana Award, remis par les dirigeants de la Hewlett-Packard à tout employé qui soumet une idée permettant de résoudre un problème qui semblait, à priori, sans solution, ou à tout employé qui réalise un « bon coup ». Voir Renée Claude Simard, « Quand une banane est meilleure que de l'argent », *Les Affaires*, décembre 2002, p. 23.

17. Edward E. Lawler et Susan A. Mohrman, « High-Involvement Management », *Personnel*, 1989, p. 26-31.

18. Voir Renée Claude Simard, *loc. cit.*, p. 23.

19. *Ibid.*, p. 23.

20. Voir Sylvie Lemieux, « Mobiliser par la communication », *Les Affaires*, novembre 2003, Cahier C, p. 6.

21. *Ibid.*, p. 6.

22. Pierre Théroux, « Les employés sont au cœur du succès des entreprises », *Les Affaires*, janvier 2004, Cahier A, p. 9.

23. *Ibid.*, p. 9.

24. *Ibid.*, p. 9.

25. *Ibid.*, p. 9.

26. Voir Jean-Sébastien Trudel, « Après la tempête, il faut motiver et outiller ses troupes », *Les Affaires*, février 2004, p. 23.

27. Daphné Cameron, « *La Presse* parmi les journaux les mieux imprimés du monde », *La Presse*, 25 juin 2010, p. A 13.

28. Voir Sylvie Lemieux, « Mobiliser par la communication », *Les Affaires*, novembre 2003, Cahier C, p. 6.

Chapitre 7

1. Ce récit fait suite à deux entrevues que nous a accordées monsieur Michel Roy à ses bureaux de Polymères Technologies inc., au mois de juin 2010.

2. Harold Koontz et Cyril O'Donnell, *Management : principes et méthodes de gestion*, Montréal, McGraw-Hill, 1980, p. 490. Concernant la définition du leadership comme processus d'influence, voir aussi Steven L. McShane et Mary Ann Von Glinow, *Organizational Behavior*, Boston, Irwin/McGraw-Hill, 2000, p. 434.

3. Thomas Gordon, *Leaders efficaces*, Montréal, Le jour, 1995, p. 34.

4. Voir à ce sujet les résultats de l'étude de R. M. Stogdill, *Handbook of Leadership : A Survey of the Literature*, New York, Free Press, 1974.

5. Voir Shimon L. Dolan, Éric Gosselin, Jules Carrière et Gérald Lamoureux, *Psychologie du travail et comportement organisationnel*, 2e éd., Boucherville, Gaëtan Morin Éditeur, 2002, p. 223-224.

6. *Ibid.*, p. 224.

7. *Ibid.*, p. 224.

8. Cette information provident de Roger Pelland, Nancy Brousseau, Robert Fortin et Denis Leroux, *Science-tech : Science et technologie*. Cahier d'apprentissage. Laval, Éditions Grand Duc, 2002, p. 46.

9. Voir Stephen P. Robbins et Nancy Langton, *Organizational Behaviour : Concepts, Controversies, Applications*, Scarborough, Prentice Hall Canada, 1998, p. 405.

10. Shimon L. Dolan, Éric Gosselin, Jules Carrière et Gérald Lamoureux, *op. cit.*, p. 226.

11. Voir R. M. Stogdill et A. E. Coons (dir.), « Leader Behavior : Its Description and Measurement », *Research Monograph*, n° 88, Columbus, Ohio State University, Bureau of Business Research, 1951. Notez que cette étude a été mise à jour dans S. Kerr, C. A. Schriesheim, C. J. Murphy et R. M. Stogdill, « Toward a Contingency Theory of Leadership Based upon the Consideration and Initiating Structure Literature », *Organizational Behavior and Human Performance*, août 1974, p. 62-82. Voir aussi C. A. Schriesheim, C. C. Cogliser et L. L. Neider, « Is It "Trustworthy" ? A Multiple-Levels-of-Analysis Reexamination of an Ohio State Leadership Study, with Implications for Future Research », *Leadership Quarterly*, été 1995, p. 111-145.

12. Stephen P. Robbins et Nancy Langton, *op. cit.*, p. 405.

13. Bernard Turgeon, *La pratique du management*, 3e éd., Montréal, Chenelière/McGraw-Hill, 1997, p. 292.

14. Il s'agit du style qui atteste d'un niveau d'intérêt élevé pour la production et pour les relations humaines. Voir à cet effet Angelo Kinicki et Brian K. Williams, *Management : A Practical Introduction*, 2e éd., Boston, Irwin/McGraw-Hill, 2006, p. 455.

15. Robert Blake et Jane Mouton, *The Managerial Grid*, Houston, Gulf Publishing Co., 1964.

16. Shimon L. Dolan, Éric Gosselin, Jules Carrière et Gérald Lamoureux, *op. cit.*, p. 229.

17. *Ibid.*, p. 232.

18. Stephen P. Robbins et Nancy Langton, *op. cit.*, p. 489-490.

19. Voir Angelo Kinicki et Brian K. Williams, *op. cit.*, p. 460.

20. Shimon L. Dolan, Éric Gosselin, Jules Carrière et Gérald Lamoureux, *op. cit.*, p. 238.

21. D'où l'expression anglaise « He should walk-the-talk ».

22. Les informations proviennent de Nelson Dumais, « Steve Jobs lance l'iPhone 4 et l'iOS 4 », *La Presse*, Cahier Arts et spectacles, 8 juin 2010, p. 6.

Chapitre 8

1. Définition adaptée de Angelo Kinicki et Brian K. Williams, *Management : A Practical Introduction*, Boston, Irwin/McGraw-Hill, 2006, p. 484.

2. Shimon L. Dolan, Éric Gosselin, Jules Carrière et Gérald Lamoureux, *Psychologie du travail et comportement organisationnel*, 2e éd., Boucherville, Gaëtan Morin Éditeur, 2002, p. 153.

3. Bernard Turgeon, *La pratique du management*, 3e éd., Montréal, Chenelière/McGraw-Hill, 1997, p. 321. Voir aussi Stephen P. Robbins et Nancy Langton, *Organizational Behaviour : Concepts, Controversies, Applications*, Scarborough, Prentice Hall Canada, 1999, p. 318.

4. Voir Samuel C. Certo, *Supervision : Concepts and Skillbuilding*, 5e éd., Boston, McGraw-Hill/Irwin, 2006, p. 249.

5. Voir Steven L. McShane, *Canadian Organizational Behaviour*, 5e éd., Toronto, McGraw-Hill/Ryerson, 2004, p. 314.

6. Shimon L. Dolan, Éric Gosselin, Jules Carrière et Gérald Lamoureux, *op. cit.*, p. 154.

7. Yan Barcelo, « L'infobésité gagne les entreprises », *Les Affaires*, 16 avril 2005, p. 55.

8. Ces exemples sont proposés par Bernard Tanguay, *L'art de ponctuer*, Montréal, Chenelière/McGraw-Hill, 1996, p. 18.

9. D'autres exemples sont proposés dans Jean-Sébastien Trudel, « Comment faire échec au travail buissonnier », *Les Affaires*, 26 juin 2004, p. 27.

10. Ces éléments forment ce que les théoriciens appellent les « 5 P » de Schuler. Voir Peter Bamberger et Ilan Meshoulam, *Human Resource Strategy : Formulation, Implementation and Impact*, Thousand Oaks (Californie), Sage Publications Inc., 2000, p. 23.

11. Shimon L. Dolan, Éric Gosselin, Jules Carrière et Gérald Lamoureux, *op. cit.*, p. 163.

12. Bernard Turgeon, *op. cit.*, p. 337.

13. Selon Steven L. McShane, 75 % des informations provenant du réseau de communication informel seraient relativement exactes. Voir Steven L. McShane, *Organizational Behaviour*, 3e éd., Toronto, McGraw-Hill/Ryerson, 1998, p. 214.

14. Les informations ayant permis de créer ce tableau proviennent, en partie, de Gareth R. Jones, Jennifer M. George et Nancy Langton, *Essentials of Contemporary Management*, Toronto, McGraw-Hill/Ryerson, 2005, p. 329.

15. Les informations ayant permis de créer ce tableau sont tirées de Gareth R. Jones, Jennifer M. George et Nancy Langton, *op. cit.*, p. 331.

16. Cette information provient d'un billet du blogue de Stéphane Munnier, « Qu'est-ce que Twitter ? » à l'adresse suivante : http://twitter.mes-secrets.com.

17. *Ibid.*

18. Voir le blogue de Sandra Bellefoy à l'adresse suivante : www.synchro-blogue.com/.../perdre-son-emploi-via-facebook.html -

19. Rappelons la conversation tenue entre le gouverneur de la Californie et le président russe en date du 10 octobre 2010 quand le gouverneur est arrivé à l'aéroport de Moscou et que le président lui a souhaité la bienvenue.

20. Ce questionnaire est inspiré de Shimon L. Dolan, Éric Gosselin, Jules Carrière et Gérald Lamoureux, *op. cit.*, p. 179-182. Il a été adapté aux besoins du présent ouvrage.

Chapitre 9

1. T. Kelley, cité dans P. Sinton, « Teamwork the Name of the Game for Ideo », *San Francisco Chronicle*, 23 février 2000, p. D1 et D3. Tom Kelly est directeur général de Ideo à Palo Alto, en Californie. Cette entreprise a collaboré à la création de la souris de Apple et de l'ordinateur de poche Palm V.

2. Voir B. Aubrey Fisher et Donald G. Ellis, *Small Group Decision Making*, 4e éd., New York, McGraw-Hill, 1993, p. 10.

3. Voir www.steelcase.com.

4. Voir K. Rude, « Retrofitting a Community of Spaces : When Steelcase Canada Moved Its Toronto-area Operations Under One Roof, Quadrangle Architects Provided a Renovated Facility in Markham That Showcases the Latest Workplace Strategies », *Canadian Interiors*, janvier-février 2001, p. 42-35, cité dans Gareth R. Jones *et al.*, *Contemporary Management*, 1re éd. canadienne, Toronto, McGraw-Hill Ryerson, 2002, p. 412.

5. Voir Marlene E. Turner (dir.), *Groups at Work : Theory and Research*, Mahwah (New Jersey), Lawrence Erlbaum Associates, 2001.

6. Stephen Robbins Timothy Judge et Philippe Babillier, *Comportements organisationnels*, Paris, Pearson Education, 2007.

7. Certains des éléments mentionnés sont inspirés de D. Nadler, J. R. Hackman et E. E. Lawler III, *Managing Organizational Behavior*, Boston, Little Brown, 1979, p. 102.

8. L'organisation internationale de normalisation, l'ISO, est une organisation non gouvernementale créée en 1947. Elle a pour mission de favoriser le développement de la normalisation et des activités connexes dans le monde en vue de faciliter, entre les nations, les échanges de biens et de services, et de promouvoir la coopération sur les plans intellectuel, scientifique, technique et économique. Les travaux de l'ISO aboutissent à des accords internationaux qui sont publiés sous la forme de normes internationales. « ISO » est un mot dérivé du grec *isos*, signifiant « égal » ; le préfixe « iso- » est utilisé dans une multitude de termes.

9. Voir E. Sundstrom, K. P. DeMeuse et D. Futrell, « Work Teams », *American Psychologist*, février 1990, p. 120-133

10. SAP R/3 est le logiciel standard de gestion intégrée le plus répandu dans le monde. Il permet d'intégrer toutes les fonctions et tous les processus d'une entreprise et de diriger les flux d'informations, c'est-à-dire d'envoyer toutes les informations nécessaires au bon moment et à la bonne place. Il fournit donc à l'utilisateur une infrastructure informatique et technique flexible pour soutenir et optimiser les affaires opérationnelles et stratégiques. Tout est intégré dans un système global pour planifier, diriger et contrôler, et les processus entiers de l'entreprise sont liés aux processus des filiales, des clients, des partenaires et des fournisseurs ; tout cela dans le but de pouvoir rapidement réagir aux changements sur le marché.

11. Voir Michael T. Brannick, Carolyn Prince et Eduardo Salas, *Team Performance Assessment and Measurement : Theory, Methods, and Applications*, Mahwah (New Jersey), Lawrence Erlbaum Associates, 1997.

12. Voir B. Mullen et C. Cooper, « The Relation between Group Cohesiveness and Performance : An Integration », *Psychological Bulletin*, vol. 115, 1994, p. 210-217 ; Richard Hackman et Richard E. Walton, « Leading Groups in Organizations », dans Paul S. Goodman *et al.*, *Designing Effective Work Groups*, San Francisco, Jossey-Bass, 1986, p. 72-119.

13. Le texte de cette section est inspiré d'une étude classique de Richard Heslin et Dexter Dunphy, « Three Dimensions of Member Satisfaction in Small Groups », *Human Relations*, mai 1964, p. 99-112.

14. Plusieurs versions de cet exercice ont été élaborées au cours des années. Celui-ci est une adaptation de A. B. Shani et James B. Lau, tirée de *Behaviour In Organizations*, McGraw-Hill/Irwin, Boston, 2005, p. 133.

Chapitre 10

1. Pour une revue des différentes définitions des conflits, voir J. A. Wall Jr. et R. R. Callister, « Conflict and Its Management », *Journal of Management*, vol. 21, n° 3, 1995, p. 549-599.

2. Inspiré de Kenneth W. Thomas, « Conflict and Negotiation Processes in Organizations », dans M. D. Dunnette et L. M. Hough (dir.), *Handbook of Industrial and Organizational Psychology*, 2e éd., Palo Alto (Californie), Consulting Psychologists Press, 1992, vol. 3, p. 651-717 ; Kenneth W. Thomas, « Conflict and Conflict Management », dans M. D. Dunnette (dir.), *Handbook of Industrial and Organizational Psychology*, Skokie (Illinois), Rand McNally, 1976, p. 891, repris par Pierre Dubois, « Le behavior modeling II – Comment résoudre des conflits interpersonnels », *Revue Commerce*, mars 1980, p. 76. Voir, au sujet de la classification des conflits, K. W. Thomas, *op. cit.*, p. 902.

3. Voir à ce sujet. C. De Dreu et E. Van de Vliert (dir), *Using Conflict in Organizations*, Sage Publications, 1997 Londres,.

4. Lire à ce sujet. *Beneficial Consequences of Conflict Behavior In An Organisation*, CIO, 2 septembre 2007, http://advice.cio.com/abdhiraj/beneficial_consequences_of_conflict_behavior_in_an_organisation.

5. Les éléments de cette section sont inspirés de S. P. Robbins et N. Langton, *Organizational Behaviour*, Scarborough, Prentice-Hall, 1999, p. 494-505 ; S. P. Robbins, *Managing Organizational Conflict : A Nontraditional Approach*, Englewood Cliffs, Prentice-Hall, 1974, p. 31-55 ; Calvin Morrill, *Using Conflict in Organizations*, Thousand Oaks (Californie), Carsten De Dreu et Evert Van De Vliert, 1997.

6. Ce que Stephen Robbins nomme « l'intention ». Voir Stephen Roffins et Timothy Judge, *Comportements organisationnels*, France, 12e éd., Pearson Education, 2006.

7. Voir le chapitre 7 concernant le leadership. À lire : Fred E. Fieldler, « The Contribution of Cognitive Resources to Leadership Performance », *Journal of Applied Social Psychology*, vol. 16, 1986, p. 532-548 ; Fred E. Fiedler et Joseph E. Garcia, *New Approaches to Effective Leadership : Cognitive Resources and Organizational Performance*, New York, Wiley, 1987.

8. « Quebecor dépose une proposition dans le conflit au Journal de Montréal », publié par *La Presse Canadienne* le jeudi 9 septembre 2010. www.985fm.ca/economie/nouvelles/quebecor-depose-une-proposition-dans-le-conflit-au-32133.html.

9. Catégorisation proposée par C. B. Derr, « Managing Organizational Conflict : Collaboration, Bargaining and Power Approaches », *California Management Review*, vol. 21,

n° 2, hiver 1978, p. 77. Il est aussi intéressant d'analyser les techniques de résolution et de stimulation des conflits proposées par S. P. Robbins, *op. cit.*, p. 59-89.

10. Pour plus de détails sur les sources de pouvoir, lire G. Gilman, « An Inquiry into the Nature of Authority », dans M. Haire, *Organization Theory and Industrial Practice*, New York, Wiley and Sons, 1962 ; D. C. Lortie, « The Balance of Control and Autonomy in Elementary School Teaching », dans A. E. Tzion, *The Semi-Professions and Their Organizations*, New York, Free Press, 1969 ; G. L. Peabody, « Power Alinsky and Other Thoughts », dans H. Hornstein *et al.*, *Social Intervention*, New York, Free Press, 1971.

11. Inspiré de R. N. Lussier, *Supervision, a Skill-Building Approach*, 2e éd., Chicago, Irwin, 1994, p. 257.

12. Inspiré d'un questionnaire de M. A. Rahim, « A Measure of Styles of Handling Interpersonal Conflict », *Academy of Management Journal*, juin 1983, p. 368-376. Ce questionnaire a été élaboré à l'aide des styles de gestion des conflits proposés par K. W. Thomas, *loc. cit.*, p. 889-935.

Chapitre 11

1. Voir les textes de G. Hamel, *Leading the Revolution*, Boston, HBS Press Book, 1999 ; M. Schrage, *Serious Play*, Boston, HBS Press Book, 1999 ; T. Amabile *et al.*, Harvard *Business Review on Breakthrough Thinking*, HBS Press Book, 1999 (plus d'une dizaine d'articles) ; G. Hamel *et al.*, *Disruptive Threat : When Business as Usual Just Won't Do*, Boston, HBR On Point Collection, 2000.

2. Lire à ce sujet les prédictions TMT pour les entreprises canadiennes : Deloitte – Samson Bélair/Deloitte et Touche, 19 janv. 2010, *Les Prédictions TMT 2010 de Deloitte Canada révèlent que : ce qui fait l'affaire devient plus que parfait*, www.marketwire.com/press-release/Les-Predictions-TMT-2010-de-Deloitte-Canada-revelent-que-ce-qui-fait-laffaire-devient-1103510.htm.

3. Quelques suggestions de lecture : Michel Arcand, *La gestion du changement*, Paris, Éditons nouvelles, 2008 ; Dufour, Laurent et Richard Bourrelly, *Jeux et outils pour conduire le changement*, Paris, ESF éditeur, 2010 ; et Pierre Achard, *Oser le changement*, Paris, AFNOR, 2010.

4. Définitions fournies par Peter F. Drucker, « A Prescription for Entrepreneurial Management », *Industry Week*, 29 avril 1985, p. 33-38.

5. Caractéristiques proposées par Rosabeth Moss Kanter, citée dans Kathryn M. Bartol et David C. Martin, *Management*, 3e éd., New York, McGraw-Hill, 1998, p. 352-353.

6. Terme utilisé dans le merveilleux petit manuel de Patricia Pitcher, *Artistes, artisans et technocrates dans nos organisations*, Montréal, Québec/Amérique ; Presses HEC, 1994.

7. Renseignements concernant Ford Motor : www.ford.ca/app/fo/fr/our_company.do.

8. Renseignements concernant General Motor : www.gm.ca/inm/gmcanada/french/about/index.html.

9. Renseignements concernant Chrysler Motor : http://media.chrysler.com/newsroom.do ?id=9&mid=2.

10. Lire à ce sujet. Olivier Meier, (dir.) *Gestion du changement*, Paris, Dunod, 2007.

11. Voir Ralph H. Kilmann *et al.*, « Issues in Understanding and Changing Culture », *California Management Review*, vol. 28, 1986, p. 87-94.

12. Les causes et les stratégies énumérées sont tirées principalement de John P. Kotter et Leonard A. Schlesinger, « Choosing Strategies for Change », *Harvard Business Review*, mars-avril 1979, p. 106-114; Paul R. Lawrence, « How to Deal with Resistance to Change », *Harvard Business Review*, janvier-février 1969, p. 4-14, 166-176 ; Pierre Simon, *Le*

ressourcement humain, Montréal, Éditions Agence D'Arc, 1970, p. 149-153 ; Gerald Zaltman et Robert Duncan, *Strategies for Planned Change*, New York, John Wiley and Sons, 1977, chap. 4.

13. Voir R. J. Herbold, « Inside Microsoft : Balancing Creativity and Discipline », *Harvard Business Review*, janvier 2002, p. 72.

14. Voir J. T. Perry, Gary P. Schneider, V. Turgeon et B. Turgeon, *Le commerce électronique*, Repentigny, Les éditions Reynald Goulet, 2002, chap. 1.

15. Voir S. Hinckley, « A Closer Look at Participation », *Organizational Dynamics*, vol. 13, n° 3, hiver 1985, p. 57-67 ; Paul R. Lawrence, *op. cit.*, p. 4-12, 166-176.

16. Méthode d'analyse développée par Kurt Lewin. Kurt Lewin, *Field Theory in Social Science : Selected Theoretical Papers*, New York, Harper, 1951 *et al.* ; Michael Beer, Russell A. Eisenstat et Bert Spector, « Why Change Programs Don't Produce Change », *Harvard Business Review*, novembre-décembre 1990, p. 158-166.

17. Ce modèle a été proposé par K. Lewin et modifié par E. Schein. K. Lewin, *op. cit.*

18. Voir Peter Drucker, « A Prescription for Entrepreneurial Management », *Industry Week*, 29 avril 1985, p. 33-34.

19. Inspiré de D. A. Nadler, « Managing Organizational Change : An Integrative Approach », *Journal of Applied Behavioral Science*, vol. 17, 1981, p. 191-211.

Chapitre 12

1. Voir Kinicki Angelo et Brian K. Williams, « Six challenges to being a star manager », *Management*, 4e éd., Boston, McGraw-Hill/Irwin, 2008.

2. Bloomberg, « Ford sur le chemin de Toyota », *La Presse*, Cahier Carrières/Formation/Emplois, 23 juillet 2005, p. 4.

3. Voir Frank W. Abagnale, *The Art of the Steal : How to Recognize and Prevent Fraud — America's #1 Crime*, New York, Broadway Books, 2001. Parmi d'autres exemples possibles, l'ouvrage relate l'affaire Nick Leeson, le courtier britannique qui a provoqué la déroute de la banque d'affaires Barings en 1995. Plus près de nous, le cas de Cinar illustre très bien l'absence de contrôle des transactions qui a permis un détournement de plus de 120 millions de dollars (voir à ce sujet Francis Vailles, « Fonds transférés aux Bahamas », *La Presse*, Cahier Affaires, Montréal, 12 octobre 2004, p. 3).

4. Inspiré de Kathryn M. Bartol et David C. Martin, *Management*, 3e éd., Boston, McGraw-Hill, 1998, p. 512-513.

5. La classification est celle de W. G. Ouchi. Voir W. G. Ouchi, « A Conceptual Framework for the Design of Organizational Control Mechanisms », *Management Science*, vol. 25, 1979, p. 833-848 ; W. G. Ouchi, « Markets, Bureaucracies and Clans », *op. cit.*, p. 129-141.

6. Voir William G. Dyer, *Team Building : Issues and Alternatives*, 2e éd., Reading (Massachusetts), Addison-Wesley, 1987 ; Peter Block, *The Empowered Manager*, San Francisco, Jossey-Bass, 1987 ; C. C. Manz et H. P. Sims Jr., *SuperLeadership : Leading Others to Lead Themselves*, New York, Simon & Schuster, 1989.

7. S.A.P. : leader mondial en matière de solutions logicielles interentreprises.

8. PeopleSoft : un des leaders mondiaux en matière de solutions logicielles interentreprises par Internet.

9. Système de localisation qui permet, à un moment précis, de déterminer la position d'un véhicule qui se déplace en se servant de signaux émis par des satellites placés en orbite autour de la Terre (GPS : *Global Positioning System*).

Lexique français-anglais

TERMES FRANÇAIS	TERMES ANGLAIS
Allocation des ressources	Allowance of resources
Analyse des champs de forces	Force-field analysis
Aplanissement des structures	Downsizing
Assiduité	Diligence
Attente	Expectancy
Autorité	Authority
Autorité de conseil	Staff authority
Autorité fonctionnelle	Functional authority
Autorité hiérarchique	Line authority
Besoin	Need
Besoin acquis	Acquired need ou learned need
Besoin d'accomplissement	Need for achievement
Besoin d'affiliation	Need for affiliation
Besoin d'appartenance	Social need
Besoin d'estime	Esteem need
Besoin de croissance	Growth need
Besoin de pouvoir	Need for power
Besoin de réalisation	Self-actualization need
Besoin de sécurité	Security need
Besoin lié au maintien	Existence need
Besoin physiologique	Physiological need
Besoin relationnel	Relatedness need
Bilan	Balance sheet
Bruit	Noise
Budget	Budget
Changement	Change
Changement planifié	Planned change
Changement réactionnel	Reactive change
Cohésion de l'équipe	Team cohesiveness
Collecticiel	Groupware program
Communication	Communication
Compétence	Skill
Compétence administrative	Administrative skill
Compétence conceptuelle	Conceptual skill
Compétence douce	Soft skill
Compétence liée aux relations humaines	Human skill
Compétence technique	Technical skill
Conflit approche-approche	Approach-approach conflict
Conflit approche-évitement	Approach-avoidance conflict
Conflit approche-évitement multiple	Multiple approach-avoidance conflict
Conflit évitement-évitement	Avoidance-avoidance conflict
Conflit intergroupe	Intergroup conflict
Conflit interorganisationnel	Interorganizational conflict
Conflit interpersonnel	Interpersonal conflict
Conflit intragroupe	Intragroup conflict
Contrôle	Controlling, control
Contrôle budgétaire	Budgetary control
Contrôle bureaucratique	Bureaucratic control
Contrôle concomitant	Concurrent control
Contrôle opérationnel	Operational control
Contrôle organisationnel	Organizational control ou clan control
Contrôle préventif	Feedforward control
Contrôle rétroactif	Feedback control
Contrôle stratégique	Strategic control
Contrôle tactique	Tactical control
Cooptation	Cooptation
Critère d'évaluation	Criteria of evaluation
Culture	Culture
Culture organisationnelle	Organizational culture
Décision non programmée	Unprogrammed decision
Décision programmée	Programmed decision
Décodage	Decoding
Départementalisation	Departmentation
Direction	Direction, leading
Efficacité	Effectiveness
Efficience	Efficiency
Élargissement des tâches	Job enlargement
Émetteur	Sender
Emploi atypique	Atypical job
Encodage	Encoding
Engagement organisationnel	Positive organizational behavior
Enrichissement des tâches	Job enrichment
Équipe	Team
Équipe autonome	Self-management team
Équipe de direction	Top-management team
Équipe de recherche et développement	Research and development team
Équipe de travail	Work team
Équipe fonctionnelle	Functional group
Équipe multidisciplinaire	Cross-functional team
Équipe virtuelle	Virtual team
État des résultats	Profit and loss statement
Éthique	Ethics
Éventail de subordination	Span of control
Facteur de conditionnement ou d'hygiène	Hygiene factor
Facteur de motivation	Satisfier factor ou motivator
Facteur inhérent	Intrinsically motivated behavior
Facteurs environnementaux	Extrinsically motivated behavior
Flânerie	Loafting
Flexibilité organisationnelle	Organizational flexibility
Force négative	Restraining force
Force positive	Driving force
Gestionnaire	Manager
Grille managériale	Managerial grid
Groupe	Group
Groupe autonome	Self managing work team
Groupe d'amitié	Friendship group
Groupe d'intérêt	Interest group
Groupe formel	Formal group
Groupe informel	Informal group
Habilitation	Empowerment
Impartition	Outsourcing
Incompatibilité des objectifs	Incompatibility of objectives
Influence	Influence
Innovation	Innovation
Interaction	Interaction
Interdépendance des rôles et des tâches	Role and task interdependence
Interdépendance des tâches	Task interdependence
Internet	Internet
Intranet	Intranet
Leadership	Leadership
Leadership transactionnel	Transactional leadership
Leadership transformationnel	Transformational leadership
Mesure de rendement	Performance measure
Mission	Mission
Mobilisation	Commitment
Motivation	Motivation
Motivation au travail	Motivation at work
Niveau d'effort	Level of effort
Norme	Norm
Norme ISO	ISO norm
Objectif	Objective
Organisation	Organization
Orientation du comportement	Behavior choice
Partie intéressée	Stakeholder
Perception du lien d'instrumentalité	Instrumentality
Persistance	Obstinacy
Piètre système de rémunération	Poorly designed reward system
Plan	Plan
Planification	Planning
Plan opérationnel	Operational plan
Plan stratégique	Strategic plan
Plan tactique	Tactical plan
Politique	Policy
Pouvoir	Power
Pouvoir de coercition	Coercive power
Pouvoir de récompense	Reward power
Pouvoir formel	Legitimate power
Principe d'exception	Exception principle
Principe de l'éventail de subordination	Span of management
Principe de l'unité de commandement	Unity of command
Principe de parité	Parity principle
Principe des échelons	Scalar principle
Prise de décision	Decision making
Procédure	Procedure
Processus	Process
Processus d'apprentissage par observation	Vicarious learning
Processus d'autorégularisation	Self control
Processus de symbolisation	Symbolic process
Programme	Program
Ratio financier	Financial ratio
Rationalité limitée	Bounded rationality
Récepteur	Receiver
Règle	Rule
Règlement	Rule
Rendement	Job performance
Réseau formel de communication	Formal communication channel

TERMES FRANÇAIS	TERMES ANGLAIS
Réseau informel de communication	Informal communication channel
Resquillage	Free ride
Restructuration	Restructuring
Rétroaction	Feedback
Risque	Risk
Rôle	Role
Rôle de soutien	Relationship-building role
Rôle de tâches	Task-facilitating role
Rotation des emplois	Job rotation

TERMES FRANÇAIS	TERMES ANGLAIS
Simplification du travail	Job simplification
Socialisation	Socialization
Stratégie	Strategy
Structure en réseaux	Network structure
Structure matricielle	Matrix structure
Structure verticale	Line structure
Style de leadership	Leadership style
Surspécialisation du travail	Job simplification
Synergie	Synergy
Taux de roulement	Turnover rate

TERMES FRANÇAIS	TERMES ANGLAIS
Théorie de la motivation	Motivation theory
Théorie du cheminement critique	Path-goal theory
Valeur	Valence
Vérification	Audit
Vérification externe	External audit
Vérification interne	Internal audit

Lexique anglais-français

TERMES ANGLAIS	TERMES FRANÇAIS
Acquired need ou learned need	Besoins acquis
Administrative skill	Compétence administrative
Allowance of resources	Allocation des ressources
Approach-approach conflict	Conflit approche-approche
Approach-avoidance conflict	Conflit approche-évitement
Atypical job	Emploi atypique
Audit	Vérification
Authority	Autorité
Avoidance-avoidance conflict	Conflit évitement-évitement
Balance sheet	Bilan
Behavior choice	Orientation du comportement
Bounded rationality	Rationalité limitée
Budget	Budget
Budgetary control	Contrôle budgétaire
Bureaucratic control	Contrôle bureaucratique
Change	Changement
Coercive power	Pouvoir de coercition
Commitment	Mobilisation
Communication	Communication
Conceptual skill	Compétence conceptuelle
Concurrent control	Contrôle concomitant
Control	Contrôle
Controlling	Contrôle
Cooptation	Cooptation
Criteria of evaluation	Critère d'évaluation
Cross-functional team	Équipe multidisciplinaire
Culture	Culture
Decision making	Prise de décision
Decoding	Décodage
Departmentation	Départementalisation
Diligence	Assiduité
Direction	Direction
Downsizing	Aplanissement des structures
Driving force	Force positive
Effectiveness	Efficacité
Efficiency	Efficience
Empowerment	Habilitation
Encoding	Encodage
Esteem need	Besoin d'estime
Ethics	Éthique
Exception principle	Principe d'exception
Existence need	Besoin lié au maintien
Expectancy	Attentes
External audit	Vérification externe
Extrinsically motivated behavior	Facteurs environnementaux

TERMES ANGLAIS	TERMES FRANÇAIS
Feedback	Rétroaction
Feedback control	Contrôle rétroactif
Feedforward control	Contrôle préventif
Financial ratio	Ratio financier
Force-field analysis	Analyse des champs de forces
Formal communication channel	Réseau formel de communication
Formal group	Groupe formel
Free ride	Resquillage
Friendship group	Groupe d'amitié
Functional authority	Autorité fonctionnelle
Functional group	Équipe fonctionnelle
Group	Groupe
Groupware program	Collecticiel
Growth need	Besoin de croissance
Human skill	Compétence liée aux relations humaines
Hygiene factor	Facteur de conditionnement ou d'hygiène
Incompatibility of objectives	Incompatibilité des objectifs
Influence	Influence
Informal communication channel	Réseau informel de communication
Informal group	Groupe informel
Innovation	Innovation
Instrumentality	Perception du lien d'instrumentalité
Interaction	Interaction
Interest group	Groupe d'intérêt
Intergroup conflict	Conflit intergroupe
Internal audit	Vérification interne
Internet	Internet
Interorganizational conflict	Conflit interorganisationnel
Interpersonal conflict	Conflit interpersonnel
Intragroup conflict	Conflit intragroupe
Intranet	Intranet
Intrinsically motivated behavior	Facteur inhérent
ISO norm	Norme ISO
Job enlargement	Élargissement des tâches
Job enrichment	Enrichissement des tâches
Job performance	Rendement
Job rotation	Rotation des emplois
Job simplification	Simplification du travail, surspécialisation du travail
Leadership	Leadership
Leadership style	Style de leadership

TERMES ANGLAIS	TERMES FRANÇAIS
Leading	Direction
Legitimate power	Pouvoir formel
Level of effort	Niveau d'effort
Line authority	Autorité hiérarchique
Line structure	Structure verticale
Loafting	Flânerie
Manager	Gestionnaire
Managerial grid	Grille managériale
Matrix structure	Structure matricielle
Mission	Mission
Motivation	Motivation
Motivation at work	Motivation au travail
Motivation theory	Théorie de la motivation
Multiple approach-avoidance conflict	Conflit approche-évitement multiple
Need	Besoin
Need for achievement	Besoin d'accomplissement
Need for affiliation	Besoin d'affiliation
Need for power	Besoin de pouvoir
Network structure	Structure en réseaux
Noise	Bruit
Norm	Norme
Objectives	Objectifs
Obstinacy	Persistance
Operational control	Contrôle opérationnel
Operational plan	Plan opérationnel
Organization	Organisation
Organizational control ou clan control	Contrôle organisationnel
Organizational culture	Culture organisationnelle
Organizational flexibility	Flexibilité organisationnelle
Outsourcing	Impartition
Parity principle	Principe de parité
Path-goal theory	Théorie du cheminement critique
Performance measure	Mesure de rendement
Physiological need	Besoin physiologique
Planned change	Changement planifié
Planning	Planification
Plan	Plan
Policy	Politique
Poorly designed reward system	Piètre système de rémunération
Positive organizational behavior	Engagement organisationnel
Power	Pouvoir

TERMES ANGLAIS	TERMES FRANÇAIS
Procedure	Procédure
Process	Processus
Profit and loss statement	État des résultats
Program	Programme
Programmed decision	Décision programmée
Reactive change	Changement réactionnel
Receiver	Récepteur
Relatedness need	Besoin relationnel
Relationship-building role	Rôle de soutien
Research and development team	Équipe de recherche et développement
Restraining force	Force négative
Restructuring	Restructuration
Reward power	Pouvoir de récompense
Risk	Risque
Role	Rôle
Role and task interdependence	Interdépendance des rôles et des tâches
Rule	Règlement, règle

TERMES ANGLAIS	TERMES FRANÇAIS
Satisfier factor ou motivator	Facteur de motivation
Scalar principle	Principe des échelons
Security need	Besoin de sécurité
Self-actualization need	Besoin de réalisation
Self control	Processus d'autorégularisation
Self-management team	Équipe autonome
Self managing work team	Groupe autonome
Sender	Émetteur
Skill	Compétence
Social need	Besoin d'appartenance
Socialization	Socialisation
Soft skill	Compétence douce
Span of control	Éventail de subordination
Span of management	Principe de l'éventail de subordination
Staff authority	Autorité de conseil
Stakeholder	Partie intéressée
Strategic control	Contrôle stratégique
Strategic plan	Plan stratégique
Strategy	Stratégie
Symbolic process	Processus de symbolisation

TERMES ANGLAIS	TERMES FRANÇAIS
Synergy	Synergie
Tactical control	Contrôle tactique
Tactical plan	Plan tactique
Task-facilitating role	Rôle de tâches
Task interdependence	Interdépendance des tâches
Team	Équipe
Team cohesiveness	Cohésion de l'équipe
Technical skill	Compétence technique
Top-management team	Équipe de direction
Transactional leadership	Leadership transactionnel
Transformational leadership	Leadership transformationnel
Turnover rate	Taux de roulement
Unity of command	Principe de l'unité de commandement
Unprogrammed decision	Décision non programmée
Valence	Valeur
Vicarious learning	Processus d'apprentissage par observation
Virtual team	Équipe virtuelle
Work team	Équipe de travail

Index